SFV

Fritz J. Raddatz

Die Nachgeborenen

Leseerfahrungen mit zeitgenössischer Literatur

S. Fischer

Umschlagentwurf: Manfred Walch, Neu-Isenburg
Satz: Fotosatz Otto Gutfreund, Darmstadt
Druck: Gutmann, Heilbronn
Einband: G. Lachenmaier, Reutlingen
Printed in Germany 1983
ISBN 3 10 062802 0

Inhalt

Vorbemerkung

Dieses Buch ist keine Literaturgeschichte – die vielleicht ein Einzelner, sämtliche Namen, Werke, Zusammenhänge analysierend, nicht schreiben kann; es ist allerdings der Versuch, Geschichte und Literatur als dialektische Einheit zu begreifen: die eine das andere bedingend, hindernd, verletzend. Insofern ist es ein Materialienband.
Dieses Buch ist auch kein Literaturlexikon – wer einen kompletten kursorischen Überblick erwartet über die Arbeit aller Autoren, die die deutschsprachige Literatur seit 1945 mitprägten, möge es nicht lesen; ein neuer Soergel mit Bild, Biographie und »kurzer Einschätzung des Werks« war nicht beabsichtigt: vielmehr diskursive Überlegungen zu Schriftstellern oder kulturpolitischen Zusammenhängen, die den Verfasser besonders interessierten. Insofern ist es kein Materialienband.
Dieses Buch ist damit so subjektiv wie sein Gegenstand, so zögernd auch und gelegentlich widersprüchlich – es ist interpretierende Auswahl aus der Welt der Literatur wie diese Auswahl von Welt ist; ein Stück eigener Lebenserfahrung allemal, ein Eingestehen von Umgang und manchmal von Scheitern: es gibt Werke, Autoren vielleicht, die einem Kritiker unzugänglich bleiben; wer das nicht bekennt, lebt der Literatur fern. Insofern ist es ein Dokument.
Nämlich der eigenen Lese- und Lebenserfahrung – und das heißt: vielfach gebrochen, gespiegelt, vom Echo verführt und vom Bild verleitet. Ich gebe zu: Das Angebot fremder Phantasie, das jedes noch so kleine Stück Literatur enthält, setzt meine Wahrnehmung nur in Gang, wenn es ein Teilchen der eigenen Phantasien, Wünsche, Hoffnungen, Ängste aufdeckt – anfachend oder beschwichtigend. Die Gedichte, die ein Mensch auswendig weiß, sind *seine* Gedichte – ein anderer hat sie geschrieben. Die Theaterabende, an die er sich erinnert, haben etwas mit ihm angerichtet, eigenen Traum, eigene Not sinnlich erfahren lassen; es mag viele andere, bessere, wichtigere gegeben haben: dies sind *seine* Theaternächte. Man nennt es gelegentlich »Erlebnis«. Wer sich durch ein Bild tastet – ob die höhnische Zeremonie von Las Meninas, die Faunen-Lockung der Suite Vollard oder die Verfinsterungen des Mark Rothko –, sucht immer auch sich; auch wenn er nicht ankommt wie Hemingway,

der seine Bewunderung für Cézanne nahezu mürrisch abschloß mit dem Satz »... und außerdem ist das ein Geheimnis«.

»Jegliches Werk vereint in sich ein Verlangen, ein Tun, ein Denkbild, einen Stoff« sagte Paul Valéry; es ist immer auch Verlangen, Tun, Denkbild und Stoff dessen, der dem Werk begegnet. Diese Begegnung kann Ungerechtigkeit bergen, zu Urteilen führen, die andere ganz und gar nicht teilen – oder auch zum Ausweichen vor einem Autor, einem Œuvre. Urteil und Irrtum sind enge Nachbarn. Wolfgang Hildesheimer benannte diesen Vorgang einmal: »Wo andere einen Horizont haben, habe ich Berge.« Wer da irrt – der Autor oder sein Kritiker –, wird endgültig erst spät oder gar nicht entschieden.

Ein Beispiel für diese Ambivalenz mag im vorliegenden Buch die Untersuchung zu den Arbeiten von Peter Weiss sein, der, betroffen und verletzt vom negativen Urteil über seinen Roman »Die Ästhetik des Widerstands«, erst kurz vor seinem Tode zu einer versöhnten Nachdenklichkeit über die Bedenken bereit war; er ist übrigens – sein Tod traf mitten in die Arbeit an diesem Buch – der einzige Zeitgenosse von den hier analysierten Schriftstellern, der nicht mehr lebt. Das Werk von Thomas Mann etwa, von Brecht oder von Benn scheint immer wieder auf, als Einfluß, Gegenpol oder Folie für die jüngere Literatur; es wird im einzelnen nicht untersucht.

Während der Arbeit ist ohnehin, in größerem Maße als vorher angenommen, ein starkes Geflecht von Beziehungen der deutschen Gegenwartsliteratur, der Verbindung von Autoren untereinander deutlich geworden: ob Enzensberger über Grass schrieb, Walser über Hochhuth, Jürgen Becker über Peter Weiss oder Johnson über Enzensberger – Verflechtungen, manchmal Cliquenkämpfe, manchmal aus Freundschaften erwachsene Feindschaften bilden dann doch so etwas wie eine eigene Literaturgeschichte; weil diese Nähe, Berührungen, Polemiken, Entfernungen stets zu tun hatten mit den Dingen des Tages, mit den aktuellen Zeitläufen, die das Werk jedes Autors einschmolz.

Von dem vielen, was dieses Buch nicht ist, ist es auch nicht: Benennung vom hohen Kothurn, Zensurenverteilung – lediglich von einem fernen Katheder herab. Es ist Zeugenschaft eines Zeitgenossen – gibt es doch kaum einen der hier erörterten Schriftsteller, mit dem der Verfasser nicht durch gemeinsame Arbeit verbunden war und ist, in Buchreihen oder durch Editionen, Polemiken, öffentliche Debatten oder Fernsehdispute, Sammelbände oder Versammlung an allerlei Ort, ob Plenum oder Weinstube.

Deshalb ist, was hier bedacht, beobachtet und aufgeschrieben – auch

außer acht gelassen – wurde, in der vielfachen Brechung des Werks der präsentierten Schriftsteller auch Ausstellung des eigenen Lebens. Das wäre so nicht, wären sie nicht so.
Also: keine Literaturgeschichte der Nachkriegszeit. Aber: die Nachkriegszeit als Geschichte in der Literatur; wenn Geschichte das Zeitgeschehen bindet, und wenn Literatur bannt, was jedem Einzelnen von uns da geschah und geschieht.

Hamburg, März 1983 Fritz J. Raddatz

1.
Die deutsche Nachkriegsliteratur begann im Kriege

Die Schubladen waren leer, eine Stunde Null hatte nie geschlagen, und einen »Kahlschlag« gab es nicht: Die deutsche Nachkriegsliteratur hat nicht nach dem Krieg begonnen.

Wolfgang Borchert, als Person wie als Autor gemeinhin zur Symbolfigur einer neuen deutschen Literatur nach Gas und Mord stilisiert, hatte zwar dekretiert: »Zu guter Grammatik fehlt uns die Geduld... sag deinem Kumpel die Wahrheit, beklau ihn im Hunger, aber sag es ihm dann. Und erzähl deinen Kindern nie vom heiligen Krieg: Sag die Wahrheit, sag sie so rot, wie sie ist: voll Blut und Mündungsfeuer und Geschrei«;[1] aber seine Sprache wie sein Weltgefühl sind keineswegs Beispiel für Traditionsbruch. Das Heimkehrerdrama »Draußen vor der Tür« ist bis in den Aufbau, bis in kleinste Sequenzen Ernst Tollers »Hinkemann« des Jahres 1924 nachempfunden, und im Brief an eine Freundin stellt er sich in eine sehr bezeichnende Überlieferung: »Wenn Du mal irgendwas willst, schreib es mir – ich mache Dir gern eine kleine Freude! Etwas von Rilke, Trakl, Hölderlin, Shakespeare oder... von mir?«[2] Wolfdietrich Schnurre verordnet zwar 1949 den »Auszug aus dem Elfenbeinturm«: »Ästhetizismus verseucht... er macht hochmütig, dieser Ästhetendünkel, hochmütig auf Kosten des Menschen«;[3] aber dieser Passus aus seiner Erzählung »Ein Leben« ist nicht nur auf anspruchsvolle Weise überstilisiert, sondern könnte auch einen Ehrenplatz einnehmen in jeder Anthologie des Expressionismus:

»Die Nacht hatte ihr Zimmerhaar gegen die Zimmerdecke gestemmt, man hörte den glasigen Pelz an den Gipstrauben kratzen, wenn sie mit ihren Kleiderschranklungen einen knarrenden Atemzug tat. Manchmal hob sie träge eines ihrer im Wind klappernden Lider, und durch den flatternden Sehschlitz blitzte, mit milchigblauem Augapfelperlmutt unterlegt, schielend die Mondpupille herein. Die Stühle animierte das sehr; gleichen fingen sie an, im Takt des Schnakengeigengesumms ihre gefalzten Heuschreckenbeine zu schwingen und, um die mürrisch über ihr Treibrad gekauerte Nähmaschine herum, steif einen streng abgezirkelten Schreittanz zu zelebrieren.

Oft, kam auch, baldrianduftend und ächzend die Kupferknopffaust vor die klirrenden Eingeweide gepreßt, auf seinen abgeblätterten Geißenhufen das Nachttischchen angestöckelt und gab einem teelöffelweis Traumingredienzien zu essen: Fledermausflügeloblaten, Spinnenbeinsirup, Katzenlakritze.«[4]

Alfred Andersch summiert zwar 1947 in seinem Aufsatz »Deutsche Literatur in der Entscheidung«: »Die Verachtung aller überkommenen formalen Gesetze ist jedenfalls groß«;[5] aber im »Ruf«, der von ihm und Hans Werner Richter geleiteten Zeitschrift, über deren Autoren es noch in einem Nachdruck des Jahres 1962 heißt: »Ihre Sprache war nüchtern, ihre Aussage klar und kompromißlos«,[6] benutzt Andersch durchaus die Metaphernsprache der jüngsten Vergangenheit: »Und allmählich dämmert unter der Totenmaske der nationalen Machtansprüche das wahre Gesicht der Völker herauf. Nirgend stärker als in Deutschland, wo die Maske nicht langsam abgenommen wird, sondern klirrend zerspringt, unter den Hammerschlägen eines tragischen Geschicks.«[7]

Das Material war neu. Das Erlebnis, das es zu gestalten galt, war ganz unmittelbar. Doch die Methoden waren vermittelt. Im Gegensatz zum herkömmlichen Klischee vom gänzlichen Neubeginn gibt eine neuerliche Lektüre der Texte eben den nicht preis. Urs Widmer hat in einer Analyse des »Ruf«[8] nachgewiesen, daß die siebzehn Hefte, die vom 15. August 1946 bis 1. April 1947 erschienen, sich zwar im Untertitel »Unabhängige Blätter der jungen Generation« nannten, daß die Sprache aber weder »unabhängig« noch »jung« war. Vielmehr findet sich in fast allen Artikeln das Vokabular von »ehern« und »Garant«, von »auslöschen«, »ausmerzen« und »fanatisch«, von »Fanal«, »gigantisch« und »heldischem Haß« – der jetzt dem »entarteten Nationalsozialismus« gilt. Die Gedanken waren frisch – die Worte alt. Es gibt da Zusammenhänge.

Die These lautete bisher: die deutsche Literatur war emigriert (oder ermordet). Die Namen sind bekannt, die Schicksale, die Titel der Bücher auch, die Goebbels' symbolischer Scheiterhaufen verschlang. Was Alfred Andersch in dem erwähnten Aufsatz als unumstößliche Tatsache hinstellte, war und ist allgemein akzeptiert: »Denn deutsche Literatur, soweit sie den Namen einer Literatur noch behaupten kann, war identisch mit Emigration, mit Distanz, mit Ferne von der Diktatur. Das muß einmal ausgesprochen und festgehalten werden, daß jede Dichtung, die unter der Herrschaft des Nationalsozialismus ans Licht kam, Gegnerschaft gegen ihn bedeutete, sofern sie nur Dichtung war.«[9]

Die These ist falsch. Es gab eine große Zahl nicht-nazistischer deutscher

Schriftsteller, die im Lande geblieben war, und die auch publizierte. Jüngere Literaturforscher wie Hans Dieter Schäfer beginnen da Licht in ein merkwürdiges Dunkel zu bringen: Weder hat Peter Huchel zwölf Jahre nichts veröffentlicht, noch war Wolfgang Koeppen emigriert. Von Huchel, der noch 1942 Mitglied der Reichsschrifttumskammer war (und zwar keineswegs, wie ein Kritiker meinte, mit einem »Von der Mitgliedschaft-befreit-Zeichen«)[10], gibt es mehr als ein Dutzend Hörspiele, er schrieb mit am Drehbuch zu Käutners Film »Unter den Brücken«; Koeppen publizierte 1935 den Roman »Die Mauer schwankt«, dessen zweite Auflage 1939 den heroisierten Titel »Die Pflicht« trug – ein Jahr vor Kriegsausbruch kehrte er aus Holland zurück. Das Thema ist heikel. Der intellektuellen Redlichkeit halber soll es geteilt werden – in einen subjektiven, emotional-aggressiven (also: leicht kritisierbaren) und einen objektiven, wissenschaftlich-analysierenden (also: auch leicht kritisierbaren) Bereich.
Zum einen, gleichsam als Vorspann, sei aus jenem »Brief an eine junge Deutsche« zitiert, den Hermann Hesse im Frühjahr 1946 an Luise Rinser richtete, rigoroseste Verachtung für all jene »Mitläufer«:

»Nichts habe er verhindern, nichts gegen Hitler tun können, denn das wäre Wahnsinn gewesen, es hätte ihn Brot und Freiheit gekostet, und am Ende noch das Leben. Ich konnte nur antworten: die Verwüstung von Polen und Rußland, das Belagern und dann das irrsinnige Halten von Stalingrad bis zum Ende sei vermutlich auch nicht ganz ungefährlich gewesen, und doch hätten die deutschen Soldaten es mit Hingabe getan... Es sind aber viele dieser Bekenner jahrelang Mitglieder der Partei gewesen. Jetzt erzählen sie ausführlich, daß sie in all diesen Jahren stets mit einem Fuß im Konzentrationslager gewesen seien, und ich muß ihnen antworten, daß ich nur jene Hitlergegner ganz ernst nehmen könne, die mit beiden Füßen in jenen Lagern waren, nicht mit dem einen im Lager, mit dem anderen in der Partei...«[11]

Suhrkamp, Hesses Verleger, hat selber allzu nonkonforme Texte abgewiesen oder konform umarbeiten lassen, hat Artikel über die »treulosen, diebischen, verschlagenen« Engländer aufgenommen, so, wie Karl Korn die »Heimkehr« Österreichs ins Reich emphatisch gefeiert hat. Gewiß, alles, um das Blatt zu retten; es muß legitim sein, zu fragen, warum das, für diesen Preis – also um fast *jeden* Preis – eigentlich gerettet werden mußte. Arthur Koestler hat einmal diese Frage noch zugespitzt: »Solange Sie sich... nicht schämen, zu leben, während andere sterben, und sich

nicht schuldig fühlen, angewidert und erniedrigt, weil Ihnen das erspart geblieben ist, bleiben Sie, was Sie sind, nämlich ein Mittäter durch Unterlassung.«[12]
Man muß sich immerhin vorstellen, was zur selben Zeit geschah, zu der – verkrochen in diese »Zeit« ignorierende Unberührbarkeit – Wolfgang Staudte Filme drehte und in »Jud Süß« eine Rolle übernahm, Max Bense eine Einführung in das Werk Kierkegaards abfaßte oder die Verleger Stomps und Rowohlt sich im Vorkriegs-Berlin bei Jazzmusik mit Horst Lange und Günter Eich am Kurfürstendamm trafen.
Das sind nur Metaphern für »Normalität«, für jenen Ablauf »das Leben geht weiter«, der von heute betrachtet Unbehagen bereitet, denn selbst dieser Lebensrhythmus in der »Kulturnische« des nationalsozialistischen Staates birgt bereits den gleitenden Übergang zur Nachkriegszeit: In der »Kurbel« am Kurfürstendamm gab es eine Marlene-Dietrich-Woche, schräg gegenüber, im »Marmorhaus«, lief, zwei Monate lang ausverkauft, der Twentieth Century Fox-Film »Gehn wir bummeln«, und an der Kasse der Staatsoper bildeten sich Schlangen für die Premiere von Strawinskijs Ballett »Der Kuß der Fee«, wenig später erfreute man sich an Lucienne Boyers Auftritt und sang »Parlez-moi d'amour« im Chor mit; zum Urlaub reiste man nach Mallorca mit Luxusschiffen oder auch nach Amerika; die Werbung empfahl, bei einer Coca-Cola Pause zu machen, mit Wüstenrot einen Bausparvertrag abzuschließen oder seine Haut durch Niveacreme gut zu rüsten; die Presse sprach davon, daß der deutsche Zusammenbruch nun vorbei sei, und vom deutschen Wirtschaftswunder; die führende Partei versprach, daß man keine Experimente wolle, aber eine Erhöhung des Lebensstandards anstrebe.
Eine Studie von Hans Dieter Schäfer beweist ein anderes Mal nicht nur seine unmittelbare These: daß nämlich die Nazi-Herrschaft durchaus Raum ließ für Swing-Musik in der Femina-Bar oder »Koralle«-Reportagen über Greta Garbo und Katharine Hepburn; daß also ein sogenanntes unpolitisches kulturelles Leben nicht nur in der Hauptstadt Berlin produziert, konsumiert und (beispielsweise mit den Büchern von Hemingway und Faulkner) importiert wurde. Die von Schäfer weniger explizit formulierte als durch zahllose Details seiner Recherchen vorgeführte These ist viel grausamer und entsetzlicher: ein Chorus der sich amüsierenden Gleichgültigkeit oder, umgekehrt, des gleichgültigen Amüsements war möglich und wirklich in einem Verbrecherstaat.
Das Explosive von Hans Mayers Frage, ob man nicht beginnen müsse, den von Kogon so genannten SS-Staat als perfekte Ausbildung des bürgerlichen Bewußtseins anzusehen, findet in Schäfers Untersuchung

eine makabre Ergänzung; noch dazu, weil das ganz ungebrochene Kontinuum, ob in Wortwahl oder Industrieprodukt, vom Nazi-Reich zur Nachkriegsrepublik deutlich wird. Die Schamlosigkeit etwa, mit welcher der US-Konzern Coca-Cola in der vom OKW herausgegebenen Zeitschrift »Die Wehrmacht« in einem Moment wirbt, in dem dort die Besetzung des Sudetengebiets gefeiert wird (»Vor einer Weltkarte hält eine Hand die Coca-Cola-Flasche in die Höhe: ›... Ja! Coca-Cola hat Weltruf‹«[13]) geht einher mit Werbung und Begeisterung für jenen VW-Käfer, der dann im Nachkriegsdeutschland seinen Siegeszug begann.
Die Schamlosigkeit ist an viel geringeren Details, die aber gerade dadurch entlarvend sind, ablesbar – jene Kaufleute und Fabrikanten, die ja von allem nichts gewußt und nur um den Absatz ihrer jeweiligen Produkte besorgt waren, haben gern, folgsam und fördernd mitgemacht. »Im Kriege sparen – später bauen«, so empfahl sich die Bausparkasse Wüstenrot, die 1943 Neuabschlüsse in Höhe von 201 Millionen Reichsmark bekanntgab. Und so liest sich ein Goldpfeil-Inserat für irgendein banales Ledertäschchen im Jahre 1944:

»Gefällt sie Ihnen? Auch im fünften Kriegsjahr beweist Deutschland durch sein kultiviertes Modeschaffen und die friedensmäßige Ausführung seiner schönen Handtaschenmodelle die Unbesiegbarkeit der deutschen Leistung.«[14]

Die Sturm-Zigaretten GmbH Dresden bringt die Marken »Trommler«, »Alarm«, »Sturm« und »Neue Front« auf den Markt und warb mit dem Schattenriß des jungen Kämpfers.
Ein Vokabular findet sich schon allenthalben, das uns von jenen ehernen Tongebern der kommentierten Siegeswochenschauen ins Bewußtsein getrieben wurde, die ja alle nur Sprecher waren – ob eine Leica nun als »schußbereit« oder ein Elektroherd in einer Kampagne per »Elektroangriff« präsentiert werden; ob wenige Jahre vor dem Blitzkrieg das Schnellverkehrsflugzeug HE 70 den »Blitzflugverkehr« eröffnete, ein neues Auto »blitzschnell« im Anzug war oder jene Hautcreme die Haut »gut rüstete«. Selbst einen »Stern« gab es schon mit Titelporträts von Filmstars, aber natürlich auch mit Hitler-Bildern.
Den schlimmen, immer wieder geleugneten Begriff Kontinuum erläutert Schäfer an einem besonders gräßlichen Beispiel:

»Kennzeichnend für die Kontinuität der Ideen und Ideale der Kriegs- und Nachkriegszeit ist der 1944 von der Propaganda-Zeitschrift ›Signal‹

(Auflage: über 1 Million) veröffentlichte Bildbericht ›Wofür wir kämpfen‹. Nach der Fotografie eines knienden Soldaten, der verwundet ist und aggressiv seine Befehle ruft, werden u. a. folgende Kampfziele illustriert und erläutert: Freizeit, das Recht auf Ausbildung der Begabten, soziale Sicherheit, eigener Besitz – mit dem Bild eines im Bau befindlichen Eigenheims –, Europas Freiheit und das ›Ende seiner vielen Bruderkriege‹.
Das abschließende Foto zeigt über der Parole ›Daß wir so in Europa leben können‹ eine lachende Frau, auf deren Schultern zwei Kinder reiten. Die Nähe dieser unvölkischen Propaganda zu der politischen Werbung nach 1945 ist offensichtlich, zumal der Bildbericht durch Anzeigen der Privatwirtschaft aufgelockert wurde. Vor einem Foto des Dresdner Zwingers verspricht Zeiss-Ikon ›Tradition Präzision Fortschritt‹ und rät ›Jetzt beraten lassen – im Frieden kaufen‹.«[15]

Zu Hans Dieter Schäfers Methode gehört es, daß er nicht urteilt noch verurteilt. Seine Arbeiten sind ihm nicht Basis für Angriffe oder etwa Polemiken, er stellt lediglich fest, meist durch wirkungsvolle Zitate; etwa (und widerlegt damit den zum Klischee gewordenen Mythos vom proletarischen Widerstand) indem er zahlloses Material über die wachsende Hinwendung der deutschen Arbeiterschaft zur Diktatur heranzieht. Die »Deutschland-Berichte« der illegalen SPD notieren die »beschämende Tatsache, daß das Verhalten der Arbeiter dem Faschismus gestattet, sich immer mehr auf diese zu stützen«, daß sie »an den großen Erlöser Adolf Hitler« glauben und daß man an zahlreichen Fahnen beobachten kann, »daß das Hakenkreuz über Hammer und Sichel genäht sei«.[16]
Hans Dieter Schäfer zitiert aber auch die Unterwerfungsbeteuerungen prominenter Mitläufer wie etwa die des Hans Fallada, der 1943 vom Propagandaministerium als Sonderführer im Majorsrang nach Frankreich geschickt wurde und damals schrieb: »Wir müssen an den Sieg glauben, sonst ist alles sinnlos ... Wir sind die Herren der Welt, bestimmt die von Europa.«[17]
Da läuft vielerlei ineinander. Ohne Wegducken, Wegsehen, Weghören der Beteiligten konnte ja diese Maschinerie nicht funktionieren; die Grenze zum Mitmachen war hauchdünn. Ernst Rowohlt saß nicht nur am Kurfürstendamm – er beschwor in einem Brief, der in dem Satz gipfelt, »Ich bin überzeugt, daß sogar drei Viertel des deutschen Volkes mit der Regierung Hitler geht«, seinen Autor Sinclair Lewis, sich von der annoncierten Mitarbeit an Klaus Manns Emigrantenzeitschrift »Die Sammlung« augenblicks und öffentlich zu distanzieren. Der Brief ist ein wahres

Zeitdokument, das die Bereitschaft vieler Intellektueller und damals liberaler Geschäftsleute, sich zumindest mit den neuen Machthabern zu arrangieren, beweist:

»Es ist kein Zweifel, daß bei dem Umsturz – eigentlich kann ja kaum von Umsturz die Rede sein – nicht jeder mit Samthändchen angefaßt worden ist, aber im allgemeinen kann ich nur immer wieder sagen, daß ich den Eindruck gehabt habe, daß dieser Umsturz sozusagen in Ruhe und Ordnung vor sich gegangen ist. Es ist im Ausland wahnsinnig schwer zu beurteilen, wie weit die jüdische Greuelpropaganda aus rein jüdischem Instinkt und Motiven heraus in Scene gesetzt wurde. Daran ist aber nicht der geringste Zweifel, daß eine gewisse antisemitische Bewegung der Nationalsozialisten durchaus berechtigt war. Wenn Du die genauen Zahlen wüßtest, die darstellen, wie sehr sich der jüdische Teil der deutschen Bevölkerung in Regierungsstellen, Verwaltungsstellen, in leitende Arztstellen, in leitende Juristenstellen usw. vorgedrängt haben, so muß auch der auf dem rassentheoretischen Gebiet ganz simpel und normal empfindende Mensch zugeben, daß hier einmal unbedingt ein Riegel vorgeschoben werden mußte. Daß dabei ungeheure Härten vorkommen, ist einfach nicht zu vermeiden.
Es ist für mich außer jedem Zweifel, daß eine starke Regierung in Deutschland notwendig war. Ich will, weiß Gott, nicht mit dem drohenden Bolschewismus kommen, aber daß schwache Regierungen einen Zusammenbruch der ganzen Staatswirtschaft zur Folge gehabt hätten, davon bin ich überzeugt. Ich bin ebenso überzeugt, daß es der jetzigen Regierung gelungen ist, tatsächlich den großen Massen des Volkes wieder gewisse Hoffnungen zu geben, und daß es ihr gelungen ist, tatsächlich große Massen Arbeitsloser wieder in den Arbeitsprozeß einzufügen, selbst wenn das teilweise durch Arbeitsdienstpflicht erzielt wird. Die Arbeitsdienstpflicht, gegen die sich die Moralisten innerlich so gesträubt haben, hat auch ihr Gutes, denn sie gibt einer Menge jungen Leuten den Glauben an die Arbeit wieder, und das war für Deutschland von allergrößter Wichtigkeit, wenn Du bedenkst, daß Hunderte und Tausende von jungen Leuten im Alter von 24 und 25 Jahren herumgelaufen sind und noch niemals irgendwie praktisch gearbeitet haben.«[18]

Das blieb aber nicht Irrgedanke eines Wankelmütigen – sondern Rowohlt versuchte auch, sich verlegerisch anzugleichen. Noch 1933 publizierte er ein Buch, das in der Nazifraktur brüllte »Ein Volk steht auf« und das die ersten »53 Tage nationaler Revolution« mit 120 Kupfertiefdruk-

ken feierte – von Jubel und neuer Freiheit durch den Mann, der bereits im Braunhemd und mit hypnotischem Blick das Frontispiz schmückte: Adolf Hitler.[19]
Im selben Frühjahr bereitete Furtwängler die Philharmonischen Konzerte der Saison 1933/34 vor und erhielt u. a. diesen Brief von Bronislaw Hubermann:

»Lieber Freund ... ich möchte das Musizieren als eine Art künstlerischer Projektion des Besten, Wertvollsten im Menschen bezeichnen. Kann man diesen eine völlige Selbsthingabe voraussetzenden Sublimierungsprozeß von einem Künstler erwarten, der sich in seiner Menschenwürde mit Füßen getreten fühlt und offiziell zu einem Paria degradiert wird: dem von den bestallten Hütern deutscher Kultur in geflissentlicher Unterschlagung der nunmehr einwandfrei nachgewiesenen halbjüdischen Abstammung Richard Wagners einerseits, der historischen Rolle eines Mendelssohn, Anton Rubinstein, Hermann Levi, Josef Joachim u. a. im deutschen Musikleben andererseits, rassenmäßig die Fähigkeit zum Verständnis der ›rein deutschen Musik‹ abgesprochen wird? ...«[20]

»Wir lügen alle« nannte die Journalistin Margret Boveri, die bis zum Ende der Zeitung im Januar 1939 der Redaktion des »Berliner Tageblatts« angehört hatte, einen Memoirenband, der als objektives und wenig selbstgerechtes Bekenntnis derer gilt, die nicht emigrieren wollten, keine Nazis waren, aber auch keine Antifaschisten. Dieser Bericht von den Schlingerkurven einer einst geachteten bürgerlich-liberalen Zeitung erfuhr indes zumindest zwei heftige Korrekturen. Jürgen Petersens zweiteilige Folge »Journalist im Dritten Reich«[21] rückte Margret Boveris mit dem Weichstift behandelte Fotografie fast unwillentlich zurecht; immerhin war Petersen sehr bald Ghostwriter für Goebbels geworden, was man wohl schwerlich als Auswirkung eines auch nur versteckten Antifaschismus bewerten kann. Emphatischer ist der Widerspruch des damaligen innenpolitischen Ressortleiters des »Berliner Tageblatts«, Wolfgang Bretholz, der die Tätigkeit solcher von Goebbels und seinen Satrapen bewußt »gehaltenen« Blätter (wie auch die »Frankfurter Zeitung«) und ihrer verantwortlichen Mitarbeiter »unehrlich und schädlich« nannte.

»Margret Boveri will auf den rund 750 Seiten ihres Buches, von denen mehr als die Hälfte dem Abdruck von ›Dokumenten‹, zum größten Teil Artikeln aus dem ›Berliner Tageblatt‹ gewidmet ist, den Beweis führen, daß diese ›Großstadtzeitung unter Hitler‹ so etwas wie ein Organ des

›inneren Widerstands‹, eine liberal-bürgerliche Oase in der Wüste der gleichgeschalteten Presse des Dritten Reiches gewesen sei oder zumindest versucht habe, dies zu sein. Dabei ist sie vor allem bemüht, jenen Mann in den Vordergrund zu stellen und sowohl als mutigen Kämpfer gegen die Pressepolitik Goebbels' wie als Hüter der liberalen Traditionen des ›Berliner Tageblatts‹ erscheinen zu lassen, der die zentrale Figur ihres Buches bildet: Paul Scheffer, der unter Theodor Wolff Korrespondent des Blattes in Moskau und später in Washington und London gewesen war und von 1934 bis Ende 1936 als dessen Chefredakteur die Hauptverantwortung für die politische Haltung, die Zusammensetzung der Redaktion und in starkem Maße auch für die wirtschaftliche Existenz des ›Berliner Tageblattes‹ trug. Da Margret Boveri selbst unter Paul Scheffer und noch einige Zeit nach seinem Ausscheiden der außenpolitischen Redaktion des ›Berliner Tageblatts‹ angehörte und – wie aus einigen von ihr selbst veröffentlichten Briefen Scheffers an sie hervorgeht – zu seinen engsten Vertrauten gehörte, bildet ihr Versuch, sein Verhalten zu rechtfertigen, gleichzeitig einen Rechtfertigungsversuch für die ganze Redaktion und für die Verfasserin selbst.

Dieser Versuch ist mißlungen. Was nach der Lektüre des dicken Buches übrigbleibt, ist der Eindruck, daß Paul Scheffer und die meisten seiner Mitarbeiter, Frau Boveri mit eingeschlossen, zwar dem nationalsozialistischen Regime ablehnend oder zumindest mit großen Reserven gegenüberstanden, daß sie ihm aber trotzdem auf einem publizistischen Gebiet von größter Wichtigkeit nicht nur gedient haben, sondern einen Dienst von außerordentlichem Wert leisteten. Goebbels wußte, daß er mit dem ›Völkischen Beobachter‹, dem ›Angriff‹ und der ganzen übrigen nicht nur tödlich langweiligen, sondern auch durch Ton und Sprache abstoßenden Parteipresse das Ausland nicht erreichen konnte. Folglich hielt er sich ein paar ›bürgerliche‹ Zeitungen wie das ›Berliner Tageblatt‹ und die ›Frankfurter Zeitung‹, auf deren alten Weltruf er spekulierte und denen er auch weiterhin einen gewissen, wenn auch mit der Zeit immer enger begrenzten Spielraum besonders in außenpolitischen Fragen gewährte. Und Paul Scheffer und die anderen gaben sich dazu her, eine solche Zeitung zu machen. Daß sie dabei subjektiv ehrlich gewesen sein und sich eingebildet haben mögen, das ›andere Deutschland‹ zu repräsentieren, das selbstverständlich auch in der Zeit der Hitlerherrschaft weiterexistierte, ändert nichts daran, daß ihre Tätigkeit nicht nur unehrlich, sondern auch schädlich war...

Der Leser ihres Buches [jedoch] wird dem Titel eine andere Auslegung geben. Denn im Grunde ist die Geschichte des ›Berliner Tageblattes‹

unter Hitler, die sie erzählt, nichts anderes als die Geschichte einer großen Lüge, eines fortgesetzten Betrugs, den diejenigen, die diese Zeitung machten, an anderen und an sich selbst begingen.«[22]

Hans Dietrich Schäfer schreibt in seinem Aufsatz über »Die nichtfaschistische Literatur der ›jungen Generation‹ im nationalsozialistischem Deutschland«, nachdem er auf Peter Huchels 14 Hörspiele und diverse Gedichtpublikationen im Dritten Reich eingegangen ist, offenbar ganz unbeteiligt diesen Satz: »Etwa ein Jahr später, nachdem Huchels Gedicht erschienen war, wurde Paul Celan in Czernowitz von der SS verhaftet und in das Arbeitslager Buzau verschleppt.«[23]

Man könnte noch sehr viele Namen anfügen – Ernst Kreuder und Johannes Bobrowski, Gerd Gaiser und Hans Egon Holthusen, Karl Krolow und Hans Erich Nossack; Max Frischs erste Prosabände erschienen 1934 und 1937 in Deutschland. Karl Korn edierte und Friedrich Luft feuilletonierte. Es bleibt ein Rest. Vielleicht ist es überzogen pharisäisch, aber man möchte dauernd fragen: wie war das eigentlich damals? Man trank gewiß auch mal Champagner, man ging aus, flirtete – kein Mensch ist ja dauernd bedrückt; man gab wohl auch Parties, hatte gar elegante Häuser. »Mit jungen Attaché's tanzte ich in ›Jonny's Nightclub‹, im ›Jockey‹, im ›Ciro‹ und in der ›Königin-Bar‹«,[24] schrieb Ursula von Kardorff über jenes »nach wie vor großartige Berlin«,[25] wie ihr Kollege Felix Hartlaub es nannte.

Da lag unter einer Granitplatte in Schweden Kurt Tucholsky, der hatte den »Wendriner unter der Diktatur« geschrieben und auch, daß er jeden, aber auch jeden verachte, der »das da« mitmachte, sich arrangierte, sich jene »bestialische Unberührbarkeit« zulegte oder genauso handelte, wie Felix Hartlaub es beschrieb: »Man leistete sich kleine Nadelstiche gegen das System, flaggte nicht, weigerte sich, Spenden fürs Winterhilfswerk zu geben oder hörte ausländische Sender und gab ab und zu einem Juden auf der Straße die Hand.«[26]

Dazu war ja nun bald nicht mehr allzuviel Gelegenheit. Aber Gedichte schrieb man weiter? Muß man eigentlich Gedichte schreiben? Auf den weinerlich-fordernden Artikel von Frank Thiess »Die innere Emigration«: die da Deutschland »die Treue gehalten und es im Unglück nicht im Stich gelassen, sein Schicksal redlich geteilt hatten«, höhnte Thomas Mann mit allem Recht: »Sie hätten es redlich geteilt, auch wenn Hitler gesiegt hätte.«[27]

»Wo wart ihr eigentlich?« ist die Grundfrage von Christa Wolfs Roman »Kindheitsmuster«, ein Buch der unerbittlichen Erforschung des »alltäglichen Faschismus«; »Auf der Suche nach der *verdrängten* Zeit« könnte der Untertitel lauten. Ähnlich ist die Frage der Grass'schen Söhne im »Tagebuch einer Schnecke« zu verstehen: »Hat das denn immer geklappt? Und was war das für Gas?«[28] Vielleicht konnte es nur »immer klappen«, weil viele wegsahen, sich duckten, sich bei Regen unterstellten? Dieses Thema zu behandeln ist ein literarisches, moralisches und, ja: auch politisches Problem. Zu leisten ist »Trauerarbeit«.

Es gibt eine Position der Rigorosität, des fast totalen Verurteilens. Sie ist bestreitbar, gar fragwürdig – und sie ist möglich. Sie gilt der heiklen Ambivalenz, ob Schriftsteller, die keine Nazis waren, in Verstrickung, gar Schuld gerieten, weil sie zwar nicht »mitmachten«, aber sogenannte »unpolitische« Filme, Artikel, Radiosendungen verfaßten, in Berufsverbänden und Akademien verblieben, aus denen ihre Kollegen verjagt worden waren. Ob sie durchs pure Verharren nicht der grauen Krake Hoffnungslosigkeit Nahrung gaben, die das Land im Griff hielt. Das Argument »Wer damals nicht erwachsen war, darf nicht urteilen« hat die Logik der Brutalität, mit der man Christa Wolf verwehren möchte, eine Gesellschaft zu verurteilen, die Kleist und die Günderrode in den Selbstmord trieb (und damit, metaphorisch, auch andere Gesellschaften zu meinen). Man kann Autoren sehr unterschiedlicher geistiger Herkunft zitieren, um jenen Standpunkt der rigorosen Verwerfung zu dokumentieren: »Die Deutschen sind ein Scheißvolk. Das ist nicht wahr, daß man von Hitler keine Schlüsse auf die Deutschen ziehen darf. Auch an mir ist alles schlecht, was deutsch ist«,[29] sagt der Marxist Brecht zu Walter Benjamin. »Aber ich beschwöre Sie, hören Sie endlich mit jedem Versuch auf, nach Deutschland auch nur die dünnsten Fäden zu spinnen. Nehmen Sie keine Rücksicht auf [den Inselverlag]. Jedermann, ganz gleichgültig, wer es ist, wie er früher war, der öffentlich heute in Deutschland tätig ist, ist eine *Bestie*«,[30] schreibt Joseph Roth 1933 an Stefan Zweig. »Dies Volk ist zweitklassig. Ohne Anlage zu Differenzierung u. Helligkeit u. moralischer Verfeinerung ... Das tiefste u. das schmählichste Volk, das dümmste, das uneuropäischste. Ein klägliches Vaterland«,[31] schreibt Gottfried Benn 1937 an seinen Freund Oelze, im selben Brief, in dem er sagt »nur wo andere Rassen es lösten u. änderten, entwickelt es seinen in der Erbmasse vorhandenen Reichtum u. Glanz«; und Kurt Tucholsky schreibt 1934 an Walter Hasenclever »Die These Heinrich Manns und auch Tollers ist falsch. Hitler *ist* Deutschland. Zum mindesten, wenn sie das nicht sind, so darf man sagen: sie können auch so. Sie sind amorph. Und das da kommt ihnen sehr nahe. Jeder, der überhaupt Gefühl hat, fühlt: stirbt der Mann morgen, dann machen die entsprechend weiter. Es gibt dann Zickzacks, ein Durcheinander – aber, wie [Ossietzky] schon sagte, ›was er angerichtet hat, bleibt‹. Also ist es dumm, das arme getäuschte Deutschland zu bedauern, und es ist Unfug, dem Ausland einreden zu wollen, das sei alles gar nicht so. Deutschland sei vielmehr...«[32]

Es ist die Haltung Thomas Manns gegenüber Furtwängler, Klaus Manns gegenüber Gründgens, Bernsteins gegenüber Karajan. Den Begriff des unpolitischen Kunstwerks, nach Bloch, noch in aller Unschuld zu verwenden, ist unredlich oder eine Banausie. Es gibt kein unpolitisches Kunstwerk, nicht Revuefilm noch Wunschkonzert noch »reiner Akt«, kein Verlaine-Gedicht und kein Adagio. Wer das nicht begriffen hat, dem ist mit Exkursen, Büchern oder Vorlesungen nicht zu helfen; er bleibt kunstfern. Das Problem geht tiefer als ein flotter Literaturstreit. Ein Huchel-Gedicht des Jahres 1941 bestätigt haargenau die These: Diese Literatur ist geschichtslos, ihre Tradition reicht bis in die Gegenwart; das Datum könnte 1953 lauten oder 1975. Es gibt ein anderes Gedicht, Brechts »In finsteren Zeiten«, in dem besser formuliert wird, was gemeint ist:

»Man wird nicht sagen: Als da der Nußbaum sich im Wind schüttelte
Sondern: Als da der Anstreicher die Arbeiter niedertrat.
Man wird nicht sagen: Als das Kind den flachen Kiesel über die Stromschnelle springen ließ
Sondern: Als da die großen Kriege vorbereitet wurden.
Man wird nicht sagen: Als da die Frau ins Zimmer kam
Sondern: Als da die großen Mächte sich gegen die Arbeiter verbündeten.
Aber man wird nicht sagen: Die Zeiten waren finster
Sondern: Warum haben ihre Dichter geschwiegen?«[33]

Dies der subjektive Aspekt.

Es gibt aber auch den objektiven. Wenn nämlich Johannes Bobrowski im »Inneren Reich« publizieren konnte,[34] dann muß das auch mit seiner Literatur zu tun haben; wenn Günter Eich ein vielgesendeter Funkautor und gerne gedruckter Lyriker war,[35] dann muß irgendwo eine innere Möglichkeit zur Übereinstimmung vorhanden gewesen sein; man bezahlt nicht, was man haßt. Der Reichsrundfunk sendet nicht fünfzehn Hörspiele, der »Deutsche Kalender« nimmt auch nicht siebzig Folgen ab, wenn das anstößig gewesen wäre. Dann ist offenbar eine *literarische* Produktion möglich, die auch mühelos über das Kriegsende rettbar und

»beerbbar« ist. Das folgende Zitat aus einem Aufsatz drei Monate vor Hitlers »Machtübernahme« mag verdeutlichen, was gemeint ist:

»Eine Entscheidung für die Zeit, d. h. also für Teilerscheinung der Zeit, interessiert den Lyriker überhaupt nicht. (Was nicht ausschließt, daß er als Privatmann sich z. B. zu einer politischen Partei bekennt.) Der Lyriker entscheidet sich für nichts, ihn interessiert nur sein Ich, er schafft keine Du- und Er-Welt wie der Epiker und der Dramatiker, für ihn existiert nur das gemeinschaftslose vereinzelte Ich. Und gerade weil er sich für nichts entscheidet, fängt er die Zeit als Ganzes in sich auf und läßt sie im ungetrübten Spiegel seines Ichs wieder sichtbar werden. Denn die Wandlungen des Ichs sind das Wesentliche einer Zeit. Zwar können sie nicht abgelesen werden wie aus einer Zeitung, aber wer Gedichte zu lesen versteht (was kaum zu erlernen ist), der wird auch das in ihnen spüren. So wie wir heute Eichendorff oder Mörike als Ausdruck ihrer Zeit empfinden (ohne daß sie die jeweils neuesten Zeitvokabeln benutzten), ebenso kann ich in einem heutigen, ganz privaten Gedicht für Spätere unsere Zeit unverkennbar ausdrücken.«[36]

Das ist nicht – aber es könnte sein: von Benn; das ist nicht – aber es könnte sein: von Huchel; das ist von Günter Eich. Diese Haltung möchte ich »literarische Disponibilität« nennen. Gemeint damit ist, was Elisabeth Langgässer 1946 unbarmherzig formulierte, als sie auch jene Literatur der Epoche verurteilte, der »kein Blutgeruch« anhafte – weil ihre innere Unaufrichtigkeit, das zutiefst Taktische sie »vollkommen unverbindlich, weltlos und verabscheuungswürdig« machte. Der für falsche Töne besonders empfindliche Essayist Horst Krüger hat das in zwei Aufsätzen über Carossa und Wiechert nachgewiesen; anhand der »Geheimnisse des reifen Lebens« (1940) urteilt er über diese »konservative Feier des ›Unzerstörbaren‹ im Chaos«:

»Das Ganze ist ein fingiertes Tagebuch. Carossa erzählt in der Ichform von einem älteren Mann, einem eben pensionierten Beamten, der zusammen mit seiner kränkelnden Frau Cordula in das alte, beschädigte Bauernhaus seiner Eltern einzog. Daß uns eine Dorfidylle erzählt wird, versteht sich in der Literatur der dreißiger Jahre beinah von selbst. Daß dieses Dorf auch noch ›Nebelheim‹ heißt, ist nicht ironisch, sondern ernst gemeint. Daß Nebelheim an einem großen Strom liegt, hinter dem ein fremdes, aber befreundetes Volk lebt, ist unschwer als Zugeständnis an den Zeitgeist zu entziffern. Der Strom, ungenannt, ist natürlich die

Donau, das fremdnahe Bruderland Österreich. Zum Ende hin findet eine freudig-bewegte Wiedervereinigung statt, die sich heute in ihrer flatternden Wimpelfröhlichkeit nicht ohne Peinlichkeit liest. Österreich wurde schließlich erst 1938 ins Reich geholt.«[37]

Wiecherts »Das einfache Leben« nennt Krüger »den perfektesten Edelkitsch, der uns aus dieser dunklen Epoche überkommen ist...«:

»Wiecherts Sprache, die Realität nicht mehr berühren will, muß notwendigerweise immer tiefer, immer mythischer werden. Man kann auch sagen: sie erhebt sich sängerisch immer höher ins allgemein Schöne und Unverbindliche. Damit aber wird sie entkernt, ja entleert, genau wie seine Religiosität. Sie tut stark, ist aber nur noch rhetorisch, rhapsodisch. Sie ist in Wirklichkeit von großer Weinerlichkeit und leerer Pathetik. Das angestrebte Naturgemälde bekommt damit Züge des Kunstgewerblichen.«[38]

Zwei Beispiele mögen zeigen, was unter »literarischer Disponibilität« zu verstehen ist; da dieses gesamte Thema so hurtigem wie gelegentlich bösartigem Mißverstehen ausgesetzt ist, sei vorausgeschickt: keinem der beiden Schriftsteller – Wolfgang Koeppen und Horst Lange – wird unterstellt, auch nur insinuiert, sie hätten sich literarisch oder anderswie dem Naziapparat angedient. Untersucht aber soll werden, wie die innere, literarische Struktur zwei Bücher verfügbar machte, ihre Publikation im 3. Reich problemlos ermöglichte. Es war nicht Widerstands- noch Naziliteratur. Es war das, was man mit einer Negativ-Tautologie in einem anderen Genre den »unpolitischen Film« nennt (den im Dritten Reich zu fertigen sich Kästner nicht und Huchel, Koeppen nicht und Staudte nicht scheuten[39]). Der Filmtheoretiker Karsten Witte hat in einer gleichsam mit der Röntgenkamera aufgenommenen Untersuchung nachgewiesen, wie sehr dieser Begriff in den Bereich der Mär gehört – wie nicht etwa *Inhalte,* aber Bildschnitt, Lichtaufbau, Kameraführung, Tonregie und Dialogrhythmisierung selbst des banalsten Revuefilms schon – um ein Bild zu gebrauchen – im neckischen Revuegirlgetrappel die Marschstiefel ikonographierten.[40]
Davon also ist die Rede, wenn hier Koeppens Roman »Die Mauer schwankt« analysiert wird, der 1935 bei Bruno Cassirer erschien und 1939 unter dem veränderten Titel »Die Pflicht« eine Neuauflage hatte, also keineswegs als Produkt eines jüdischen Verlages, wie die Legende es will, verfemt war.

Dazu gab es auch keinen Grund. Es ist – wie Koeppens Erstlingsroman »Eine unglückliche Liebe« – ein literarisch anspruchsloses, stilistisch bis zur Groteske hilfloses und unbedeutendes Buch; nur seine Gemächlichkeit mag es vor einem Abdruck in der »Berliner Illustrirten Zeitung« bewahrt haben; eine Todesnachricht etwa löst diese Reaktionen aus:

»›Mutti, was ist‹, schrie das Kind und hing an der Mutter Hals, so daß beide zur Seite fielen.
›Was ist, gnädige Frau, was ist‹, rief die kindlich hübsche Magd, die herbeigerannt war, und ›ach der Herr, der liebe Herr‹ klagte sie gleich und fing auch an zu weinen.«[41]

Bemerkenswert jedoch ist nicht, daß Koeppens Roman literarisch nicht bemerkenswert ist. Das Augenfällige vielmehr verbirgt sich im psychologischen Klima des Buches. Wenn man sich darauf einigen kann, daß nicht die Handlung ein Buch trägt (in diesem Fall das Kleinbürgerschicksal eines pflichtgetreuen Beamten), sondern daß Literatur einen psychologischen Puls hat, der sich auf den Leser überträgt –, dann schlägt hier der des Ehernen, Harten, Männlichen:

»Seine erste, unwillkürliche Erklärung, daß er doch, obwohl er den ablehnenden Bescheid in der Tasche trug, an dem Krieg teilnehmen müßte – wie alle, er wiederholte dies –, wurde angesichts der ihm zugedachten Aufgabe als nicht begründet abgelehnt. Man sagte ihm, daß er an keiner anderen Stelle seinem Vaterland besser dienen könne; man mochte recht haben; und es war des Baumeisters Pflicht, einem auszeichnenden Ruf, der natürlich auch ein Befehl war, zu folgen.«[42]

Es ist das moralische Muster, der Einsatz ethischer Valeurs, die sich aus Worten wie »Vaterland« und »dienen« und »Pflicht« und »Ruf folgen« weben. Das innere Akzeptieren solcher Werte verursacht, was hier die publizistische Akzeptanz solcher Bücher im Dritten Reich genannt wird. Die Verhaltensweisen Mann–Frau, Familie–Kinder, Beruf–Staat sind vorgegeben und werden als bewährt allenfalls variiert:

»Es war nun dies, daß es um eine männliche Sache ging; um einen Entscheid und um Zweifel, die nur mit dem Vormann, dem männlichen Ahnen zu besprechen waren.«[43]

Dies ist nicht lediglich der Entscheidungsablauf (über die mögliche Einbeziehung zum Heer) innerhalb einer Romanhandlung, ist vielmehr die Haltung, von der das Buch getragen wird – das völlig zu Recht später unter dem heroisierenden Titel wieder aufgelegt wurde. Sein Thema *ist* die Pflicht:

»Er tat seine Pflicht. Er wußte, daß er sie tat. Je weniger er das Neue, das ihm vorgeschwebt, schaffen konnte, desto strenger tat er seine Pflicht. Ordnung und Fleiß und eine genaue Rechnung, sie schienen dem Baumeister wahrlich nicht die höchsten Güter des Lebens, nicht die Erfüllung der menschlichen Möglichkeiten zu sein. Aber, wenn ihm nichts anderes, nichts besseres, nicht mehr beschieden war als dieses, als Ordnung, Fleiß und genaue Rechnung, wenn er seine Stunde vielleicht versäumt hatte und nun es büßen mußte, dann wollte er diese möglicherweise nur subalternen, doch von einem Höheren ihm aufgetragenen Pflichten, ordentlichst, gewissenhaftst und genauestens in den denkbarsten Superlativen tun. ... Draußen geschahen die Kämpfe. Aus den Kämpfen würden die Werte kommen. Und mit den Werten vielleicht das lebenswerte Leben.«[44]

Das Wesen von Prosa – auch schlechter, wie dieser – ist es, daß die Wörter einen Hof formen, ineinanderhaken, ein Gewebe bilden; diese über die jeweils unmittelbare Bedeutung des einzelnen Wortes hinausgreifende »musikalische Kette« ist beides: Resonanz auf die Welt, aus der sie sich formt, und Formen eines Resonanzbodens für den Leser, der sich findet, der gelockt wird, gar verführt. Den Lockungen, und auch den Verführungen dieser Zeit, in der Koeppens Roman erschien, war er nicht widersätzlich, sondern konform. Er war »möglich« in jeder Bedeutung des Wortes.
Wesentlich komplizierter liegt der Fall Horst Lange mit seinem weithin gepriesenen Opus Magnum »Schwarze Weide«, ein ungleich ehrgeizigerer Prosa-Entwurf voller schöner Absonderlichkeiten und düsterer Verworrenheit. Im Kontext unserer Überlegungen soll nun aber weniger untersucht werden, ob nicht auch hier viel Ausgeborgtes letztlich zu einem Werk zweiter Klasse – weil aus zweiter Hand – gerann; allein die auf fast jeder Seite zu zählenden banalen »wie«-Vergleiche machen einen empfindlichen Leser geradezu nervös (»Wie das Gerippe eines Blattes«; »wie ein dunkler Vorhang«; »wie ein Fisch«; »wie eine Flamme«; »wie alter Wein«; »wie frisch gemäht« – das auf wenigen Seiten). Diese stilistische Unart – »gleich einem Kern«; »gleich einer Schlange« – läßt

den offenbar als Bau gedachten Kosmos zur Kosmetikskizze zusammenschnurren, die oft arg gigantischen Naturbilder wirken dadurch gelegentlich koloriert. Dabei mag die liebevolle Pflege abgesunkener Worte – Weidicht und Haspe, Kräuticht und Linnen und Gemarkung – noch ins literarische Heimatmuseum verwiesen werden. Es ist die heimelige Künstlichkeit, mit der zu eben derselben Zeit die Brücken über den Reichsautobahnen mit Backstein oder Naturstein verblendet wurden, während sie in Wahrheit aus Spannbeton waren; der galt aber als entartet – wie die Asphaltliteratur.

Der Einwand gegen das Buch, 1937 erschienen und in der deutschen Presse hochgelobt,[45] liegt jedoch auf einer anderen Ebene: Das Buch ist ein Dokument der Verwechslung – von Mythos mit Irratio. Es ist ein Lobpreis der a-Logik, des Unbegreifbaren. Dieser gigantische Naturhymnus hat eine einzige Konsequenz: Geschichte aufzulösen. Die Historie dieser Welt und des Menschen ist ein zwangsmäßiger Ablauf, ein Werden und Vergehen; korrigierbar allenfalls durch Kampf – wie dem des Löwen mit dem Panther, der Katze mit der Maus. Es ist ein Buch der anti-Aufklärung. Und zwar nicht als bewußter Appell – es handelt sich ja um einen sogenannten »unpolitischen« Roman –, sondern in seinem Metaphernhaushalt, in seiner Bilderwelt. Leben (im folgenden Zitat das eines Mädchens) ist »gleich einer Pflanze, die man aus dem Modergrund, wo sie lauter wilde Schößlinge getrieben hat, heraushebt, damit sie in dem trockenen Boden, der ihr gebührt, zu rechtem Wachstum kommt«.[46]

Daß Gesichter von Menschen häufig mit Pflanzen verglichen werden (»eine Blume, die sich öffnet, oder eine Frucht, die sich rundet«)[47] und Beziehungen der handelnden Personen den Entwicklungen der Pflanzenwelt gleichgestellt werden (»Die Körner waren verstreut, einige seilten sich mit ihren Wurzeln anderwärts im Erdboden fest, die Triebe schossen hoch, aber die Ernte stand mir wohl nicht mehr zu«): das ist eher noch eine Äußerlichkeit des grandios gemeinten Prosawildwuchses. So kann ein Mord sich auch als ein »Hinterhalt aus Verhängnissen ... wie etwas Unabwendbares, wie ein Naturgeschehnis« ereignen; wesentlicher ist der Satz, der sich an eine solche Umfunktionierung menschlichen Tuns anschließt: »Ich fand nicht das richtige Wort und hielt inne.«[48]

Horst Lange endet stets die Schilderung eines Handlungsablaufs, eines Geschehnisses, einer Hinterhältigkeit oder einer Liebe – mit der Einsicht in das Unerklärliche. Entweder löst er das Zueinander (oder Gegeneinander) zweier Personen auf in dem Humuskreislauf der Natur – also ins Willenlose:

»Ich war im Begriff, ihr nachzugeben; sie hatte mir mit keinem Wort gesagt, daß sie mich lieben wollte, das war es nicht, und man konnte es nicht benennen, weil es genauso selbstverständlich war wie alles, was in den Zeiten vorgeht, wo Tiere und Pflanzen sich befruchten. Sie sah so erdig aus, daß ich eine seltsame Neugierde empfand. Ich fragte mich nämlich, ob ich nachher, wenn ihre schlechten, vertragenen Kleider von ihr abfallen würden, die Fingerabdrücke jener Hände an ihr finden könnte, welche diesen Leib aus Mergel und Staub geformt hatten.«[49]

Oder weist Denken expressis verbis als das Unnötige, ohnehin Sinnlose aus:

»– und auf einmal wurde mir klar, daß alles, was Natur genannt wird, eine einzige Gleichgültigkeit darstellt, bar jeder Empfindung, unfähig, Mitleid zu haben, Gutes oder Böses zu tun, die beiden Waagschalen von Tod und Leben in stetem Gleichgewicht erhaltend, so daß Gebären und Sterben immerzu ineinander sich verflechten und eins, indem es ausgemerzt wird, das andere erhält. Die Gedanken wurden mir zu schwer, ich ließ sie weggleiten.«[50]

Epische – und damit ja in den Leser hineinverlagerte emotionale – Schlüsse dieser Art durchziehen das Buch, bilden geradezu seine Struktur. Die »starken Kräfte des Lebens« sind stets »völlig unkenntlich«[51] – was nichts anderes ist als die Predigt von der Geschichte als Naturprozeß. Fortschritt ausgeschlossen. Menschliches Tun – auch denkerisches; Aufklärung also – als eitel Tand, unterworfen den Gezeiten, geworfen. Heidegger als Roman. Eines der großangelegten Kapitel, »Feuer am Firmament«, löst nicht nur eine Liebesgeschichte vollkommen auf in die Farbmalerei eines Unwetters, was keine poetische Lizenz verletzte; es schwingt aber aus in die ewige Erkenntnis des Unbegreiflichen:

»Die Regentropfen schlugen ans Fenster und trommelten aufs Dach, und ich sagte mir, von einer grundlosen Traurigkeit überwältigt, daß nun alles aus wäre, unwiederbringlich dahingegangen, doch was ich eigentlich damit meinte, dessen wurde ich mir nicht bewußt.«[52]

Der Mensch, wann immer er die Chance hat, sich mit und im anderen zu erkennen, sinkt zurück in die Einsamkeit, Wahrnehmungslosigkeit der Molluske.

In diesem Konzept von der Geschichte als Naturkatastrophe, also der Auflösung jeglicher Kausalität in uneinsehbare Gewalten, herrschen natürlich strenge, vorgegebene Herrschaftsgesetze.
Wie die Eiche den Farn verschattet oder der Tiger die Antilope erlegt, so gibt es gesetzte, unveränderbare Oben-Unten-Verhältnisse; vornehmlich zwischen Mann und Frau. Langes Roman, der sich aus aller literarischen Tradition ausschaltet und zeitlos gibt, als habe kein Brecht und kein Döblin, kein Joyce je gelebt und geschrieben, verliert sich hier an eine nun doch auf peinliche Weise »zeitgemäße« Haltung. Ein längeres Zitat verdeutlicht diesen Ton zwischen Saga und UFA-Film:

»Ich wußte nicht mehr, was es war, das so laut rauschte, der Sturm draußen oder das Blut in meinen Ohren. Die Obersten-Tochter begann sich unter meinem Griff zu bäumen, aber ich ließ nicht nach. Wir stolperten einige Schritte weg, gerieten vor einen jener großen Spiegel, und ich erblickte im Glase plötzlich ein verzerrtes und leidenschaftliches Gesicht, das meinem ähnelte und doch in diesem Augenblick mit seinen harten Konturen und seinem festen Munde mir einen Vorsprung von vielen Jahren voraushatte.
›Tu mir nicht weh!‹ keuchte das Mädchen. ›Ich bitte dich! Laß mich gehen! – Du Hund!‹ schrie sie, ›du elender Bauer, du schmutziges Nichts! Wagst es! Faßt mich an mit deinen rohen Pfoten! Laß mich los! Ich befehle dir, mich loszulassen!‹
Ich mußte noch fester zupacken, denn sie wandte ihre ganze Kraft auf, um sich frei zu machen, wir taumelten hin und her, der Saal hallte von unseren Tritten wider. Ein Leuchter stürzte um, rollte übers Parkett, ich roch den Wachsgeruch der erloschenen Kerze. Als ich spürte, wie Cora weich wurde, stieß ich sie von mir, es war genug, ich wußte nicht mehr weiter und wurde schon verlegen. Sie fiel rücklings in einen Sessel, schlug die Hände vors Gesicht und saß zusammengekauert mit zuckenden Schultern da. Ich wollte den Ring vom Finger ziehen und ihr in den Schoß werfen, als sie mit einem Ruck hochschnellte, auf mich zusprang, den Kopf an meiner Brust verbarg und die Arme mir um den Hals schlang. ›Du bist es ja!‹ flüsterte sie, ›und du wußtest es nicht, daß du es bist? Meinetwegen kannst du weggehen, ich werde auf dich warten, ich werde dich nie vergessen, und wenn du wiederkehrst, sollst du mich bekommen.‹«[53]

Literatur und Leben im Dritten Reich fließen ineinander – das ist die These. Auf frappante Weise ist ein junger Autor mit einem »Suchbild« –

wie er die Erinnerungen an seinen Vater nennt – diesem Phänomen nachgegangen.[54] Frappant auch deswegen, weil die Gruppe um den Schriftsteller Eberhard Meckel (1907 bis 1969) aus eben diesen Autoren bestand, die, keine Nazis, dennoch unter der Naziherrschaft weiter publizierten: Peter Huchel, Günter Eich, Horst Lange. »Während die SA marschierte, der Reichstag brannte, er selber Zeuge von Deportationen war (ein Kommando verhörte auch ihn und durchsuchte die Bücher), schrieb er weiter Erzählungen und Gedichte, in denen sich die Zeit nicht bemerkbar machte.«[55] Mit diesem bitteren Satz faßt Christoph Meckel die Erinnerung an seinen Vater und jene Schreibhaltung zusammen, die in einer Mischung aus Stolz, Verachtung und Geistigkeit ein unbehelligtes Leben im Dritten Reich möglich machte; aber auch ein Dichten:

»Die Naturlyrik richtete sich in der Laubhütte ein, aber die Laubhütte stand auf eisernem Boden und war von Mauern aus Stacheldraht umgeben.«[56]

Das sonderbare Gemisch aus Bürgerbildung ohne Tugend des Citoyen, aus hochmütigem Anspruch und billiger Kompromißbereitschaft wird in zwei Tagebuchaufzeichnungen Eberhard Meckels deutlich:

»Abends ein wirklich bezaubernder Abend mit Wilhelm Schäfer im Kreise der HJ. Hier war etwas vom besten Geist der Jugend zu spüren. (21. 3. 38)
Abends B. da, zu mancherlei guten Gesprächen. Wir wurden uns einig, daß Volk im Grunde etwas Verächtliches sei, weil es ja geistig stets doch Masse bleibe. Ich sehe immer wieder, wie wunderbar es ist, mit Goethe etwa zu leben. (2. 1. 39).«[57]

Daß daraus ein Offizier wurde, der in Lodz im Hause deportierter Juden – »rechtmäßig, das war keine Frage«[58] – lebte, verwundert nicht mehr. Gerade die Tagebücher und Briefe der deutschen Schriftsteller dieser Epoche geben ja präziser Auskunft über ihre Verwüstung – die äußere wie innere – als fast jedes andere Dokument; ob des royalistischen Juden Joseph Roth, des radikaldemokratischen Frühemigranten Kurt Tucholsky, des Bürgers Thomas Mann oder des Plebejers Bertolt Brecht. Es ist gar kein Umweg, sich einen Augenblick lang die so kontroversen Standpunkte dieser beiden Schriftsteller zu vergegenwärtigen, die doch eines gemeinsam hatten – einen militanten Antifaschismus; Emigrant der eine, Exilant der andere.

Brechts Gedicht »Gedanken über die Dauer des Exils«[59] ist nur verständlich, ordnet man es in einen größeren Zusammenhang ein; es ist, wie fast alle Texte aus den »Svendborger Gedichten«, ein innerer Monolog, ein Stück Auseinandersetzung mit sich selbst, mit den eigenen Hoffnungen und Enttäuschungen. Hier sehr einleuchtend in der Zweiteilung: Hoffnung vorab auf eine kurze Dauer des Exils – und dann doch die große Skepsis. Der Schreiber dieser Zeilen weiß inzwischen: der kleine Kastanienbaum, den er wässert, er wird wohl groß sein, und das Exil dauert noch immer an.

Es liegt aber unter all dem sehr viel mehr, eine ganz eigene politische Konzeption, auf die es sich einzulassen gilt. Diese Brechtsche Position, sein Begriff von Exil oder Emigration, läßt sich am ehesten verdeutlichen durch eine Spiegelung: mit Person, Konzept und Œuvre Thomas Manns. Der profunde Dissens zwischen diesen beiden Autoren ist nämlich nicht reduzierbar etwa auf Brechts Sottise: »Der Mann hat ein paar gute Kurzgeschichten geschrieben« oder Thomas Manns Dünnlippigkeit: »Das Scheusal hat Talent.« Er ist vielmehr fundamental – Thomas Mann ging in die Emigration, Bertolt Brecht ins Exil. Der eine weltberühmt, der andere außer mit dem Sensationserfolg der »Dreigroschenoper« mit kaum mehr als Exerzitien für Eingeweihte hervorgetreten. Der eine Repräsentant, wie er sich selber im berühmten Abschiedsbrief an den Bonner Dekan nannte, der andere Analytiker. Repräsentant wovon? In den politischen Reflexionen und Äußerungen von Thomas Mann aus den dreißiger Jahren ist eine eklatante Widerläufigkeit, Ungleichzeitigkeit festzustellen. Während er notiert: »Meine Rede von damals war ein offenes Bekenntnis zum Sozialismus, wenn auch nicht die Erklärung einer Parteizugehörigkeit«[60], sagt er per Telegramm im Jahre 1933 die Mitarbeit an der von seinem Sohn Klaus Mann herausgegebenen Exilzeitschrift »Die Sammlung« ab, die unter dem Patronat von André Gide, Aldous Huxley und Heinrich Mann erschien. Dann aber wieder heißt ein Text bezeichnenderweise »Leiden an Deutschland«, in dem von Tieren, Barbarisierung und Pöbelgemeinheit die Rede ist. Thomas Manns eher schrilles Pathos zeigt mehr Degout als Verständnis historischer Abläufe:

»Fort mit Hitler, dem elenden Subjekt, dem hysterischen *Betrüger*, dem hohlen Monstrum, dem undeutschen [!] hergelaufenen Hochstapler der Macht, dessen ganze Kunst darin besteht, daß er mit eklem Mediumismus den Gemütsnerv des Volkes zu ertasten und in der obszönen Selbstverzückung einer unbeschreiblich niedrigen Rednergabe darauf zu spielen weiß! Fort mit ›General‹ Göring, diesem putzsüchtigen Henker mit seinen dreihundert Uniformen, der sich prassend und schmatzend im viehischen Genuß der ihm verrückterweise zugefallenen Schwertgewalt wälzt... Fort mit diesem riesenmäuligen Propaganda-Chef der Hölle, Goebbels geheißen, der ein Krüppel [!] an Leib und Seele... Fort mit diesem schamlosen Philosophaster Rosenberg, der mit seiner verhunzten Groschenwissenschaftlichkeit, seinem Viertelbildungsschmus und Rassengefasel, seinem Denkertum der Gosse das Verbrechen ›ideologisch unterbaut‹, die Gehirne zerrüttet und einem durch sein bloßes Dasein die Lust am Gedanken und Wort auf ewig verekeln könnte! Fort mit diesem ganzen apokalyptischen Gesindel, dieser Bande von Strolchen, dégénérés inférieurs und Volksverderbern, die in den anderthalb Jahren ihrer Schreckensherrschaft Deutschland in eine ehrlose Vereinsamung geführt, einen Abgrund aufgerissen haben zwischen ihm und der gesitteten Welt...«[61]

Quasi die Gelenkstelle der sich gleichzeitig ausschließenden Positionen Thomas Mann/Bertolt Brecht ist eine Eintragung vom Juni 1933: »Ein seelisch verdorbenes Land. Wie könnte und dürfte man zurückkehren.«[62] Das ist das Gegenteil von: »Schlage keinen Nagel in die Wand, ...du kehrst morgen zurück.« Aus Thomas Mann spricht nicht mehr der verirrte, sondern der enttäuschte Bürger. Genau diese großen Beschwörungen, diese moralische Empörung verweist Bertolt Brecht in seiner Rede auf dem I. Internationalen Schriftstellerkongreß zur Verteidigung der Kultur in Paris in den Bereich des Gestus:

»Die Schriftsteller, welche die Greuel des Faschismus erfahren, am eigenen Leibe oder am fremden Leibe, und darüber entsetzt sind, sind mit dieser Erfahrung und mit diesem Entsetztsein noch nicht ohne weiteres imstande, diese Greuel zu bekämpfen.«[63]

Dem enttäuschten Bürger steht der entlaufene Bürger gegenüber. Dem Repräsentanten der, in dem wir einen haben, auf den wir nicht bauen können.
Dieselbe Entsprechung findet sich im ästhetischen Konzept. Die Grundhaltung der Ironie – »hier ist nur noch Parodie möglich« – ist eine der Ent-zingelung – exakt jene Distanz also, vor der Brecht in seiner »Plattform für die linken Intellektuellen« warnte: »Das Ideal einer inmitten von Barbarei bestehenbleibenden Insel von Humanität ist unendlich gefährlich.«[64] Sein ästhetisches Konzept der Verfremdung ist gerade das der Um-zingelung. Brechts politisch-diagnostischer Apparat seismogra-

phiert nicht deutsch/undeutsch, sondern oben/unten. Sein Gedicht »Über die Bezeichnung Emigranten« signalisiert genau diese Position; die eines Mannes, der gar nicht auf den Gedanken gekommen wäre, sich etwa um die US-Citizenship zu bemühen:

»Immer fand ich den Namen falsch, den man uns gab: Emigranten.
Das heißt doch Auswanderer. Aber wir
Wanderten doch nicht aus, nach freiem Entschluß.
Wählend ein anderes Land. Wanderten wir doch auch nicht
Ein in ein Land, dort zu bleiben, womöglich für immer.
Sondern wir flohen. Vertriebene sind wir, Verbannte.
Und kein Heim, ein Exil soll das Land sein, das uns aufnahm.
...
Aber keiner von uns
Wird hier bleiben. Das letzte Wort
Ist noch nicht gesprochen.«[65]

Für Thomas Mann sind die Vereinigten Staaten unter Roosevelt die Fortsetzung der Weimarer Republik mit besseren Mitteln. Für Bertolt Brecht ist eben dieses Amerika dasselbe wie die Weimarer Republik. Seine erste Exilarbeit »Furcht und Elend des Dritten Reiches« zeigt Klassenantagonismen und die menschliche Verkümmerung durch sie. Deswegen kann Thomas Mann sich sehr schnell in USA integrieren, in der amerikanischen Realität mit Vorträgen, Verträgen, tausend Verflechtungen und Verpflichtungen leben, einen Salon führen, in dem Werfel und Adorno, Bruno Walter und Charlie Chaplin, Schönberg und Einstein, Diplomaten und Bankiers verkehren. Anglizismen finden sich bald sogar in seinem Werk. Bertolt Brecht lebt neben der amerikanischen Realität, er geht »Lügen verkaufen«, aber Englisch kann er noch am Tage vor seiner Abreise in dem Verhör vor dem Unamerican Activities Committee nur schlecht. Die papale Behaglichkeit Thomas Manns zeigt etwa eine Tagebucheintragung: »Es gab Champagner. Frank rief an, bewegt.«[66] Das Ereignis ist aber keines, das man gemeinhin erinnern würde unter dem Rubrum 1943, etwa Stalingrad, Landung der Alliierten in Italien oder Aufstand im Warschauer Ghetto. Das Ereignis ist die Beendigung seines »Josephs«-Zyklus. Das andere, eher Belästigung, findet sich einige Zeilen später: »Auftrag von B. B. C. zu einer Extra-Sendung über 10 Jahre N. S. ... Schrieb vormittags die 10-Jahre-Message herunter.«[67] Kurz darauf dann das entscheidende Stichwort: »Sonntag, den 23. V. 43/ Begann vormittags ›Dr. Faustus‹ zu schreiben.«[68]

Dieses Buch, gleichsam in der Emphase seiner Rede »Deutschland und die Deutschen« geschrieben, ist die große, dämonisierende Verwerfung, Beschwörung der Verworfenheit. Es ist *die* große Abrechnung mit Deutschland. Diesem Element verdankt sich der essayistische Grundgestus des Buches.
Zur selben Zeit – wenig später sollte der exilierte Stückeschreiber Bertolt Brecht unter der Überschrift »Meinungen, die ich eher nicht teile« notieren: »Daß so etwas wie eine deutsche Literatur die Hitlerzeit überlebt hat«[69] – entsteht »Leben des Galilei«. Nahezu ein Gegenentwurf. Der Metaphernhaushalt, das ästhetische Konzept, das ins Fleisch beider Werke eingegangene Weltgefühl – vulgo: Politikbegriff – sind antipodisch. Bei Brecht steht anstelle von Furcht Wißbegierde, von Mitleid Hilfsbereitschaft. Thomas Manns Roman ist ein Bekenntnisbuch, ein Buch des Abschieds; Deutschland ist da einem gestohlen worden, für immer, wie ein Besitztum. Die Grundmusik ist ein wagnerhaftes Untergangsmotiv, ablesbar bis ins strukturale Detail: Hetera esmeralda, der Schmetterlingsname für das syphilitische Mädchen, bei dem sich Adrian Leverkühn vergiftet hat. Gleich nach der Erkrankung komponiert er Lieder nach Clemens-Brentano-Texten. Eines beginnt: »O lieb Mädel, wie schlecht bist du.« Die musikalische Substanz, die Tonfolge ist h-e-a-e-e-s-: Hetera esmeralda. Diese Töne, spielt man sie, ergeben den schwermütigen Sologesang des Englischhorns aus dem Vorspiel zum 3. Akt des »Tristan«.
Auch im »Galilei« ein Pakt. Aber nicht mit dämonischen Kräften. Mit sich. Eine Kläglichkeit, die hier nicht in großer Wegwerfgeste überdimensioniert, sondern das folgerichtige Verhalten eines Einzelnen als folgefalsch demonstriert. Thomas Mann antwortet, Bertolt Brecht fragt; für ihn besteht seine Aufgabe nicht darin, zu beweisen, daß er bisher recht gehabt habe, sondern herauszufinden, ob. Dies ist das innere dialektische Gesetz der Verfremdung. Brechts Bevorzugung des Gestischen ist das Gegenteil von Ironiehaltung – er zeigt nicht, was ein Mensch ist, sondern was er tut. Das Charakteristische einer Figur kommt bei ihm nicht aus dem Psychologischen, sondern aus dem Sozialen. Brechts Kommentar zum »Galilei« liest sich wie eine Abwehr des »Faustus«:

»Der ›Held‹ des Werks ist so nicht Galilei, sondern das Volk, wie Walter Benjamin gesagt hat. Es ist etwas zu knapp ausgedrückt, wie mir scheint. Ich hoffe, das Werk zeigt, wie die Gesellschaft von ihren Individuen erpreßt, was sie von ihnen braucht. Der Forschungstrieb, ein soziales Phänomen, kaum weniger lustvoll oder diktatorisch wie der Zeugungstrieb, dirigiert Galilei auf das so gefährliche Gebiet, treibt ihn in den peinvollen Konflikt mit seinen heftigen Wünschen nach anderen Vergnügungen. Er erhebt das Fernrohr zu den Gestirnen und liefert sich der Folter aus. Am Ende betreibt er seine Wissenschaft wie ein Laster, heimlich, wahrscheinlich mit Gewissensbissen. Angesichts einer solchen Lage kann man kaum darauf erpicht sein, Galilei entweder nur zu loben oder nur zu verdammen.«[70]

Folgerichtig soll nicht – wie bei Thomas Mann – Verdammung gesprochen, sondern sollen Lebensregeln gelernt werden. Es geht nicht um eine alte, sondern um eine neue Zeit. Die erste und letzte Szene handelt von der »Begründung der neuen Zeit«, und der letzte Satz des Abschnitts im »Kleinen Organon«, der sich mit dem »Galilei« befaßt, lautet: »Eine bedeutsamere Prüfung steht bevor, und macht nicht jedes Versagen ein weiteres Versagen leichter?«[71]
Fast möchte man es keinen Zufall nennen, daß Thomas Mann ein Brecht-Wort benutzt, wenn er die Rückkehr, auf die Brecht die Jahre des Exils hindurch wartete, entsetzt von sich weist und den Gedanken, eines Tages in das »verfremdete« Deutschland zurückzukehren und dort womöglich gegen Natur und Beruf eine politische Rolle zu spielen, als ihm in der Seele fremd bezeichnet.[72] Thomas Mann hat Deutschland und den Deutschen nie vergeben. Seine Tagebücher aus der Zeit sind voller Haß und Erbarmungslosigkeit – wiederum ganz diametral entgegengesetzt den Gedanken Brechts, der Thomas Mann nun ein »Reptil« nennt und in seinem »Arbeitsjournal« kommentiert:

»Solch ein Volk muß gezüchtigt werden! ... Für einen Augenblick erwog sogar ich, wie das ›deutsche Volk‹ sich rechtfertigen könnte, daß es nicht nur die Untaten des Hitler-Regimes, sondern auch die Romane des Herrn Mann geduldet hat, die letzteren ohne 20 bis 30 SS-Divisionen über sich.«[73]

Es geht aber nicht um Sottisen, es geht um einen anderen Begriff von Nation. Bei Brecht liest man immer wieder: »Das Herz bleibt einem stehen, wenn man von den Luftbombardements Berlins liest«[74] oder »Hamburg geht unter. Über ihm steht eine Rauchsäule, die doppelt so hoch ist wie der höchste deutsche Berg, 6000 m. Die Mannschaften der Bomber benötigen Sauerstoffapparate. Seit 72 Stunden erfolgt alle 12 Stunden ein Angriff.«[75] Ihn, den Radikalen, graust es vor Thomas Manns Radikalität:

»Als Thomas Mann vorigen Sonntag, die Hände im Schoß, zurückgelehnt sagte: ›Ja, eine halbe Million muß getötet werden in Deutschland‹, klang das ganz und gar bestialisch. Der Stehkragen sprach. ... Es handelte sich um kalte Züchtigung, und wo schon Hygiene als Grund viehisch wäre, was ist da Rache (denn das war Ressentiment von dem Tier).«[76]

Brechts Härte ist zugleich weich, Härte des Wassers. Er hat Deutschland nie geliebt, haßt also nicht. Er sieht soziale Strukturen, nicht Nationen. Für ihn ist Sunset Boulevard dasselbe wie Berlin Bayerischer Platz. Brechts gesamtes Kategorien- und Wertesystem verläuft in anderen Bahnen. Er hat nie etwas repräsentiert – so hätte er auch nie sagen können, daß dort, wo er ist, auch die deutsche Kultur sei. Wenn Thomas Manns Werk Suche nach einer temps perdu ist, so ist das von Brecht Sprung nach vorn, es will Denkmodell sein. Er seziert nicht einen Leichnam, sondern versucht, einen Kranken zu operieren.
Doch die große Frage des Gedichts für den Tag nach der Befreiung, »Willst du wissen, was du von deiner Arbeit hältst?«, wird auch für Brecht eine sonderbare Antwort bereithalten. Als er seinen »Galilei« schrieb, wußte er noch nicht, wie sehr und wie bald List und Menschlichkeit des Galileo Galilei auch die des armen BB werden sollten. Thomas Mann kehrte nie nach Deutschland zurück, bewußt. Aber Brecht tat es – und erlebte noch den Wirklichkeitsgehalt des Satzes von Galilei an Andrea, der die »Discorsi« herausschmuggeln wird: »Gib acht auf dich, wenn du durch Deutschland kommst, die Wahrheit unter dem Rock.«[77]
Bertolt Brecht kam »durch Deutschland«; er kehrte zurück – aber fand er wirklich heim? Eine seiner letzten Tagebuchnotizen ist auch eine der entsetzlichsten. Sie zeigt, daß auch er, BB, das große Fremdsein noch spürte:

»Das Land ist immer noch unheimlich. Neulich, als ich mit jungen Leuten aus der Dramaturgie nach Buckow fuhr, saß ich abends im Pavillon, während sie in ihren Zimmern arbeiteten oder sich unterhielten. Vor zehn Jahren, fiel mir plötzlich ein, hätten alle drei, was immer sie von mir gelesen hätten, mich, wäre ich unter sie gefallen, schnurstracks der Gestapo übergeben ...«[78]

Hätte Brecht auch so fühlen müssen, wäre er den Kollegen begegnet, die Filme gedreht und Hörspiele gefunkt, Gedichte publiziert und Romane verlegt hatten, diese tausendjährige Ewigkeit von zwölf Jahren hindurch? Hätte genügt, das zwei Zeilen lange »Urteil« über eine Künstlertätigkeit unter Görings Schutz, das er 1949 Gustaf Gründgens zustellte:

»Sehr geehrter Herr Gründgens!
Sie fragten mich 1932 um die Erlaubnis, ›Die heilige Johanna der Schlachthöfe‹ aufführen zu dürfen. Meine Antwort ist ja.
Ihr Bertolt Brecht.«[79]

Es spiegelt sich jene Zeit sehr anders, sehr deutlich in ihrer Verworrenheit beispielsweise in den »Tagebüchern aus dem 2. Weltkrieg« von Horst Lange – der unbefangen das Verbum »erledigt« in Zusammenhang mit gefangenen Russen benutzen kann;[80] der es beim Kampf gegen starken russischen Widerstand bedauernd »als Fatum hinnimmt, daß ich nicht dabei sein darf«;[81] der im November 1941 an der Ostfront mit einer einzigen Eintragung – durch zwei Sätze getrennt – die Gräßlichkeit der Epoche und das Versagen ihrer Verschweiger bannt: »Die ganze Bevölkerung wird niedergemacht... Ich habe vorgestern abend ein Gedicht gemacht, das nicht gut geworden ist – es geht mir nicht schlecht.«[82] Es ließe sich ein Essay schreiben über diesen einen Satz, nicht nur die moralische Fallhöhe, sondern auch das Vokabular von »Niedergemacht – gemacht«, »nicht gut – nicht schlecht«; nahezu ein Musterbeispiel für die Nähe von Denken und Schreiben. Denn nicht vordringliche moraltheologische Vorbehalte sind Gegenstand dieser Überlegungen, vielmehr die stets variierte Frage, welches humane System zu einem System von Zeichen wird; und zu was für welchen.
Deshalb ist mindestens so interessant Horst Langes entsetzte Abwehr der Literatur eines Kafka oder Joyce. Wenn bei Betrachtung seines Romans »Schwarze Weide« gesagt wurde, es sei ein Buch außerhalb der modernen Literaturtradition – so zeigen Langes Notate, wie sehr sein eigenes Œuvre auch sehr klar eines innerhalb bestimmter Ordnungswelten ist. »Eine Welt ohne Ordnung«, konstatiert er entgeistert über Kafkas »In der Strafkolonie«, »das exkrementäre Produkt einer kranken Phantasie.« Das ist, Wort für Wort, das Alphabet der »entarteten Kunst«; Verdammnis und die Summe dieser »Literatur-Psychose«, des »Nervenzerfalls« – »Das Ganze ist mir völlig contre-coeur«[83] – hätte expressis verbis gar nicht mehr gezogen zu werden brauchen. Wer sich als deutscher Soldat außerhalb der »aufsässigen und gedrückten, stummen und gesichtslosen Masse« in Polen 1943 zu »Herrengefühlen« bekennt,[84] steht eben draußen *vor* der Strafkolonie, am Gittertor. Auch literarisch. Und wer 1941

notiert, »es erheitert mich ungemein, daß ich nachts in Rußland spazieren reite«,[85] kann Joyce nicht oder nur als »Auflösungsliteratur« wahrnehmen.
Dem inneren Akzeptieren bestimmter Ordnungsmuster – auch staatlicher – entspricht eine Literatur, deren mögliche Akzeptanz durch das Regime sich verdankt ihrer eigenen Unmöglichkeit zur Unordnung. Moralische Ruhe heißt, ins Ästhetische übersetzt, Biedermeier. Das war das Erbe, das die deutsche Nachkriegsliteratur antrat. Noch galt das Gedicht als »Blume des Herzens«, wie es 1946 in einer literarischen Umfrage hieß, noch schien der »Stern über der Lichtung«, wie sich eine Gedichtsammlung Carossas nannte. Es wurde weitergedichtet, obzwar alles in Trümmer fiel: »Der hohe Sommer« oder »Das Weinberghaus«, »Alten Mannes Sommer« oder »Abendfalter« – so hießen die ersten Gedichtbände nach dem Krieg. Oda Schaefer erinnert sich an die Begrüßungsrede Horst Langes auf der Jugendkundgebung der »Kulturliga« im Juli 1946 in der Aula der Münchner Universität; da beklagte er die Unfähigkeit der jungen Generation, »die Stille zu vernehmen...«, weil sie immerwährend das laute Getöse einer untergehenden Welt im Ohr habe.[86]

Tatsächlich dauerte es, bis sich gegen all diese »Blumen-ABCs«, Perlenschnüre und Geißblattlauben eine Ausnüchterung durchsetzte; denn Jahre hindurch hatte sich Literatur in die Zierlichkeit geflüchtet. Das Ergebnis ist eine vielfache Überschneidung. Der 32jährige Stephan Hermlin, soeben aus der Emigration zurückgekehrt, fragt im Oktober 1947 noch verwundert: »Wo bleibt die junge Dichtung?«:

»Das Unvermögen, die jüngste Vergangenheit und die Gegenwart dichterisch zu gestalten, hat wahrscheinlich viel mit der Tatsache zu tun, daß der Faschismus und sein Krieg bei uns fast durchweg erduldet, ja geduldet, aber nicht bekämpft wurde. Ich sage ›fast durchweg‹ und nicht ›immer‹. Diesen Umstand näher zu betrachten, ist nicht meine Aufgabe. Mir scheint aber erwiesen zu sein, daß die höchst lebendige, höchst charakteristische zeitgenössische Literatur in einigen anderen Ländern mit der aktiven und militanten Haltung der betreffenden Schriftsteller im Zusammenhang steht. Man hat über die Widerstandsliteratur bei uns schon eine Unmasse gesagt und geschrieben. Unsere zeitgenössische nichtfaschistische Literatur, unsere lyrische Dichtung im besonderen, trägt dagegen den Stempel des Troglodytenhaften, sie ist eine Dichtung von Höhlenbewohnern, wie ein junger Dichter bezeichnenderweise eines seiner Gedichte nannte. Daraus ergibt sich formal der Zug zum Konservativen, zum Statischen, zum Rückwärtsgewandten. Was den geistigen Gehalt angeht, scheut man das Direkte, das Konkrete, man flüchtet in die Metaphysik und nennt die Totschläger am liebsten Dämonen. Aus Widerwillen vor dem Marschieren stelzt man. Es ist an der Zeit, gehen zu lernen.«[87]

Dieser Rede war eine interessante Debatte in Alfred Kantorowicz' Zeitschrift »Ost und West« vorausgegangen, in der der Remigrant Hermlin konsterniert bemerkte:

»Man fürchtete viel nach 12 Jahren der Diktatur von Rasenden, die Amok gegen Kultur und Gesellschaft liefen. Man war darauf gefaßt, unter Trümmerhaufen zu leben, geistigen sowohl wie materiellen. Aber man hatte sich die Hoffnung bewahrt, daß unter den Ruinen Überlebende, zumindest einige von ihnen, nun neue Fragen aufwerfen würden, mit neuen Gedanken hervordrängen, neue Probleme zur Diskussion stellen würden. Man hatte sich die Hoffnung bewahrt, daß nach der Zeit des Schreckens junge Schriftsteller gerettete Manuskripte aus Schlupfwinkeln hervorsuchen und präsentieren würden. Diese Hoffnung hat sich, von Einzelfällen abzusehen, als eine Illusion erwiesen.«[88]

Käte Fuchs, Schwiegertochter des später nach Leipzig übersiedelten Marburger Theologen Emil Fuchs (dessen Sohn Klaus für die Sowjetunion die Atombombe »stahl«), antwortete:

»Diese alte Generation der und zwar von der sogenannten Intelligenz an bis hinab zum letzten Grünkramhändler, ja bis hinein in weite Kreise der Arbeiterschaft hat versagt und versagt heute wieder. Und sie muß versagen, denn sie ist die Repräsentantin der durch die geschichtliche Entwicklung bis ins Mark getroffenen bürgerlichen Gesellschaft. ... Bis in das Frühjahr 1945 logen sie uns die Ohren voll von Wundern, die da geschehen würden. Die Wunder geschahen nicht, der Abgrund tat sich auf. Und hier stehen nun die Lügner – ach, es waren ja nicht nur die Parteigenossen und die SS, sie haben alle mitgelogen – und auf der anderen Seite stehen die Betrogenen, die Jugend.«[89]

Und ein neunzehnjähriger Leser, der sich als »Jugendfunktionär« vorstellte, beschrieb die moralische Verwirrung, zugleich künstlerisch-politische Unsicherheit seiner Generation:

»Die tiefere Ursache ist die völlige Unsicherheit gesellschaftlichen Problemen gegenüber. Die Jugend hat die Fähigkeit verloren, Zusammenhänge zu überschauen, sie versteht nichts von der Notwendigkeit gesellschaftlicher Umwandlungen, sie ist standpunktlos, sie weiß nicht um ihre Aufgabe in der Gesamtheit des Volkes. Aus beidem resultiert ihr Schweigen: Die junge Dichtergeneration kann nichts konkretes, starkes und bleibendes aussagen, weil sie

1. in einer persönlichen, menschlichen, charakterlichen und auch künstlerischen formalen Hilflosigkeit verharrt, und weil sie
2. in völligem Unwissen über ihre gesellschaftliche Funktion ist, ja, sie ist sich im absoluten Unklaren über die Gesellschaft und ihre Klassen überhaupt.«[90]

Mit dieser Enthaltsamkeit sollte gebrochen werden. Nur: es blieb eher bei der Proklamation. Im legendären »Ruf« schrieb Gustav René Hocke im November 1946: »Angesichts des Leids korrigiert die Schönheit ihre Proportionen.«[91] Eine Anthologie solcher Kern-Sätze ließe sich mühelos zusammenstellen, von Wolfgang Borchert »Wir brauchen keine wohltemperierten Klaviere mehr. Wir selbst sind zuviel Dissonanz«[92] bis zu Schnurre »Zerschlagt eure Lieder / verbrennt eure Verse / sagt nackt / was ihr müßt«.[93] Urs Widmer kann sich einen gewissen Spott nicht versagen: »An einer Seite Prosa wie an einer Bildsäule arbeiten, sagt Nietzsche. Die ›Ruf‹-Autoren schnitten ihre Prosa-Säulen eher in Schaumgummi«;[94] und gar so dissonant klingt auch vieles von Borchert nicht:

»Wassersüchtige Menschenwracks, todsehnende Lebendige, wellenvertraute wellenverliebte Wasserleichen voll Abschied und Endgültigkeit mit einsamem Blechschrei schmalflügeliger Lachmöwen: Lustvolle leidvolle Elbe! Lustvolles leidvolles Leben!«[95]

Nun gilt Günter Eichs schon im Titel tabula rasa machendes Gedicht »Inventur« als radikaler Neubeginn, als Inbegriff der Kahlschlagliteratur; erschienen ist es zuerst in der Sammlung von Gedichten deutscher Kriegsgefangener »Deine Söhne, Europa«, die Hans Werner Richter in der Nymphenburger Verlagshandlung herausgab:

»Dies ist meine Mütze,
dies ist mein Mantel,
hier mein Rasierzeug
im Beutel aus Leinen.
Konservenbüchse:
Mein Teller, mein Becher,
ich hab in das Weißblech
den Namen geritzt
...
Dies ist mein Notizbuch,
dies meine Zeltbahn,
dies ist mein Handtuch,
dies ist mein Zwirn.«

Und Walter Höllerer hat als Randnotiz in dem von ihm herausgegebenen Lyrikbuch der Jahrhundertmitte »Transit« daneben vermerkt: »Die Dinge beschränken sich auf das wesentliche. Sie werden arm, um deutlicher zu werden. Augenblick und Einzelding gehören zusammen.«[96] Das aber hätte auch Franz Pfemfert schon 1916 notieren können: in dem von ihm herausgegebenen Band »Aktionslyrik II«, neben Richard Weiners Gedicht »Jean Baptiste Chardin«, das dessen berühmte Stilleben gleichsam lautmalt: »Dies ist mein Tisch / Dies ist mein Hausschuh / Dies ist mein Glas / Dies ist mein Kännchen ...«[97]
Der Neubeginn hatte nicht stattgefunden. Nicht so. Nicht jetzt. Einer der Autoren, der mit dem Begriff Nachkriegsliteratur nahezu automatisch assoziiert wird, Heinrich Böll, sagt das unverblümt:

»Im ehrwürdigen Dom meiner Vaterstadt Köln während des Pontifikalrequiems für Konrad Adenauer hielten hohe Offiziere mit Ritterkreuz ohne Hakenkreuz darin die Ehrenwache, in Gegenwart zweier Kardinäle, in Anwesenheit des gesamten diplomatischen Korps, der Präsidenten und Ministerpräsidenten einiger Länder. Es waren alle beieinander, alle dabei, und dieses wohl größte gesellschaftliche Ereignis in der Bundesrepublik Deutschland, diese große Trauerfeier mit ihrer phantastischen Regie war, wie verlautet, von Herrn Globke entworfen. Es fehlte nichts: nicht der vielgeschändete Vater Rhein, nicht die Mutter Natur im lieblichen Rheintal, und alle, alle waren einverstanden mit diesen auf eine schizophrene Weise verkratzten Ritterkreuzen der deutschen Gegenwart, aus denen die Vergangenheit herausgekratzt war.
Ich behalte mir das Recht vor, Geschichte bildhaft zu sehen, und dieses

Bild war das Bild des Einverständnisses. Aber ich stelle mir ganz andere Feiern vor, die nie stattgefunden haben und nie stattfinden werden: das gesamte Kardinalskollegium hält ein Pontifikalrequiem für eine Handvoll namenloser Erde aus Treblinka, oder es versammelt sich am Grab eines verhungerten sowjetischen Kriegsgefangenen, oder: die Sozialdemokratische Partei Deutschlands lädt ein zu einem großen Trauer- und Reueakt für jene Frau, die als Leiche in den Landwehrkanal geworfen wurde.«[98]

Und in einem langen Gespräch mit dem französischen Publizisten René Wintzen kommt er zu dem Schluß, daß allenfalls das *Material*-Angebot der Kriegs- und Nachkriegszeit sich unterschiede, die Literatur selber nicht. Bölls hypothetische Erörterung, ob seine Bücher *strukturell* genauso wären – die Figuren nur anders »verkleidet« –, wenn es nie einen Hitler, nie einen Krieg gegeben hätte, endet in dem frappanten Satz: »Ich bin ganz sicher, daß ich ›Und sagte kein einziges Wort‹ ohne Krieg und Nazis fast genauso geschrieben hätte... ich glaube nicht, daß dieser Roman, bis auf ein paar zeitgeschichtliche Details, anders ausgefallen wäre.«[99] Böll proklamiert sich geradezu zu einem unpolitischen Autor. »Es gibt ja Autoren, deren Einstieg in die Autorschaft unmittelbar politisch ist. Meiner war es nicht.«[100]
Hier liegt der Knick. Hier ist der Sprung nach vorn. Hier beginnt die Entwicklung, das Neue. Erst als ein Nachkriegsdeutschland sich zu formieren begann, entstand auch eine eigenständige Nachkriegsliteratur. Sie reagiert auf das Neue, nicht das Alte – und sie reagiert auf das Alte im Neuen; nun tanzte man nicht mehr Swing in der Femina-Bar – »man war einfach antifaschistisch und tanzte Boogie-Woogie«[101] heißt es bei Martin Walser. Insofern ist die neue Literatur von Beginn an politisch:

»Die Deutschen haben ihre Geschichte, ich will gar nicht sagen Schuld, sich nie klargemacht, und damit fing das an, was sie Engagement nennen, ja, da wurden wir plötzlich wach und dachten, um Gottes willen, was kann daraus werden. Mit der Wiederaufrüstung kamen ja auch alte Nazi-Offiziere, da kamen die Industriellen wieder aus ihren Internierungsecken oder ihren stillen Ecken, da wurde die Sache schon sehr deutlich.«[102]

Das sagt Böll im selben Gespräch mit René Wintzen.
Die deutschen Schriftsteller nahmen von der ersten Stunde an aktiven Anteil an der Gestaltung eines neuen Deutschland. Ja – *eines*. Die

Vorstellungen über ein neues Deutschland waren vage bis romantisch. Doch wie kühn oder zaghaft auch spekuliert wurde – *eine* Ebene der Vorstellung wurde nie verlassen: *ein* deutscher Staat, *eine* deutsche Literatur. Hans Werner Richter erinnert sich an eine Tagung in Tremsbüttel, auf der sich Schleswig-Holsteins Ministerpräsident zum »Reichskanzler« küren lassen wollte:

»Wir waren alle davon überzeugt, daß es über kurz oder lang wieder einen deutschen Reichstag, eine deutsche Reichsregierung und einen deutschen Reichskanzler geben würde. Keiner der Teilnehmer, von Hallstein über Bucerius bis Kuby, zweifelte an einer solchen Entwicklung.«[103]

Diese heute bizarr wirkende, damals eher selbstverständliche Welt spiegelt sich bis hinein in die Zusammensetzung einer Redaktion. Man muß noch einmal – diesmal aus einer autobiographischen Skizze von Alfred Andersch – zitieren, um das ganz Verquere als das ganz Normale zu begreifen:

»An Major Habe habe ich nur eine undeutliche Erinnerung, denn er wurde schon wenige Wochen später von seinem Posten entfernt und von einem anderen amerikanischen Major, Hans Wallenberg, abgelöst. Habe war ein glänzend freundlicher und amüsant eitler Mann; es war unterhaltend, ihm zuzusehen, wenn er, stets begleitet von seiner damaligen Favoritin, einer deutschen Dame, die immer wehende Schleier-Kleidung trug – jedenfalls kommt es mir nachträglich so vor, als sei stets ein Wehen wie von Voile-Gardinen um sie gewesen –, durch die Redaktionsräume schritt, in denen bis vor kurzem noch der Völkische Beobachter gemacht worden war. *Schritt* ist der richtige Ausdruck. Er war ein großer Mann mit etwas hervortretenden Augen, von femininer Schönheit, eigentlich war er eine Frau, der Ruf eines erfolgreichen *Lady-Killers* hing um ihn wie der Duft eines Gesellschaftsberichts aus Budapest im Neuen Wiener Journal.«[104]

Die Rede ist vom Chefredakteur der »Neuen Zeitung«, Hans Habe, dessen Feuilletonchef Erich Kästner war, dessen Assistent Alfred Andersch war. Doch blieb es nicht immer bei Damen-Schleiern; die ideologischen Nebel begannen zu wallen. Die Radikalität war abgeschwächt. Angst vor Kommunisten, mehr noch: Angst davor, als Kommunist zu gelten, ließ vieles ungeschrieben; also ungedacht. Nicht nur durchkämmten McCarthy-Beamte die Amerikahäuser nach Büchern von Dreiser, Steinbeck oder Dos Passos, verhinderten Aufführungen von Arthur-Miller-Dramen. Der Wirrwarr herrschte bei den Exekutoren der Reeducation so gut wie bei den Umerzogenen. Hocke erinnert sich an das Durcheinander im »Ruf«:

»Doch hatte ich es, von amerikanischer wie von deutscher Seite, auch mit reaktionären Tendenzen von extrem links wie von extrem rechts zu tun. Linksextremistische amerikanische Offiziere aus der sogenannten Freiheits-Fabrik von Fort Getty empfahlen mir, Kommunisten unter den deutschen Kriegsgefangenen für eine zukünftige Demokratie als besonders zuverlässig zu bezeichnen. Ein hoher Beamter des State Department hingegen regte uns dazu an, auf die Worte ›Antinazi‹ oder ›Antifaschist‹ zu verzichten, um dem Verdacht zu entgehen, wir seien Kommunisten.«[105]

Die Geste der politischen Denunziation fand Eingang in die Literaturkritik. Klaus Harpprechts Rezension des »Treibhaus« von Wolfgang Koeppen, dem er »dürftiges Hochstaplertum« bescheinigt, zieht die Summe: »Herr Koeppen ist Antifaschist. Er ist vermutlich auch Antikommunist.«[106] Das war zu jener Zeit ein kompliziertes »vermutlich«.
Von dieser Literatursituation der ersten Stunde wollen gar manche heute nicht mehr berichten. »Falsche« Allianzen oder auch allzu »richtige« werden oft so keusch kaschiert wie sogar Teile der literarischen Produktion. Ein Aufsatz von Gustav Zürcher gibt frappante Beispiele für die Enthaltsamkeit gegenüber der einstigen Radikalität: »Man schweigt, worüber sich angeblich nicht reden läßt, und verschweigt und vergißt, was man seinerzeit geschrieben hat.«[107]
So mochte Eich zwanzig Jahre lang die »Abgelegenen Gehöfte« nicht wieder gedruckt sehen, Weyrauch nahm in den Sammelband von 1977 »Mit dem Kopf durch die Wand« nur ein Gedicht dieser Zeit auf, und Schnurres wütende Erstlingsgedichte sind verschollen.
Für diese Wirrnis aus Gemeinsamkeit und entstehendem Zwist ist ein Datum des Jahres 1947 ein erinnernswerter Haltepunkt. Nein, die Rede geht nicht von der ominösen Gründung der Gruppe 47 – die Rede geht vom ersten gesamtdeutschen Schriftstellerkongreß, der vom 4. bis 8. Oktober 1947 in Ostberlin stattfand, in den Kammerspielen des Deutschen Theaters (an dem Gustaf Gründgens den »Ödipus« gab). A wie Heinrich Anacker – daß die Gästeliste des Empfangsabends mit dem Namen des Nazi-Barden begann, war mehr als nur ein makaber-witziger Einfall

irgendeines Teilnehmers. Der deutsche Faschismus geisterte durch alle vierzehn Referate und prägte die drei Manifeste – deren erstes eine heraufziehende Gefahr beschwor, das, was Peter Rühmkorf Jahrzehnte später den »Trennungsschaden... das Spaltungsirresein«[108] nennt: »Ja, es mehren sich in manchen Bezirken die Stimmen, die ein Auseinanderfallen, eine Aufspaltung Deutschlands für unabwendbar annehmen und sich mit ihr abfinden wollen.«[109] Dieses Gespenst ging um, von Ricarda Huchs Eingangsworten in ihrem Begrüßungsreferat, in dem die aus Jena nach Berlin gekommene dreiundachtzigjährige Ehrenpräsidentin das »ganze einige Deutschland«[110] beschwor, bis zu Axel Eggebrechts Schlußwort, das sich nach dem 17. Juni 1953, nach Budapest und Prag und Warschau wie eine schwarze Prophetie liest:

»Unser Freund Wolfgang Harich hat auseinandergesetzt, daß die Anwendung von Gewalt unter Umständen gerechtfertigt, ja notwendig sei. ... Hat Harich vergessen, daß eine der großen historischen Entscheidungen unserer Tage wesentlich durch aktive Enthaltung von der Gewalt erreicht wurde: die Befreiung Indiens nämlich?«[111]

In gewisser Weise wurde der Kongreß von Frauen geprägt: an Anna Seghers' Rede über geistige Freiheit schloß sich eine schneidende Ablehnung antifaschistischer Mogelei der Elisabeth Langgässer:

»Es ist nicht von ungefähr, daß es heute kaum einen Schriftsteller gibt, der sich nicht mehr als mehr oder weniger geschundenes Opfer der Hitler-Zeit empfindet oder sich wenigstens von seinem Verleger widerspruchslos als ein solches bezeichnen läßt. Verzeihen Sie mir: diese Worte klingen sehr hart, aber sie sollen ja nur einer Gewissensforschung dienen und eine Art von Beichtspiegel sein, in den jeder von uns um so ehrlicher und furchtloser blicken sollte, je mehr er sich dem Spiel der sechs Bälle hingegeben hat. Sie kennen dieses Spiel. ›Ja‹, sagt Herr X., ›wenn Herr Goebbels nicht so dumm und die Herren des Propagandaministeriums nicht so verblendet gewesen wären, hätten sie natürlich merken müssen, was ich eigentlich mit dieser oder jener Figur gemeint habe. Übrigens hat man mir natürlich auch immer weniger über den Weg getraut, man hat mich sehr scharf beobachtet, eigentlich war ich ganz unerwünscht, denn ›eigentlich‹ ist meine ganze Dichtung nur eine Ablehnung ihrer Weltanschauung gewesen, gerade weil ich mich anscheinend ihrer Ausdrücke bedient habe, und ›eigentlich‹ ist es mein Glück gewesen, daß nachher alles drunter und drüber ging, sonst – usw. usw. Ich sage noch einmal, verzeihen Sie mir! Es ist eine große, eine unverdiente Gnade gewesen, wenn Gott einem Menschen den Arm festgehalten hatte; nüchterner ausgedrückt: wenn er es fügte, daß er auf Grund unqualifizierbarer Vorfahren oder irgendeiner Temperamentsäußerung, über die er selber hinterher erstaunt war, beizeiten aus der sogenannten Reichsschrifttumskammer herausgeworfen wurde, bevor er noch in die Versuchung kam, mit diesem Gesindel einen Pakt zu schließen, von welchem der 25. Psalm sagt: ›An ihrer Hand klebt Freveltat, gefüllt ist ihre Rechte mit Geschenken.‹«[112]

Viele Jahre später hat Ernst Jandl dieses Verfahren »Nach altem Brauch« in einem Sechszeiler festgehalten:

»keiner schließlich
hat es gewollt
jeder schließlich
hat es getan
das hört sich an wie Lüge
und ist es auch«[113]

Es trat aber auch der »amerikanische Korrespondent« Melvin Lasky auf, dessen temperamentvolle Warnung vor Zensur und Parteidoktrin zu lebhaften Protesten, schließlich zum Auszug der sowjetischen Delegation (und einiger deutscher Kollegen) führte; Valentin Katajew hatte vorher gerufen: »Endlich habe ich einen Kriegshetzer in Natur gesehen.«[114] Der alte heiße Krieg war noch nicht kalt, da begann der neue, kalte. Kaum Atem geschöpft, fanden sich die deutschen Schriftsteller abermals in Atemnot. Als Wolfgang Weyrauch dann 1949 – in diesem Jahr entstand der Begriff überhaupt erst – im Nachwort zu der Anthologie »1000 Gramm« das so legendenträchtige Wort vom »Kahlschlag« prägte, war das fast schon eine historische Definition.[115] Neueste deutsche Literaturgeschichte – das heißt, wenn man Peter Rühmkorfs Wort von der »Dichtung als einem Gedächtnis der Geschichte«[116] ernst nimmt, auch von heute und hier aus fragen: Wie früh eigentlich begann der Absturz nach dem Aufbruch? Wie bald begann Resignation, gar Erbitterung? Wie rasch hörte das Gespräch auf – das zwischen den Autoren »hüben und drüben« (bei der Gruppe 47 war fast nie ein DDR-Autor zu Gast), das zwischen hüben und hüben aber auch. Geschichte – auch Literaturgeschichte – ist keine Kette von Naturkatastrophen, und wenn man sich heute fragt, wie es dazu kam, zu Ulrike Meinhof und Berufsver-

bot und »neuer Innerlichkeit«, dann ist zu sagen: Es begann sehr früh, es war alles zu frühester Stunde angelegt.
Wolfgang Bächler ist einer der »Zeugen der ersten Stunde«:

»Es war die Zeit der überfüllten, fensterlosen Hörsäle, der geborstenen Fassaden, der häßlichen kalten Buden und der heißen Diskussionen und schönen Illusionen, die Zeit, in der wir zwar nicht die Welt, aber Deutschland verändern wollten. Es waren die Jahre der kleinen Fettrationen und der großen neuen Theater- und Kunsteindrücke, der vielen Zeitschriften und meiner literarischen und publizistischen Anfangserfolge. Doch nun wurde Deutschland in zwei ungleiche feindliche Hälften geteilt, von denen keine unsere Ideale verwirklichte.«[117]

Nun bleibt das nicht Skizze. Es frißt sich ein in den Leib der Literatur. Und die reagiert empfindlich; Hoffnung zersiebt. Wenn Bächler 1943 noch schreiben konnte »In tausend leeren Fratzen hing der Spott. / Und Gott? – Wir hoffen, daß er aufersteht.«[118], dann heißt das eben zehn Jahre später:

»Gott sitzt rudernd
auf den Ästen,
ißt die Kirschen,
spielt mit Kernen,
läßt sich treiben,
hat die Welt vergessen.«[119]

Das Metaphernmaterial seiner Sprache erstarrt: kalt, schneidend, entblößt, verletzt, fröstelnd, verschlossen, zerfetzt sind die Verbalkonstruktionen eines einzigen Gedichts, das so endet:

»Auf dem Platz der Freiheit
springt die Fontäne
nicht mehr.
Im Brunnengrund atmet
der Himmel noch einmal,
bevor er zu Eis wird,
Figur und Blume.«[120]

Das von Bächler später in einem Gedicht und in einer autobiographischen Skizze festgehaltene, verblüffende Dictum ausgerechnet von Georg

Lukács: »Sie müssen keine Sekundärliteratur lesen... Es gibt seit Schlegels ›Meister‹-Kritik über Goethe nichts Lesenswertes, nichts, das Sie lesen müßten«[121], kann man gut auf die fünfziger Jahre anwenden: Es genügt, die Originaltexte zu lesen; sie ergeben ein finsteres deutsches Lesebuch. Der geistabweisende Hohn Konrad Adenauers schuf zwei Lager. Auf die tiefernste Besorgnis der achtzehn Göttinger Wissenschaftler angesichts der atomaren Bewaffnung (Deutschlands Elite, von Max Born bis Carl Friedrich von Weizsäcker, Otto Hahn bis Werner Heisenberg, war auf diesem Papier versammelt) hatte er nur diese bigotte Schnödigkeit: »Zur Beurteilung dieser Erklärung muß man Erkenntnisse haben, die diese Herren nicht besitzen. Denn sie sind nicht zu mir gekommen.«[122] Da mußte man nicht zänkisch wie Kurt Hiller sein, um zu giften, »... daß eine dem wahren Interesse des Vaterlands fortgesetzt abträglich handelnde arrogante Null wie Sie raschestens von der politischen Bildfläche verschwinde«.[123]
Einen Tag vor dem 24. Jahrestag der Bücherverbrennung, am 9. Mai 1957, verzeichnet das Protokoll der Haushaltsdebatte des Deutschen Bundestages diese dem Tag wohl eher auf verquere Weise Rechnung tragende Antwort des deutschen Außenministers Heinrich von Brentano auf eine Anfrage des SPD-Abgeordneten Kahn-Ackermann:

»Sie waren der Meinung, daß Bert Brecht einer der größten Dramatiker der Gegenwart sei. Man mag darüber diskutieren. Aber ich bin wohl der Meinung, daß die späte Lyrik des Herrn Brecht nur mit der Horst Wessels zu vergleichen ist.«[124]

Geschichte ist auch Gegenwart – da ist ein Kontinuum, von diesem kennerisch taktvollen Vergleich zu Erhards »Pinschern« zu Strauß' »Ratten und Schmeißfliegen« zu Prof. Carstens' Merk-Satz, »Ich fordere die ganze Bevölkerung auf, sich von der Terrortätigkeit zu distanzieren, insbesondere auch den Dichter Heinrich Böll, der noch vor wenigen Monaten unter dem Pseudonym Katharina Blüm ein Buch geschrieben hat, das eine Rechtfertigung von Gewalt darstellt.«[125]; eine mittelständische Tageszeitung gäbe ihm wohl keine Prokura.
Darauf reagiert Literatur. Dieses Verhältnis, das ein Mißverhältnis zu nennen Beschönigung wäre, des deutschen Staates zu seinen Schriftstellern richtete allerlei an. Man mache sich nichts vor: bis in den zerbrechlichen Bau von Gedichten. Metaphern von Ersticken und von Spinnweb etwa sind überall zu finden:

»Die Spinnennetze sinken
rauchgrau in die Schleifen
des Fischreiherflugs.
Ich werfe Astern hinein.
Eulen fangen sie auf
mit stäubenden Flügeln.
Ich werfe Muscheln hinein.
Eulen hacken sie auf
mit schartigen Schnäbeln.
Ich werfe mein Herz hinein.
Eulen schlagen es auf
mit blutigen Krallen.«[126]

Spinnweb wohl nicht nur wie in diesem Bächler-Gedicht als erstickender Grauschleier, Spinnweb sehr früh schon als Begriff bedrohlicher Beobachtung; der Manifestcharakter der Literatur dieser Zeit erklärt sich aus diesem Gefühl wachsender Gefahr. Es ist ein sehr bewußter Vorgang, wenn Andersch seine Wiederentdeckung Thomas Manns, dem von links wie rechts Geschmähten, als »dem Politiker« widmet und in einer Studie auf bestürzende Weise prophetisch das Schicksal der deutschen Nation beruft:

»*Als Nation* werden wir tot sein – eine jener galvanisierten Leichen, wie sie zu Hunderten in der Geschichte herumliegen. – Es mag uns trösten, zu wissen, daß die Stunde des Endes *aller* Nationen gekommen ist.«[127]

Sein fulminanter Essay gilt ja einem Autor, der noch eben gesagt hatte: »Ja, Deutschland ist mir in all diesen Jahren doch recht fremd geworden. Es ist, das müssen Sie zugeben, ein beängstigendes Land«[128] (darin auf seltsame Weise nahe dem Widersacher Brecht und dessen grauem Satz: »Das Land ist immer noch unheimlich«[129]). Der Aufsatz ist damit auch eigene Standortbestimmung des Autors Alfred Andersch. Deutschlands Rausch und Sehnsucht zum Tode hin – das war's ja, wovor der junge Soldat in die Desertion floh –, ein Bewegungsgesetz, das fast alle seine Prosatexte prägt wie trägt: Flucht, Aussteigen, weg sein.[130] So früh beginnt das schon – und wird auch erkannt. Kein geringerer als Arno Schmidt widmet in der links-pazifizistischen »Anderen Zeitung« Anderschs »Sansibar«-Roman eine Kritik unter der Überschrift »Das Land, aus dem man flüchtet«, die mit dem Satz beginnt: »Und gleich den Schock vorweg: er meint Deutschland!« und die wiederum in einer manifestähnlichen Empörung gipfelt:

»Macht man sich denn in allen Kreisen keine Gedanken darüber: Warum wohl der große Einstein emigrieren mußte; und *nicht* nach Deutschland zurückkehrte?
Warum Thomas Mann (der nach Europa zurückkam) *mitnichten* seinen Wohnsitz am Brunnquell westdeutschen Geistes, in Bonn, aufschlug, sondern lieber in der Schweiz blieb?
Warum Hermann Hesse – ich wähle, es ist dem Bürgertum eindrucksvoller, deutscher Nobelpreisträger – still in seinem Tessin bleibt?
Denn es genügt nicht ganz, wenn ein Land sich rühmen kann, daß es die *Wiege* großer Männer war, es muß auch noch den Nachweis erbringen, daß es ihr *Grab* zeigen kann – und selbst *das* ist wertlos, wenn die verehrend dorthin Pilgernden immer wieder nach irgendeinem Buchenwald gewiesen werden.«[131]

Die Härte der Texte von Andersch oder Weyrauch oder Schnurre ist Versuch, mit der Härte der unmittelbaren Erfahrung fertig zu werden. Wolf-Dietrich Schnurres Text »Wer ich bin« etwa liest sich wie eine seiner Erzählungen – und ist doch lediglich »Fragebogen«: »Mit fünfzehn habe ich, zwischen einem Dutzend spiegelnder Schäfter hindurch, sechs Rücken gesehen; sie beugten sich auf blaugeäderte Hände hernieder, die Zahnbürsten hielten.«[132]

Dem entspricht, bis in die atemlose Stil-Losigkeit hinein, Wolfgang Weyrauchs nobles Bekenntnis »War ich einer davon?«, in dem er sich – entgegen allen Praktiken und Usancen bundesdeutscher Politiker – nicht ausnimmt und reinwäscht und um eigene Schuld herummogelt:

»Wir gingen spazieren, es war mitten am Tag, also konnte man erkennen, wen man traf, trotzdem sagten die Eltern Herrn und Frau M. nicht Guten Tag, als die beiden grüßten, ich war verwundert, drehte mich nach den M.s um, im selben Augenblick sahen auch sie zurück, wir nickten uns zu, aber auch ich sagte nicht Guten Tag, die Eltern gingen rascher, ich mit ihnen, fast flohen sie, erst als wir zuhause waren, fragte ich, obwohl ich Bescheid wußte, was ist los, Juden, antworteten die Eltern, aber Ihr wart beinah befreundet, sagte ich, nie, erwiderten sie, und wenn, das muß jetzt aufhören, es ist nicht recht, sagte ich, es ist gefährlich, riefen sie, es geht vorbei, sagte ich, als wüßte ich es, sicher, entgegneten sie, aber bis dahin, ich war nicht einverstanden und ich widersprach nicht, ich schämte mich meiner Eltern, aber nicht vor mir selbst, ich tat so, als gehörte ich nicht dazu (also gehörte ich dazu).«[133]

Auch hier ist eine direkte »Ernährung« der literarischen Struktur festzustellen. Wenn nämlich jene »Härte« die Texte etwa von Weyrauch und Schnurre einander so ähnlich macht, verdankt sich das keineswegs einem Stilwillen; auch wenn der immer wieder – wie in Weyrauchs »Kahlschlag«-Nachwort – proklamiert wird: »Die Schönheit ist ein gutes Ding. Aber Schönheit ohne Wahrheit ist böse. Wahrheit ohne Schönheit ist besser.«[134]
Das sind eher hinterher abgegebene Absichtserklärungen. Die (meist früher) entstandenen literarischen Produktionen führen auf viel sensiblere Weise Verletzung und Mißtrauen vor: Sie kommen ohne Verbalkonstruktionen aus. »Rumms. Zu, die Tür« oder »Zur Dachluke raus. Sprung. Regenrohr runter. n Hof«[135] – das ist nicht bloßes Erzähltempo. Sprache, die ohne Verb auskommt, leugnet das Individuum. Der Einzelmensch ist hier belastete Größe, Schuld und Verstrickung haben seine Stimme erstickt – nicht als Programm, sondern aus Wirklichkeitserfahrung. Das Mißtrauen gegen alle Tätigkeit geht so weit, daß auch in späteren Texten ein »Ich« meist ein Rest-Ich ist, tot oder sterbend. Geschichte kann erfahrbar gemacht werden nur mehr am Menschenmüll; Weyrauchs ergreifende Ballade »Die Minute des Negers« ist Muster dafür. Die DC 6 der TWA wird in neun Sekunden einen Berg rammen, neun Sekunden, in denen der Neger Joe sein Leben zurückfliegt – und die enden in der unbeantworteten Frage nach der menschlichen Existenz:

»Meine Fragen
meine Fragen
meine Fragen
tönen
tönen
tönen
durch die
durch die
durch die
Lautlosigkeit
Lautlosigkeit
Lautlosigkeit.«[136]

Dieser ständig bereiten, unmittelbar reagierenden reizbaren Wachheit gegen Umzingelung, gar Tötungsmechanismen verdankt die Literatur der deutschen Nachkriegszeit ihre Intensität; »Gesang um nicht zu sterben«, wie ein Gedicht Weyrauchs heißt.[137] Daß sein großes Anti-Atom-Gedicht »Atom und Aloë«[138] ausschließlich mit Metaphern der Natur, der organisch-biologischen Welt arbeitet, um einen globalen Erstickungstod zu denunzieren, steht in genau diesem Zusammenhang; es ist ein »unbewußt« politisches Gedicht, ein Gedicht ohne jegliche Vokabel aus dem Kommandobereich der Politik. Es hat die Stärke und die Schwäche eines Gewissensappells. Das meint wohl Martin Walser, wenn er Weyrauchs Arbeit als eine des »Präsens« charakterisiert – also als eine, die keine Kausalitäten analysiert:

»Der Text ist Aktion. Lebensaktion. Bewußtseinshandlung. Wieder: Existieren. Dir wird nichts mitgeteilt. Entweder du machst das Existieren mit oder du kommst überhaupt nicht in Frage.«[139]

Das, der Kreis schließt sich, heißt letztlich: Aktionismus. Kennzeichen, tatsächlich, der Literatur von 1945 bis weit in die sechziger Jahre hinein, ist das Theoriedefizit. Die intellektuelle Gesellschaft der jungen Bundesrepublik ist so Vexierbild der atemlosen Trümmerbeseitigung, genannt Wiederaufbauphase. Die alten und neuen Erfahrungen stürzen ineinander, die neuen Einflüsse stürzen übereinander; Heinrich Böll erzählt, wie das übereinanderpolterte – Camus und Hemingway, Proust, Kafka und Joyce, Pavese, Moravia und Graham Greene – aber die große deutsche, die »Emigrationsliteratur«: »Damit konnten wir merkwürdigerweise nicht viel anfangen.«[140]
Wenn aber Döblin oder Heinrich Mann oder Brecht erst einmal nicht die geistigen Ernährer (sondern bestenfalls Verwirrer) waren – vom bis Ende der fünfziger Jahre nicht gedruckten Karl Marx oder dem bis heute nicht gedruckten Carl von Ossietzky ganz zu schweigen –, dann gleicht das einer Art intellektuellem (nicht moralischem) Analphabetismus. Der Bruch ging bis in die Sprache. Böll sagt im selben Gespräch:

»Diese Veränderung der deutschen Sprache hatten wir mitgemacht, wir hatten sie erlebt, diese Sprache war auch unsere Sprache, und da gab es zur Sprache der Emigrationsliteratur sehr wenig Anknüpfung.«[141]

Das wiederum produziert Rigorosität. Staatsverdrossenheit wird zwar erst ein Terminus der siebziger Jahre sein – aber eine vollkommene Desintegration mit dem eigenen Staatswesen verrät das »Manifest für den ›Spiegel‹« des Jahres 1963, dessen heikelster Satz nicht einmal bürgerliche Unternehmer wie H. M. Ledig-Rowohlt oder Siegfried Unseld von der Unterschrift abhielt (und der die unerkannte Paraphrase eines Tucholsky-Satzes aus der »Generalquittung« für Carl von Ossietzky war):

»In einer Zeit, die den Krieg als Mittel der Politik unbrauchbar gemacht hat, halten die Unterzeichner die Unterrichtung der Öffentlichkeit über sogenannte militärische Geheimnisse für eine sittliche Pflicht, die sie jederzeit erfüllen würden.«[142]

Das hat dieselbe Emphase der wütenden Staatsabwehr wie Hans Magnus Enzensbergers »Beschwerde«, die er – sicherlich ohne Oskar Maria Grafs weiland »Verbrennt mich auch« überhaupt zu kennen – gekränkt dagegen vorbringt, daß im Rotbuch »Verschwörung gegen die Freiheit. Die kommunistische Untergrundarbeit in der Bundesrepublik« unter dem schönen Stichwort »Sektor Kultur« zwar Werner Egk und Carl Orff, Erich Kästner und Wolfgang Koeppen, Albrecht Goes und Martin Niemöller, Otto Dix und Max Born aufgenommen wurden – er aber fehlt. Das ist die Kehrvariante eines Gedichts, das ziemlich zur selben Zeit in der DDR erscheint; Günter Kunerts Fünfzeiler »Unterschiede«:

»Betrübt höre ich einen Namen aufrufen:
Nicht den meinigen.
Aufatmend
Höre ich einen Namen aufrufen:
Nicht den meinigen.«[143]

Die Einheit Deutschlands in der Literatur, sehr anders nun: Staat ist Gefahr, dort wie hier. Mit dem 1959 erschienenen Roman »Mutmaßungen über Jakob« des Grenzwechslers Uwe Johnson beginnt ein ganz neuer Abschnitt jüngster deutscher Literaturgeschichte; weil ein ganz neuer Abschnitt deutscher Nachkriegsgeschichte. Der Titel einer Erzählung von Alfred Andersch, eine Berliner Wandinschrift zitierend, mag ihn benennen: »Jesuskingdutschke.«

2.
Zwei Autoren der Vorkriegszeit, die die Nachkriegsliteratur wesentlich prägten: Ernst Jünger und Friedrich Sieburg

Ernst Jünger

Ernst Jünger, fünf Jahre vor dem zwanzigsten Jahrhundert geboren, überlebte – als Person wie als Autor – zahlreiche Schriftsteller der jüngeren Generation; er hatte publiziert lange vor den literarischen Anfängen der Ingeborg Bachmann, Peter Weiss oder Alfred Andersch – und als er im Jahre 1982 den Goethepreis der Stadt Frankfurt am Main entgegennahm, waren die bereits tot. Er galt vor allem in Frankreich Jahrzehnte hindurch als *der* Repräsentant der deutschen Literatur, und kaum ein Zeitgenosse, der sich nicht mit ihm, kritisch oder enthusiastisch, auseinandergesetzt hätte.

Gottfried Benn nannte seine Literatur »Kitsch« und »Was er als Angriff gesehen haben möchte, ist mehr Vorwölbung und Blähung als Front«;[1] Thomas Mann schauderte vor einem, der »selbst geschunden hat und sich in Inhumanität genießerisch gesielt, daß es eine Art hatte«,[2] und Adorno seufzte »Widerlicher Kerl, träumt meine Träume«;[3] Walter Benjamin taufte ihn »Kriegsingenieur der Herrscherklasse«,[4] Hannah Arendt sah in seiner Dichtung »wilde Reinheit«[5] und Siegfried Kracauer einen »Heroismus aus langer Weile«;[6] von den Autoren der zeitgenössischen deutschen Literatur – die Ernst Jünger nicht zur Kenntnis nahm – bewunderte ihn Alfred Andersch,[7] schätzte ihn Heinrich Böll,[8] widerlegte ihn Heißenbüttel[9] (der Enzensberger einen frühen Jünger-Adepten nannte), belächelte ihn Luise Rinser[10] und Hildesheimer ekelte er:[11] Ist Ernst Jünger, Jahrgang 1895, einer der beiden letzten lebenden Träger des Pour le mérite, vierzehnmal verwundeter Frontoffizier, elitärer Verächter der Weimarer Republik und aristokratischer Gegner des Nationalsozialismus, der »Fall« Richard Wagner der deutschen Literatur des zwanzigsten Jahrhunderts?

Haß und Bewunderung brandeten nicht erst wieder hoch anläßlich des Goethepreises der Stadt Frankfurt.[12] Das Für und Wider den Denker und Schriftsteller prägte die literarische Nachkriegssituation; während »Figaro« oder »Le Monde« Neuerscheinungen des in Frankreich hochgeschätzten mit zahllosen Preisen dekorierten Autors feierten, galt in Deutschland Friedrich Sieburgs Satz »Der Fußtritt gegen Jünger, der öffnet Türen«.[13] Die Fehde um den Apothekerssohn, Fremdenlegionär

und Kriegsfreiwilligen aber begann früh – sogleich nach seinen im Selbstverlag publizierten Büchern aus dem Ersten Weltkrieg.
Die Vorhaltungen und ewigen Querelen darüber, ob Jünger Hitler nun gesehen oder wie oft er mit Goebbels gesprochen habe oder ob sein hochmütiges Verbot, der »Völkische Beobachter« dürfe keine Zeile von ihm und über ihn drucken, nun schon ein Akt des Widerstands war – das scheint eine literaturferne Betrachtung. Politische Dummheiten gibt es gewiß zuhauf: »Als Groener erfahren hatte, daß Hindenburg Reichspräsident geworden war, sagte er: ›Jedenfalls wird der alte Herr nie etwas Dummes machen‹, und traf damit wohl das richtige.«[14] Derlei fängt Jünger sogar mit witziger Selbstpersiflage auf: »Der alte Hindenburg, der sagte mir einmal auch ganz richtig: ›Von meinen Kameraden, die 64, 66, 70/71 als Leutnant den Pour le mérite bekommen haben, da ist alle nichts draus geworden‹.«[15]
Doch als Urteil über einen Schriftsteller gibt das allemal nichts her. Wie man sich bei Autoren, die politisch Verheerendes geäußert haben, die Frage stellen muß: Was hat das mit ihrem Werk zu tun? – zerfrißt der Antisemitismus das Œuvre von Céline, zerstört der Faschismusapplaus den Lyrikbau des Ezra Pound, haben Richard Wagners antisemitische Theorien seine Musik geprägt, geformt (und was wäre das: antisemitische Musik?) – so muß untersucht werden, ob die Literatur des Ernst Jünger beide (Vor-)Urteile gestattet; die Gegner sagen »faschistisch«; er selber beschwört in ritualhafter Häufigkeit sein Werk als eines, das lediglich dem Stil, der Schönheit, der Eleganz verschrieben sei. Die Wahrheit liegt im Paradox, daß weder Faschismusdenunzianten recht haben noch der Apothekerssohn, der so gerne Oscar Wilde sein wollte; da reicht es dann doch nur zu Aperçus aus zweiter Hand: »Wir leben in einem Zustand, in dem die reichen Leute keine Zeit, die kultivierten kein Geld haben. Das spiegelt sich in den Kunstwerken.«[16] Das ist nett fürs Kleingedruckte in der Abendzeitung. Sein hoher Ansatz aber verrät Wichtigeres.
Ernst Jüngers Bücher beschreiben Blut, aber sie sind blutleer. Ernst Jüngers Stil ist hochartistisch – aber der Autor hat beim Schreiben die mausgrauen Wildlederhandschuhe nie ausgezogen; seine Grammatik knirscht wie feines Sattelleder. Das bis ins intimste Detail seiner Sprache hinein Artifizielle verdankt sich einem verblüffenden Widerspruch: Urgrund allen Lebens ist für Jünger der Kampf. Aber eben diesem Kampf entzieht er sich. In einem »Sgraffiti« zum Thema »Aufrechter Gang«, Stigma des Menschentums und seiner Würde, heißt es: »Man möchte auf die Umstände schließen, die die Erfindung begleiteten. Handelte es sich

um die Gewinnung einer Überlegenheit im Kampfe, die erprobt und festgehalten worden ist? Das wäre das gleiche Bestreben, aus dem man Mauern durch Türme überhöht. Der Aufrechte war der überlegene Kämpfer; der niedere Angriff kam von unten her.«[17]

Das ist nun nicht nur eine – wohl unbewußte – Entgegnung auf die mit dem Namen Ernst Bloch verbundene materialistische Theorie, der zufolge der Mensch, das tool making animal, durch *Arbeit* zum aufrechten Gang kam, zum Menschen wurde; das ist insofern ein veritables Gegenkonzept, als für Jünger Kampf *die* Arbeit schlechthin ist. Sein späteres Buch »Der Arbeiter«[18] konzipiert den als den Krieger – im Overall.

Das machte den Schock der Jüngerschen Tagebücher aus dem Ersten Weltkrieg aus. Er schilderte zwar auch das Grauen der Schlacht, die Erbarmungslosigkeit des Todes – aber anders als Remarque oder Barbusse, Arnold Zweig oder Ludwig Renn verrät sein Berichtsmaterial Begeisterung und sein Berichtsstil Brunst:

»So sind wir verbunden durch Erlebnis, Arbeit und Blut – wie könnten wir fester verbunden sein? Es sind prächtige Kerle darunter, manche schweigsam und still, andere überlegen und fein, als ob sie selbst den Dreck des Grabens mit Handschuhen anfaßten, noch andere rauh und verwildert, so daß man sie sich nur unter Männern denken kann – aber hinter allen verbirgt sich dieselbe männliche Kraft. Deshalb ist die Unterhaltung auch meist einfach und karg; wir brauchen wenig Worte, um uns zu verstehen. Wenn ich bedenke, in welcher Umgebung ich mich jetzt sonst vielleicht befände, zwischen Strebern in einem Beruf eingekeilt, in einem Friedensoffizierkorps, einer Verbindung, im rauchigen Café zwischen Literaten – ich glaube, ich hätte nach einem halben Jahr den Kram zusammengehauen, um an den Kongo oder nach Brasilien zu gehen oder sonst an einen Ort, an dem sie der Natur noch nicht beikamen. Hier gibt der Krieg, der sonst so vieles nimmt: er erzieht zu männlicher Gemeinschaft und stellt Werte wieder an den rechten Platz, die halb vergessen waren.«[19]

Das ist nun zuerst und vor allem einmal schlechtes Deutsch; die Epitheta klingeln wie ein Schellenbaum – die prächtigen Kerle und die männliche Kraft, das rauchige Café und die männliche Gemeinschaft: Diese Szene aus »Das Wäldchen 125« von 1918 ertrinkt in Klischees. Interessant daran ist auch, daß entgegen einer Äußerung Jüngers in einem späteren Gespräch die Substanz seiner Sprache sich keineswegs geändert hat. Der kleine Text »Kriegsausbruch 1914« – publiziert 1934 – ist eine ebensolche Buntdruckkarte mit »Männern, die beschlossen, unten im Dorfe einen Trunk zu tun«[20] und blumenschmückenden Frauen und Mädchen; selbst – ein weiterer Sprung voran – wenige Tage vor Ausbruch des Zweiten Weltkriegs liest man eine steifleinene Tagebucheintragung im Vokabular einer Stiftsdame mit kämpferischem Dutt: »Das Strittige ist so gehäuft, daß nur das Feuer es aufarbeiten kann.«[21] Krieg gleich Arbeit. Nun ist aber Ernst Jünger kein sprachkümmerlicher Schlachtenjodler. Der erwähnte Schock, den seine Kriegstagebücher auslösten, hängt mit noch einer weiteren Dimension seiner Literatur zusammen, dem, was Thomas Mann bei Nietzsche die Nachbarschaft von Ästhetizismus und Barbarei nannte; ein nahezu erotisches Vergnügen an Gewalt und Tod:

»Über den Ruinen lag, wie über allen gefährlichen Zonen dieses Gebietes, ein dicker Leichengeruch, denn das Feuer war so stark, daß sich um die Gefallenen niemand kümmerte. Man rannte durchaus auf Leben und Tod, und als ich diesen Dunst im Laufen verspürte, war ich kaum überrascht – er gehörte zum Ort. Übrigens war dieser schwere und süßliche Hauch nicht lediglich widerwärtig; er rief darüber hinaus, eng mit den stechenden Nebeln des Sprengstoffs vermischt, eine fast hellseherische Erregung hervor, wie sie nur die höchste Nähe des Todes zu erzeugen vermag.
Ich machte hier, und während des ganzen Krieges eigentlich nur in dieser Schlacht, die Beobachtung, daß es eine Art des Grauens gibt, die fremdartig ist wie ein unerforschtes Land. So spürte ich in diesen Augenblikken keine Furcht, sondern eine hohle und fast dämonische Leichtigkeit; auch überraschende Anwandlungen eines Gelächters, das nicht zu bezähmen war.«[22]

Nun gibt es Lust an Gewalt, gar Vernichtung, solange es Literatur gibt, und Jünger hat uns seine Wertschätzung des Marquis de Sade ja ausdrücklich überliefert. Das Unheimliche bei Jünger ist seine innere Ferne. Diese tiefe Unbeteiligtheit produziert den »zu hoch angesetzten Ton«, den Peter Wapnewski einmal analysierte – es ist die Perspektive des Insektensammlers. »Ohne Zweifel ist der Mensch viel tiefer, als er es sich träumen läßt, vielleicht sogar ebenso tief wie das Tier.«[23] Diese Haltung, formuliert im »Abenteuerlichen Herzen« 1929 und frappanterweise in der Tagebucheintragung von »Gärten und Straßen« vom 1. September 1939 (!) bildlich wiederholt, produziert beides zugleich: Kälte und Kitsch. Sie erlaubt das Schwärmen von der eigenen »prächtigen Unbarmherzigkeit«,[24] und läßt auch solche Sätze zu wie von den »glühenden

Träumen, die das Vorrecht der Jugend sind, das stolze geheime Wild, das vor Sonnenaufgang auf die Lichtungen der Seele tritt«.[25] Ernst Jünger hält sich für einen Solitär, aber er ist nur ein Solipsist.

Schon auf der ersten Seite vom »Abenteuerlichen Herzen« proklamiert er, wie er dem Menschen, diesem im Grunde fremden und rätselhaften Wesen, dem er lediglich »eine pöbelhafte Eigenwärme« zugesteht, sich nähert; durch einen Zugriff von größter Sauberkeit, »wie der Gummihandschuh den Fingern des Operateurs«.[26] Wenige Seiten darauf noch deutlicher: »Ich hatte eine Art des Unbeteiligtseins erfunden, die mich wie eine Spinne nur durch einen unsichtbaren Faden mit der Wirklichkeit verband.«[27] Die Wirklichkeitserfahrung einer Spinne ist nun aber einigermaßen begrenzt, und ihr vermeintlich künstlerisch geformtes Netz dient nur einem Zweck: der Nahrungsaufnahme. Sie ist ein so gar nicht aristokratisches Tier, und so ist Ernst Jüngers poetisches Verfahren keineswegs jenes Spiel von verletzlicher Einmischung und erschrockener Beobachtung eines Marcel Proust oder jener Thomas Mannschen Distanz zur Welt, die durch Ironie nicht nur in Balance gehalten wird zur eigenen Verstörtheit, sondern die *per se* schon Risse und Klüfte eingesteht. Wilflingen als geistige Lebensform?

Das scheint nicht zu funktionieren; was bleibt, ist die Botanisiertrommel als poetisches Prinzip. So zog der Kriegsfreiwillige 1914 ein:

»In meiner Rocktasche hatte ich ein schmales Büchlein verwahrt; es war für meine täglichen Aufzeichnungen bestimmt. Ich wußte, daß die Dinge, die uns erwarteten, unwiederbringlich waren, und ich ging mit höchster Neugier auf sie zu. Auch hatte ich einen natürlichen Hang zur Beobachtung; ich hegte schon früh eine Vorliebe für Fernrohre und Mikroskope als für Werkzeuge, mit denen man das Große und Kleine sieht, bei den Schriftstellern schätzte ich von jeher die, denen neben einem scharfen Auge für alles Sichtbare auch ein Instinkt für das Unsichtbare gegeben ist.«[28]

Aus diesem schmalen Büchlein wurden dann die »Stahlgewitter«, jenes als Jüngers chef-d'œuvre geltende Buch vom großen Krieg, in dem ein kühner Mann das erbarmungslose Völkerringen gebannt hat. Es liest sich aber wie das Leinenheft einer erschrockenen Krankenschwester – tändelnd zwischen ratlos lyrischer Naturschwärmerei und dem Hosenglück einer Zukurzgekommenen; allein das Attribut »männlich« ist kaum mehr zu zählen: »Dem Sergeanten wurden durch Handgranatensplitter beide Beine fast abgerissen; trotzdem behielt er mit stoischer Ruhe seine

kurze Pfeife bis zum Tode zwischen den zusammengebissenen Zähnen. Auch hier hatten wir wieder wie überall, wo wir Engländern begegneten, den erfreulichen Eindruck kühner Männlichkeit.«[29]
Das ist, aber immerhin das ist es noch: Herrenreiterprosa. Es überwiegt aber ein seltsam buchhalterischer Ton, kein »Stahlgewitter«-Vokabular, sondern das blechscheppernde Geräusch einer Registrierkasse: »Und wirklich begegnete mir... daß ich in einen neuen und wilderen Feuerüberfall geriet«; »Zwei Opfer griff sich das Schicksal jeden Tag, und das fiel auf die Dauer doch ins Gewicht«; »Er starb augenblicklich. ... Ferner bekam ein Mann einen leichten Schulterschuß«. Das sind keine willkürlich herausgegriffenen Zitate – das Buch *hat,* in toto, diesen Sprachleib, ergänzt und durchzogen von Gefühligkeit statt Gefühl: »Dann glitt der Mahnruf des Todes durch die Reihen«; »Die Ahnung einer schweren Stunde türmte sich vor uns auf«.[30]
Ernst Jünger wollte einen Hymnus auf Kampf, Härte und Bewährung schreiben. Das wäre sein gutes Recht – und es gäbe dann vielleicht Leute, die dieses Credo ablehnen, und andere, die es teilen. Nur: was er geschrieben hat, ist kein ehernes Lied, keine Ballade von Mord und Mut – sondern es sind niedliche Notate. Dieses Buch – fraglos das eines persönlich mutigen Mannes – ist sprachlich feige. Weil Ernst Jünger ein Wortnarziß ist, gräbt er nicht tief im Humus der Sprache, sondern greift nach dem sich Anbietenden, Glitzernden, nächst Gefälligen: Zünder zwitschern, Artilleriefeuer schwillt an, Flöten trillern, Einschläge branden, Schreie erschüttern, und ist einer verwundet, dann sieht er von der Bahre »Felder, von denen der Frühling Besitz ergriff«.[31]
Ernst Jünger ist im Kriege vielmals verwundet worden; seine Sprache ist wundenlos. Die zersplitterten Himmel des Louis-Ferdinand Céline, nun wahrlich ein Faschist, der dem modernen Französisch vollkommen neue Dimensionen öffnete; die abgesunkenen Höllen des Ezra Pound, die Kloaken voll Blut, Verbrechen und Qual des Jean Genet – alles Kunstleistungen, die die Literatur des zwanzigsten Jahrhunderts prägten, ja: ausmachen. Nichts davon findet sich im Œuvre Ernst Jüngers. Es findet sich gar kein Œuvre.
Was heißt das, angesichts so unzähliger Bücher? Es heißt, kurz gesagt, Menschenferne. Daß Jüngers Texte immer nur »schön geschrieben« – also nicht schön geschrieben – sind, ist eine Sache. Die große Einfachheit, die Würde eines Gedichts, ob »Über allen Gipfeln ist Ruh« oder des »Römischen Brunnen«, entsteht nicht aus dieser Überanstrengung, mit der hier ein Autor ein Leben lang sich und der Welt verkündet, Stil sei ihm alles. Die andere Sache liegt tiefer. Sosehr Flauberts Satz »Ich muß

kein Ei in der Pfanne gewesen sein, um ein Ei in der Pfanne beschreiben zu können« stimmt – so sehr stimmt auch, daß Unversehrtheit nicht die Quelle der Literatur ist. In der Pfanne, gewissermaßen, war Jünger ja stets – aber vor dem Verbranntwerden wußte er sich immer zu schützen. Er hat nicht ausprobiert, sondern anprobiert. Ein Hauch von Juchten allenthalben. Diese Position des moralischen noli me tangere und der intellektuellen Hybris präzisiert er im »Zweiten Pariser Tagebuch« selber:

»Ich muß die Maximen ändern; mein moralisches Verhältnis zu den Menschen wird auf die Dauer zu anstrengend. So etwa gegenüber dem Bataillonskommandeur, der äußerte, daß er sich den ersten ergriffenen Deserteur vor die Front führen lassen wolle, um ihn dort mit eigener Hand ›zu erledigen‹. Bei solchen Rencontres ergreift mich eine Art von Übelkeit. Ich muß indessen einen Stand erreichen, von dem aus ich dergleichen wie das Wesen von Fischen in einem Korallenriff oder von Insekten auf einer Wiese oder auch wie der Arzt den Kranken betrachten kann. Vor allem ist einzusehen, daß diese Dinge in den niederen Rängen gültig sind.«[32]

Diese Rangeinteilung mag gut sein fürs Kasino; für die Literatur ist sie es nicht. Was man aus dieser Emmy-Göring-Loge von der Welt sieht, ist immer nur Gründgens als Mephisto; das ist schon wenig genug. Viele der vermeintlich stilistisch so perfekten Szenen Jüngers wirken aber, als wolle Emmy Göring den Mephisto selber spielen – und das ist dann nicht nur ein wenig wenig, sondern peinliches Stadttheater.
Die berühmte Szene im besetzten Paris am Fenster des Hotel Majestic, wo Jünger mit den anderen Herren des Stabes, das Champagnerglas in der Hand, die gen Berlin, Hamburg und Dresden fliegenden Bomber grüßt, ist pars pro toto eine solche Inszenierung; nicht nur moralisch unerfreulich – »eine der makabersten Szenen der deutschen Literaturgeschichte«,[33] nannte sie Nikolaus Sombart – sondern schlechte Kunst: son et lumière.
In einem Spiegel-Gespräch[34] antwortete Ernst Jünger auf solche Vorbehalte, darin zeige sich eben seine ganz eigene Position – die des Anarchen. Diesen Titel, wohl nicht zufällig dem des Monarchen nachgebildet, hat er sich vor langem verliehen, es ist eine der genauesten Selbstdefinitionen, die sogar dabei helfen mag, das trotz aller Tagebuchemsigkeit Weltabweisende der Schriften Jüngers zu erklären; denn der Anarch steht neben, besser: über den Dingen:

»Der Anarchist ist der Todfeind der Herrschaft, während der Anarch sie nicht anerkennt. Er sucht sie weder zu ergreifen noch zu stürzen und zu ändern. Ihre Stoßrichtung geht an ihm vorbei. Der Anarchist ist für mich ein Typ, der sich in die verkehrte Verkehrsrichtung stellt, überfahren wird und meint, man müsse ihm dafür noch große Ruhmeskränze flechten. Der Anarch studiert erstmal die Spielregeln, und als vernünftiger Mensch hält er sich daran. Wenn man Goethe, wie das das Junge Deutschland tat, zum Vorwurf macht, daß er sich an den kleinen Höfen angemessen verhielt, so finde ich das einfach lächerlich... Die Liebe ist anarchisch, die Ehe nicht. Der Krieger ist anarchisch, der Soldat nicht. Der Totschlag ist anarchisch, der Mord nicht. Christus ist anarchisch, Paulus nicht. Die Weltgeschichte wird durch Anarchie bewegt. Der freie Mensch ist anarchisch, der Anarchist nicht.«[35]

Das ist die innere Verfaßtheit, aus der ein Werk nicht wachsen kann; Bücher ja, viele – ein Œuvre nicht. »Schreiben heißt, sein Herz waschen«, hat Thomas Mann einmal gesagt und damit Ibsens Wort variiert: »Dichten ist Gerichtstag halten über sich selbst.« Ernst Jünger hält aber nur Gerichtstag über andere, *er* ist ja der Richter, *er* ist der, der anderer Herzen wäscht; tote zumeist. So gibt es keine Gestalt, keine große Prosaeinheit, keinen dichterischen Entwurf Ernst Jüngers, die sich eingebrannt hätten – kein Hanno und kein Josef K., kein Querelle und nicht einmal die tragische Figur, der wir das Wunderwerk der »Pisan Cantos« verdanken und deren Endqual ein Mitgefangener schilderte:

»Pound wurde in Einzelhaft genommen. Eingesperrt in einen Stahlkäfig, der auf dem Gefängnishof extra für ihn konstruiert wurde. Man ließ ihn im Ungewissen, ob er in diesem Käfig verrotten sollte oder ob man ihn herausholen würde, um ihn als Verräter aufzuhängen... Keiner der anderen Gefangenen durfte sich ihm nähern oder ein Wort zu ihm sprechen. Nicht nur isolierte man Pound von aller menschlichen Gesellschaft – man gab ihm auch keinerlei Lektüre, um seinen fieberheißen Kopf abzulenken. Er besaß nichts, um mit der toten Zeit fertig zu werden, als einen chinesischen Konfuzius-Text, den er übersetzt hatte, nichts, um seine Gedanken, seine Sorgen, seine Furcht zu bannen.
Doch er litt nicht nur unter dieser Gehirnfolter. Es war jetzt Hochsommer, und die italienische Sonne brannte unbarmherzig, mit unerträglicher Intensität auf das Pflaster des Gefängnishofes. Dicht daneben war eine Militärautobahn, und Pound war ohne irgendein ›Gehäuse‹ dem

ständigen Lärm und Staub ausgesetzt. Im Gegensatz zu allen anderen Gefangenen, die man in Zelten untergebracht hatte zum Schutz vor Sonne und Schmutz, saß Pound vollkommen im Freien – so daß ihn auch die Wachmannschaften ständig im Auge haben konnten. Die anderen Gefangenen wurden zu den Mahlzeiten und auch zu Freiübungen herausgeführt – Pound nicht. Er entbehrte auch die gewisse Hilfe, die es bedeutet, in Gruppen untergebracht zu sein. Er war allein.
Nach einem Tag sengender tropischer Sonne kam auch zur Nachtzeit keine Ruhe, kein Schlaf: Scheinwerfer strahlten den Stahlkäfig an und blendeten seine blutunterlaufenen Augen. Dieser Käfig aus Stahlbändern hatte kein einziges Möbelstück. Pound lag auf dem bloßen Betonboden, in Decken gewickelt, von der Sonne gesotten und vom Regen durchnäßt.«[36]

Selbst einer der Wahrsprüche Ernst Jüngers – den er von Pierre Reverdy übernahm –, »ich bin mit einem Panzer gewappnet, der ganz aus Fehlern besteht«,[37] benutzt das Bild des Hermetischen. Es produziert aber – um in der Bildwelt Jüngers zu bleiben – nur die *verletzte* Auster eine Perle. Dieses Prinzip, sein eigenes Sonnensystem zu bilden, läßt zwei literarische Möglichkeiten zu: das Tagebuch und den Essay.
Daß Ernst Jünger von Beginn seiner literarischen Laufbahn bis zu den Eintragungen der Bände »Siebzig verweht« der Form des Tagebuchs den Vorzug gab, hängt wohl mit dieser selbstgewählten Rolle zusammen – ein Flaneur der Zeitgeschichte; »Waldgänger« nennt er das. Nun bietet dieses Genre gewiß die Chance für splitterähnliche Einsichten, Nachdenklichkeiten und Beobachtungen; Gespräche mit Montherlant oder Jouhandeau möchte man so wenig missen wie die Anekdote, der zufolge Picasso zu Ernst Jünger sagte: »Ja, wenn wir beide zu tun hätten miteinander, dann könnten heute abend die Lichter brennen – die Verdunkelung brauchte nicht mehr zu sein, es würde Friede sein.«[38]
Doch das Tagebuch als Genre ist erstens gleichsam eine Lüge: es tut intim, und ist doch immer fürs Öffentliche geschrieben; zweitens ist es als Kunstform nicht selbständig – es ist immer die grundierte Leinwand fürs Bild, ist der nasse Mörtel fürs Fresko. Bild und Fresko fehlen. Grob gesprochen: Tagebuch per se ist ein Unding, ist außerliterarische Kategorie und Ergänzung allenfalls. Das Tagebuch zum »Faustus« ohne den Faustusroman: das wäre nicht einmal nur ganz hübsch, sondern ziemlich schrecklich. Indem Ernst Jünger als *die* Form seines literarischen Schaffens die Tagebuchform wählte, wich er dem ernsten Formen aus. Wir stehen in einem Atelier voller Skizzen – und suchen vergeblich die

Peinture. Es sei denn, bläßliche Pastelle wie »Eumeswil« oder repetitive Gemmen wie »Sturm« würden ausgegeben als Œuvre.
Da haben die Essays mehr Gewicht. »Der Arbeiter« gilt als Jüngers soziale Kosmologie, als der große eigenständige und exklusive Entwurf. Es ist tatsächlich sein de profundis, die große politisch-historische Streitschrift und – 1932 erschienen – das Kernstück einer tief reaktionären Confessio. Nie und nirgendwo hat Carl Schmitt einen besseren Propagandisten gefunden, einen schärferen Verfechter des militärisch durchorganisierten Staatsmonopols. Der Titel der Schrift ist irreführend – nicht vom Arbeiter im Sinne des Proletariats ist hier die Rede, vor dem es Jünger eher graust; »Neger mit Armbanduhren«. Sein Arbeiter – im Gegensatz zum kampfunwilligen Bürger, dessen Kleidung zum Zivil verkommen ist – ist der Krieger; ist nicht Klasse, sondern Rasse:

»Verändert hat sich auch das Gesicht, das dem Beobachter unter dem Stahlhelm oder der Sturzkappe entgegenblickt. Es hat in der Skala seiner Ausführungen, wie sie etwa in einer Versammlung oder auf Gruppenbildern zu beobachten ist, an Mannigfaltigkeit und damit an Individualität verloren, während es an Schärfe und Bestimmtheit der Einzelausprägung gewonnen hat. Es ist metallischer geworden, auf seiner Oberfläche gleichsam galvanisiert, der Knochenbau tritt deutlich hervor, die Züge sind ausgespart und angespannt. Der Blick ist ruhig und fixiert, geschult an der Betrachtung von Gegenständen, die in Zuständen hoher Geschwindigkeit zu erfassen sind. Es ist dies das Gesicht einer Rasse, die sich unter den eigenartigen Anforderungen einer neuen Landschaft zu entwickeln beginnt und die der einzelne nicht als Person oder als Individuum, sondern als Typus repräsentiert.«[39]

So obligat es klingt – Ernst Jünger hat mit dieser fulminanten Attacke auf die verhaßte Weimarer Republik, ihre »Krämer der Freiheit und Hanswürste der Macht«, den SS-Mann entworfen. Er hat mit diesem Buch, dessen Sprache sich in Begriffsfeldern von »Lehen« und »stählern«, »Wappenschild« und »Uradel der Nation« bewegt, dem Nationalsozialismus eine Verfassung geschrieben. Es ist ein Pamphlet von so kompromißloser Härte, wie kein Hugenberg und kein Goebbels es je produzieren konnten; für die war es vielleicht zu gut. Jedenfalls rechts von ihnen: »Daher beziehen sich sowohl Freiheit wie Ordnung nicht auf die Gesellschaft, sondern auf den Staat, und das Muster jeder Gliederung ist die Heeresgliederung, nicht aber der Gesellschaftsvertrag.«[40] Das las man, 1932, noch in keiner deklarierten Broschüre der Nazis; die mochten billige Parolen fabrizieren à la »Alle für einen, einer für alle« – aber eine in sich logisch stringente, in historischen Diskursen argumentierende Elite- und Kriegstheorie hatten sie bis dato nicht zustandegebracht. Hier war sie. Hier wurden »neue Bundesgenossen« für den Arbeiter gefordert, jenseits des bürgerlichen Bewußtseins, das zur Verteidigung bereit ist, aber nicht zum Angriff – »die Linke ist die Hand der Verteidigung«. Was Jünger aber fordert im Tone des Appells und mit der Dringlichkeit eines Propheten ist der Angriff, »die höchste Begründung des Krieges ... Der Bürger kennt nur den Verteidigungskrieg, das heißt, er kennt den Krieg überhaupt nicht, ...«.[41]

Die rigide Verwerfung des Fortschrittsgedankens in der Geschichte, die schneidende Verkündigung vom Ende des Individuums (und Beginn des Typus), die klirrende Absage an Aufklärung, die ersetzt wird durch die Verklärung eines Amalgams aus Nationalismus und Sozialismus – »der Sozialismus und der Nationalismus als allgemeine Prinzipien sind zugleich nachholender und vorbereitender Natur« –:[42] die Nazis waren wohl zu dumm, den Wert dieses Geschenks zu erkennen. Und weil sie zu dumm waren, hat der selbstnobilitierte Kleinbürger Ernst Jünger sich alsbald von ihnen abgewandt – BDM oder KdF oder Schifferklavier-Kreuzfahrten hatte er nicht gemeint. Es blieb noch immer »die Atmosphäre des Sumpfes, die nur durch Explosionen gereinigt werden kann«.[43]

Seine 1941 entstandene, 1944 in Abschriften heimlich verteilte und erst 1945 gedruckte Streitschrift »Der Friede«, dem bei Carrara gefallenen Sohn gewidmet, ist getragen von dieser »Abwendung«. Es ist Jüngers tapfere Gegenwehr, genährt auch von frühen Informationen über die Nazigreuel. Allein dieses Buch verbietet, Ernst Jünger zum strammen Gefolgsmann der Mörder und stummen Mitläufer einer Bewegung zu machen, die er in der Tat begrüßt und vorweg bewillkommnet hatte.

Einen Satz wie diesen über die KZs soll man ihm nicht vergessen: »Das wird für ferne Zeiten ein Schandfleck unseres Jahrhunderts bleiben, und keinen wird man achten können, dem Herz und Auge fehlten für das, was dort geschah.«[44] Indes: auch diese 40 Seiten sind vor allem ein Ekelanfall; radikale politische Abkehr und Umkehr sind sie nicht. Die Widmung, die Marcel Jouhandeau ihm Jahre später in sein 21. Tagebuch schrieb – »Je meurs de dégoût« – könnte auch über diesem Essay stehen. Ekel. Er ist getragen von Abscheu, aber er ist ohne Radikalität. Wieder ist es die Sprache, ihre Verhüllungstechnik, die es verhindert, daß Jünger Wurzeln bloßlegt, daß er sein Denken schärft; von Schädelstätten und Luderplätzen ist die Rede, von Frevel und entarteten Hirnen, von Lemuren, dem Bannkreis des Lebens und dem Schmerz der Geistigen. Rommel soll zwar zu dieser Schrift gesagt haben »damit kann man arbeiten« – aber wie eigentlich? Gewiß, hier verscheucht einer irritiert Nachtfalter und allerlei Getier – doch was bleibt, das ist die Gebärde angeekelter Noblesse, letztlich voll tiefen Nichtverstehens: »Aus dieser Landschaft des Leides ragen dunkel die Namen der großen Residenzen des Mordes, an denen man in der letzten und äußersten Verblendung versuchte, ganze Völkerschaften, ganze Rassen, ganze Städte auszurotten und wo die bleierne Tyrannis im Bunde mit der Technik endlose Bluthochzeiten feierte.«[45] Ganz ungebrochen greift Jünger, fast zwei Jahrzehnte später und nach Meeren von Blut, die er sehr wohl sah, sein altes Konzept des Heroischen, Titanischen aus der Arbeiterschrift auf, will es nun sänftigen ins Ungewisse:

»Der Friede ist dann gelungen, wenn die Kräfte, die der Totalen Mobilmachung gewidmet waren, zur Schöpfung freiwerden. Damit wird das heroische Zeitalter des Arbeiters sich vollenden, das auch das revolutionäre war. Der wilde Strom hat sich das Bett gegraben, in dem er friedlich wird. Zugleich wird die Gestalt des Arbeiters, aus dem Titanischen sich wendend, neue Aspekte offenbaren: es wird sich zeigen, welches Verhältnis sie zur Überlieferung, zur Schöpfung, zum Glück, zur Religion besitzt.«[46]

Das freilich läßt La Bruyères Wort erinnern, das Jünger selber gerne zitiert: »Ein wenig mehr Zucker im Urin, und der Freigeist geht in die Kirche.« Denn in Wahrheit ging Jüngers Verlangen nach einer heiteren Anarchie, »die zugleich mit einer strengsten Ordnung zusammenfällt«; und die Zuchtstätte für diese neue Freiheit im Zusammenleben der Menschen ist – Kampf:

»Es versteht sich, daß eine neue Weltordnung als Konsequenz der Weltherrschaft sich nicht als ein Geschenk des Himmels oder als Erzeugnis einer utopischen Vernunft ergibt, sondern über den Arbeitsgang einer Kette von Kriegen und Bürgerkriegen führt. Die außerordentliche Rüstung, die in allen Räumen und auf allen Gebieten des Lebens zu beobachten ist, zeigt an, daß der Mensch diese Arbeit zu leisten gesonnen ist. Dies ist es, was jedem, der den Menschen im Innersten liebt, mit Hoffnung erfüllt.«[47]

Das ist der »Ausnahmezustand« von Carl Schmitts zehn Jahre zuvor erschienener »Politischer Theologie«; bei Jünger heißt es später totale Mobilmachung. Der Gebildetste unter seinen Bewunderern, Karl Heinz Bohrer, hat mit der gesamten Apparatur seiner enormen Belesenheit in einer »Ästhetik des Schreckens« den Versuch unternommen, Jüngers Dandyismus, seine Theorie vom Desaster und seine Philosophie des Schmerzes in die Nähe surrealistischer Poetologien Aragons oder Empfindlichkeitsthesen Baudelaires zu rücken. Die sehr viel ruhigere Untersuchung von Christian Graf Krockow »Die Entscheidung«, in deren Zentrum die Affinität Jüngers zu Schmitt steht und die Gefährlichkeit des Postulats, die Ausnahme sei interessanter als der Normalfall, wirkt überzeugender. Solange das bei Meskalin oder Haschischversuchen bleibt, denen Jünger sich bekanntlich unterzog – wer will da nach Kamillentee rufen. Nur ist, spätestens im nachhinein, die Apotheose der großen Explosion, des Angriffskriegs und vom Aufheben des Individuums in der Marschkolonne eine Droge, die über den Hausgebrauch hinausging.
Ernst Jünger hat sich auch da »beiseite gestellt«. Er hatte es dann alles so nicht gemeint; obwohl er emphatisch die japanischen Kamikaze-Torpedopiloten gefeiert hat als letztmögliche Symbiose aus Phallus und Tod, als höchste Vollendung des Einzelkämpfers, dessen Leben Ziel wird im Moment, da das Ziel erreicht ist. Dieser Applaus, gespendet aus den Hotels Ritz und Majestic, hat etwas Touristisches. Insofern steckt in dem politischen Schriftsteller Ernst Jünger etwas tief Verantwortungsloses. Es ist gar nicht hinwegzudiskutieren, daß Jünger ein präfaschistischer Denker war, ein Layouter für die Konturen des NS-Staates. »Mich selber zu interpretieren ist unter meinem Niveau«, hat er einmal gesagt; das wegzuinterpretieren in allerlei Plänkeleien mit ausgerechnet jenen Medien, die er angeblich so verachtet, sollte auch unter seinem Niveau sein. Sonst nämlich bliebe sein Charakterogramm erhalten in jener Anekdote über einen anderen, von ihm ungeliebten Schriftsteller, die er selber so behaglich erzählt hat:

»Zu den Bewunderen Busonis zählte auch Hanns Heinz Ewers, der sich durch Geschichten im Stil des Grand Guignol einen Namen gemacht hatte. Eines Tages wurde er vom Ehrgeiz nach Höherem ergriffen und unternahm es, Schillers Geisterseher fortzuführen und zu beendigen. Sowie das Buch erschienen war, sandte er es Busoni und begab sich einige Tage später zu ihm, um sich nach dem Eindruck der Lektüre zu erkundigen. Busoni sprach über dies und jenes; das Buch lag auf dem Tisch.

Endlich unterbrach ihn Ewers, der das Urteil nicht mehr erwarten konnte, indem er, auf sein Opus deutend, fragte: ›Nun Meister?‹ Es entstand eine Pause. Busoni schüttelte den Kopf und begnügte sich zu antworten: ›Aber Ewers!‹ Eine noch längere Pause entstand. Endlich sagte Ewers ›Meister – man muß doch leben.‹ Darauf Busoni, als ob ihm ein Licht aufgegangen wäre und er eine Erklärung empfangen hätte, die ihn aller Sorge enthob: ›Ach so – Sie müssen leben? Ja, das ist etwas anderes.‹«[48]

Friedrich Sieburg

Ein ideologisches alter ego, ein Pendant zum Leben Jüngers und eine kritisch-essayistische Ergänzung seines Literaturentwurfs findet sich bei Friedrich Sieburg, der ebenfalls dem Nationalsozialismus auswich, indem er ihm in Frankreich diente.

Snob, Connaisseur – oder Wortabschmecker? Ästhet, homme-de-lettres – oder Literaturnarr? Was von all dem war Friedrich Sieburg, dem so erbärmliche Miß-Titel wie »Großkritiker« oder »Literaturpapst« erspart blieben, der gleichwohl der einflußreichste Literaturkritiker der Nachkriegszeit war, und der voller plauderndem Behagen Anekdoten erzählte wie die von dem Pariser Antiquar, der sich so ungern zwischen seinen Buchschätzen stören ließ; »ein wunderbares Leben, wenn bloß die Kunden nicht wären!« – »Das wäre ein herrliches Schreiben, wenn bloß das Publikum nicht so unangenehm untrennbar dazugehörte«,[1] fügt der Journalist Sieburg hinzu, der zeitlebens für auflagenstarke Zeitungen schrieb und dessen Bücher Publikumserfolge waren. War er etwas von all dem – oder war er ein bißchen von allem? Er sprach von der »Heiligkeit des Schreibens«,[2] schrieb zehn Jahre – von 1939 bis 1948 – nichts, war seit 1948 einer der meistbeachteten Kritiker, der sich selber dekretierte »Die Kritik ist die höchste Form des Schreibens« und bekannte im selben (unveröffentlichten) tabellarischen Lebenslauf »ich hasse die moderne Literatur seit Rilke«.

Er liebte Frankreich und französische clarté und teilte wohl Clemenceaus Skepsis: »Es gibt in der deutschen Seele, in der deutschen Kunst, im Denken und in der Literatur dieser Leute eine Art von Verständnislosigkeit, was wirklich das Leben ist... und eine Art von Anziehungskraft zum Tode hin. Die Menschen dort lieben den Tod«; aber Friedrich Sieburg verehrte zeitlebens den Artisten Thomas Mann, dessen Werk von dem Gedanken eines Lebens zum Tode hin geradezu getragen war. Eines seiner drei Lieblingsgedichte war Georg Heyms »Mit den fahrenden Schiffen«, dessen Mittelzeilen »weit ging die Flut uns vorbei / und Himmel war schallend und leer« ihm nicht nur unvergeßlich waren, sondern ihm die Unmöglichkeit der Erfüllung und die Vergänglichkeit für immer einbrannten.[3] Er hat Jahrzehnte in Frankreich gelebt, aber keines seiner Bücher in Frankreich geschrieben. Er wollte Historiker und Philosoph werden, und er hat sich nicht an einer einzigen historischen oder philosophischen Debatte seiner Zeit beteiligt; in seine Zeit hingegen, die er schmähte, peitschte und höhnte, wollte er hineinwirken, ihre Literatur den Menschen nahebringen, doch noch im Jahre 1964 nennt er die deutschen Gegenwartsschriftsteller ausnahmslos »aalglatte Schwätzer«; »›Namen nennen‹, hört man hier deutlich rufen, worauf man nur sagen kann: ›Alle‹.«[4] Er hätte gerne zwischen 1770 und 1840 gelebt, die Zeit seines Lebens weist aber ein großes Loch auf: 1939 bis 1945. Er predigte Kultur, Stil, Form, er rühmte sich »ich habe versucht, den Leuten von heute ihre Filmstars und Mittelstürmer zu vergällen«[5] – und er schrieb zugleich, »ich halte es für Heuchelei, so tun zu wollen, als ob es eine Aufgabe wäre, die Leute vom Fußballplatz weg an das Buch heranzubringen«.[6] Er nannte den »Ausdruck... die höchste Form des menschlichen Daseins... Schreiben ist Leben«; Wolf Jobst Siedler feierte ihn als den glanzvollsten deutschen Stilisten, »einen linksschreibenden Rechten« – und dieselbe Zeitung, die diese Hommage zum 70. Geburtstag Sieburgs druckte, veröffentlichte eine Woche später einen knallenden Verriß von Sieburgs Buch »Christian Dietrich Grabbe, Napoleon oder Die hundert Tage«, in dem ihm sachliche Fehler nachgewiesen, die Beschäftigung eines »ghostwriters« unwidersprochen unterstellt wurde;[7] ein anderer Kollege von ihm gratulierte im selben Jahr ziemlich zwiespältig:

»Immerhin, man schalt ihn einen Epikureer, der seinen Anspruch, ›nur menschlich zu leben‹, auf eine selbstsüchtig-genießerische Weise geltend mache; man mißtraute seiner Sehnsucht nach Zeiten, ›als noch der Anstand regierte‹, und hielt ihn für einen Verführer, der sich zum eigenen Vergnügen kokett seiner eminenten Sprachkunst bediente.«[8]

Er säte Haß, zitierte genüßlich Zolas Wort »Nur wer als Schriftsteller unter Schriftstellern gelebt hat, weiß, was Haß ist«[9] – jedoch am Ende seines Lebens schien ihm Wohlwollen die höchste Tugend und die Schatten des Abschieds dämpften Attacke und Schneid: »Ich muß sagen, ... daß ich keinen Tag ohne das Gefühl des Endes genossen habe... auf jeder Stunde lag der Schatten, in jedem Trunk schwamm – wie soll ich sagen – schwamm der Geschmack des ›Vorbei‹. In jedem Augenpaar spiegelte sich... die Dunkelheit, die allem Leben folgt.«[10] Spieler und Gaukler, Deuter und Mißkenner, Spötter und Melancholiker: Der Kritiker Friedrich Sieburg war alles in einem, beides zugleich – federnde Damaszenerklinge und zögernd Liebender.

Sieburgs literaturkritische Arbeiten im Kontinuum – gar in chronologischer Abfolge – zu lesen, ist schon ein merkwürdiges Erlebnis. Was sich aufdrängt, ist eine befremdliche Zufälligkeit des Urteils, die ihm erlaubt, Alexander Kluge zu entdecken – und Celan nicht zu sehen; eine geradezu quengelnde Rückgewandtheit, die ihm aufzwingt, das Gewesene als einzig-unerreichbaren Maßstab zu errichten – und das Gegenwärtige zu verdammen: »Wäre die deutsche Literatur der Gegenwart«, schreibt er 1953, »eine Person, so könnte sie nur von einer ausgiebigen psychoanalytischen Behandlung einige Besserung ihres Zustandes erhoffen«.[11] Er zeigt eine stupende Unkenntnis jeglicher Literaturtheorie – damit das singuläre Nichtteilnehmen an den geistesgeschichtlichen Debatten der Zeit, Adorno, Lukács oder Horkheimer existieren nicht, Walter Muschg kommt nicht vor, der epochemachende Streit zwischen Sartre und Merleau-Ponty (dem Lévi-Strauss sein Hauptwerk »Das wilde Denken« widmete) findet nicht statt. Dafür Maupassant – Sieburgs erste größere Arbeit nach dem Krieg. Es ist die Studie eines Solitärs, und Geschmack ist das einzige Kriterium. Doch Geschmack ist ein unsicher Ding.

Als schon 1951 Ernst Robert Curtius der deutschen Literaturkritik bescheinigte, sie sähe düster aus, sie gar Nietzsche paraphrasierend dem »Quaken der in ihrem Sumpf kaltgestellten Frösche«[12] verglich, reagierte Sieburg ziemlich fassungslos; denn so hatte *er* bisher geurteilt: »Das geistige Selbstgefühl in unserem Lande läßt zu wünschen übrig. Wir ahnen, daß unser Beitrag zum europäischen Gesamtbild mindestens auf literarischem Gebiet sehr gering ist.«[13] War er nun mitgemeint?

Die Zufälligkeit, die Rückgewandtheit, das theoretische Defizit – sie hängen vielleicht miteinander zusammen. Das Urteil des Literaturkritikers Friedrich Sieburg ist weltarm und geschmackssicher.

Einige Beispiele mögen verdeutlichen, was gemeint ist. »Frieden mit Thomas Mann« ist ein Aufsatz des ersten Nachkriegsabschnitts überschrieben, und jeder Leser erwartet, daß Grundsätzliches zu der großen Debatte zu finden ist, die das damalige geistige Deutschland bewegte, die Debatte zwischen Daheimgebliebenen und Emigranten, mit ausgelöst durch einen Brief Walter von Molos, auf den Thomas Mann im September 1945 antwortete:

»Es mag Aberglaube sein, aber in meinen Augen sind Bücher, die von 1933 bis 1945 in Deutschland überhaupt gedruckt werden konnten, weniger als wertlos und nicht gut in die Hand zu nehmen. Ein Geruch von Blut und Schande haftet ihnen an; sie sollten alle eingestampft werden.«[14]

Es ist nicht wahr, daß dieses Thema die Menschen nicht erregt hätte, und ein Wort dazu, von einem Schriftsteller, der als Angehöriger der deutschen Okkupationsmacht im besetzten Paris gelebt hatte, wäre wichtig und aufregend gewesen. Sieburg schwieg beredt. Der Aufsatz, eine großartige Würdigung der Literatur Thomas Manns – »sein Werk ist die größte kulturkritische Leistung, die der deutsche Geist hervorgebracht hat«[15] – ist Stück seiner lebenslangen Bewunderung dieses letzten Ausläufers des 19. Jahrhunderts; das 20. kommt nicht vor – bis auf eine Eingangsfloskel ohne eigenes Valeur: »Die Auseinandersetzung zwischen Deutschland und Thomas Mann – hier stock' ich schon, denn es ist höchst fraglich, ob es wirklich eine Auseinandersetzung ist.«[16] Doch doch, es war schon eine Auseinandersetzung – und in einer Zeitung, die wenig später Sieburgs Bühne werden sollte, begreift man das auch. Im Juni 1950, zu Thomas Manns 75. Geburtstag, durfte dort ein Namenloser namens Gerhard Nebel diese Laudatio publizieren:

»Es geht nicht an, in Geburtstags-Sentimentalität zu vergessen, was uns von Thomas Mann scheidet. Er tritt uns als Exponent einer bis zur Dummheit gehenden Abneigung gegen Deutschland entgegen, und diesem Affekt, der ihn zu verzehren scheint, antworten aus dem Volk, dem er einmal angehörte und von dessen Schicksal er sich nicht 1933, sondern 1945 trennte, Verachtung und Wut. Dieser Schriftsteller ist eine Linse, die die Strahlen der Partisanen-Bosheit sammelt – aber freilich einer besonders gearteten ...
Er rührt im Blutbrei der tuberkulösen Lunge mit demselben Eifer wie im gelben Matsch des syphilitischen Gehirns, und ganz besonders haben es ihm die Inzeste angetan – sie verbürgen ihm, so scheint es, daß er auf der erwünschten Spitze der Aktualität balanciert.«[17]

Liest man heute derlei Unrat, so kann man den Applaus verstehen, den der grandiose Solist Sieburg erhielt. Oft waren seine Kritiken ein Paukenschlag – aber auf einer Privattrommel. Seine offenbar tiefempfundene Rezension von Gottfried Benns »Statischen Gedichten« – das Mittelwort »Sangbarkeit« taucht auch in jener Georg Heym-Interpretation auf – löste bei dem mürrischen Dr. med. helles Entzücken aus; »Dies ist die erhabenste Kritik, die je über mich erschienen ist –, eigentlich müßte man umfallen und sterben«,[18] schreibt er an Freund Oelze. Sieburgs Kritik trägt den bezeichnenden Titel »Wer allein ist –« und endet mit dem Satz »Denn von einsamen Menschen heißt es in diesem Buch gleichsam als Summe seiner fünfzig Gedichte: Formstill sieht ihn die Vollendung an.«[19]

Das ist in nuce Sieburgs Ästhetik-Konzept; folgerichtig geht er mit keiner Silbe darauf ein, von wem hier die Rede ist, welche Strecke Weges der Autor dieser Lyrik gegangen ist. In Sieburgs Vorstellung ist es wie eine creatio ex nihilo – seine Analyse ist die Perfektion der werkimmanenten Interpretation. »Herr Sieburg erhielt einen wunderbaren Brief«, erwähnt Gottfried Benn mit hochmütiger Kälte eine Woche später und zitiert genüßlich dazu den »geliebten abgefeimten olympischen Urgroßvater aus seinen ›Wahlverwandtschaften‹: ›es ist besser, nichts zu schreiben, als nicht zu schreiben‹, – glänzend, dieser Höfling, der so gern gut aß und trank!«[20]

Das ist köstlichster Hoch-Benn – und es klingt wie eine vorweggenommene Zustimmung zu Enzensbergers späterem Spruch: »Er war kein Opportunist. Er war der letzte Dichter der deutschen Rechten. Er war seiner Lebtage ein Feind der Demokratie. Ein Feind wie Benn, der nicht nur Widerspruch, sondern auch Achtung verdiente, er wäre unserer Literatur aufs innigste zu wünschen.«[21]

Sieburgs Beschäftigung mit Benn offenbart aber – pars pro toto – einen Bruch, eine Inkonsequenz im Umgang mit der Welt und mit der Literatur; ihr verdanken sich seine großartigsten Interpretationen wie seine grotesken Irrtümer: Friedrich Sieburg wünschte sich aus der Welt heraus in ein Monasterium von Form, Gesittung und Noblesse – und wußte zugleich, daß Literatur, zieht sie sich von der Welt zurück, die Gefahr läuft, keine zu sein. Kurz nach der Benn-Rezension schreibt er:

»Mich geht das alles nichts mehr an; für dies Europa, in dessen Namen der eine den anderen betrügt, bin ich verloren. Ich sitze an einem Fenster, vor dem der Sommerregen rauscht, und schreibe. Nachts sehe ich Paris, die Straßen, die ich gegangen bin, das Haus, in dem ich gewohnt, ich sehe das alles auf dem Grund eines Meeres, über dessen tote Fläche ich im Kahn dahintreibe. Bin ich ein Narr, daß ich die Stunden damit verbringe, über die Bücher anderer Leute zu schreiben? Ich klebe die Scherben einer Welt zusammen, die sich selbst in tausend Stücke zerschlagen hat. Das ist eine beruhigende Beschäftigung. Niemand lebt ewig.«[22]

Doch diese Haltung der schönen Solitüde produziert nichts; Sieburg weiß das. Unzählige Male hat er das »Gesellschaftswidrige« – also doch auf Gesellschaft Antwortende? – der Kunst hervorgehoben, Thomas Manns Mut begrüßt, dieses Element zu betonen,[23] innerhalb der Isoliertheit, die dem Künstler geboten ist. Sieburg kannte diese dialektische Beziehung genau: »Der Kunst wird immer ein parasitenhafter Zug innewohnen, denn in ihren produktivsten Regungen ist sie der Gesellschaft feindlich und will gleichzeitig doch auch von ihr leben, materiell wie geistig.«[24] Aber er mochte diese Anbindung nicht. Der Historiker sah Geschichte als Fluchtort, wenn sie Historie war, und als störendes Zeiterlebnis, wenn sie Gegenwart war; deshalb wurde die eine geschmückt und die andere fortgewiesen. Deswegen neigte er zu Gesten des verächtlichen Unverständnisses gegenüber der jüngsten Geschichte, die lästig war wie Regen zur Unzeit – »als in Deutschland die Unruhen wuchsen, aus einer unheimlichen Dünung der kommende Sturm die ersten Schaumspritzer jagte...«,[25] so formulierte Michael Freund einmal eine Sieburg-Laudatio, ein Naturkatastrophenvokabular zur Umschreibung menschengemachter Verbrechen, das dem Gefeierten nicht ungemäß war; denn auch Sieburg brachte es fertig, im Abstand weniger Wochen von Erich Mühsam, der »später so tapfer von Mörderhand zu sterben verstand« zu plaudern und vom Liftboy im Ritz unter der deutschen Besatzung in Paris – zu der er bekanntlich gehörte. Als habe das eine mit dem anderen nichts zu tun.[26]

Hier muß nun doch einen Moment innegehalten werden. Sieburgs wirkliche Tätigkeit als Untergebener des berüchtigten Nazi-Botschafters Abetz liegt im dunklen, präzise Auskunft zu erhalten über Sinn und Unsinn seiner »Flucht in den diplomatischen Dienst« ist unmöglich. Auch das ist »Geschichte«. Aber es wäre Unrecht, trotz und wegen der Erbitterung, mit der Sieburg nach dem Kriege auf Angriffe gegen den »Nazi Sieburg« reagierte, einen Mantel des Schweigens über seine gar nicht sonderbaren, eher auch für sein Ideologie- und Kunstverständnis typischen Umwege zu decken. Die Wurzeln seines dann peinlich und schrill gewordenen Bekenntnisses zum Nationalismus liegen weit zurück, sind zu finden schon im 1920 erschienenen Gedichtband »Die Erlösung der Straße«:

»Sieh, ich bin rasend vor Kameradschaft zu dir.
Ich bin der Freund, der vorangeht und folgt und beisteht.
Abschwörend der Melodie singe ich unermeßlich.
Abschwörend der Insel Gottes bete ich drohend und steil.
Abschwörend der Liebe bin ich voll Inbrunst.
Rufend ›Nieder der Dichter‹ proklamiere ich uns.
Hinwerfe ich dich, o Bruder, ins fabelhafte Jahrhundert.«[27]

Das ist – hier irrt zum Beispiel Joachim Fest im Feststellen literarischer Bezüge –[28] keineswegs der Expressionismus eines Benn, sondern die Sprache des jungen Becher. Es ist, wie ein anderes Gedicht heißt, »Die

Verfluchung des Kurfürstendamms«. Nicht Benns kühler Rückzug auf die Monade wird stilisiert, sondern Bechers Ekstase, Ruf nach Bindung und – »Nieder der Dichter!« – nach Aktion statt Reflexion:

»Das Wort, das Wort, geraunt in Moabit,
Geraunt zu Spandau, steigerts zur Fanfare.
Entfaltet es zur Fahne, fliegendes Lied,
Im Prall der Arme hoch, im Sturm der Haare!

Das Wort heißt Aufruhr, Rebellion, Protest,
Lospolternd aus den rauchzerfressenen Hälsen.
Platzt Adern! Blutige Augen rollt! Beißt fest!
Knautscht Häuser zusammen! Brüllt auf! Schmeißt Felsen!«[29]

Der Ton der Gedichte ist epigonal und outriert, aber ihre Gedanken sind, wie verbraucht immer, »revolutionär«; aus zweiter Hand.

Es ist diese Pseudorevolution, die Sieburg ganz offensichtlich eineinhalb Jahrzehnte später verführte. In der Erinnerung an seine Heidelberger Zeit klingt das an:

»Zu Heidelberg wäre noch viel zu sagen. Es war ein klassischer Augenblick, den ich dort erlebte. Max Weber las nicht mehr, empfing uns aber bisweilen in seinem Garten am Samstagnachmittag. George tauchte manchmal in einem schwarzlackierten Strohhut, priesterlich verkleidet, an einer Straßenecke auf und jagte uns, die wir dort studentisch durcheinanderschrieen, in die Flucht. Gundolf war der Stern. Er hatte zwar keine pädagogische Begabung, aber er hatte seine pädagogische Leidenschaft. Ich habe eines der wenigen Seminare mitgemacht, das er abgehalten hat, nämlich über Klopstocks ›Oden‹. Diese Übungen waren von beispielloser Intensität; ich habe sie nie mehr aus meinem Geist entfernen können und bin ihnen bei jeder lyrischen Interpretation, die ich versuche, verpflichtet. Seine Vorlesungen waren faszinierend, obwohl er nicht gut sprach. Aber dieses sommertägliche Zusammenströmen in seinem Hörsaal mit dieser wunderbaren Atmosphäre von geistiger Neugier und Ehrfurcht ist mir unvergeßlich. Ich denke heute manchmal fast mit Tränen an diese Situationen, die unreproduzierbar sind und die kein Deutscher je wieder erleben wird, zumal auch keiner es wollte. In meiner Zeit entstanden dann auch die soziologischen Diskussionsabende, bei denen die Studenten referierten und die späte Blüte des 19. Jahrhunderts, nämlich Weber, Troeltsch, Friedrich Gundolf und wen ich sonst noch aus dieser Zeit nennen will, auf unsere altklugen und naseweisen Referate ernsthaft eingingen. Ich versichere Ihnen: es war ein Paradies, und wer in ihm verweilt hat, dem kommt die Welt seitdem oft farblos und trocken vor, als sei sie aus Asche gemacht.«[30]

Ganz zu Recht weist Franz Schonauer in seinem Sieburg-Aufsatz[31] darauf hin, daß im selben Seminar des Juden Gundolf ein späterer Judenvernichter saß; sein Name war Joseph Goebbels. Fahrlässig, daraus einen Vorwurf zu konstruieren; wer kann schon für seinen Neben-Kommilitonen. Aber die Erinnerung daran, was alles in Sieburgs »Paradies« Platz fand, muß erlaubt sein.

Ekstase – Revolte – Nationalismus: daß diese drei einander steigernden Elemente eines historischen Irrationalismus *auch* Bestandteile des Faschismus waren, ist zweifelsfrei; und daß sie sich im Denken von Friedrich Sieburg finden. Dabei mag man es als lediglich äußersten Exzeß, als Verstiegenheit abtun, daß er sich – 1941! – selber einen Nazi nannte in der vielzitierten Rede vor der »Groupe Collaboration« in Paris:

»Hier, in Ihrer Douce France, ist mein Charakter hart geworden. Frankreich hat mich zum Kämpfer und zum Nationalsozialisten erzogen. Wieviele Nächte habe ich nicht mit französischen Freunden diskutierend verbracht, unentwegt das Tuch der Penelope webend, um es am anderen Morgen wieder aufgetrennt zu finden. Eines Tages sah ich ein, daß es notwendig war, diesen sterilen Dialog zu unterbrechen... Mehr und mehr habe ich mich von Frankreich entfernt, bin auf Reisen gegangen, habe Afrika besucht, wo ich ein jüngeres, realistischeres Frankreich gefunden habe als in Frankreich selbst... (Erst) einige Tage vor Kriegsausbruch habe ich das Land dann wiedergesehen. Ohne Hoffnung bin ich durch die Straßen von Paris gelaufen, habe noch einmal einen Blick auf all die Herrlichkeiten dieser Stadt geworfen und ihren ganzen Zauber empfunden. Ich war wie Mazarin, der, im Vorgefühl des nahen Todes, durch die schönen Säle seiner Residenz irrte, mit ungläubigem Finger die Schätze berührte, seine schönen Teppiche, seine Bilder, und sagte: ›Muß ich das alles wirklich zurücklassen‹?«[32]

Viel genauer, expliziter formuliert Sieburg dieses Bekenntnis kurz nach Hitlers Machtantritt, im Vorwort der englischen Ausgabe seines Buches »Es werde Deutschland«, dem im Juni 1933 auch ein Peter Suhrkamp eine unappetitlich weihevolle Kritik in der »Neuen Rundschau« widmete, besingend mehr noch die nationale Erhebung als Sieburgs Buch, dem er eine »Theologisierung des Nationalismus« attestiert. Suhrkamps Aufsatz ist eingebettet in die Feier eines Naziaufmarschs, der ihm Metapher für das neue Deutschland wie für Sieburgs Geschichtsbegriff ist:

»Bis in den späten Nachmittag dieses Tages marschierten in der Stadt die Kolonnen der Arbeiter und Angestellten. Von allen Seiten schoben sie sich am Tempelhofer Feld zusammen. Von dort her, vom Zentrum der Ereignisse, kamen Flugzeuggeschwader, ihr Summen schien die Erregung eines Menschenmeeres über die ganze Stadt auszutragen. Man konnte, weitab, noch das Gefühl haben, daß sich etwas erfülle. Als wäre die ›aus lauter Augenblicken zusammengesetzte Geschichte‹ endlich zu Ende. ›Deutschland‹ erschien dem pathetischen Gefühl als der Anbruch des ewigen Reiches am Ende eines langen dunklen Weges.«[33]

In einer Art trotzigem Mut nach vorn stellt Sieburg nun der noch 1933 erscheinenden englischen Ausgabe ein Vorwort in Form eines Briefes an seinen Londoner Verleger Jonathan Cape voran, in dem er begründet, warum das *vor* Hitler geschriebene Buch dennoch sein Credo »Germany: my country« rechtfertige.[34] Er akzeptiert expressis verbis darin die – anfangs ungewollte – Rolle eines »Evangelisten des Dritten Reiches«, bejubelt den »messianischen Glauben« der marschierenden Nazi-Jugend und erklärt, warum die Deutschen »den Nationalsozialismus als Ausdruck Deutschlands anerkannt haben: Warum? Weil diese Bewegung eine innere Wahrheit enthält, die unserem Charakter entspricht. Deutschland lebte in einer Art babylonischer Gefangenschaft, in geistigem Elend und moralischer Verzweiflung, es schmachtete unter einem teuflischen Zauber, aber keiner seiner Führer fand die magische Formel, diesen Zauber zu bannen. Adolf Hitler fand sie, und, wie immer die Welt seine Qualitäten als Staatsmann einschätzen mag, sie kann ihm den Respekt vor seiner prophetischen Eigenschaft nicht versagen. Oder, wie Hermann Göring es einmal ausdrückte: die rettende Idee hing wie ein Stern am Firmament; jedermann konnte ihn herunterholen auf die deutsche Erde; aber nur *ein* Mann sah ihn – der unbedeutende Soldat aus Braunau, der gerade der Hölle des Weltkriegs entronnen war.«[35]
Das Vokabular von Himmel und Hölle, Stern und Firmament, Prophetie und deutscher Erde ist fast aufschlußreicher als der daraus sich zusammensetzende Text. Ein Zufall, ein Unfall ist das nicht, nicht die Verteidigung des deutschen Militarismus und das Rekurrieren auf George und

dessen Ruf nach dem »Führer« (der dieses Mißverständnis noch testamentarisch abwehrte, indem er verfügte, daß er nicht »in deutscher Erde« begraben sein wolle).
Ein Satz in diesem dann doch schandbaren Text ist am aufschlußreichsten; Sieburg referiert da, daß ihn ein befreundeter Franzose, der das Buch mochte, gefragt habe, ob es ein Bild von Deutschland gäbe oder eher das Bildnis einer tragischen Seele.[36] *Das* ist es: Friedrich Sieburg fühlt sich zutiefst appelliert von den Geschehnissen in Deutschland – selbst von den inszenatorischen Allüren. Der *ästhetische* Faschismus, wie ihn Walter Benjamin und später Susan Sontag analysiert haben, ist Sieburgs Problem. Und von daher resultiert das Unbehagen der jungen deutschen Nachkriegsgeneration an Sieburgs überdekorierten Lebensumständen. Es waren ja nicht die bloß befremdlichen goldenen Teller, von denen man in seinem Hause speiste[37] oder die witzig-hochmütige Abfuhr gegenüber einem »Spiegel«-Fotografen, über die man sich erregte im allerdings undekorativen Nachkriegsdeutschland:

»Ich bin sehr gerne bereit, in einer sorgfältig gestellten asketischen Kulisse mit Feldbett und Mülleimer für Sie aufzutreten. Aber meine Utrillos und Louis-XVI-Sessel dem öffentlichen Anblick auszusetzen, habe ich keinen Mut mehr. ... Besuchen Sie mich einmal und Sie werden sehen, wie sehr meine bescheidenen aber nur mir gehörenden Lebensumstände die Mißgunst der ›brave new world‹ herausfordern müssen.«[38]

Niemand hätte oder hat sich ja zur selben Zeit über den luxuriösen Salon aufgeregt, in dem Joseph Breitbach, Träger der Legion d'Honneur, junge deutsche Schriftsteller zu Champagnerdejeuners empfing und niemand verwunderte sich über des Widerstandskämpfers Malraux großbürgerlichen Lebensstil. Die attackierenden Autoren, bis hin zur anekdotischen Banalität, Friedrich Sieburg Gartenzwerge per Post zuzusenden, ahnten zumindest hinter dieser trotzigen Zieratbarriere eine Anfälligkeit; *der* galt ihre Abwehr. Auch hier irrt Joachim Fest mit seinem auf Franz Schonauer geprägten Wort vom »indignierten Modeplebejer, der aller Welt das Glück der Einheitswohnküche zumessen möchte«. Er selber nämlich analysiert hervorragend das Politisch-Gefährliche, das sich hinter dieser Pompsucht verbirgt:

»Von weit größerem Gewicht und stark genug, Sieburgs Ängstlichkeit vor politischer Verstrickung auszuschalten, war sein Bedürfnis nach einem großen Lebensrahmen, nach Auftritten, Kulissen und schönen

Umständen. Seine Freunde berichten denn auch, mit welchem Glück, welcher geradezu strahlenden Kinderlaune er von der seidenbestickten Uniform des Diplomaten schwärmte, dem grandiosen, die bürgerlich-bescheidenen Verhältnisse der ›Frankfurter Zeitung‹ unwiderstehlich übertrumpfenden Glanz und Gloria des Auswärtigen Dienstes.... Als er in Gesellschaft, beim Rotwein, von einem näheren Bekannten nicht ohne einen Unterton maliziöser Arglosigkeit gefragt wurde, wie er es denn bewerkstellige, immer und unter allen Umständen die geheimen Erwartungen des Publikums zu treffen, starrte er den Fragenden kurz und entgeistert an, und schüttete ihm dann wortlos den Inhalt seines Glases ins Gesicht. Die Vermutung ist nicht abwegig, daß hinter seinem zeremoniellen Gebaren, dem unnachsichtigen Beharren auf Konvention und hoher Etikette, nicht zuletzt der Disziplinierungswille eines labilen, seiner schwer zu zügelnden und eruptiven Gefühle nie ganz sicheren Menschen stand.«[39]

Diese gelebte historische Akausalität schafft auch ein eigenes ästhetisches Wertsystem beziehungsweise dessen Verkrümmungen. So rückt Sieburg beispielsweise unentwegt das Werk Ernst Jüngers dem des Gottfried Benn an die Seite – der Geschmack verzieratet sich zum Geschmäcklerischen. Nicht lange nach seiner ersten Benn-Rezension und kurz nach jener Deklaration »Mich geht das alles nichts mehr an« veröffentlicht Sieburg seinen Artikel »Ein Abendländer ohne Angst«, in dem die beiden so konträren Schriftsteller einander ähnlich gemacht werden, zumindest als »Fall«.[40] Das ist aus zweierlei Grund bemerkenswert. Einmal ist es gerade Benn, der sich mit eisiger Charakterisierung von Jünger abgrenzt, und zwar zur selben Zeit:

»Ernst *Jünger!* Da ich immer wieder mit dem zusammen genannt werde, interessierte er mich allmählich u. ich las die mir von Herrn Hürsch übergebene Einleitung zu seinen neuen Büchern, eine lange Einleitung, das ganze Œuvre heisst: ›Strahlungen‹. Ich las Satz für Satz, fing mit kameradschaftlichen Gefühlen an, las die ganze Sylvesternacht, während meine Frau mit Hürsch in die Nähe tanzen gegangen war, u. ich muss sagen: *katastrophal!* Weichlich, eingebildet, wichtigtuerisch u. stillos. Sprachlich unsicher, charakterlich unbedeutend. Manchmal nahe an Erkenntnissen, manchmal vor gewissen Tiefen stehend, aber nirgends Durchbruch, Haltung, Flammen. Er hat ja offenbar viel Zulauf u. viele Bewunderer, gilt als unterdrücktes u. verkanntes Genie, aber das ist hierzulande, wo immer auf das falsche Pferd gesetzt wird, nichts Besonderes. Er hat in genügender Menge das Mulmige, ohne das die Deutschen den Geist nicht ertragen, das Gedrückte, leicht religiös Gefärbte, das den Autor so angenehm harmlos u. achtenswert macht, die Klarheit u. Schärfe des durchbrechenden Genies mangelt ihm völlig, jede Latinität: – kurz: Timmendorfer Strand contra Portofino.«[41]

Das zweite Element, weit über die differierende Einschätzung eines Dritten hinaus, ist entscheidender. Sieburg beklagt, da er Benns »politischen Irrtum« als Wesensbestandteil seines Œuvre begreift, daß »das Feld, auf dem die Argumente für eine wirklich geistige Austragung dieser und ähnlicher Konflikte geholt werden könnten, noch schwer vermint« ist. Aber er, Friedrich Sieburg, hat diesen Konflikt auszutragen nie, nie mit einem einzigen Wort auch nur versucht. Er hat betörend schöne Porträtessays über Maupassant und Rilke, Rousseau und George geschrieben, und er hat in unzähligen Rezensionen den Niedergang der althergebrachten Kultur beklagt – damit auch Standards für eine neue setzend –, aber er hat eine Debatte weder aufgegriffen noch gar ausgelöst. Er hat Antworten gegeben, aber keine Fragen gestellt. Friedrich Sieburg war wohl *deswegen* der authentische Kritiker der fünfziger Jahre. Auf fast absurde Weise hat er das Ahistorische dieser Epoche charakterisiert – in einem anderen:

»Will man eine plastische Vorstellung davon gewinnen, was sich in bezug auf ›Nutzen und Nachteil der Historie für das Leben‹ seit dreißig Jahren geändert hat, so braucht man nur zwischen dem deutschen Staatsmann von damals und dem von heute einen Vergleich zu ziehen. Stresemann war von der Geschichte förmlich geplagt, ja besessen; er konnte gar nicht handeln, ohne die Geschichte um Rat zu fragen oder sie mindestens zu ständigen, ruhelosen Vergleichen heranzuziehen. Da hat es Bundeskanzler Adenauer leichter; im Repertoire seiner Staatsführung, die den Deutschen von heute auf den Leib geschrieben ist, kommt die Historie überhaupt nicht vor. Er wird weder von ihren Dämonen heimgesucht noch von ihrem Schatten in Rührung versetzt. Zu seiner Taktik mögen geschichtliche Rudimente bisweilen eine nützliche Rolle spielen, aber ihn beschäftigt nicht der Drang, dem von ihm mehr verwalteten als regierten Gebilde eine ›Tradition‹ zu retten oder eine neue, revidierte Vergangenheit zu verschaffen. Wer dies wünscht, muß erst einmal an den Geist der Geschichte glauben oder gar der Überzeugung sein, daß man ohne diesen Geist keinen Staat schaffen kann. Mancher mag denken, daß die Bindung an die Geschichte einen reaktionären Zug im Wesen Stresemanns darstellte. Wohl möglich. Aber ist Adenauer, weil er diese Bindung nicht kennt, darum ein politischer Avantgardist? Das werden auch seine stürmischen Verehrer nicht behaupten wollen. Dieser erfolgreiche Staatsmann setzt genau die Bewußtseinsinhalte ein, die der Mehrheit des deutschen Volkes eigen sind; er lebt mit ihr in tieferer Übereinstimmung, als sie durch materielle Interessen gegeben ist. Man muß sich ernstlich fragen, ob ein politischer Charakter vom Schlage Stresemanns der bundesdeutschen Lage überhaupt gewachsen gewesen wäre.«[42]

Als Ernst Robert Curtius' Philippika über die quakenden Frösche erschien, hielt Sieburg ihm seine Trauer über eine Welt entgegen, in der eine falsche Wirklichkeit Platz gegriffen hatte, die ohne geistige Ordnung bestehen zu können glaube. Aber die beiden Kategorien »falsche Wirklichkeit« und »geistige Ordnung« definiert er nicht. Und die Zeitschrift, auf die Curtius als möglichen Neubeginn hinwies, Rainer Gerhardts »Fragmente«, kannte er nicht; doch gerade diese Zeitschrift, die Pound und Benn druckte, und die – fast möchte man sagen: daraufhin – Arno Schmidt und Hans Magnus Enzensberger entdeckte, versuchte ja einzulösen, was Sieburg zum Ende seiner Curtius-Replik forderte: »Das schlichteste deutsche Bildungsgut ist in Frage gestellt... an dieses Gut von Zeit zu Zeit zu erinnern, ist freilich eine glanzlose Aufgabe.« Friedrich Sieburg hat sie glanzvoll gelöst – indem er übersah, wer noch sich ihr unterzog. Er hat auf noble Weise Hans-Werner Richters Roman »Sie fielen aus Gottes Hand« gelobt,[43] und wollte partout nicht sehen, daß sich um Richter keineswegs nur eine mediengeile Clique jugendlicher Nichtskönner scharte, sondern eine Gruppe junger Schriftsteller, die nach genau dem hungerten, was literarische Väter wie Sieburg nicht boten: Geschichte nicht als Retrospektive einer heilen Welt, sondern als Orientierungshilfe für den aktuellen Tag; Literatur nicht als schönes Spiel einsamer Menschen, sondern als Kommunikationsmittel Versprengter. Für Sieburg war das »literarischer Unfug«, wie er eine seiner Attacken überschrieb – und damit, war der Wert der Silben und Sätze gemeint, hatte er ebenso gewiß recht, wie er damit unrecht hatte, Hohn statt Hilfe zu spenden. Die Abfuhr, ein Nachruf auf die fünf Monate lang erschienene Zeitschrift »Die Literatur« liest sich gewiß amüsant:

»Zu diesen kämpferischen Leistungen gesellten sich einige lahme Versuche, gegen Gottfried Benn und Ernst Jünger das Stimmchen zu erheben, was aber wegen geistiger Unzulänglichkeit keine Folgen hatte. Die ›unmißverständliche Diskussion‹, die, wie wir gerne zugeben, die Würze

des literarischen Lebens ist, wollte und wollte nun einmal nicht in Gang kommen. Es wurde behauptet, daß nun ›auch hierzulande der längst fällige Streit um den Elfenbeinturm der Dichtung‹ begänne. Aber vergebens lauschte man auf den Kampflärm, der sich um keinen Preis erheben wollte, weil es eben einen solchen Turm nicht gibt und, wenn es ihn gäbe, niemand darin säße. Jeder Versuch, sich echte geistige Gegner zu schaffen, schlug fehl, denn man kann ja schließlich die Leute, die die Zeitschrift und die Bücher ihrer Herausgeber und Genossen nicht gerne lesen, keine ideologischen Gegner nennen. Das Recht, sich bei überflüssigen Geräuschen die Ohren zuzuhalten, bedarf keiner grundsätzlichen Erklärung, und das Gähnen eines gelangweilten Publikums ist kein Schlachtruf, der ein aufregendes Kreuzen der Klingen verspräche. Da blieb denn nicht viel anderes übrig, als sich gegenseitig zu loben, wogegen nicht viel einzuwenden ist, denn wozu schlösse man sich zusammen, wenn der eine nicht vom anderen überzeugt wäre! Als dann der Herausgeber Richter, dessen erstes Buch übrigens durchaus nicht gleichgültig war, für seinen zweiten Roman einen Preis bekam, ohne daß Erd' und Himmel darüber jubilierten, griff sein Redaktionskollege Walter Jens zur gesträubten Feder und schrieb, der Augenblick sei ›unwiederbringlich‹, um dann fortzufahren: ›Folglich vergeht sich der Kritiker, der heute, von einem vorgefaßten Standpunkt aus, die junge Literatur totschweigt, zugleich an Zeit und Ewigkeit.‹
Es scheint überhaupt die fixe Idee der ›neuen Literatur‹ zu sein, sie werde totgeschwiegen, und so versucht sie denn aus der Tatsache, daß man sie nicht lesen will, wenigstens ein Tröpfchen Martyrium zu pressen.«[44]

Aber es war nicht die Zeit für Amüsement. Es war das Jahr 1952, in der dreijährigen DDR brodelte es bereits, ein dreiviertel Jahr nach diesem Aufsatz sollte der 17. Juni beginnen, es war das Jahr, in dem der soeben wiedergewählte CDU-Vorsitzende Adenauer DDR-Volkskammervorschläge zur Wiedervereinigung (offiziell dem Bundestagspräsidenten Ehlers unterbreitet) als ungeeignet ablehnt,[45] in dem Kurt Schumacher stirbt, das Stück »Warten auf Godot« des Iren Samuel Beckett erscheint (den Sieburg ein kraftvolles Talent nennt)[46]; war Wolfgang Weyrauchs »Atom und Aloë«-Gedicht nur Zeilenplunder eines, der den Mund auftat, weil er nichts zu sagen hatte? Zwei Jahre später urteilte Sieburg über die »schönen Hefte« von Höllerers und Benders Zeitschrift »Akzente«, der er eine echte Bemühung um Dichtung unterstellt – sich aber bei einem Lob ertappte, dem er zugleich mißtraut:

»Hier wird eine tatsächliche Bemühung um Dichtung angestellt, und in den Heften steht kaum je ein Wort, das nicht einen ernsthaften Glauben an die Gestalt als letzte Bewährung jeder Kunst verriete. Die Schwierigkeit besteht indessen darin, daß hier eine Autonomie der Dichtung vorausgesetzt wird, die nicht mehr besteht. Die Selbstzerstörung, die die deutsche Literatur in den letzten Jahren unter der Fuchtel der öffentlichen Schlagworte getrieben hat, beginnt ihre Wirkung zu tun.«[47]

Sieburg urteilte und verurteilte mit insulärer Gnadenlosigkeit, als wüchsen Bücher im Garten des Paradieses; aber dann weiß er so leise wie schneidend-genau doch die Grenze zwischen sich und der jungen Generation zu ziehen, weiß *seine* Geschichtserfahrung einzubringen, die am Detail gerinnt. Sieburg war ein ins Fechten des ritterlichen Duells verliebter Mann, aber brutale »Kopf-ab-Kriterien« hat er nicht geschrieben. Er begnügte sich, Enzensberger einen »scharfen Jungen«[48] zu nennen, was gewiß keine Einschätzung von Gedichten ist, oder Rühmkorf einen »lustigen Bruder vom Feuilleton ... für unseren Autor sind die Aussichten helle, wir werden ihn bald beim Rundfunk, als Redakteur oder Lektor sehen, und überall wird er seinen Hauptberuf als Revolutionär ohne ernste Störungen weiter ausüben können«;[49] aber diese traurige Warnung vor einer Gefährdung schreibe ihm erst einmal einer nach – seine berühmte Walser-Kritik »Toter Elefant auf einem Handkarren« endet:

»Gleichwohl: Was mich von ihm und seinesgleichen unheilbar trennt, wird an folgendem Beispiel klar. Ein kleiner Junge (Seite 593) stürzt schutzsuchend zu seiner Mutter und preßt seinen ›Kopf in die Gegend, aus der Ärzte ihn herausgelockt hatten‹. Nicht sehr schlimm, eine Kleinigkeit, gewiß! Aber hier offenbart sich eine so ungeheuerliche Taktlosigkeit, daß man die Sprache verliert. Takt, was ist das schon? Völker werden geschlachtet, Städte verglühen, und da wollen wir von Takt reden? Das ist die Frage, über deren Abgrund hinweg wir nicht zusammenkommen können. Mit Sitte und Anstand, so niedrig sie auch im Kurse stehen mögen, können Welten im Sturz aufgehalten werden. O rühre, rühre nicht daran. Laßt doch einige winzige Bereiche bestehen, vor denen ihr mit eurer hochbegabten Schnoddrigkeit zögert! Dies sanfte Zögern wird der Menschheit mehr helfen als alle eure literarischen Anstrengungen. Dieser Walser ist ein Genie, wenn auch einstweilen nichts dabei herauskommt, aber ihn kümmern die haarfeinen Rücksichten nicht, jenseits derer zunächst nur die Taktlosigkeit und, wenn man nicht scharf aufpaßt, die Unmenschlichkeit beginnt.«[50]

So kann nur einer mit einem jungen Autor umgehen, der Literatur liebt; hier raschelt kein Papierverschlinger, sondern spricht ein wirklicher Kenner. Das Lesevergnügen, das Sieburgs Kritiken bieten, hängt mit dieser Literaturbesessenheit zusammen. Die muß sich ja keineswegs im Lob äußern; auch Sieburgs »Verrisse« sind amüsant – und mehr: zeigen einen Letterngefräßigen, Formsüchtigen, Fabelverliebten. Daß es gerade – und fast einzig – Arno Schmidt war, den er von den Nachkriegsautoren für sich entdeckte und favorisierte, ist kennzeichnend; ist es doch der Autor, der am perfektesten sich in einen Kunstbau einspann im feinsten, artistischen Gewebe, hauchzart und doch unzerstörbar. Arno Schmidts Festung aus Bildung und Hintersinn, seine zu immer neuem Jonglieren fähige Sprachkunst entsprach durch und durch dem ästhetischen Entwurf Sieburgs, wie eben auch der spielende Bürger Nabokov oder der Kafka-Adept und Walser-Schüler Walser. Es spricht der Kenner – doch eben einer, dessen Rückgewandtheit ihn das einzelne Kunstwerk erkennen ließ mit meist untrüglichem Instinkt, der aber – weil es eben Instinkt war – eine Literaturperiode mißkennen mußte. Friedrich Sieburg war vielleicht zu sehr Schriftsteller, um ganz Kritiker sein zu können. Er wußte zu viel von der notwendigen Einsamkeit des Produzierenden – und entzog sich in falscher Konsequenz dem Dialog, den der Kritiker braucht; ein monologischer Kritiker ist das, was Sieburg haßte: ein Oberlehrer. In seiner Studie zum Begriff »Allein Sein« schrieb er:

»Die Massen sind eine Fiktion, mit der sich Macht und Geld gewinnen läßt. Sie besteht nicht nur aus einer Summe von Personen, und so kann man denn auch nicht mit ihr in Fühlung kommen, wie groß der Sportpalast auch sein möge, der den Massenseligen in ihren Träumen erscheint. Diese Unmöglichkeit verleiht unserer Zeit die nagende Regung schlechten Gewissens. Das gilt besonders für die Literatur, denn sie ahnt wohl, daß eine gewisse Isoliertheit zu ihrem Wesen gehört, aber sie hat nicht den Mut, diesen Teil ihres Schicksals hinzunehmen, obwohl er die eigentliche Quelle ihrer Produktivität ist. Der gestaltende Mensch ist allein, solange er gestaltet, sein Verhältnis zur Gegenwart als Stoff ist stets mittelbar. Erst das fertige Werk geht seinen Weg, über den der Künstler keine Macht mehr hat. Oft führt dieser Weg ins Volk hinein, wenn auch nicht von heute auf morgen, oft geht er in eine Tiefe, aus der erst nach langer Zeit die Wirkung aufsteigt. Die Persönlichkeit entscheidet, aber wer bringt die Entschlossenheit auf, sich zu ihr zu bekennen!«[51]

Doch was er hier beschreibt, ist die Zelle des Schriftstellers, den der Lyriker Benn nicht zufällig als »erlebnislos, seelisch unergiebig als Mensch ganz stumpfsinnig«[52] charakterisiert, weil er ja seine Erlebnisse nicht an sein Leben anbindet, sondern an sein Œuvre, sich vom Leben fernhält. Diese notwendige Verschlossenheit, das hermetisch Weltabweisende gehört zum qualvoll-einsamen Vorgang des Schreibens, zu seiner Hybris und zu seiner Not. Doch ist nun einmal das Schreiben des Kritikers vielleicht kein minderes – aber ein anderes. Ein sich vor der Welt verschließender Kritiker stilisiert eine Allür, kultiviert eine Voreingenommenheit und kann Zusammenhänge weder sehen noch aufdecken. Er schwärmt von einem fernen Elysium und tadelt die Gegenwart; oft nur dafür, daß sie eben Gegenwart ist. Sieburg machte sich darüber lustig, wie probat es sei, möglichst jede kulturkritische Betrachtung mit einem »Die Zeiten sind vorbei, in denen...« zu beginnen – und möglichst offen zu lassen, was nun vorbei ist. Aber er machte sich damit auch über sich selber lustig. Es ließe sich eine witzige Anthologie zusammenstellen aus seinen Sehnsuchtsrufen nach einer verlorenen Zeit; wie alt war Sieburg etwa, als er dieses schrieb:

»Wenn die Zeitgenossen des vierzehnten Ludwig den Schwung ihrer Möbel oder die Bedeutung ihrer Bewegungen nach dem Takt gliederten, in dem sie die Frau umkreisten, so liegt der eigne Reiz unsrer Epoche darin, daß keine Zigarette mehr öffentlich angepriesen werden kann, ohne daß weibliches Fleisch in massenhafter Deutlichkeit heranbemüht wird. Ganz zu schweigen von jenen öffentlichen Äußerungen, die in engem Zusammenhang mit der Frau stehen, als da sind: Tanz, Film, Theater, Bilderpresse und – Liebe.... Der Verfall der Liebe ist nicht mehr aufzuhalten. In den Tanzsälen der Vorstädte, wo einst die Lebensfreude des kaufmännischen Halbproletariats sich schwang und sogar noch etwas für die Lyrik hergab, wimmelt heute ein gieriges, freudloses Weibervolk, das in Haltung und Verhalten seinem in Premieren und Hotelhallen aufstrahlenden Wunschbild sich angleichen möchte.... Die heutige Liberalität der sogenannten bessern Kreise undurchsichtigen oder unregelmäßigen Erscheinungen gegenüber ist weit alberner als der Standeshochmut und der Bravheitsdünkel unserer Großväter, weil dieser auf – wenn auch falschen oder toten Grundsätzen beruhte, jene aber im Mangel an Wertgefühl und Unterscheidungsvermögen ihre Wurzeln haben.... Auch der Tanz bringt dich dem Ausgestellten nur wenig näher. Was wurde aus ihm? Schwitzende Vorbereitung für einen Beischlaf – der niemals zustande kommt. Etwa nach der Melodie des schönen Volksliedes: ›Du kannst Alles von mir haben – nur das Eine nicht‹, das so recht in des heutigen Lustknaben Wunderhorn gehört. ... Was heute im Lichte steht, bedeutet den Verfall der Liebe, der Gesellschaft, ihrer Form, der Familie, der Unterhaltung, des Theaters, kurz: aller öffentlichen und privaten Äußerungen des Zusammenlebens.«[53]

Er war genau 30 Jahre alt, ein Debütant bei der »Weltbühne«, drei Jahre vor Siegfried Jacobsohns Tod, man schrieb das Jahr 1923, Rathenau war vor wenigen Monaten ermordet, Maximilian Harden soeben überfallen worden, die Fememorde der illegalen »Schwarzen Reichswehr« waren auf dem Höhepunkt wie die Inflation, 1 Dollar kostete 4,2 Billionen Mark. Friedrich Sieburg hat sich auf derlei nicht eingelassen – nicht, wenn es ihm um Literatur ging. Dieses Prinzip der Literatur jenseits von Zeit und Raum befähigte ihn, etwa drei Jahrzehnte später, im Jahre 1954, fast haargenau denselben Text, diesmal über Soraya zu schreiben – »Wir geraten doch allmählich in den Zustand kollektiven Schwachsinns, wenn wir uns tagaus, tagein mit Dingen und Figuren beschäftigen, mit denen wir uns nicht beschäftigen *wollen,* weil sie uns nichts angehen und weil sie für uns total wesenlos sind«[54] – aber es entfähigte ihn, Literatur als Produkt auch eines historisch-politischen Koordinatensystems zu sehen. Sieburg wird gleichsam seiner eigenen Forderung untreu. Mit Claudel hatte er einmal ausgerufen, »ich möchte die Verteidigung der Intellektuellen übernehmen. Sie stellen innerhalb des Staates etwas Notwendiges dar, etwas Gefährliches und Wohltuendes, den geistigen Zustand der Kritik und des ewigen Gelüstens, die Garantie gegen das Einschlummern, die tiefe Unzufriedenheit, sozusagen den Vorrat an Elektrizität.«[55]

Aber für eben diese Elektrizität hat er sich nicht eingesetzt, hat sich ihr nicht ausgesetzt. Das Ahistorische seines Literaturbegriffs hat Sieburg zwar jene Zeitschrift von Jens und Richter verreißen, aber den Vorgänger »Der Ruf« unbeachtet sein lassen. Daß die Position dieser Nachkriegszeitschrift – nämlich die bis zum alliierten Verbot führende Abwehr des Gedankens der Kollektivschuld – im Grund der seinen sehr nahe war, daß sie sich auf spiegelverkehrte Weise dann in Ernst von Salomons Bestseller »Der Fragebogen« wiederfand: Das griff Sieburg als Thema nicht auf; seine vernichtende Kritik des Salomon-Buches nimmt es nur als Einzelphänomen, gleichsam als bloße Hervorbringung eines Autors und nicht auch der Zeit. Sieburgs untrüglicher Sinn für Takt spürte das Verschmockte, Unaufrichtige dieses Buches,[56] das Wahrheit schonungslos verhüllte – aber die Ursachen dieser zeitgeschichtlichen Camouflage erörterte Sieburg nicht. Es mag damit zusammenhängen, wenn er zwar als Kritiker eine Instanz war, aber gleichzeitig wenig Einfluß hatte. Er selber hat das in einem nicht nur witzigen Radioessay am Fall Malaparte vorgeführt, der – ähnlich dem »Fragebogen« – trotz (oder wegen?) Sieburgs heftiger Intervention zum großen Büchererfolg wurde:

»Ich könnte mir gut vorstellen, daß einige von Ihnen den Mann, der in der Öffentlichkeit über literarische Neuerscheinungen urteilt, für einen sehr mächtigen Mann halten. Tatsächlich erhalte ich dann auch nicht selten aus dem Publikum Ermahnungen, mit der fürchterlich gefährlichen Waffe der literarischen Kritik um Gottes willen nur ja sehr behutsam umzugehen. Jemand schrieb mir, daß ich mit einem unüberlegten Wort ein ganzes Buch vernichten und dadurch dem Autor nicht nur geistigen, sondern auch materiellen Schaden zufügen könne. Die Waffe der literarischen Kritik war da offenbar als eine Art von literarischer Atombombe aufgefaßt, deren verheerende Zerstörungskraft dem armen Buchautor den Lebensfaden für immer zerreißen kann... Nun erschien vor einigen Monaten ein Buch von Malaparte. Es hieß ›Die Haut‹ und schilderte die Haut Europas, wie sie sich den einmarschierenden Amerikanern bot... Kurz und gut, ich war der Überzeugung, dem neuen Buch des Italieners in Deutschland den Garaus gemacht und damit ein gutes Werk getan zu haben. Vielleicht fühlte ich mich in meinem Innern sogar ein wenig von der Macht des Kritikers durchdrungen und dachte am Ende gar: ›Nein, nein, mit uns Kritikern ist nicht zu spaßen, wenn es mal wirklich hart auf hart geht!‹ Aber *was* glauben Sie, meine verehrten Zuhörer, was in *Wirklichkeit* geschah? Meine scheinbar vernichtende Ablehnung des Buches brachte ihm einen *glänzenden Erfolg* ein. Viele Buchhändler berichteten, daß die Käufer mit meiner Kritik in der Hand zu ihnen gekommen seien und das Buch verlangt hätten. Die Leute sprachen sich untereinander an und sagten zwinkernd, ›das scheint ja ein tolles Buch zu sein‹ und gingen hin und kauften es. Niemals ist ein Literaturkritiker bitterer und nachdrücklicher über seine totale Ohnmacht belehrt worden wie *ich* in diesem Fall. Meine Ablehnung wurde überhaupt nicht realisiert. Dagegen wirkte die Stimmenstärke, mit der ich das Buch ablehnte, als seine Werbung.«[57]

Auch hier wieder dieser merkwürdige Bruch; denn Friedrich Sieburg schrieb ja expressis verbis »nicht für die Autoren, sondern für das Publikum«.[58] Er wollte kein Autorenvater, gar -erzieher sein; vielleicht auch das ein Grund, warum er lieber Gedanken und Sprache der großen

Toten nachspürte als sich auf die Debatte mit den Lebenden einzulassen. Was er wollte, war »Gesittung durch Literatur«[59] erreichen. Der Vorspruch zu dem Gespräch, in dem er dies äußerte, schildert die Interieurs seiner Lebensumwelt als von »französischem Geist«, ob in Mobiliar, Tapeten oder Bildern.[60] Davon weiß jeder zu berichten, der Sieburg kannte, mit ihm verkehrte. Doch dem Getümmel, dem in den ersten Nachkriegsjahren die Dispute in Paris glichen, blieb er fern; weder zu Paul Nizan noch zu Camus ein Wort, und Sartre war ihm nicht mehr als eine Modefigur. Den erbitterten Streit mit Merleau-Ponty hat er nicht zur Kenntnis genommen – obwohl es doch eine fundamentale Auseinandersetzung über die Rolle des Intellektuellen vis-à-vis der Macht war. Raymond Aron sagte noch Jahrzehnte später, bei Entgegennahme des Goethepreises der Stadt Frankfurt: »Meiner Generation, das heißt einem Jean Paul Sartre, einem Maurice Merleau-Ponty, einem André Malraux, einem Arthur Koestler, einem Manès Sperber – um nur die zu nennen, mit denen ich befreundet war –, wäre es wohl schwerlich möglich gewesen, sich in einen elfenbeinernen Turm zurückzuziehen, unbekümmert um die Unwetter, die über die Alte Welt, dann über die ganze Erde brausten.«[61]

War Friedrich Sieburg unbekümmert? Das Wort birgt den Begriff Kummer – und Sieburgs Kummer war anderer Natur. Er lag in gewisser Weise tiefer. Seine damals sensationelle – weil lobende – Kritik über Nabokovs »Lolita« gibt davon einige Andeutungen frei. Nicht Kongresse oder Streitereien der Schriftsteller interessierten Sieburg, sondern ihre Nöte, soweit sie Literatur wurden – Finsternisse, Abgründe:

»Der stilistische Zauber dieses Buches, den das Team der Übersetzer musterhaft für uns gerettet hat, ist das wichtigste Überzeugungsmittel, das diesem selig-elenden Humbert vom Autor geliefert wird. Es ist kein neuer Stil, der irgendeiner Theorie entspräche, aber er ist von enormer Verführungskraft und wickelt uns gleichsam um den Finger. Plötzlich gewahren wir, daß wir an Humberts Schändlichkeiten sein Leid ablesen, daß wir an seiner vernichtenden Selbstironie die Glut seiner Liebe ermessen. Lolita wird aus einer kleinen Schülerin, die unseres Schutzes bedarf, zu einer Nymphe, die den Weg in das langsam mythologisch werdende Reich der Liebe freigibt.«[62]

Daß Sieburg anläßlich dieses Buches, das gemeinhin als neckische Nymphchenobszönität abgetan wurde, Töne der Ergriffenheit zur Verfügung stehen, ist wohl typisch für ihn, für sein so anderes, ganz dem Tage entrücktes Verständnis von Kunst. Tatsächlich ist der muntere Polemiker, der wortgewandte Spötter und unduldsame Phrasenverächter zutiefst – Melancholiker. Sieburgs Kunstbedürfnis ist auch Schutzbedürfnis; Form ist Wall. Das ist sein Gleichklang mit Thomas Mann, in dessen Werk er immer wieder das Zivilisierte, die »Lebensform« hervorhebt und dessen Briefen er sogar die Kraft der Prosa zugesteht, die über den Lebensabgrund reicht;[63] und den er daher »ein Herr und Meister« nennt, wohl die positivsten Epitheta, die Sieburg zur Verfügung stehen. Kunst ist Brücke über den Abgrund, Stil ist gebanntes Chaos, Form ist gebändigtes Leben – dieser existentielle, nicht historische Begriff von Literatur als Balance-Akt am Nichts entlang machte Friedrich Sieburg zum Solitär. Wenn es dafür eines Beweises bedarf, dann liefert er ihn mit den wunderbaren Worten, mit denen er sein Lieblingsgedicht – Platens »Ghasel« – zu erfassen sucht:

»Immerhin fühle ich, daß Platens ›Ghasel‹ ›Es liegt an eines Menschens Schmerz, an eines Menschen Wunde nichts‹ mein Lieblingsgedicht bleiben wird bis zur Stunde meiner Tage. Warum? Wie kann man ein Gedicht zum täglichen Lebensbegleiter erheben, das die Verneinung des Lebens selbst zu sein scheint? O, gewiß, diese Verneinung ist da, sie ist bis zur Hoffnungslosigkeit gesteigert. Es scheint keinen Ausweg zu geben, ja man glaubt sogar einen gewissen Hohn des Dichters darüber zu spüren, daß alle Wege versperrt sind. Trotzdem ist es möglich, mit diesem Gedicht zu leben. Ja, mir scheint, daß es eines der leuchtendsten Beispiele für die Verwandlungskraft der Kunst ist. Schmerz und Dunkelheit sind so vollendet gestaltet, daß dieser Vollkommenheit schon das Element der Erlösung innewohnt. Die Perfektion der Gestaltung, die Seligkeit des künstlerischen Gelingens ist Sieger über die menschliche Unzulänglichkeit. Daß dem Elend des Daseins ein solcher Glanz entrissen werden kann, ist eine Offenbarung, die den Lesenden mit Licht und Trost überflutet. Von dieser lyrischen Gestaltung des Unglücks geht ein Strom von Glück aus, weil die Gestaltung vollkommen ist.«[64]

Es ist schade, daß die deutsche Sprache das Wort »Tiefmut« nicht hergibt; es wäre eine schöne Kennzeichnung für Friedrich Sieburg, für die Gegenbalance seines Hochmuts, den er selber gerne, eitel, als Eitelkeit bezeichnete; auch in ihr ungerne einen über sich duldend: »Ich bin ja für meine Eitelkeit berühmt... die Leute sagen, Chateaubriand sei der eitelste Schriftsteller aller Zeiten gewesen, und ich sei der zweiteitelste.«[65] Doch Eitelkeit ist ja nur eine sehr dünne Haut – über Verletzungen gewachsen. Blickt man genau hin, dann sieht man unter ihr noch pulsen die Schläge der Angst. Die törichte Frage »Angst wovor?« verwechselt Angst mit Furcht; die kann man haben vor Einbrechern oder Syphilis. Angst hat man. Sie schlägt unter der Eitelkeit – und sie ist deshalb Produktivkraft. Einer, der es wissen mußte und der sein Lebtag unter Literaten und Büchern verbrachte, sie begreifend auf heikelste Weise, Walter Mehring, hat das grandios formuliert:

»Aber was wir alle, groß und klein, genial oder ein wenig talentiert, noch ›auf dem Herzen haben‹, ist die Eitelkeit – denn wie wäre ohne sie ein Kunstwerk je vollendet, in Töne gesetzt, aus dem Stein gemeißelt, auf Holz und Leinwand gemalt oder zu Papier gebracht worden ...? Wäre die Vanitas nicht stärker als der Thanatos, nie wäre Orpheus aus dem Hades, nie Dante aus dem ›Inferno‹ zurückgekehrt, nie Dostojewskij aus dem ›Totenhaus‹ entronnen, um es zu schildern; nie wäre Marcel Proust hinsiechend im Krankenzimmer zu einem Schriftsteller geworden – nur dadurch, daß er sich täglich eine Dosis Ehrgeiz sozusagen mit der Nadel eines Grammophons einimpfte, das unablässig wiederholte: ›Du wirst den Prix Goncourt bekommen! Du wirst den Prix Goncourt bekommen!‹ (Und die Verleihung des ›Prix Goncourt‹ wurde in der Tat dann auch seine letzte Ölung.)
Und wäre die Eitelkeit eines Autors nicht eine gewaltigere Triebfeder als selbst der Eros, nie hätte Shakespeare seine ›Dark Lady‹, nie hätte François Villon seine ›Dicke Margot‹, nicht Alexander Blok seine ›Wunderschöne Dame‹ für uns verewigt und veröffentlicht – und wir hätten uns nie zu einer heimlichen Liebe dichterisch bekannt.
Selbst ein so asketischer Denker wie Pascal konnte nicht ohne den Beifall von ›mindestens drei oder vier Personen‹ auskommen. Es ist auch gar nichts dagegen zu sagen, daß ein Schriftsteller sich der Eitelkeit verschreibt, solange er im Bannkreis seines Metiers bleibt und seinen künstlerischen Hochmut wahrt, solange er sie nicht an Machtwüstlinge, an Militärkasinos oder politische Bordells verkuppelt.«[66]

Daß Friedrich Sieburg für eine Zeit seines Lebens so bedrohlich nahe den Machtwüstlingen, Militärkasinos und Polit-Bordellen hauste, das haben ihm viele Zeitgenossen nie verziehen. Benno Reifenbergs »ich halte Sieburg für sehr labil, geschickt aus Unsicherheit. Ich traue ihm auch nicht recht in seiner menschlichen Oberfläche ...«, liest sich noch eher wie eine vorausschauende Warnung; zumal er dem Briefadressaten, Joseph Roth, beteuert, »... daß unter den wenigen echten Empfindungen, deren er fähig ist, das Verlangen gehört, mit Menschen Ihres Schlages sich zu verstehen«.[67] Joseph Roth allerdings mochte sich mit Sieburg nie verstehen und hat dem Autor des Stefan-George-Essays 1934 in einem Brief an Klaus Mann ein finsteres Zeugnis ausgestellt:

»Es ist sachlich ferner nicht richtig, daß George ferne von Deutschland hat sterben wollen. Er wollte überhaupt gerne leben und gerne sterben. Nicht ferne dem ›Getriebe‹ – was ich ja begreife. Aber im Getriebe der Wolken, weil Wolken ihm angenehmer waren als Menschen. Goebbels und Sieburg sind seine Schüler. Schüler sind Zeugnisse.«[68]

Und Tucholsky, der in Paris quasi als »Korrespondenten-Kollege« Jahre mit Sieburg verkehrte und über den Sieburg auch verschiedene respektvolle Kritiken schrieb,[69] hat sich nicht nur lustig gemacht über den eingebildeten Stilisten (»Wie aus Sieburgs Küche: Wo andere Öl nehmen, gibt es gleich Mayonnaise«), sondern hat Sieburgs Arrangement mit den Nazis mit so scharfen Worten verachtet, daß Sieburg die Publikation dieser Passagen in den Sammlungen der Briefe Tucholskys untersagte.
Sieburg hat sich ungerne und selten zu Kommentaren, gar Rechtfertigungen verstehen mögen. Aber er hat sich, als er ab 1948 wieder publizierte, auf Politik kaum mehr eingelassen. Mag sein, daß es dieser Abstinenz zuzuschreiben ist – jedenfalls gibt es keine ernst zu nehmende Wahrnehmung beispielsweise der Literatur im zweiten Deutschland. Wenn er – in seiner Rühmkorf-Rezension – Brecht nebensätzlich einen »düsteren Pathetiker« nennt, »der einem Leben voller Kämpfe entgegengeht«,[70] dann ist das schon viel – und gilt im übrigen dem jungen armen BB und seiner Ballade. Zum Kampf um (und gegen) Brecht in diesen Nachkriegsjahren schweigt er – wie er auch dessen (und anderer DDR-Autoren) Bemühungen, miteinander ins Gespräch zu kommen, verwundert-verächtlich zurückweist.[71] Es tauchen zwar gelegentlich Parenthesen auf, Namen wie Huchel oder Hermlin, Bloch oder Anna Seghers werden erwähnt; aber sie bleiben Namen – weder hat Sieburg je ihre Werke zur Kenntnis genommen, noch gar – horribile dictu – gefordert, sie mögen auch im Westen erscheinen. Das mag heute obsolet klingen, da die DDR-Literatur als wichtiger Bestandteil der deutschen Gegenwartsliteratur begriffen ist und rezipiert wird, da sogar zahlreiche Autoren in die Bundesrepublik übersiedelt sind – in den Jahren zwischen 1950 und 1960 wäre es ein Gebot gewesen (dem sich übrigens nicht nur Sieburg, sondern ausnahmslos alle Literaturkritiker des Westens wie auch die Gruppe 47 weitgehend entzogen). Die Bücher dieser Autoren existierten nicht, die DDR-Litera-

tur, von Becher bis Kunert, existierte nicht im Bewußtsein der literarischen Öffentlichkeit. Den erbitterten Kampf etwa um Peter Huchels Zeitschrift »Sinn und Form« gänzlich zu ignorieren – und zur selben Zeit Mörike zu rezensieren, »es ist eine Dichtung der knieenden Seele«[72] – muß schon sonderbar genannt werden. Doch es muß für Sieburg den Geschmack des Unreinen gehabt, nach jener »Wahrnehmung von Gelegenheiten« geklungen haben, die er für nicht »aufhebenswert« im Doppelsinne des Wortes befand: »Was zu ihrer Wahrnehmung geschrieben wird, sollte im Zuge der Tage kommen und gehen und nicht zur liebevollen Aufbewahrung anregen«,[73] schrieb er tadelnd zur siebenbändigen Erich-Kästner-Ausgabe. Sein Begriff des vollendeten, perfekten Kunstwerks, darin auf makabre Weise des ihm offenbar fremden Lukács' Kategorien vom harmonischen, versöhnenden Charakter der Kunst benutzend, läßt Sieburg die Selbstgerechtigkeit zur Ungerechtigkeit treiben:

»Der Neigung des Poeten, ›eine Welt anzufangen‹, stelle ich die Pflicht der Literatur entgegen, ihre Sache ›ganz fertig‹ zu machen. Dies ist mein Vorurteil: dem vollkommen Fertigen, und sei es auch beschränkt, den Vorzug vor einer nur ›angefangenen Welt‹ zu geben.«[74]

Das ist Credo und Dekret; Sieburg spricht, als gäbe es das große Fragment nicht, als sei ihm fremd das unfertige Werk von Kafka und Proust, Musil und Sartre; als habe er nie den Krull gelobt. Hier liegt die Wurzel für Sieburgs generellen Irrtum, die neueste deutsche Literatur betreffend. Ihre enge Verstrickung mit akuter Wirklichkeit schien ihm aussätzig – fremd, formlos und fern. Seine Kritikerhoffnung, die Lesequal in der meist aberwitzigen Hoffnung, immer aufs neue zu beginnen, »eine freudige Überraschung zu erleben, und ein Meisterwerk zu entdekken«,[75] wurde natürlich fast stets enttäuscht; wieviel Meisterwerke produziert ein Jahrhundert schon. Auch hier bietet sich ein Beispiel an für Sieburgs Nicht-Bemerken einer neuen Literatur: Liest man heute die als Reprint erschienenen drei Jahrgänge von Alfred Anderschs Zeitschrift »Texte und Zeichen«, dann wird evident, wie viele Begabungen sich zu Worte meldeten, ob Enzensberger und Walser, die vor ihren Büchern dort gedruckt, ob Frisch und Grass, Heißenbüttel und Arno Schmidt, die vorgestellt wurden. In ihrer strikten Orientierung auf Formales – Protestresolutionen wird man vergebens suchen – hätte diese Talent-Wünschelrute Sieburg eigentlich liegen müssen. Allein, es waren Begabungen, die sich unverhältnismäßig intensiv auf Gesellschaft, auf Politik, auf Staat einließen. Andersch charakterisierte das rückblickend in einem Gespräch mit Enzensberger:

»Gegen diese bürgerliche Restaurations-Epoche, die außenpolitisch gekoppelt war mit der Entwicklung des kalten Krieges zwischen den USA und der Sowjetunion, haben damals die Schriftsteller – ich sage es einmal sehr explizit: die Schriftsteller – Stellung genommen. Es gab einen konsequenten Kampf der damals in Deutschland neuen Literatur, der Schriftsteller, die damals begannen zu schreiben, gegen die restaurativen Tendenzen der Politik.«[76]

Von einem Programm im engeren literarischen Sinne konnte nicht die Rede sein, Eich und Heißenbüttel, Celan und Grass hatten wenig gemeinsam; eines allenfalls: sie schrieben bewußt *in* Zeit und Raum.
Friedrich Sieburg mochte damit nicht umgehen. Die Gruppe 47 war ihm Anlaß zu belustigtem Achselzucken, und eine Betrachtung der literarischen Szene des Jahres 1959 beschloß er schnippisch: »Wir halten uns bis dahin an ihre Bücher, die zu schreiben sie keine Zeit haben und die trotzdem erscheinen.«[77] 1959. Das nun war aber ausgerechnet ein Jahr, das man geradezu als Wendepunkt der deutschen Nachkriegsliteratur bezeichnen muß: Es erschien Günter Grass' »Die Blechtrommel«, Heinrich Bölls »Billard um halbzehn«, Enzensbergers »Verteidigung der Wölfe« und Uwe Johnsons »Mutmaßungen über Jakob« – ein Jahr vor Peter Weiss' »Der Schatten des Körpers des Kutschers«. Es war, was Sieburg Jahre hindurch gefordert hatte: Das gloriose Einbeziehen, Einschmelzen kultureller Tradition – ob Döblins bei Grass, Brechts bei Johnson, Falladas bei Böll; es war das Neue, aus dem Alten entstanden. Diese Bücher hat Friedrich Sieburg nie rezensiert. »Das Wunder des richtigen Lesens beruht in der Selbstbegegnung, die man vollzieht«,[78] hatte er einmal gesagt. Es scheint, als sei er dieser Selbstbegegnung ausgewichen am Ende eines Lebens, das Schreiben war; als Summe einer Kultur, die ihre Geschichte in der Historie fand; als Konsequenz eines Raffinements, dessen Formsucht auch blind machte: Der grand old man der deutschen Literaturkritik ein rocher-de-bronze in den Gezeiten, wähnend, die Flut verebbe im Brack – während doch die Strömung gewechselt hatte.

3.
Die neue Literatur entsteht

Uwe Johnson

Eine wie andere Literatur da im Entstehen war – anders in ihrer Weltsicht, anders in ihrer literarischen Struktur –, das läßt sich exemplarisch erlesen an den Arbeiten des 25jährigen Debütanten Uwe Johnson; bereits der Titel seines ersten publizierten Romans »Mutmaßungen über Jakob«, annonciert das. Und natürlich war der Beginn von Hans Magnus Enzensbergers Rezension dieses Buches auf Friedrich Sieburg gemünzt, wenn er schrieb:

»Daß es keine deutsche Literatur gebe, diese Behauptung kann man von mißmutigen Kritikern, die die Sechzig überschritten und bessere Tage gesehen haben, oft genug hören. Die Unkenrufer haben nicht einmal unrecht; ihr Urteil trifft zu. Freilich in einem ganz anderen Sinn, als sie selber sich's träumen lassen. Denn ihr verklärender Rückblick auf die berühmten zwanziger Jahre trügt, ihr alterndes Gedächtnis läßt sie im Stich, ihr Vergleich ist schief, ihre Behauptung, es fehle bei uns an großen Talenten und erheblichen Leistungen, hält nicht Stich.«[1]

Der Hans Mayer- und Ernst Bloch-Schüler Uwe Johnson, 1934 in Pommern geboren, gibt seine Vita karg:

»Nach der Kapitulation im Mecklenburgischen, in Recknitz (benannt nach dem Flusse Tecknitz), Schulzeit mit verändertem Lehrstoff in Güstrow an den Ufern der Nebel. Von 1952 bis 1956 Studium der Germanistik und weiterer Folgen des Krieges in Rostock/Warnow und Leipzig/Pleisse. Sogleich erkannt als nicht geeignet für Beschäftigung in staatlichen Institutionen. Wissenschaftliche Heimarbeit, dazwischen Studium der Eisenbahnverbindungen zwischen Sachsen und Mecklenburg. 1959 Rückgabe einer Staatsangehörigkeit an die DDR nach nur zehnjähriger Benutzung und Umzug nach Westberlin mit Genehmigung eines dortigen Bezirksamtes (liegt vor).«[2]

Sein Roman dagegen ist von strengem Reichtum, eine ganz neue Prosa, deren Autor sich hinwegbewegt hat von der Position des allwissenden

Regisseurs; der nicht »weiß«, sondern »mutmaßt«. Johnson läßt sich gleichsam von seinen Figuren belehren, macht sich eigene Erfahrungen klar durch das Erleben der von ihm quasi nicht erfundenen, vielmehr »zusammengesetzten« Figuren. Zwei Jahre nach Erscheinen der »Mutmaßungen«, 1961, definiert er seine literarische Technik:

»Wo steht der Autor in seinem Text? Die Manieren der Allwissenheit sind verdächtig. Der göttergleiche Überblick eines Balzac ist bewundernswert. Balzac lebte von 1799 bis 1850. Wenn der Verfasser seinen Text erst erfinden und montieren muß: wie kann er dann auf hohem Stuhl über dem Spielfeld hocken wie ein Schiedsrichter beim Tennis, alle Regeln wissen, die Personen sowohl kennen als auch fehlerlos beobachten, zu beliebiger Zeit souverän eingreifen und sogar den Platz tauschen mit einer seiner Personen und noch in sie blicken, wie er sogar selbst sich doch selten bekannt wird. Der Verfasser sollte zugeben, daß er erfunden hat, was er vorbringt, er sollte nicht verschweigen, daß seine Informationen lückenhaft sind und ungenau. Denn er verlangt Geld für was er anbietet. Dies eingestehen kann er, indem er etwa die schwierige Suche nach der Wahrheit ausdrücklich vorführt, indem er seine Auffassung des Geschehens mit der seiner Person vergleicht und relativiert, indem er ausläßt, was er nicht wissen kann, indem er nicht für reine Kunst ausgibt, was noch eine Art der Wahrheitsfindung ist.«[3]

Wahrheitsfindung ist das Stichwort; eine ungelenke, gelegentlich steifleinen wirkende Moralität prägt und trägt den Gestus von Uwe Johnsons Arbeit. Selbst der Brief, mit dem er – nachdem das Manuskript von vier DDR-Verlagen abgelehnt worden war – seine erste Arbeit am 22. Februar 1957 Peter Suhrkamp anbot, stilisiert bei aller Knappheit diese seltsame Balance aus spröder Bescheidenheit und gradlinigem Selbstbewußtsein.

»Sehr geehrter Herr Doktor Suhrkamp: dieser Brief betrifft das Manuskript ›Ingrid Babendererde/Reifeprüfung 1953‹, über das Sie durch Herrn Professor Mayer gesprächsweise unterrichtet sind und das ich Ihnen nun übersende. Ich bitte Sie also nachzusehen wie Sie es lesen mögen und ob Ihr Haus ein Buch daraus machen will. Ich versichere Sie meiner außerordentlichen Hochachtung. U. J.«[4]

Dieser Roman, bis heute nur in Auszügen bekannt,[5] wurde von Suhrkamp abgelehnt; Lektor Walter Maria Guggenheimer erinnert sich:

»Ich las die Nacht durch, es war ein Roman, da kamen drin vor ein junger Mann und ein Mädchen, die besuchten die städtische Oberschule an einem mecklenburgischen See, meinten es auf eine distanzierte Art gut miteinander und mit dem Staat, der sie und alle ihres Alters in eine sozialistische: den Maßen des Menschen gemäße Zukunft führen sollte. Am Ende des Buches aber fuhren sie, unfroh, dem anderen Teil Deutschlands zu, der ihnen fremd und obgleich reicher, wenig achtenswert, ja etwas lächerlich erschien. (Erinnere ich mich recht?) Es war etwas geschehen, hatte sich etwas angebahnt, ein Mißverständnis? Oder schlimmer: ein Verständnis? Wir sprechen noch darüber.
›Wie denken Sie sich den Verfasser?‹ fragte Suhrkamp am nächsten Morgen, ich hatte versucht, rechtzeitig da zu sein. ›Fontane ist ja tot‹, sagte ich. ›Eben‹, sagte er, ›der ist es auch nicht. Er ist ungefähr zwanzig Jahre alt.‹
Ein zwanzigjähriger Klassiker; und lebte drüben. Wo sie ihn, unzurechtgerückt jedenfalls, am Talent sei freilich nicht zu zweifeln, überragend, nicht drucken wollten; nicht drucken konnten. (Mit welcher Art Leute die wohl dachten, kann man Sozialismus machen?)«[6]

Eines der Schlüsselworte aber des gesamten Johnsonschen Œuvres fand sich bereits in diesem Manuskript: »...weil ihnen die Demokratische Republik nicht länger gefiel«.[7]
Als Guggenheimer später das nächste Manuskript – das letzte, das er für Suhrkamp begutachtete – diesem empfehlen wollte, konnte Siegfried Unseld dem erkrankten Lektor zwar die Nachricht ins Spital bringen, der Roman sei angenommen. Aber Peter Suhrkamp war gestorben – er hat das Buch nicht mehr gelesen.

»Mir war bekannt: wenn da ein Manuskript liegt, so ist es bestimmt, ein Buch zu werden. Und erst, als es gedruckt und rezensiert wurde, begriff ich, daß ich für einen Schriftsteller gehalten wurde«,[8]

so erinnert sich der Autor. In der Tat: ein großer Schriftsteller war geboren; und eines der bedeutendsten Werke der deutschsprachigen Literatur der Jahrhundertmitte begann zu wachsen.
Was ist Besonderes daran? Die frappiert jubelnden Kritiken, die von »Mutmaßungen über Jakob« als dem »Roman der beiden Deutschland«[9] oder als dem »Roman der deutschen Teilung«[10] sprachen, faßten nur einen – den sich oberflächlich anbietenden – Teil dieser Arbeit. Sie war schon thematisch intensiver – legte sie doch erstmals die Wurzeln bloß

dieses Deutschland als Plural; dieses »die Städte Berlin«. Mit der Unerbittlichkeit seiner Fakten-Präzision zeigte Johnson, wer der Produzent dessen war, mit dem nicht er und nicht seine Figuren zu Rande kamen: das Nazireich. Wenn der entscheidende Dialog in »Mutmaßungen« sich einbrennt wie Licht, das durch ein Glas zum Gleißen gebündelt wird – »Bleib hier«, sagte sie. »Komm mit«, sagte er –, dann ist da eine lange Geschichte erzählt; eine viel längere als sie zusammengefaßt wird im darauffolgenden Buch mit dem Satz »... welche Art von Genauigkeit ich meine; ich meine die Grenze: die Entfernung: den Unterschied«.[11] Ob in seinem späteren Epitaph auf die verstorbene Freundin Ingeborg Bachmann, in dem er den österreichischen Jubel über Hitlers Einzug akkurat festhält,[12] ob in seinen bohrenden Gesprächen mit der Journalistin Margret Boveri,[13] die in nazigenehmigter Presse schrieb, oder im winzigsten Detail einer epischen Passage: Uwe Johnson macht stets deutlich, ohne Deklamation, ohne Klage oder Anklage – was das ist, die Geschichte der Deutschen.

»›Kann denn Liebe Sünde sein?‹ Auch dies Lied, verräucherten Basses zelebriert von einer Schauspielerin der Nazis und wiederum eingesetzt zur Ablenkung der Deutschen vom Hunger, diesmal durch die Firma Sovexport, auf wen wurde das wohl gesungen in der Gneezer Fritz-Reuter-Oberschule vom Januar 1949 an? Das wurde getrommelt und gepfiffen auf die Tochter Cresspahls und Pius Pagenkopf.«[14]

Ein solcher winziger Absatz (aus den Fragmenten zu »Jahrestage 4«) ist genauer und ehrlicher als noch die Nachrufe des Sommers 1981, die die bundesdeutsche Presse bereit hatte anläßlich des Todes jener in Nazijahren höchstbezahlten Schauspielerin Zarah Leander, jener Pimpfen-Ersatz-Marlene, die rauchig »Es wird einmal ein Wunder geschehen« seufzte, als der Rauch aus den Industrieschornsteinen von Auschwitz schon alles Seufzen erstickt hatte. Kein Mißverständnis: Uwe Johnson ist kein Zeigefinger-Schriftsteller und kein Dokumentar-Prosaist. »Ich meine nicht, daß die Aufgabe der Literatur wäre, die Geschichte mit Vorwürfen zu bedenken.«[15] Johnsons gesamtes Prosawerk aber ist *in sich* ein großes Politikum, atmet und ist ernährt von Politik, deren Verbrechen. Er will den Leser nicht platt belehren, er will, daß der Leser selber lernt. »Die Aufgabe der Literatur ist vielmehr, eine Geschichte zu erzählen, in meinem Fall hieße das, sie nicht auf eine Weise zu erzählen, die den Leser in Illusionen hineinführt, sondern ihm zeigt, wie diese Geschichte ist«[16] – so führt er den zitierten Satz fort.

Das ist, wenn eine metaphorische »Übersetzung« erlaubt ist, die Theorie einer nicht-aristotelischen Epik. Uwe Johnson erweist sich als erster und ziemlich einziger Schüler Brechts – Schüler nicht im Sinne einer Übernahme von Gesten, gar verbalen Verhaltensweisen. Er ist, falls solche Formulierung erlaubt ist, ein innerer Nachfahr, der Bertolt Brecht verändern kann, weil er ihn verändern kann. Seine Haltung des Vorführens von Haltungen, sein Verhalten des Demonstrierens von Verhaltensweisen und wie es zu ihnen kam, verdankt sich einem poetologischen Verstehen des Brechtschen aktiven Literaturbegriffs; gewiß nicht im Übernehmen irgendeines Formenkanons, sondern im Versuch, Prozesse transparent – also: Geschichte einsichtig – zu machen. Johnson sieht seine Literatur als Denk- und Diskutierangebot; seinem Interviewer Horst Bienek fiel er geradezu ins Wort, als der ihm die Formulierung unterbreitete, er schiebe dem Leser eine aktive Rolle zu.

»... wissen Sie ... ›zuzuschieben‹: etwas so Lästiges und Unangenehmes ist eine aktive Rolle nicht gerade. Ich versuche schon, den Leser zu interessieren, aber ich glaube, so viel Respekt ist man einem Leser schuldig, daß man ihn nicht in etwas hineinredet oder hineinüberzeugt, illusioniert. ... Ich würde es vorziehen, daß der Leser, also der Adressat der Geschichte, sich zu ihr selbst verhält, sie selbst überdenkt und dann zu seinen eigenen Schlüssen kommt.«[17]

Das ist das Brechtsche Denk- wie Literaturmodell, das er in der endgültigen Wunschformulierung für seinen Grabstein – »Er hat Vorschläge gemacht« – fixierte. Aus zahlreichen vergleichbaren Äußerungen Uwe Johnsons zur eigenen poetologischen Methode ließe sich ein Pendant »Kleines Organon für die Epik« zusammenstellen,[18] auch wenn er den Satz der Verlagswerbung zur Erstauflage von »Zwei Ansichten«, mit dem ein bestimmtes episches Verfahren »Uwe Johnsons Poetik« zugeordnet wird, zurückwies; eine Poetik habe er nicht. Uwe Johnsons Vorschläge heißen Mutmaßungen, sind Angebote an den Leser, weiterzudenken, eigene Lösungsmodelle für vorgeführte Probleme zu entwickeln. Psychologische Identifikationsmöglichkeiten breitet Johnson nicht aus – so wenig Brecht etwa Identifikation (und Mitleid) mit seiner Mutter Courage erreichen wollte; im Dialog mit Friedrich Wolf beharrte er besonders auf diesem Punkt: Erkenntnisse, gar Handlungsanleitungen sollten vermittelt werden durch das Vorführen eines Lebens, das vom Krieg geprägt und versehrt wurde, verkrämert sogar.[19] Das eben ist Johnsons Prinzip: Mechanismen als begreifbar vorzuführen.

Keine Abhängigkeit von Brecht – aber eine Fortführung auf anderer Ebene. Zu Recht hat Johnson sich gegen die beliebte Quizfrage nach Vorbildern verwahrt:

»Ich habe keine persönlichen Vorbilder und literarische Vorbilder gibt es für mich nicht. Jeder Schriftsteller muß seinen Stoff selber beschaffen, er muß sich seine Form selbst erarbeiten ... Man kann doch eigentlich recht wenig übernehmen.«[20]

Außer eben eine Arbeitsmethode. Und da sind Zusammenhänge evident. Selbst der frappierende Umstand, daß es seit dem Brecht-Vorläufer Grimmelshausen und dessen »Lebensbeschreibung der Ertzbetrügerin und Landstörtzerin Courasche« in der deutschen Literatur kein Beispiel dafür gibt, daß ein Autor seine Welt durch die Empfindungswelt einer Frau wahrnimmt und wahrnehmbar macht. Johnsons Gesine Cresspahl, die Heldin seines roman fleuve, faßt *seinen* gesamten Erfahrenshaushalt zusammen – und gibt ihn in dieser seltsamen dialektischen Brechung wieder. Das führt zu einer literarischen Konsequenz: Es gibt im Johnsonschen Œuvre keine Liebesszene; so wenig wie in dem Brechts. Die Frauen des Stückeschreibers sind Heldinnen oder Huren, Jeanne d'Arc oder Jenny. Brechts Frauengestalten sind Ideenträger, Hoffnungsziele. Sie sind alles: Dirne oder Heilige, Mutter, Kämpferin und Genossin; eines sind sie nicht: Frauen. Es gibt im Brechtschen Œuvre keine Erotik. Seine weiblichen Figuren erinnern auf eigenartige Weise an die der Anna Seghers – benannte, aber namenlose Geschöpfe, vorzugsweise mit dem ›Gattungsnamen‹ Marie oder Anna gekennzeichnet. (Auch bei Brecht findet sich vorzugsweise dieses Identitätskürzel, von der Marie aus »Dickicht der Städte« und Anna aus »Trommeln in der Nacht« über jene Marie A. zur Marketenderin Anna Fierling, »er hatte es mit dem Namen Marie, und wenn sie nicht so hieß, hatte er ihr den Namen gegeben«[21], heißt es in Marieluise Fleißers Brecht-Novelle.)
Die Beschreibungen der Fleißer, ob in ihrer Novelle »Avantgarde« oder in ihrer Brecht-Erinnerung »Frühe Begegnung« sind überhaupt sehr aufschlußreich für diesen Zusammenhang. Brechts nicht nur koketter Männlichkeitswahn, seine Haltung, in Frauen allenfalls Echo, Spiegel, Gegenüber – nie aber Partner zu sehen, wird im spröden niederbayerischen Tonfall der Gefährtin aus Ingolstadt treffend charakterisiert. Das Begriffsmaterial des nur scheinbar fiktiven Berichts ist Bestätigung des Vermuteten: die Frau als »gewünschter Fänger für seinen Ball«, als »brauchbar« oder bestenfalls »nicht störend«, als Gegenspieler, den man

»bricht«, dieses sonderbar dialektische Verhältnis zum Hoffnungspotential und von Beginn an verachteten Ziel, so es erreicht wird – das ist nicht nur das Spiel des Liebhabers, der das Schwangerwerden seiner Freundinnen haßt; es ist auch Konzept, gedankliche wie moralische Verhaltensweise. Ideologie also. Wem »viel lieber als das Gewordene ... das Werden war« – wer also das Zeugen akzeptiert, die Geburt nicht –, der will möglicherweise mitarbeiten an einer besseren Welt; die selber will er nicht. Mit einem nahezu klassischen Satz hat die Fleißer das de-chiffriert: »Im Endziel suchte er den Menschen zu helfen. In der Handhabung war er ein Menschenverächter.«[22]
Brecht saß immer »von den Menschen sehr entfernt«, identisch mit einem Ziel, einer Sache, einem Partner war er nie; identisch war er mit sich: »Er ist Baal«,[23] heißt der vorletzte Satz der »Frühen Begegnung«. Jene ›Nützlichkeit‹ einer Frau ist für den, der nur sich selber sucht, am perfektesten manifestiert in der Schauspielerin (»Schauspieler sind Affen«, hat Brecht einmal gesagt). Sie ist die – weiblich-humane – Variante dessen, was für den Homosexuellen der Spiegel ist: Betrachtungsweise, Möglichkeit zum Nachdenklichen. Als der Spiegel noch Wasser war, hieß der, der ihn benutzte, Narziß. Für Brecht ist die Schauspielerin Austräger eigener Ideen, Verwirklichung eigener Gesten, Erweiterung des Selbst:

»Schauspielerin mußte man sein, daß er sich unmittelbar durch die Frau ausdrücken konnte. Das war die wahre Ergänzung für so einen Mann, das brauchte er wesentlich. Damit fing er wirklich was an, und das brachte ihn fort, denn dann konnte er sich körperlich sehn.«[24]

Sich sehen. Ein spröder, rational ausbalancierter Vorgang eher, nicht intim. Der Erläuterungscharakter des Mimischen, Gestischen in Brechts Theatertheorie, sein Horror vor Identifikation ist hier bereits basiert. Aufschlußreich für diesen Purifikationsprozeß, durch den Brecht seine Frauengestalten treibt, Annäherung an ein Ideal durch gleichzeitige Entfernung vom Realen, ist seine Bearbeitung von Gorkis »Mutter«. Mit enormem Tempo setzt Brecht hinweg über den ganzen ersten Teil des Romans, über Pelageas ›Unreinheit‹, wie Gorki sie beschreibt:

»Weiberliebe ist nicht rein! ... Wir lieben, was wir brauchen. Und nun Sie! Sie sehnen sich nach einer Mutter. Warum? Und alle die andern leiden gar für das Volk, gehen ins Gefängnis und nach Sibirien und sterben ... Junge Mädchen gehen nachts allein im Dreck, Schnee und Regen ..., kommen sieben Werst aus der Stadt zu uns ... Wer führt, wer treibt sie her? Sie lieben!... Ja, sie – lieben rein! Sie glauben!... Sie glauben, Andrjuscha!... Und das – das kann ich nicht! Ich liebe, was mir nahe steht, was mein ist.«[25]

Brechts »Mutter« wehrt sich lediglich gegen den falschen, gefährlichen Umgang des Sohnes, will nicht Tee kochen für *diese* Gesellschaft. Doch schon in derselben Szene – der zweiten von vierzehn – *lernt* sie durch den Besuch der Polizei, erklärt sich bereit, diese Flugblätter zu vertreiben, die sie nicht lesen kann. Pelageas nicht un-listiger Weg zur Reinheit ist der Weg zur Revolution, ist ein Ent-Mütterlichungsvorgang im Sinne der Formulierung Walter Benjamins ein »Soziologisches Experiment über die Revolutionierung der Mutter«; weg von der »alten, abgelebten, familiären zu ganz neuartiger, eingreifender Mutterliebe«, wie Brecht es in seinen dreizehn Punkten über das Spiel der Weigel bezeichnete. Die Mutter aller, gleichsam. Sind es Liebende, bleiben sie ohne Gesicht: »Doch ihr Gesicht, das weiß ich wirklich nimmer...«[26]
»... aber ihr Gesicht nur mit Mühe, und nicht oft«[27], heißt das dann bei Johnson; oder »Ich halte für sinnlos dir ihr Gesicht zu beschreiben, es ist das leichteste am Menschen zu vergessen«[28]. Daher der Charakter des Offenen, Unfertigen fast aller Arbeiten Johnsons; fragmentarisch nennt man das in der Literatur, Torso in der Bildenden Kunst. So haben die bedeutenden Skulpturen Alfred Hrdlickas alle keinen Kopf. Ob »Der Sterbende«, »Torso«, oder »Marsyas«: die Riesenfiguren dieses aus der europäischen Moderne herausragenden Bildhauers führen eben jenes Unfertige vor – und damit zugleich den Arbeitsprozeß. Ähnlich der prima vista komplizierten Sprache Johnsons macht Hrdlicka die Oberfläche eines Marmors rauh statt glatt, deckt Abbrüche auf, fälscht Stein nicht in Haut um, und – auch er – benennt durch die Art, nicht das Thema, seiner Kunst-Arbeit historische, ja: politische Zusammenhänge. Aufbegehr und Absturz bestimmen stets die Gravität seiner Plastiken, und sein Epitaph auf Pasolini schöpft den künstlerischen Schock aus dem Material und seiner Bearbeitung – wie Johnsons Nacherinnerung an Ingeborg Bachmann ihre grausige Kraft aus Faktizität bezieht. Auch seine Figuren sind sich – und einander – meist fern.
Die einzige Ausnahme – die Szene, in der Jakob und Gesine ihre Beziehung verändern, die bis dahin als eine »Geschwisterliebe« nur freundlich war – ist von glasdünner Zartheit, wird in einer Schwebe gehalten, die wispert, kaum mitteilt: »Ich bin hellwach still wie ein schlafender Fisch«, »...seine Augenbrauen in einem einzigen scharf gleitenden Ruck wie Flüstern«.[29] Diese Gesine-Perspektive verleiht dem

Autor Johnson einen Blick von moralischer Rigidität. Womit keine altjüngferliche »Enthaltsamkeit« zum Thema Sexus und Eros gemeint ist, sondern ein komplizierter Sachverhalt: Moral und Politik gehen ineinander über. Verrat, Betrug, Verlust – das sind nicht lediglich Vokabeln, mit denen die Falschzüngelei politischer Wortverdreher und Tatenumdreher benannt werden; es sind nicht zufällig Begriffe aus dem Wortschatz der Ethik. Der Rigorismus dieser Position wird Johnson schließlich eines Tages für Jahre hindern, sein Hauptwerk »Jahrestage« zu vollenden. Aber es ist auch die Kraft der Integrität, aus der seine Romane entstanden.

Immer wieder, quer durch sein Werk hindurch, wird die DDR als personenähnliche Größe geschildert, als mehr denn ein Land, das einem den Paß gibt oder verweigert: »So reden Kinder von ihren Eltern. So reden Erwachsene von jemand, der einst an ihnen Vaterstelle vertrat. ... Für alle, die hier reden, war es mehr als ein Land, mehr als Heimat und biographische Gegend.«[30] Da fallen Worte wie Vormund und Vertrautheit, Zuneigung – Ehe und Intimität. Die kühle Unerregtheit der Johnsonschen Sezierprosa soll nicht darüber hinwegtäuschen – da hat jemand, was nur ein schönes jiddisches Wort zusammenzufassen weiß: die Kränke. Krankheit und Kränkung in einem. Es klingt ohne Emphase, und ist doch schneidend, gleichsam mit dem Skalpell geschrieben, wie Uwe Johnson die Summe zieht, Zwischenbilanz:

»Es geht auch anders.

1. Wenn es einer Staatsmacht freisteht, eine Staatsbürgerschaft zu verhängen über Leute, die sie bei der Machtübernahme auf ihrem Territorium vorgefunden hat, so muß es diesen Leuten freigestellt werden, auf Staatsbürgerschaften von sich aus zu verzichten. Auch Palmström hatte ja seine Gründe, als er das Kreuz für Kunst mit Dank zurückreichte.
2. Gewiß, die DDR war eine Erfahrung, obendrein die einer juvenilen Periode. Aber die Erfahrung sollte nicht verkleinert werden durch die Tricks der Erinnerung. Es gibt da auch Dinge, die der Regen nicht abwäscht. Was da an Biographie gestiftet wurde, war immerhin nicht alles notwendig zum Leben. Es ist nicht nötig, diese Rechnung neu aufzumachen, aber sie verträgt es, offen zu bleiben.
3. In der DDR sind noch einige persönliche Orte, die Orte der Kindheit, der Jugend. Dort sind Freundschaften, Landschaften, Teile der Person. Es ist Vergangenheit. Es hat neun oder zehn oder zwölf Jahre gedauert. Nun ist es vorbei.«[31]

Diese Haltung nun – womit die moralische wie die stilistische gemeint ist – gibt Johnsons Romanen ihre literarische Struktur. Es sind hochkomplizierte Gebilde eines Feinmechanikers, mit der Lupe gearbeitet; besser gesagt: Konturen und Konstruktionen sind so haarfein, wie sie nur aus großer Distanz gelingen können, so scharf gestochen und fern, wie es die Umrisse von Dingen und Menschen sind, betrachtet man sie durch ein umgedrehtes Fernglas. Dabei müssen verschiedene »Fertigungsverfahren« auseinander-, vielmehr: gegeneinandergehalten werden.
Einmal gibt es den großen Figurenentwurf. Der ist von einer so großangelegten Dimension, daß ein Pius Pagenkopf aus dem aufgegebenen Erstlingsroman mühelos in den 1981 publizierten Fragmenten zu »Jahrestage 4« auftauchen kann;[32] daß die in sich geschlossene, perfekt scheinende Erzählung »Eine Reise wegwohin, 1960«[33] gleichzeitig zu lesen ist als Vor- und Fingerübung zum ein Jahr später erscheinenden Roman »Das dritte Buch über Achim«; daß die 1965 datierte Kurzgeschichte »Eine Kneipe geht verloren«[34] die verdeutlichende Erweiterung einer Erzählsituation aus dem im selben Jahr publizierten Roman »Zwei Ansichten« ist. Dieses Prosa-Mäander gibt den Eindruck, man habe es mit *einem* Werk zu tun, nicht mit voneinander unabhängigen Romanen. Ein Werk allerdings, das sich leichtem Zugang verschließt, gerade weil es eine neue Form der Montage sich erobert hat; denn die innere Distanz des mutmaßenden Autors wäre alleine noch nicht einmalig – »Mein Name sei Gantenbein« ist eine ebensolche konjunktivische Probierprosa, wie sie ja Max Frisch mit fast allen seinen erzählerischen Arbeiten vorführt. Aber diese Collagiermethode, die ganze Brocken »realer« Wirklichkeit ins Kunstwerk einholt, verbietet plane Handlungsabläufe, psychologisch unmittelbar einsichtige Entwicklungsstränge. Auf die Frage seines ersten amerikanischen Lektors Michael Roloff, »Glauben Sie – und das kann nur eine sehr persönliche Frage sein –, daß es immer noch möglich ist, in der traditionellen Romanform zu schreiben, daß es immer noch möglich ist, in ihr irgend etwas zu sagen...?«, antwortet Johnson:

»Das ist eine ziemlich grundsätzliche Frage und sie erfordert eine umfassende Antwort, und ich weiß keine umfassende Antwort. Ich bin sicher, es gibt Geschichten, die man so einfach erzählen kann, wie sie zu sein scheinen. Ich kenne keine.«[35]

Diesem System folgend ist bereits der erste Roman, der einem Kriminalroman ähnlich mit dem Tod des Dispatchers Jakob *beginnt,* in einander quer gestellten Läufen komponiert; Johnson nähert, wie Piscator in seinen berühmten Inszenierungen ungleichzeitige Handlungsstränge auf Simultanbühnen gleichzeitig ablaufen ließ, sogar durch drucktechnische Unterschiede das Disparate einander:

»Das dichte, dichterische Gewebe des Romans ist nicht leicht zu durchdringen. Der Erzähler entwirft für sich eine neue erzählerische Fiktion; nicht mehr versetzt er sich in die Psyche einer Hauptfigur, noch weiß er, wie der klassische Erzähler, von allen Vorgängen. Dieser Autor ist auf das Teamwork seiner Figuren angewiesen, auf ihre Mutmaßungen, die sich in Beobachtungen, Diskussionen und Gedanken äußern. Dem entsprechen – typographisch unterschieden – die drei Wege, die der Autor den Leser führt: Erzählung, Dialog und – kursiv gesetzt – Monolog, den drei Figuren sprechen: Gesine Cresspahl, Herr Rohlfs und Dr. Blach. Jeder ist auf andere Weise dem Geschick Jakobs verknüpft; das Mädchen aus der Jugend, das nun im Westen lebt, der Hauptmann des DDR-Staatssicherheitsdienstes, für dessen Arbeit Jakob die ›Taube auf dem Dach‹, Gesine, gewinnen soll, der Assistent am Englischen Seminar in Berlin, der in den Strudel der Entstalinisierungshoffnungen gerät. Sie alle kennen nur Teile der Wahrheit, die Stück um Stück entwickelt wird, immer wieder gegen die Richtung des ursprünglichen Handlungsablaufes.«[36]

Der Verlag gab sogar eine Art Fahrplan bei, um der Störung des Lesers aufzuhelfen und die Fabel greifbar zu machen: Gesine, aus der DDR ausgereist, trifft in Begleitung ihres Westberliner Freundes Dr. Blach bei einem Besuch auf Jakob, zu dem sie »wechselt«. Jakobs Mutter hatte ebenfalls die DDR verlassen, weswegen er vom Staatssicherheitsbeamten Rohlfs vernommen wird. Der Versuch, mit Gesine im Westen zu bleiben, scheitert:

»Jakob verläßt Westdeutschland. Die Alternative hat ihren Sinn für ihn verloren. Er läßt Gesine endgültig zurück und nimmt seinen Dienst wieder auf. Aber auf dem Weg zur Arbeit fällt er einem rätselhaften Unfall zum Opfer. Die Mutmaßungen über seinen Tod sind die Mutmaßungen über sein Leben, das im Westen fremd und im Osten nicht mehr heimisch war.«[37]

Man schreibt 1956 – also die Zeit des ungarischen Aufstandes und der westlichen Invasion Ägyptens; eine typische Johnson-Situation der sich

gegenseitig neutralisierenden Doppel-Moral, in der keine Entscheidung eine vertretbare, akzeptable ist; die Staaten halten im Angebot Verrat gegen Betrug. Austauschware.
Der Ambivalenz der großen Situation (und ihrer im Nahen Osten wie für einen freiheitlichen Sozialismus tödlichen »Lösung«) entspricht nicht nur Jakobs ungeklärter »privater« Tod, sondern auch die Sprache bis in winzigste Einzelheiten: »Er betrachtete die Fahrgäste in dem unmerklichen Verhalten jener ermüdeten Vertrautheit, die schnellen schmerzlichen Vergessens gewiß ist.«[38]

Und schon dieser Erstling zeigt eine überragende Besonderheit von Johnsons Kunst: Seine Kraft, Landschaft zu schildern. Inzwischen sind solche Prosa-Ströme nahezu zur »Erkennungsmelodie« seines Stils geworden bis hin zum denkwürdigen ersten Absatz von Band 1 der »Jahrestage«. Aber begonnen hat das bereits im ersten Buch mit unmittelbarer Kraft:

»›Er saß am Fenster und draußen trieb das Land dahin im Nebel‹, denn wir (›wir‹) waren da tief in Westmecklenburg, denn da waren Knicks, die Knicks standen braun und steifstarr über das frierende Wiesengrün hin zu auf Baumgruppen bläulich im Dämmerungsdunst, sehr entfernt begann ein Wald in verwischten Einzelheiten, über allem hing der Himmel schwer und einförmig, das unmenschliche schweigsame Grau quetschte einen glühenden Streifen Sonnenuntergang aus sich hervor.«[39]

Es ist aber kein Storm-Nachfahr, der hier auspinselt; in diesem Roman haben die Landschaftsaquarelle auch eine kompositorische Funktion: Sie geben der DDR Gesicht. Westberlin hat keines, kommt als »West-Mark« und Warenschaufenster vor. Aber genau vor dem Satz, mit dem Jakob zum Bahnhof auf die Reise nach Westberlin geschickt wird, heißt es:

»Er erinnerte das Schaukeln und Schwingen der schwarzen kahlen Birkenzweige vor dem Fenster, unter dem er schlief; manchmal schliffen die harten Astkrallen das Glas und überdeckten das ebenmäßig murmelnde Geräusch der beiden Stimmen im Nebenzimmer.«[40]

Das ist es, was er verlassen will. Und *das* ist es, was Johnson bestimmten Fakten – seien sie chromblitzend oder trompetentönend – entgegensetzt: dieses Gegeneinander-Wellen von Emotionalchiffren und Tatsachenbenennungen macht die Musikalität seiner Prosa aus. Dem »erfinderischen Ansinnen der Staatsmacht: sie möchten noch andere werden«,[41] tauchen die Bürger weg; sind sie weg, holen sie angesichts der Waren prostituierenden Westfenster ihre Angehörigen zurück in den Sachen:

»So fand sie viele Leute wieder vor den Schaufenstern Westdeutschlands, und ein Stück vom alten Jerichow im zeitgesättigten Geruch der kleinen Delikatessengeschäfte, und alle kamen mit und sahen ihr über die Schulter.«[42]

Das Mehl erinnert an diesen, die Mandeln an jenen und das weiche entkeimte Toilettenpapier, das die Frau Pastor Brüshaver sich wünscht.

»... das liebe Kind könne ihr Beliebiges ja denken, aber sie sei nun einmal eine alte Frau, und sie wünschte sich ehrlich und aufrichtig von dem berühmten westdeutschen Klosettpapier, im Alter soll man nicht mehr so viel lügen.«[43]

Die Fasziniertheit von den Dingen mag man Johnsons poetischen Materialismus nennen; gelegentlich mußte er sich auch vorwerfen lassen, er eile am Menschen vorbei und ruhe bei den Dingen aus; »Chosismus«.[44] So gewiß diese Vorhaltung töricht ist, so richtig ist wohl auch, daß das von Uwe Johnson einbekannte Schreibprinzip logisch nicht ganz stimmig ist. Einer seiner genauesten Interpreten, der auch die Laudatio auf den Büchnerpreisträger hielt, Reinhard Baumgart, hat anhand der hier bereits zitierten Johnson-Maxime früh darauf hingewiesen:

»Mich jedenfalls frappiert die Paradoxie eines Satzes wie: ›Der Verfasser sollte zugeben, daß er erfunden hat, was er vorbringt, er sollte nicht verschweigen, daß seine Informationen lückenhaft sind und ungenau‹ (›Berliner Stadtbahn‹, S. 733) –, denn einmal werden da die erzählerischen Informationen freigesetzt als erfundene, die sich nur noch nach den Intentionen der Geschichte richten könnten, andererseits aber wieder skrupulös abhängig gemacht von einer erkennbaren, vielmehr unerkennbaren oder nur schwer erkennbaren Faktizität vor und jenseits dieser Geschichte.«[45]

Liegt da nun ein Bruch vor, gar eine Mogelei – oder ein schwer durchschaubares Prinzip? Einfach ist das Konstruktionsmuster immer da, wo Johnson erkennbar historische Fakten einsetzt oder mit seiner

Präzisionswut etwa des Rennfahrers Achim »Tretmaschine« schildert; da gilt Martin Walsers Bewunderung:

»Ich kann mir keine Prosa denken, die sich weniger aufspielt, die so dienlich ist, die ihren Reichtum nie beweisen will, die ihn nur der Sache zugute kommen läßt und dies unerschöpflich.«[46]

Schwierig wird es allerdings, wenn die Grenzen der Wahrnehmung – des Autors wie für den Leser – verwischt werden und offensichtlich *Erzähltes,* also *Fiktives,* dargeboten wird wie Reales; da gilt Jürgen Beckers Verwunderung:

»Und so entsteht jene merkwürdige Unstimmigkeit in Johnsons Roman: wo nämlich die Ohnmacht literarischer Mittel eingestanden wird, wird zugleich mit literarischen Mitteln eine erzählerische Fiktion verwirklicht, welche die literarischen Mittel aus ihrer Ohnmacht erwecken soll, aber nicht kann.«[47]

Johnson selber bleibt mit sich streng und spricht, erstaunlicherweise, von der unablässigen »Gefahr« für den Schriftsteller, »daß er versucht etwas wirklich zu machen, das nur tatsächlich ist«.[48] Als sei nicht exakt das der Vorgang, dem sich der Schriftsteller unterzieht – Wahrheit aus der Wirklichkeit zu filtern, zumindest sie aufscheinen zu machen. Selbst das Ineinanderschieben von Wirklichkeitspartikeln – also die Montage – geschieht ja nicht additiv, sondern um in den Sprüngen, Rissen, Klüften ein Anderes, Eigenes sich verdeutlichen zu lassen: jene Wahrnehmbarkeit eines Eigenen, Spezifischen, die Adorno das »Verkunstete« nennt. Wie jeder Autor – man denke nur an Thomas Mann – »stiehlt« Johnson Situationen, Namen, Ereignisse; er nennt das in einem Gespräch mit Dieter E. Zimmer »sich etwas schenken lassen«:

»Frage: Passiert es Ihnen... nicht, daß Sie eigentlich auch die eine oder andere tatsächlich lebende Person beschreiben müßten? Oder daß tatsächlich lebende Personen den Anspruch anmelden, in Ihren Büchern vorzukommen, indem sie sich wiedererkennen oder wiedererkennen möchten?
Uwe Johnson: Es werden einige sich wiedererkennen. Das sind diejenigen, die mir geholfen haben. Ich bin mittlerweile darauf angewiesen, daß man mir etwas erzählt... So ging es... zum Beispiel (auch mit) dem ersten Versuch, eine Wohnung zu finden in New York. Das erzählte mir

ein amerikanischer Freund, und ich habe gefragt, wie immer in solchen Fällen: Schenkst du mir das? Er erlaubte mir, es zu benutzen. Nun wird er, wie andere, die mir mit Erzählungen geholfen haben, den Vorfall wiedererkennen, aber nicht sich selbst, weil der Vorfall jetzt niemand passieren konnte außer Gesine Cresspahl.«[49]

Allerdings bearbeitet Johnson dieses gefundene, geschenkte Material, ähnlich wiederum dem Umgang eines Bildhauers mit dem Marmor: er macht rauh, fremd, ent-harmonisiert. Sein Marmor ist die Sprache. Mit inzwischen für Johnson typischer Zerr-Manier benennt er vertraute Dinge neu; oft gewinnt er ihnen damit eine neue Qualität (respektive Nicht-Qualität) ab, läßt seinen Leser stutzen, stocken, schlucken – und neu sehen. Gelegentlich gerinnt die Manier zum Manierismus, verrät sich die neue Deutlichkeit ans Niedliche: »Baumwollstreifen« für die DDR-Propagandabänder ist entlarvend – »Bildfunk« für Fernsehen eher albern; »Sperrbauwerk« für die Berliner Mauer kennzeichnend – »Hörarm« für Telefonhörer neckisch; »Trinkanstalt« für eine Bar scheint allenfalls skurril – »Luftbahnhof« für Flugplatz tatsächlich läppisch. In einem Mini-Dialog hat Johnson solche Einwände einmal selber aufgefangen, ihnen zumindest das Wort erteilt; im »Dritten Buch über Achim« heißt es:

»Sie meinen also: der Verein für große Verschlechterung des Lebens in Deutschland
– warum sagen Sie nicht: die deutschen Faschisten, die mit den Geldern des Kapitals in seinem Dienst«[50]

Und es ist exakt diese Stelle, auf die Guggenheimer in seinem erwähnten Aufsatz sich einläßt und fragt, wer hier eigentlich spricht – die Romanfigur Karsch oder der Autor Johnson und den er nun befragt:

»Zweifelt er? Weicht er aus? Im Gegenteil: er stößt vor, faßt nach. Faßt nach der nomenklatorisch vernebelten Wirklichkeit. (Ein NS-Frauenschaftsauflauf wird bei ihm zur ›atemlosen Versammlung der Gebärerinnen‹.)
Heute genügt es nicht, ein Ding bei seinem Namen zu nennen; der trägt längst die Fälschung in sich. Nun heißt es, den Dingen neue, gültige Namen zu finden.«[51]

Für viele Leser blieb Johnsons Erzählweise dadurch unzugänglich, Kritiker attackierten ihn vehement: Richard Alewyn sprach vom »Kauderwelsch eines Dichters«,[52] Karlheinz Deschner von »gespreizten Wortkonstruktionen, holprigen Satzbildungen, vergewaltigten Metaphern«[53] und Johnsons Kollege Peter Hacks gar von der Dummheit dieses Autors:

»Statt der Prozesse der Außenwelt notiert er irgendwelche Reflexe der Außenwelt in den Gehirnen irgendwelcher Leute. Der materialistische Künstler bemüht sich, Welt nachzuschaffen. Der positivistische sammelt einen Haufen Bewußtseins-Krümel. Kann dabei Kunst herauskommen?... Ein schlechthin unlesbares Buch, das ist es, was herauskommt. Und die Meute der Kunstaufpasser macht einen großen Jubel um dieses Buch und lobt Herrn Johnson und bestärkt ihn in seiner Dummheit.«[54]

Doch kommt man mit derlei boshaften Zierlichkeiten Johnsons Stil und dem, was er mit seiner neu geordneten Sprache freilegen will, nicht bei. Da hat der Kritiker des »Times Literary Supplement« schon genauer hingehört:

»Herr Johnson, dessen Prosa Schlagworte, Umgangssprache, Schlageridiom und Jargon aller Art frei ausbeutet, hat einen großen ironischen Roman über ein eigentlich tragisches Thema geschrieben.«[55]

Wir haben es ja nicht mit einer dilettierenden Schreibungelenkheit zu tun, sondern mit einer bewußten Kunstanstrengung, mit einer Wortbesessenheit, die den Leser aus der Routine zwingen will. Formprinzip als Denkappell. Diesen vielfachen Reinigungsprozeß der Sprache – begrifflich, moralisch, politisch – vollbringt Johnson allerdings genauer als mit Etikettenwechseln, auf andere Weise.
Das hervorstechende Merkmal von Uwe Johnsons Sprache ist der »Rückfall in die Parataxe«, wie Herbert Kolb das in einem Aufsatz nannte.[56] In gewisser Weise kann man sagen, daß Johnson das generelle Konstruktionsprinzip seiner Romane, die assoziative Aneinanderreihung oft disparaten Materials, in seine Sprache hineingenommen hat. Er ordnet nicht grammatikalisch-logisch »unter«, wie es der »normale« hypotaktische Sprachgebrauch fordert, sondern zwingt Denkvorgänge, Redevorgänge, beschriebene Verhaltensweisen und einmontierte Realitätspartikel *nebeneinander*. Kolb gibt in seinem Aufsatz gleich zu Beginn ein typisches Beispiel:

»Ich würde mir kein Wort glauben, während sie blindlings sicher den Mantel anzieht und weggeht ohne sich zu mißtrauen für die Länge eines Atemzuges und so im Recht ist wie ein junges Pferd, dem sie das Zaumzeug zum erstenmal aufgelegt haben, es *versucht die Riemen mit seinen vorderen Beinen abzustreifen vom Kopf, manche können es, wer hätte nicht die schlanken behenden Fohlen gesehen auf der Koppel in der Sonne aus dem Fenster des vorüberjagenden Schnellzuges,* der übrigens versehen ist mit Zugfunk und Gaststättenbetrieb, der sich über dich beugt mit seinem Kaffeetablett und deine Aufmerksamkeit beansprucht, selbst wenn du zufällig mal aus dem Fenster gesehen hast: ich fahre morgen früh.«[57]

Statt der sich anbietenden Relativsätze (üblicherweise müßte es heißen: »Ein junges Pferd..., das...«) vermeidet Johnson deren Schwerfälligkeit und gewinnt mit dieser Sprache ein anderes Erzähltempo, eine stärkere epische Dichte. Satzgebilde dieser Art machen seinen Stil nicht einfach konsumierbar – und leiten sich übrigens her von zwei Vorfahren, die ihre Sprache als unmittelbares Instrument sahen, Menschen zum Denken zu »zwingen«: Brecht und Luther. »Eine hab' ich vor dem Richtertisch gehabt, die hat das Heu beschuldigt, daß es so stark riecht«, heißt es im »Puntila« oder »Ich hab' welche gesehn, die graben Wurzeln aus vor Hunger, die schlecken sich die Finger nach einem gekochten Lederriemen« in der »Courage«[58]. Das ist durchaus im Johnson-Ton (»Ich sehe aus wie eine, die wartet auf den Bus«), aber ruft auch den narrativen Ton der Evangelien herauf: »Und siehe, ein Weib war in der Stadt, die war eine Sünderin« (Luk. 7, 37); »Und als er anfing zu rechnen, kam ihm einer vor, der war ihm zehntausend Pfund schuldig« (Matth. 18, 24). Kolb hebt in seinem Aufsatz mit Recht hervor, daß das einzige Liebesgeständnis in den »Mutmaßungen«, als Gesine den Jakob erkannt hat, sich so liest: »Jonas, ich will dir was sagen. Es ist meine Seele, die liebet Jakob.«[59]
Das ist beides: Hochartifiziell gebaute Sprache. Und Umgangssprache; denn das Geheimnis, warum diese Behandlung der Sprache etwas Raunendes, merkwürdig Authentisches und damit Überzeugendes verleiht, mag darin liegen: wir sprechen alle so. »Da stellen sie sich an der Opernkasse an, und es gibt gar keine Karten«, wäre ein solcher Satz, oder »Ich bremse noch, aber die sieht mich einfach nicht«. Es ist die Ungelenkheit der »Niedersprache« mit ihrer gewissen Atemlosigkeit, die sich hier mischt mit einem Element des Zeremoniösen, Aufhaltsamen dadurch, daß sie eingesetzt und behandelt wird als Hochsprache; letzt-

lich ein »Effekt« wie der, den Dialekt- oder Mundartdichter erreichen oder Ernst Jandl durch die beharrliche Verwendung des Konjunktivs in seinem Stück »Aus der Fremde«:

»›Aus der Fremde‹ ist die Darstellung einer Depression, die einen etwa fünfzigjährigen Schriftsteller nahezu vollständig isoliert. Er klammert sich an eine gleichaltrige Kollegin, seine langjährige Freundin, und, weniger heftig, an einen um eine Generation jüngeren Freund. Sein Zustand spiegelt sich in einer Sprache, in der es kein Ich, kein Du, und keine bestimmte Aussageweise gibt; an ihre Stelle sind ausschließlich die dritte Person und der Konjunktiv getreten.«[60]

Keineswegs stilistische Marotte, sondern durchaus geeignetes Mittel, eine gewisse Ferne sogar zwischen einander nahen Figuren durch Sprache herzustellen. In diese Entfernung nistet sich Nachdenklichkeit ein. Uwe Johnson hat die Möglichkeit zur Virtuosität entwickelt, Kausalketten sprachlich mit Berichtdetails zu verknüpfen, diesen Bericht eines Subjekts wiederum zu unterbrechen durch die Beobachtung eines Dritten oder die Hereinnahme einer Verwunderung. »Aus dem Leben der Gesine Cresspahl« hätte man nichts erfahren können, nicht so, in undurchlässig »dichter« Prosa. Johnsons Sprache bietet Schlacken an, um welche aus dem Kopf zu räumen.

Dies alles läuft organisch zu auf Johnsons Haupt- und Meisterwerk »Jahrestage«, wohl *das* Buch unserer Jahrhundertmitte. »Und wenn ich mich nun nicht erinnere, ist es dann auch noch wirklich?«[61] heißt es ziemlich in der Mitte des ersten Bandes, der mit einem Namen beschlossen wird: Jakob. Die Frage also nach Gedächtnis, Vergegenwärtigung und Wirklichkeit wird neu gestellt, heraufgeholte versunkene Zeit wird eingeschmolzen ins Gegenwärtige, faßbar gemacht an einem Figurenpanorama, das dem Johnson-Leser vertraut ist. Also: Proust.

Wir haben es nicht zu tun mit einer Paraphrase oder direkten Nachfolge. Zu tun aber haben wir es mit einem Prosagewebe, das zu entschlüsseln sich jene beiden Begriffe anbieten, die Walter Benjamin in seinem Baudelaire-Aufsatz für Proust angewandt hat: mémoire involontaire und mémoire volontaire. Unwillkürliches und willkürliches Gedächtnis. Das sind die beiden Bewußtseinsebenen, die vergangene und gegenwärtige Erfahrungen zusammenzwingen zu einer Prosa sondergleichen.

Gesine Cresspahl lebt in New York (wie Uwe Johnson, der sich zwar allerlei annehmlichen writer-in-residence-Angeboten verweigert, aber mit Hilfe seiner amerikanischen Verlegerin Helen Wolff als Schulbuchlektor im Verlag Harcourt Brace arbeitet und – Nachbar der befreundeten Hannah Arendt – am Riverside Drive wohnt; wie Gesine Cresspahl). Aus der Verbindung mit Jakob Abs, von dem ja unklar, nur mutmaßlich blieb, starb er auf den Gleisen einen Unfall-, einen Attentats- oder einen Freitod, hat sie eine Tochter Marie. Der hat sie auf streng-altkluge Fragen Bericht zu erstatten über die Vergangenheit – und zwar eine doppelte: ihre eigene, erlebte; und die davor liegende, die Gesine – Jahrgang 1933 – selber nur aus Berichten ihres Vaters, des Tischlermeisters Heinrich Cresspahl kennen darf. Drei Zeitebenen: die Vorvergangenheit = Nazideutschland; die Vergangenheit = Nachkriegsdeutschland Ost, Nachkriegsdeutschland West; die Gegenwart, Jahrestage also, sehr genau datiert August 1967 bis Dezember 1967 für Band 1, ist als erlebte Alltäglichkeit US-Amerika im Vietnamkrieg. Da lebt Gesine, Bankangestellte mit dem Sonderauftrag, sich auf mögliche amerikanische Kapitalinvestitionen vorzubereiten in der auf Liberalisierungskurs steuernden Tschechoslowakei. Band 2 trägt die Daten »Dezember 1967 bis April 1968« und Band 3 »April 1968 bis Juni 1968«; Band 4, der also auf die tschechoslowakische Katastrophe vom August 1968 angelegt war, stand bis Herbst 1983 aus. Johnson hat in einem Brief an seinen Verleger Unseld die Konstruktion und Schwierigkeiten des Buches erläutert:

»... mittlerweile habe ich jene Mrs. Cresspahl, Jahrgang 1933, Bankangestellte in New York City – ich bin mit ihr jetzt in den Jahren nach dem Krieg. Zu der Zeit ist sie 12, 13, 14. Da fängt es deutlicher an mit einem Menschen. Was aber sie da sieht in ihrem britisch-sowjetischen Mecklenburg ist die Einführung einer sozialistischen Ordnung von oben. Aus den bürgerlichen Zeiten ist ihr erzählt worden, das war mehr vergangen als dies, ließ sich abkürzen. Nun, fast mit einem Mal, ist sie selbst dabei, spürt die Tücken von Wahrheit und Wirklichkeit am eigenen Leibe, mit eigenen Augen. Mehr noch, sie wird ihre Beteiligung daran nicht los; obendrein muß sie es so ordnen, daß da in New York nicht eine 11jährige Antikommunistin heranwächst in Gestalt der eigenen Tochter. Die Personen der Nachkriegszeit werden also wichtiger, sichtbarer, beides in anderer Weise. Da ließ viel sich nicht abdrängen aus dem Manuskript. Gewiß, diese G. Cresspahl geht später weg aus einem Staat der Arbeiter und Bauern, bloß weil Bauern und Arbeiter Aufstand machen gegen solchen Staat; jene frühe Erziehung im Sozialismus sitzt fest in ihr, sie hat ja auch das Schwimmen nicht verlernt und nur mit ausführlicher Beschreibung des Anfangs werde ich zeigen können, wie sie es, im Alter von 35 Jahren, doch noch einmal versuchen will mit dem Sozialismus, nach reichlich Enttäuschungen mit dem, der in der Tschechoslowakei fast ein halbes Jahr dauerte.«[62]

Als besonderes Störelement, aufhaltend einen womöglich zu stetigen Fluß der Erzählung und – mal Korrektur, mal Ergänzung – Teil der unmittelbar erfahrenen Umwelt, montiert Johnson Artikel der »New York Times« in das Buch, ob Vietnam-Frontberichte oder Society-Klatsch über ein Abendessen der fröhlichen Präsidentenwitwe Jackie. Befragt, ob er sich da nicht eine epische Hilfskonstruktion geschaffen habe, möglicherweise aus Unvertrauen auf die eigene erzählerische Kraft, reagierte Johnson besonders heftig:

»Das ist Bestandteil ihres Lebens, das ist niemals eine erzählerische Konstruktion, so als ob ich hier ein Medium eingeführt hätte. Das Medium ist Bestandteil dieses Tageslaufes und Lebenslaufes. Die New York Times ist kein vom Erzähler erfundenes Transportmittel, sondern die New York Times ist eine tägliche Funktion im Leben dieser Mrs. Cresspahl ... Das ist genauso real wie der Toast, den sie am Morgen sich leistet. Das ist eben vorhanden, und es ist nicht ein Mittel der Erzählung, sondern das ist für sie genauso ein Zugang zur Welt wie das, was sie dem Zeitungsmann sagt. ... Sie ist eben mit Zeitungen groß geworden ... Und was das ... angeht, so werden Sie schon in dem ersten Buch, in dem sie vorkommt, in den ›Mutmaßungen über Jakob‹ finden, daß sich jemand über die Gewohnheit beklagt, jeden Tag drei Pfund Zeitungen zu kaufen. Das hängt mit ihrer Biographie zusammen. Sie hat einmal in einem Staat gelebt, in dem Zeitungen sich so und so verhielten, offenbar in einer Weise, die als Reaktion produzierte, daß Mrs. Cresspahl, sobald sie konnte, sich viele Zeitungen gekauft hat, und das ist also gar nichts Neues. In New York ist es dann nach einer Weile die New York Times gewesen.«[63]

An dieser Intervention fällt zumindest zweierlei auf: Johnson benutzt wieder das Wort Erinnerung (als eines der tragenden Elemente seines Romans) – und er behandelt seine Figur wie eine reale. Da ist also wieder dieser doppelte Bruch: Gesine Cresspahl ist Uwe Johnson, ist umgezogen mit ihm aus der DDR nach Westberlin, von dort in die USA, wohnt in derselben Straße, in der der ziemlich genau gleichaltrige Schöpfer seiner Figur, Vater einer Tochter in ähnlichem Alter von Gesines Tochter, wohnt – fanatischer Leser der »New York Times« auch er. Der Autor ist seine Heldin. Auch dies an Proust und seine Albertine gemahnend, von der man heute weiß, daß sie Albert hieß. Das ist nun kein literarisches Transvestitentum, sondern eine hochdifferenzierte Umpolung und Überlagerung psychischer wie realer Erfahrung. Im selben Gespräch mit Manfred Durzak ließ sich Johnson auch auf diese Fragestellung ein:

»Hier bei den ›Jahrestagen‹ habe ich von einer zugegebenermaßen erfundenen Person quasi den Auftrag, oder ich habe mit ihr den Vertrag, ihr Leben wiederzufinden und aufzuschreiben in einer Form, die sie billigen würde. Da ist also eine gewisse Nähe zwischen Erzähler und Subjekt, und sehr oft wechselt da das erzählende Subjekt aus dem von dem Erzähler dargestellten Zustand der dritten Person in den der ersten Person, wenn nämlich die Vertragsperson findet, es sei jetzt besser, daß sie es einmal von sich aus, vom Ichstandpunkt aus, sagt. ... Das ist eine scherzhafte Umschreibung für eine Lage. Ich habe diese Person in New York wiedergefunden, das heißt, ich kannte sie recht gut aus einem früheren Buche. Und mir kam da der Einfall, ihre Biographie zu beschreiben, und ich habe mich jetzt (für Sie in nicht ganz ernsthafter Weise) bemüht, von dieser Person die Genehmigung zu bekommen, ihr Leben zu beschreiben. Daraus rührt ein Vertrag her, so kann man es ausdrücken.«[64]

Johnson hat das selber eine etwas »alberne« Darstellung der Dialektik zwischen Autor und seinem Geschöpf genannt; sie trifft dennoch ziemlich genau nicht nur die Haltung des Erzählers – also den zwischen Zeiten und Orten hin- und herschießenden Erfahrensbericht –, sondern auch seine moralische Position. Das nämlich ist der Riesenroman: Eine Fabel von der brüchigen Moralität. Nicht in oberflächlichen Parallellinien gezeichnet à la Nazideutschland – Vietnam-Amerika. Deklamatorisches lehnt Johnson rigide ab, bis hin zum Spott über seinen Kollegen Enzensberger, der, nachdem er ein Stipendium der Wesleyan-University angenommen hatte, sich mit einem Protestbrief gegen die amerikanische Politik nach Kuba verabschiedete. Meist jedoch wird das Thema Schuld und Versagen nur vorgeführt, sei es durch die aufschreckend simple Frage »Gibt es antifaschistisches Napalm?«[65], sei es durch die ebenso simple Feststellung »Der Kanzler Westdeutschlands, ehemals Angehöriger und Beamter der Nazis, hat als neuen Sprecher seiner Regierung einen ehemaligen Angehörigen und Beamten der Nazis benannt«[66], sei es durch die Eintragung unter dem Datum des 28. Februar 1968, Mittwoch: »Immer noch haben sie in Westdeutschland einen Greis zum Staatspräsidenten, der im Jahre 1944 Baupläne für Konzentrationslager unterzeichnet haben soll. Er glaubt nicht, daß er es tat; einen Eid könnte er nicht darauf ablegen.«[67] Das folgt auf eine lange Jerichow-Passage, die reflektiert darüber, warum wohl Gesines Vater, Maries Großvater Heinrich Cresspahl von einem langen England-Aufenthalt nach Nazideutschland zurückkehrte; obwohl doch seine Frau schon tot war. Eine längere Passage mag das Bauprinzip verdeutlichen, mit dem Uwe Johnson – lediglich historische Daten und durch sie zu illuminierende Verhaltensweisen gegeneinandersetzend – seinen Leser zwingt, sich ein Bild (und ein Urteil) zu machen:

2. Dezember 1967, Sonnabend

»Das Tribunal des Lord Russell für Kriegsverbrechen in Viet Nam, tagend in Roskilde bei Kopenhagen, hat gestern die U.S.A. in sämtlichen Punkten der Anklage für schuldig befunden: des Völkermords, des Einsatzes verbotener Waffen, der Mißhandlung und Tötung von Gefangenen, Gewaltanwendung gegen Gefangene, Verbringung von Gefangenen unter Zwang, weiterhin der Aggression auch gegen Laos und Kambodscha.

Jean-Paul Sartre, ein Mitglied des Internationalen Gerichtshofes zu Roskilde, hat die U.S.A. schon einmal gestraft, als er vor zweieinhalb Jahren eine Einladung in dies Land ablehnte, weil seine Regierung einen Krieg in Viet Nam führe. Sartres Begründung machte jeden Ausländer, der in die U.S.A. reist oder dort lebt, zu einem Mitschuldigen.

Im Jahre 1933 ermäßigte die Staatliche Italienische Eisenbahn ihre Preise um siebzig Prozent, um ausländische Touristen ins Land und zu einer ›Faschistischen Ausstellung‹ zu ziehen. Sartre besorgte sich die billigen Fahrkarten und besuchte Pisa, Florenz, Bologna, Venedig, Mailand, Orvieto, Rom und andere Städte. In Rom erfüllte der Philosoph die Bedingung für den Erwerb der Fahrkarte und warf einen Blick auf die Glaskästen der ›Faschistischen Ausstellung‹, in denen Revolver und Gummiknüppel der ›faschistischen Märtyrer‹ ausgelegt waren.

Sartre las damals die Zeitungen ›schlecht, aber eifrig‹. Im Herbst 1933 fuhr er nach Deutschland, um dort ein Jahr am Institut Français in Berlin zu verbringen.«[68]

Johnson vertraut dieser Art des Erzählens, die sich oft aufs Berichten zurückzieht, weil es, wie er meint, die »Botschaft« in die Reaktion des Lesers hineinverlagere, weil er lediglich etwas zeigen kann und hoffen, daß der Leser sich daraus etwas mache; beschreiben wolle er lediglich: so ist es, wie wir leben – aber wollen wir so leben?[69] »Vergiß nicht, warum ich dir dies gesagt habe, Gesine«,[70] heißt die Mahnung der jungen, klugalten Marie; sie meint letztlich das Buch und seine Leser. Mit Recht summierte es schon nach Lektüre des zweiten Bandes der Kritiker Urs Jenny:

»Ein Roman von 1000 oder 1500 Seiten, hervorgebracht aus dem radikalen Impuls, einer ›Wirklichkeit‹ restlos habhaft zu werden, macht schließlich sichtbar, Seite für Seite, daß Wirklichkeit nur erträglich ist im Bewußtsein ihrer Unerträglichkeit.«[71]

Eines Tages wird die Kulturgeschichte der zweiten deutschen Republik geschrieben werden. Die Literatur wird ein wesentlicher Bestandteil sein – allein deswegen, weil sie direkter, unmittelbarer sich einließ auf politische Reizungen. Ob nun ein inzwischen in die Namenlosigkeit versunkener CDU-Funktionär namens Dufhues die Gruppe 47 mit der Reichsschrifttumskammer verglich oder ein deutscher Außenminister Brecht mit Horst Wessel: die Geschichte der Nachkriegszeit ist ein Kontinuum der Auseinandersetzung. Viele – zu viele – Details sind bereits jetzt vergessen:

»In der Öffentlichkeit muß ein für allemal klargestellt werden, daß ich prinzipiell gegen eine Wiederaufrüstung der Bundesrepublik und damit auch gegen die Errichtung einer neuen deutschen Wehrmacht bin.«[72] Wer sagte das wann? Konrad Adenauer im Dezember 1949.

»Wir sind nach sorgfältiger Prüfung der rechtlichen Seite der Sache zu der Auffassung gelangt, daß es keine juristische Möglichkeit gibt, den Abdruck der sowjetzonalen [Radio-]Programme [in westdeutschen Zeitungen] zu verhindern. Der Ausschuß meint aber, dies [zu verhindern] sei vor allem eine allgemeine politische Frage und eine Sache der nationalen Disziplin.«[73] Wer sagte das wann? Herbert Wehner im Juni 1964.

Uwe Johnsons nur scheinbar schmales Bändchen »Begleitumstände« ist eine Art Röntgenaufnahme seines Œuvre, Knochen, Verkrümmungen, Verletzungen vorweisend von einem vorgeblich Unbeteiligten:

»Weiterhin wird gelegentlich das Wort ›ich‹ mit seinen Abwandlungen vorkommen. Objektivierungen wie ›der Verfasser‹ oder ›Johnson‹ würden eine Wirkung nur formal durchsetzen, riskant sind sie desgleichen. Denn in diesem Gewerbe ist das Verfassen nur eine von mehreren Tätigkeiten, und der Nachname ist auf die Dauer so schwierig auszusprechen wie die Assoziationen zu verdrängen wären, die der Klang einer Abkürzung einlüde. Bitte, wollen Sie von mir annehmen, und im Gedächtnis behalten, daß ich von einem anderen Subjekt sprechen werde als dem, das heute nachmittag auf dem Flughafen Rhein/Main kontrolliert wurde auf seine Identität mit einem Reisepaß. Das Subjekt wird hier lediglich vorkommen als das Medium der Arbeit, als das Mittel einer Produktion.«[74]

Schon dieser Beginn, Warnung an seine Frankfurter Hörer und seine Leser ist bigott – und ist es wiederum nicht; wer sich dieses seltsame Buch aus dem Johnsonschen rückübersetzt, erfährt: Tatsächlich ist dieser Autor im wesentlichen ein Registrator, ein »Merker«. Seine Phantasie blüht gleichsam auf Millimeterpapier, sein Werk ist organisiertes Material. Man lasse sich nicht von allerlei Koketterie abschrecken – davon, daß es dem Autor gefällt, »p. 288« statt »Seite 288« zu sagen; daß er es vorzieht, Goethe, Thomas Mann und Hemingway aus Ostberliner oder Leipziger Ausgaben zu zitieren, was sich, gelinde gesagt, prätentiös ausnimmt: »(Nach: Ernest Hemingway, A Farewell to Arms. Bernhard Tauchnitz, Leipzig o. J. [=Tauchnitz Edition No. 4935] p. 19 f.)«[75]

Oder dadurch, daß er seine Gabe, Dinge, Verhaltensweisen und Sachverhalte zu »entschleiern«, indem er sie fremd macht, manchmal zum billigen Cabaret verkommen läßt:

»War in Hitlers Sinne die Darstellung von Fröhlichkeit angesetzt, so hatte man die Farbe der Haselnuß als schwarzbraun zu bestimmen, hierauf bei einer unbekannten zweiten Person Einzahl den selben Farbton aufzufinden und hieraus zu folgern, dies beweise das Recht auf Eigentum an einem Mädchen, von dem lediglich die Haar- und Augenfarbe in Erfahrung zu bringen war.«[76]

Das ist Uwe Johnsons Fassung des Marschlieds der Nazi-Armee: »Schwarzbraun ist die Haselnuß/schwarzbraun bin auch ich/schwarzbraun muß mein Madel sein/geradeso wie ich.« Johnson hat derlei Bleichschminke nicht nötig, denn was er vorführt, ist knochenfahl und grinst und bleckt, ohne daß man es als Gespenst anmalt – die Beleidigungen und Unaufrichtigkeiten der jüngsten deutschen Geschichte; sie wurden zu »Begleitumständen« der Romane Uwe Johnsons. Der wehrt sich zwar emphatisch gegen das Klischee »Dichter beider Deutschland«, aber gerade dieses Buch zeigt, wie sehr die Lebenserfahrung als Bürger zweier deutscher Staaten seinen Empfindungs-, ja: Empfindlichkeitshaushalt geprägt hat. Mit der Unbarmherzigkeit eines Registrators berichtet er von DDR-Schulerfahrungen zu einer Zeit, zu der gerade ein Bild in den Amtsstuben ausgewechselt worden war; »der werte Name war Stalin«.

Antifaschismus ja. Anti»demokratismus« aber auch – der »Zeuge« Johnson, bald der Lügen und Verdrehungen des Systems gewärtig, sieht Hitlerismus und Stalinismus plötzlich als Extreme, einander so nahe wie die entfernten Enden des Hufeisens. Er mochte dort nicht leben und falsch benutzte Sprache »sogar mit dem Vorsatz zu betrügen«, weder hören, noch lesen, noch schreiben. »Wenn das ein Verein war, wollte er da austreten.« Eintreten wollte er in einen Beruf – Schriftsteller. Das könne er auch, sagte sich der siebzehnjährige Viel-Leser. Und liefert uns hier die Stationen seines Lebens, die Stationen seines Schreibens wurden. Immer getreu der von ihm offenbar akzeptierten These über die »Technik des Schriftstellers« von Walter Benjamin, der das Aussetzen der Eingebung mit der sauberen Abschrift des Geleisteten ausfüllen möge; die Intuition werde darüber erwachen.

So werden wir vertraut gemacht mit dem Schicksal seines Erstlingsromans über Ingrid Babendererde, ein Buch, an dem Uwe Johnson immerhin noch soweit zu hängen scheint, daß er hier erstmals längere Textproben preisgibt, Briefwechsel und Gutachten zitiert und noch im Jahre 1965 an »einen anderen Schriftsteller in der DDR«, nämlich an Herbert Nachbar schreibt:

»In der ›Neuen Berliner Illustrierten‹, Nr. 28/1965, dem zweiten Juliheft, fand ich ein Stück aus Ihrem neuen Roman ›Die Liebe des Christoph B.‹ und daß darin offenbar zumeist eine Familie Babenderärde vorkommt. Vielleicht haben Sie vergessen, daß Sie vor neun Jahren für den Aufbau Verlag ein Manuskript von mir gelesen und beurteilt haben, in dem zumindest eine Familie Babendererde vorkommt, auch im Titel. Da ich auf den Titel nicht gerne verzichten möchte, fände ich es sehr nett, wenn Ihre Familie in der Buch-Ausgabe sich von meiner mehr unterscheiden könnte als durch einen Buchstaben.«[77]

Uwe Johnsons Briefe, das ist kein Ausnahmefall der Literatur, lesen sich wie Bestandteile seines Werks; zumindest »Begleitumstände« auch sie. Entweder erläutern sie Entstehungsprozesse oder Hinderlichkeiten der Arbeit – oder sie verwahren sich, meist, gegen Grenzüberschreitungen, Ansinnen. Als die a-periodisch erscheinende französische Zeitschrift

»Cahiers de l'Herne«, die ihre Ausgaben in Form eines Sonderhefts je einem Autor widmet, ihre Gombrowicz-Nummer zusammenstellte, wandte sie sich unter anderem auch an Uwe Johnson mit der Bitte um einen Kommentar zu Gombrowicz' Berlin-Aufenthalt; der exilierte polnische Schriftsteller hatte sich in seinen Berlin-Notaten über die Atmosphäre seelenloser Einsamkeit beklagt, die ihm Westberlin geboten habe – die Stadt, in der Johnson ja jahrelang gelebt hatte und der nun abweisend antwortete:

»Sind die Rundfunktechniker eines Ortes schuld, wenn einer von ihnen allein lebt? Sind es die Theologen eines Ortes? Sind es die Schriftsteller? Erlauben Sie mir die Vermutung, daß es auch in diesem Gewerbe die persönlichen Anlässe sind, die eine persönliche Beziehung begründen oder behindern, oder es sind Haltungen außerhalb des gemeinsamen Berufs, der immerhin weniger als andere eine wechselseitige Berufsberatung zuläßt oder benötigt. Überdies bedarf der Versuch der Verständigung zumindest der Illusion, es werde Verständigung gewünscht. Gegen solchen Anschein verteidigte sich Herr Gombrowicz mit seinem Alter, seinen betonten Formen, seiner Insistenz auf Distanz und einer eigenwilligen Lösung des Sprachenproblems. Sie werden nicht nachträglich ein Recht auf Fürsorge beantragen für einen Herrn, der schon Erkundigungen zurückweist, die sich auf Schwierigkeiten des berliner Lebens für einen Fremden beziehen. Sie werden nicht karitative Ansprüche stellen für einen Herrn, den sein Stolz daran gehindert hätte, eine Notlage überhaupt einzugestehen.

Gewiß, es ist ihm eine Sache schief gegangen in Westberlin. Er versuchte eine alte Form des Umgangs einzuführen, mit der Gründung eines Tisches, einer Runde, eines Clubs, mit Herrn Gombrowicz als Präsidenten. An dem verjährten Rezept mochte eben noch die regelmäßige Treffzeit stimmen, oder auch noch das zentral gelegene Lokal, obwohl weder Herr Gombrowicz noch einer seiner Mitspieler dessen Service ausreichend fand; was nicht mehr stimmte, war das Konzept des Literatencafés, das Bedürfnis nach Vereinsleben, Diskussion statt Ausübung des Berufs.

Da Herr Gombrowicz die Grenzen gegen andere selbst erbaute, nahm er sich das Recht, sie von seiner Seite aus nach Belieben zu mißachten. Er zeigte sehr förmliche Ideen von der Führung eines Gesprächs, fast wie von einer Kunst, und eine der Konsequenzen war das Aufkommen von Verlegenheitsfragen, etwa der nach einer Polenreise. Der Frager konnte in diesem Stadium der Bekanntschaft lediglich Bemerkungen über Visa-

schwierigkeiten oder polnische Kulturpolitik erwarten, und Herr Gombrowicz teilte mit: Dort sei sein Tod. Dort warte sein Tod auf ihn. Er sei im Grunde hier in Berlin seinem Tode schon zu nahe.
Eine Art Einsamkeit, ja. Aber war Trauer ihr einziger Aspekt? Denn wer zuläßt, daß seine Einsamkeit in seiner Umgebung besprochen wird, setzt sich auch dem Verdacht aus, er werde Besucher empfangen mit Unmut über die Störung bei diesem inspirierten Geschäfte. Und es war eine Einsamkeit, die ein Telefon besaß, und die Nummern anderer Telefone.«[78]

Ob Uwe Johnsons Leidenschaftslosigkeit nur persistent ist oder perfide, ist oft schwer zu entscheiden – ätzend ist sein Bericht allemal, auch nach seinem »Umzug ins Währungsgebiet Westmark«, manchmal auch kurz und treffend die »Westmark« genannt. Ob Johnson etwa der präzise dokumentierenden Unverschämtheit des Außenministers Brentano, der ja die Aufführung der »Dreigroschenoper« gerne gesehen haben wollte und sich darauf ausredete, er habe den *späten* Brecht gemeint, die beiden zu diesem Denunziationszweck genannten Gedichte – »Lob des Kommunismus« und »Lob der Partei« – lediglich datiert:

»Von so jemandem ließen die Westdeutschen sich vertreten in der Welt... Jemand, der schummelt, wenn er ›Lob des Kommunismus‹ und ›Lob der Partei‹ ausgibt für Beweise von Brechts ›Spätlyrik‹. Das erste Gedicht ist aus der Romandramatisierung ›Die Mutter‹, entstanden in den Jahren 1930 bis 1932, als v. Brentano mit Begeisterung die ›Dreigroschenoper‹ sah; das zweite ist aus dem Stück ›Die Maßnahme‹ von 1930. Heinrich von Brentanos ›später‹ Brecht war zweiunddreißig Jahre alt. Oder vierunddreißig.«[79]

Ob er eine nur prima vista rechthaberisch wirkende Auseinandersetzung mit Hermann Kesten noch einmal ausführlich aufnimmt, um zu zeigen, daß ein nüchtern-abwägender Satz, den er, Uwe Johnson, in Italien zum Mauerbau geäußert hatte, zu einer wahren Lügen-, Boykott- und Hetzkampagne führte, perfekter Mechanismus des Kalten Krieges, dessen widerliche Details wir schon vergessen haben; ob er die Kritiker seiner Bücher lediglich durch eine Zitatmontage bloßstellt – Glanzstück der wie stets traumwandlerisch treffliche Satz von Marcel Reich-Ranicki über die »Jahrestage«: »Der Roman wird insgesamt 1400 bis 1500 Buchseiten umfassen. Also wird es schiefgehen«[80]; oder ob er eine Auflistung seiner Spesen für die Steuererklärung 1971 wiedergibt: Tatsächlich kann man über die Entstehungsbedingungen von Johnsons Werk – auch die Widerstände, die es einschmolz – aus diesen 453 Taschenbuchseiten mehr lernen als aus vielen Interpretationen. In seiner spinösen Akribie gibt Johnson mit einem Satz den Schlüssel und gleichzeitig das Rätsel seines »Jahrestage«-Romans, dessen Autor in den USA der »money consciousness« verdächtigt wurde.

»Das soll er wohl sein, wenn er eine Fremdsprachenkorrespondentin ist mit einem Kind, für dessen Schulkosten allein sie im Jahr 1,600 Dollar hinzublättern hat. Bei einer Monatsmiete von 108 Dollar! Bei einem Gehalt von 650 Dollar!«[81]

Die psychische (nicht faktische: gegen so törichte Literaturbetrachtung des »Spiegel« verwahrt Johnson sich zu Recht) Identität eines männlichen Schriftstellers mit einer Held*in* ist seit »Madame Bovary« selten, ungewöhnlich, und ist wohl das wunderliche Geheimnis des grandiosen Gelingens dieses Hauptwerks von Uwe Johnson. Er *ist* Gesine Cresspahl, mehr als jeder Thomas Mann Aschenbach, jeder Musil Törless, jeder Kafka Josef K. *ist;* so sehr, wie eben – das weiß man spätestens seit Sartres Studie – Flaubert Madame Bovary *war.* »Er ist eine Fremdsprachenkorrespondentin«! Ohne die Auskünfte, die Johnson über die Begleitumstände des Entstehens der »Jahrestage« gibt, ist der Roman nicht mehr verständlich.
Und sein (vorläufiges) Scheitern auch nicht? Das Ende dieser höchst unakademischen Vorlesung gibt da eine Sensation preis – oder verrennt sich in eine Spekulation. Das erste wäre zu beweisen, das zweite wäre eine unverzeihliche Infamie. Man traut seinen Augen nicht, was da durch Vortrag und Druck öffentlich gemacht wird: Uwe Johnson bezichtigt in Wort und Schrift seine Frau Elisabeth, Mutter seiner Tochter Katharina, Agentin des tschechoslowakischen und damit des DDR-Geheimdienstes gewesen zu sein, über viele Jahre:

»Dem Verfasser wird im Juni 1975, als er nach einem Umzug seine Arbeit wieder ausgepackt hat und ein Abschluß ernstlich in Aussicht steht, endlich eröffnet: sein Umgang mit den tschechoslowakischen Elementen des Buches sei durchaus weniger unabhängig und freihändig gewesen, als er zwar habe annehmen dürfen. Es gebe in der Tat eine Möglichkeit, seine berufliche Integrität in Frage zu stellen. Denn er habe bei den ›Jahrestagen‹ sich helfen lassen von der Absolventin eines Prager Semesters, die er für seine Frau bloß gehalten, für seine Mitarbeiterin bloß angesehen habe, wenn sie ihm den Inhalt des Wortes rosny in der tschechischen Sprache aufschlüsselte, ihn aus ihrer Erfahrung beriete in Sachen der Č.S.S.R., oder die Druckvorlage herstellte für den Satz: ›Wenn ihr wissen wollt, was an Sozialismus möglich ist zu unseren Zeiten, lernt Tschechisch, Leute!‹ In Wahrheit sei sie seit dem Herbst 1961 in inniger Verbindung mit einem Vertrauten des S.T.B., des tschechoslowakischen Staatssicherheitsdienstes, der über fast anderthalb Jahrzehnte seine Informationen zog aus einer Standleitung von Kontakt und Treff und Korrespondenz. Die Leute vom S.T.B., als Gast die Genossen vom ostdeutschen S.S.D., hatten über ihre ›Weggefährtin‹ erfahren können, was der Verfasser in einem Geheimnis gesichert wähnte, vom Anfang der ›Jahrestage‹ an.«[82]

Es ist in der deutschen Literatur kein vergleichbares Beispiel bekannt für eine solche Ungeheuerlichkeit; gleich, ob an Behauptung oder an Tatbestand. Nein, nicht gleich. Uwe Johnson, ein Mann ausgeprägten Gerechtigkeitssinns, ein Schriftsteller, der (nicht nur in diesem Buch) Wert legt auf präzisesten Beleg von Fakten, hat die Pflicht, diese Anschuldigung zu beweisen. Er oder sein deutscher Verleger Siegfried Unseld, der erklärt hat, es gebe Beweise. Wer Tonbänder einer Jahre zurückliegenden Mailänder Podiumsdiskussion mit Hermann Kesten ausführlich zitiert und die Stellungnahme des damaligen italienischen Verlegers Feltrinelli zur Widerlegung einer ehrenrührigen, aber hiermit verglichen harmlosen Behauptung kulturpolitischen Charakters, darf einen Vorwurf, der gar in den Bereich des Strafbaren fällt, der zwangsläufig zu einer Untersuchung durch deutsche und britische Verfassungsschutzbehörden führen muß (Frau Johnson lebte zuletzt mit Uwe Johnson in England), nicht als bittere Ursache für den Fragmentcharakter eines wichtigen Buches ausgeben.
Es geht hier um mehr als ein Buch, es geht um die Existenz von zwei Menschen. »Geschrieben für Siegfried Unseld« heißt die Widmung des Buches. Wer so etwas schreibt, muß den Beweis antreten. Nicht ein Angeschuldigter hat seine Unschuld zu beweisen, sondern die Anschuldiger die Schuld.
Es geht hier nicht um ein umziemliches Herumstochern in Privatem; um öffentliches Bereden von Intimitäten, die zwei Menschen nur und keinen Dritten angingen. Öffentlich gemacht haben dies nicht Außenstehende, sondern der Autor und sein Verleger – sie haben also bewußt und willentlich ein Lebensdetail, ein Stück Biographie zum Teil des Werkes gemacht, zum Anlaß einer Schreibhemmung ausgerufen. Tatsächlich, ob

nun paranoides Wahnsystem oder blanke Realität – der Verlust der Gestalt, durch deren Gefühlshaushalt der Autor Johnson Wirklichkeit spiegelte, muß ihn vollständig aus der Balance geworfen haben. Dieses Buch war sein Leben:

»... seit ich mich zu diesem Buch entschloß, habe ich im Dienste dieses Buches gelebt. Das hieß, die Integrität der von mir erfundenen Personen zu respektieren und niemals sie zu mißbrauchen als Träger meiner Meinung oder als Vermittler meiner Erfahrung. Alles, was ich in New York sah und was mir in New York passierte, konnte ich in dieses Buch nicht in meiner Fassung bringen, und ich mußte mir überlegen, stimmt das für Mrs. Cresspahl, stimmt das für eine Frau, stimmt das für diese besondere Frau?«[83]

Diese »besondere Frau« hatte drei Namen: Uwe Johnson; Gesine Cresspahl; Elisabeth Johnson. Der Fortgang der einen hat die Fortführung der Figur der anderen unmöglich gemacht – übrig blieb Uwe Johnson. Der, der Schriftsteller aber, hat überlebt; er hat in einer virtuosen Erzählung, publiziert im Sommer 1981 in der Festschrift zum 70. Geburtstag des Freundes Max Frisch, acht Jahre nach Erscheinen von »Jahrestage 3«, diesen Biographiebruch zu fixieren gesucht. Diese »Skizze eines Verunglückten« ist ein grausiger Gerichtstag; nicht im Sinne jenes Diktums von Ibsen, Schreiben sei Gerichtstag halten über sich selbst – vielmehr als Urteil über Betrug. Das Debakel einer menschlichen Beziehung wird in immer neuen Paraphrasen und Zitaten deutlich gemacht, der Schiffbruch einer Ehe, deren Treulosigkeit Dr. Joe Hinterhand(!), deutscher Emigrant in New York mit Wohnsitz am Riverside Drive-Park, nur durch den Mord an seiner Frau auszutilgen wußte:

»Dem Angeklagten sei nach fast vierzehn Jahren ehelichen Lebens, in der Tat nach zwanzig Jahren Zusammenlebens mit seiner Frau eröffnet worden, daß sie ihn getäuscht und belogen habe von Anfang an, insbesondere über ein Liebesverhältnis mit einem Bürger der Feindstaaten seit 1932, fortgesetzt und erneuert durch carnal knowledge... fleischliche Bekanntschaft bis 1938, von 1932 bis 1947 unterstützt durch regelmäßige Korrespondenz, worin der Angeklagte habe eine Verschwörung erblicken müssen sowohl gegen seine Person als auch gegen seine Arbeit, da er durch ihr Bündnis mit einem Verfechter faschistischer Theorien geschädigt sei in seiner Glaubwürdigkeit, nachdem er gegen solche Theorien angegangen sei in Wort und Schrift...«[84]

Der Text liest sich wie die Abwehr eines Erstickungsanfalls, er zieht – eine einzige Etüde über Verrat; also über Uwe Johnsons Hauptthema – alles herbei, was zum Thema Ehe und Gemeinsamkeit, Hingabe, Treulosigkeit und Einsamkeit je gesagt wurde. Streckenweise eine Zitatcollage, von Ernst Bloch – »So ist gerade dieses, was sich das Weib, wenn es zu Recht geweckt ist, an Großem, Vollkommenem, Lösendem, Tiefem ersehnt, für den schöpferischen Mann die farbigste Verkörperung des kategorischen Imperativs seiner gesamten Produktion:«[85] – bis zur Kaschnitz – »Ein Schriftsteller ist meistens ziemlich einsam und seine Frau ist für ihn die Verbindung mit der Welt. Sie ist die Welt mit ihren Anforderungen, ihrer Unerbittlichkeit und ihrem schrecklichen Vertrauen. Ob man noch oder längst nicht mehr in sie verliebt ist, ändert daran nichts –«[86]. Und schließlich ein Gorki-Text des Jahres 1923, der an Entsetzen und Betroffenheit nicht überbietbar ist. Uwe Johnson, einer der bedeutendsten Gegenwartsschriftsteller, gibt – knapp verhohlen – ein Stück Tod, die Erfahrung eigenen Sterbens wider:

»Aber – es gibt Gefühle, Gedanken und Ahnungen, über die man nur mit der geliebten Frau spricht und die man niemand sonst sagen würde. Es gibt solch eine Stunde der Gemeinschaft mit der Frau, wenn man sich selbst fremd wird und wenn man sich vor ihr wie der Gläubige vor Gott aufschließt. Wenn ich mir vorstellte, daß sie all dies – so ganz und ausschließlich meins – in einem intimen Augenblick einem anderen erzählen könnte, wurde es mir schwer, und ich fühle die Möglichkeit von etwas, das dem Verrat sehr ähnlich war.«[87]

Ein Kreis schließt sich – es war Gorki, durch den Bertolt Brechts Frauenbild kenntlich wurde. Und Brecht war es, der Liebe »Schwächen« nannte:

»Du hattest keine
Ich hatte eine:
Ich liebte.«[88]

Martin Walser

»Was da gelesen wird, das kann ich besser«[1] – mit diesem selbstbewußten Satz eines jungen Mannes begann die Karriere eines Romanciers von Graden; der ihn äußerte, saß im Übertragungswagen des Süddeutschen Rundfunks. Erstmals wurde eine Tagung der Gruppe 47 vom Funk aufgenommen, man schrieb den Oktober 1951, und als Hans Werner Richter während einer Pause der Tagung in Laufenmühle bei Ulm den vermeintlichen Techniker im Ü-Wagen gefragt hatte »Na, wie läuft das« und nach dem »Technisch einwandfrei« diese Antwort erhalten hatte, lud er den Vierundzwanzigjährigen zur nächsten Tagung ein. Vier Jahre später war Martin Walser Träger des zwar (dieses letzte Mal mit DM 1000,–) niedrig dotierten, aber an der Literaturbörse hoch notierten Preises der Gruppe 47[2]. Schon während seines Studiums hatte der spätere Dr. phil. beim Süddeutschen Rundfunk mitgearbeitet – und als er das erste Mal unter den Literaten auftauchte, konnte niemand wissen, daß er sich mit dem ersten Satz einer damals nur seinem Lehrer Friedrich Beissner bekannten Arbeit gleichsam das Programm gegeben hatte: »Je vollkommener die Dichtung ist, desto weniger verweist sie auf den Dichter. Bei der nicht vollkommenen Dichtung ist der Dichter zum Verständnis nötig; dann ist das Werk nicht unabhängig geworden von der Biographie des Dichters. Leben und Werk bedürfen der Vergleichung, weil das eine auf das andere verweist.«[3]

So begann seine Dissertation über Kafka, und die preisgekrönte Erzählung »Templones Ende«, die im Erstlingsbuch »Ein Flugzeug über dem Haus« abgedruckt war, verrät durchaus dessen Einfluß. Aber es ginge fehl, wer in Walser nur einen Stiladepten und Stimmenimitator Kafkas sähe; eine spätere kleine Studie von ihm über den großen Fragmentaristen verrät mit einem Satz genauer, welcher Art allenfalls diese Vorbildfunktion gewesen sein mag: »Wie schwierig es ist, ein Gewissen zu haben und doch abends noch lachend auf die Straße zu gehen, das ist uns ja kaum mehr gesagt worden seitdem.«[4]

Dieses Credo aber gibt eine Grundhaltung wieder, die literarisch nur im weitesten Sinne des Wortes genannt werden kann; die dialektische Spannung der Begriffe »Gewissen – Lachen« – also: Moral und Ironie – prägt das gesamte Œuvre Martin Walsers. Das Leitmotiv seiner Arbeit ist die Überwältigung des Menschen durch die Dinge; der Artistik seiner Sprache, gelegentlich zur Akrobatik zerdünnt, ist es zu verdanken, daß er den darin liegenden Ansatz zum Pathos abbremst in Lächeln. Schon in der ersten Erzählung »Umzug« des ersten Bandes, in der plötzlich zu Wohlstand Gekommene die neue Umgebung nicht verkraften, gelingt das:

»Aber wir waren doch sehr stolz auf diese große Wohnung, die uns gar nichts kostete, weil der gute Onkel sie als Eigentum erworben hatte. Jeden Morgen frühstückten wir jetzt auf dem geräumigen Balkon und grüßten händeschwingend hinüber, hinunter und hinauf zu den anderen Balkons, die an den großen stillen Häusern klebten. Wir waren fröhlich und wollten auf gute Nachbarschaft halten. Aber ringsum saßen Menschen, die sich nicht bewegten. So sehr ich auch hinschaute, niemals sah ich einen die Hand regen, den Kopf heben oder gar den Mund auftun. Am Vormittag schoben sich unsere neuen Nachbarn aus den Zimmern heraus auf die Balkone. Aber so langsam waren ihre Bewegungen, wenn es überhaupt welche waren, so langsam, daß man sie einfach nicht erkennen konnte.«[5]

Hier liegt auch das für ihn typische Mißverständnis, als Friedrich Sieburg in seiner berühmt gewordenen Kritik »Toter Elefant auf einem Handkarren«[6] den nun endlich vorliegenden großen Roman Walsers »Halbzeit« rezensierte. Sieburg ist hingerissen von Walsers Sprache, nennt ihn ein Genie, einen bis zur Verrücktheit intelligenten Autor – und vermutet, »darum hat Walser ihn erfunden«, daß die Figur des Vertreters Anselm Kristlein erfunden wurde, weil an einem Mann dieses Quassel- und Überredungsberufs Walser die rasanten Kostümwechsel seiner Wortinszenierungen am quickesten ausprobieren könne. Das erfaßt eine Dimension – und läßt die entscheidende zweite außer acht: die gesellschaftliche. Bereits das Wort Vertreter heißt, daß da jemand etwas darstellt, was er nicht selber ist, daß er eine Rolle zu spielen hat. Walsers Roman leistet aber nicht nur eine Darstellung der Verkaufswelt und ihrer Aufs und Abs, ist also keine Prosa-Version von Arthur Millers »Tod eines Handlungsreisenden«. Vielmehr gelingt es ihm, das Eindringen der Dingwelt in den Innenraum der Menschenwelt zu gestalten. Der Roman ist das Märchen von der Vergiftung durch Sachen. Die Bundesrepublik schönt sich auf dem Höhepunkt ihres Wirtschaftswunders; bereits der Begriff enthebt ökonomische Realität in die Sphäre der Sage – man schämt sich jedoch nicht der Vergangenheit, deren Beendigung man im bedauernden Vokabular der Naturkatastrophe »Zusammenbruch« nennt. Tüchtige »Vertreter« waren und sind da allemal gefragt: »Denen ist es egal, ob sie ne Judenaushebung in Ungarn, ne Diffamierungskampagne gegen Nonnenklöster oder den Verkauf von Hühnerkonserven managen, sie erledigen alles bestens.«[7]

Diese historische Wirklichkeit fängt Walser ein, und seine Ironie wird durchaus zum Hohn, wenn er bei einer Vertreterkonferenz den Maximen des Tagungsleiters von der Eroberung der Massen applaudieren läßt – »alle nickten« –, und dann die Auflösung seines kleinen Sprachquiz gibt: »Schön, sagte Dr. Fuchs, nachdem da alle mit Dr. Goebbels und mir übereinstimmen, denn es war Goebbels, den ich da zitierte, können wir zu den Details kommen.«[8]

Doch wir hätten es mit Belehrtexten und nicht Fabulierprosa zu tun, gelänge es dem Autor nicht, über diese Ebene hinauszugelangen. Die andere ist die wichtigere: Nahezu unmerklich läßt Walser psychische Reaktionen sich zersetzen durch vorgegebene Bilder; Vor-Bilder werden zu Vertretern eigener Phantasie, die in der Vertreter-Welt nicht möglich ist. Die Katalog-Fotografie statt der Augen-Blick-Aufnahme. Schon ganz zu Beginn des Romans blendet Walser ein solches Bild der ausgeliehenen Gesten ein, die immer nur die Motorik einer physischen Bewegung in Gang setzen, damit jegliche psychische Motivierung in Celluloid-Farben vergiften:

»Ich wußte, daß Alissa, wenn ich ihr jetzt übers Haar striche, Fingerkuppen auf der Kopfhaut reibend, wenn ich sie gar küßte, daß es ihr dann ganz gleichgültig sein würde, was ich beweisen oder nicht beweisen konnte. Also ging ich hinüber, holte sie hoch, zärtelte an ihr rum und spürte sofort, daß es ihr nur darauf ankam. Ich machte ein Filmende-Gesicht, legte ihr meine Hände um den Hals, weil das zu dieser Art Gesicht gehört wie das Amen in der Kirche, spielte den gut aufgelegten Dreizimmer-Jupiter, schüttelte sie, daß ihr Kopf vor- und zurückfiel wie der Kopf einer außer Rand und Band geratenen Kasperlpuppe, oder wie der Kopf einer Frau, die auf der Leinwand von einer Vergewaltigungsszene heimwärtswankt (woher die Filmleute bloß wissen, daß das so anstrengt?), dann hielt ich sie ganz still und nah vor mich hin und sagte: ich bin schon so ziemlich wieder auf dem Damm.«[9]

Der genialische Rhythmus von Walsers Wort-Eskapaden schafft einen quasi umgekehrten Vorgang: Entzauberung durch Verzauberung. Der schöne Tand eines vokabulären Rausches errichtet und zersetzt zugleich

eine Schein-Welt. Diesen dialektischen Vorgang sah Sieburg nicht – und, Kenner und Schmecker der französischen Literatur, sah noch etwas anderes nicht: »Aus ›Ehen in Philippsburg‹ wissen wir, daß es nicht Walsers Sache ist, etwas sichtbar zu machen. Kein Gesicht kommt zum Vorschein, kein Körper, keine Stufe, kein Haus, kein Baum und keine Stadt – er mag sie so ausführlich beschreiben, wie er will. Es kann alles Schweinfurt oder Sydney oder Breslau vor dreißig Jahren sein.«[10] Das stimmt. Aber gerade hier liegt das Geheimnis der Walserschen Prosa. Es ist nämlich jener Reigen von Situationen, jenes gesetzmäßig Geordnete des gleichgültigen banalen Alltags, den Walser »für ebenso wichtig wie irgendeine Festwoche voller Metaphysik« hält. Diese Sätze fallen in seinem Aufsatz über – Marcel Proust[11]. Er stammt aus dem Jahre 1958, weswegen Urs Jenny zu Recht sagt, »zu ›Halbzeit‹-Zeiten war Anselm (oder Walser) ein Proustianer«[12].
Dem Proust-Aufsatz verdanken wir nicht nur so deutliche Sätze wie »Ein Buch ist für mich eine Art Schaufel, mit der ich mich umgrabe«[13]; die ganze Studie ist vor allem ein Bekenntnis zu eben jener »Undeutlichkeit«, der Unmöglichkeit, sich einzelne Personen, klare Handlungskurven verdeutlichen zu können; eine Absage an die Romantechnik (etwas Thomas Manns), dank derer man genau weiß, wie die Hauptpersonen aussehen und wie sie sind. Walser dreht den berühmten Begriff »Erinnerung« im Zusammenhang mit Proust um: »Proust gelesen zu haben, heißt, immer wieder an ihn erinnert zu werden«[14] – das heißt, plötzlich Verhaltensweisen von Menschen in der Wirklichkeit mit Hilfe der Erinnerung an Kunstfiguren entschlüsseln zu können. Ein kompliziert meta-realistisches Prinzip. Kunst nicht als Abbild, sondern die Wirklichkeit nur mehr erfahrbar, erklärbar (veränderbar?) zu machen durch die autonome Gegenwelt des Artefakts:

»Proust ist ehrlich genug, das heißt genau genug, zu erkennen, daß das, was man sich gerne merken möchte, nicht das ist, was man sich dann wirklich merkt. Er bedauert sogar, daß er in dieser oder jener Situation den Anruf der Wirklichkeit nicht begreift, er sagt sich, daß diese oder jene Erscheinung eigentlich dem Hörensagen nach, der Konvention entsprechend, auf ihn Eindruck machen müßte, aber er ruft hier nicht die Phantasie zu Hilfe, um aus der Wirklichkeit etwas zu machen, was nicht von selbst entsteht.«[15]

Die Wiederbegegnung mit der Realität findet für Walser nur mittels der Literatur statt, in der Erinnerung an das Gespräch mit der Weißdornhekke bei Proust oder an den kreischenden Schwan Robert Walsers. »Erzählen, soviel wie zugeben.«[16] Das geradezu rührende Mißverständnis über Walsers angeblich realistische Schreibweise mag genährt werden von seiner sprachmächtigen Bildhaftigkeit; wo »ein kleiner Bach über die Steine hinnuschelt«[17] oder »die Stille in seinen Ohren sott«[18], da mag schon manch ein Kritiker versucht sein, Wirklichkeit mit Fiktion zu verwechseln und in bramarbasierender Blauäugigkeit nicht nur Dialogstellen eines Romans für Walser-Äußerungen zu halten, sondern an der Stillage seines Buches vorbeizuschreiben: »Was soll das? Wird uns Walser noch erklären wollen, daß zwischen einem Kotelett und der Schilderung eines Koteletts doch ein gewisser Unterschied besteht? Wer hat das je bestritten?«[19]

Die Wahrheit ist genau umgekehrt: Martin Walser ist ein Schriftsteller, der der Realität zutiefst mißtraut. Er billigt sich allenfalls eine verquere »Trotzdem«-Rolle zu: »Ich bin Don Quixote, nachdem er gelesen hat, was Cervantes über ihn schrieb«[20] – das sagt zwar Anselm Kristlein: aber diese Doppeldialektik vom Wissen des Künstlers, daß er lediglich Kunst macht, und von der gleichzeitigen Kraft des Kunstwerks, Wirklichkeit aufzuheben im Doppelsinne von Versehren und Bewahren – die findet sich bei Walser allenthalben. Nicht zufällig zitiert er am Ende eines Robert-Walser-Essays dessen Satz: »Niemand ist berechtigt, sich mir gegenüber so zu benehmen, als kennte er mich.«[21] Oder sagt im Zusammenhang mit Proust: »Gerettet wird nichts. Auch nicht durch Kunst. Das Muster wird gemacht und dann zerstört. Kunst zeigt nur, daß nichts gerettet wird.«[22]

Nichts ist gerettet; und niemand. Dadurch, daß jemand »sich« aufschreibt – Zuchthaus oder Trinkerheilanstalt –, ist er noch nicht gerettet, sagt Walser in einem anderen Aufsatz[23]; er habe lediglich mit der Unmittelbarkeit seiner Misere gebrochen, ist ihr für die Zeit, die er zum Schreiben brauchte, entgegengetreten. Die Benennung oder Verfluchung, hilfreiche Illusion oder Zerstörung der hilfreichen Illusion nennt Walser »das poetische Mittel schlechthin«[24]. Es ist genau jene Vergiftung durch Wörter und zugleich Rausch der Wörter als Brücke, die ein anderer Proustianer der deutschen Gegenwartsliteratur als Methode benutzt – Hubert Fichte. Und es ist das Prinzip, Mangel durch Erinnerung zu bezwingen. »Nur der hat etwas zu sagen, dem etwas fehlt«,[25] heißt es zu Beginn von Walsers proklamatischem Aufsatz »Wer ist ein Schriftsteller?«

Das hat für Martin Walser verschiedene Konsequenzen. Die eine ist, daß er Wirklichkeit gleichsam ersetzt durch Kunst. Seine Prosa gibt nicht so sehr Realität wieder, als daß sie sie ablöst, austauscht. Statt des Bestehenden wird angeboten das Fabulierte. Walser verpuppt die Dingwelt in seine Kunstwelt, setzt ihr einen zeremoniösen Wortwirbel entgegen. Hans Magnus Enzensberger erzählt die ebenso amüsante wie charakteristische Geschichte, wie Walser bei einem Abend im Hause eines Verlegers aus dem Party-Stichwort »Teppichhändler« eine ganze Geschichte, ja: einen Einakter spinnt, schließlich selber spielt:

»Walser nahm das Stichwort auf. Er begann ganz langsam und ruhig zu sprechen. Mit ein paar Handbewegungen war der Hausierer skizziert. Walser erhob sich und spielte die Verführungsszene vor. Einigen Damen fielen die Salzstangen aus der Hand. Walser bewegte sich wie in einer Manege, eine leichte Trance lag über seiner Gestik. Er war er selbst, der Käufer, dann wieder der Teppichhändler.«[26]

Das ist mehr als eine Kollegenanekdote. Typisch ist nicht nur, daß es sich wieder um einen »Vertreter«, einen Händler mit kleinen Dingen handelt – typisch ist auch, daß Walser sich selber und seine »Leser« (Hörer) in einen Zustand der Trance versetzt; er sei eher in Gefahr gewesen, von der Menge der (erfundenen) Details und der Flut der Einfälle fortgeschwemmt zu werden, als etwa ins Stocken zu geraten. Das ist jene Phantasie-Inflation, die Sieburg seufzen ließ »Was habe ich gelitten«, die Walser immer wieder verführt, seine Figuren im Stich zu lassen und – man denke etwa an Anselm Kristleins Begegnung mit Susanne zu Beginn des zweiten Bandes von »Halbzeit« – in einer wahren Springprozession von Ideenseitensprüngen aus einer gerade erst konstruierten Erzählsituation davonzustürmen. In einer sonderbaren epischen Dialektik löst Walser Realität durch Phantasie ab – und gleichzeitig dadurch auf. Er mißtraut nicht nur der wirklichen Welt, sondern auch der von ihm selber geschaffenen Gegenwelt. Deshalb entfernt er sich aus dem soeben gestellten Bild oft so rasch – und komponiert Entfernung mit ein. Entfernung mit den Mitteln der Literatur heißt: Ironie. Nach deren Gesetz gehen Walsers Menschen miteinander um – oder eben nicht:

»Was er jetzt noch von sich gab, waren wieder nur Worte, hervorgebracht von seinem schlechten Gewissen Cécile gegenüber. Eine Scheinehe! So etwas gibt es nicht. Sie wußten es beide. Ein Mann ist mit der Frau verheiratet, mit der er die meiste Zeit verbringt. Ob glücklich oder nicht, ob in Liebe oder im Haß, das wiegt nicht viel. Glück und Liebe sind leichtfertige Worte, Konfektionsware des Gefühls, kleine lächerliche

Schutzwehren gegen die Wirklichkeit, die in Sekunden abläuft und unwiderruflich ist und zum Ende führt. Was wiegt, ist die Zeit, sind die täglichen vierundzwanzig Stunden, die einen Mann und eine Frau zusammenwachsen lassen. Alles andere ist Amüsement.«[27]

Entfernung untereinander – voneinander –, das heißt wiederum: auf das eigene Ich zurückfallen. Schon in diesem ersten Roman »Ehen in Philippsburg« hat Walser diese Folgerung gezogen: »Was ein Mann einer Frau zuliebe tut, hat keine Dauer. Er fällt ab. Er kann nur sich selbst zuliebe leben und handeln.«[28] So leichthändig illegitim es gemeinhin ist, Sätze und Verhaltensweisen von fiktiven Figuren ihrem Erfinder zuzuschreiben, so legitim ist es doch, sich daran zu erinnern, daß Walser gerade in einem Aufsatz zu diesem Buch den Romanschreiber als einen charakterisierte, der nicht einen einzigen Satz über einen Menschen zu Papier bringen, nicht eine Person zum Leben erwecken könne, »wenn er nicht auch die Laster, oder zeitgemäßer formuliert: die Schwächen seiner Personen im Keime in sich birgt«[29]. Es ist gar nicht verwunderlich, vielmehr konsequent, wenn dieses Menschenkonzept Walser auch zum Ausprobieren einer anderen literarischen Form treibt; die Balance aus Nähe und Entfernung läßt sich im Dialog am schärfsten vorführen.
Walsers dramatische Arbeiten weisen sein Konzept von Literatur am genauesten aus. »Ein Stück ist ein Stück verzichteten Lebens oder eiternder Hoffnung oder zurückschlagender Angst«,[30] sagt er in seinem Text vom »Tagtraum Theater«. Das nimmt die Möglichkeiten des Stückeschreibers ernst. In seinen »Dialogen über das Theater« wird dieser Ernst bereits durch den Titel »Wir werden schon noch handeln« zurückgenommen; denn das Handeln wird vorgeführt als lediglich austauschbare Rollenaktion vor »besseren Leuten« – gestische Tätigkeit statt Tun:

»*1. Schauspieler* Also, was entscheiden wir jetzt? *5. Schauspieler* Müssen wir? *1. Schauspieler (Groß)* Wir sollten ein Beispiel geben. Daß die Menschen im Ruhrgebiet sehen, jeder kann bei uns frei wählen, wo er hin will. *5. Schauspieler* Und du findest nicht, daß es ... na ja ... das ist doch ein bißchen geschmacklos, wenn wir denen auf der Bühne Entscheidungen vormachen, findest du nicht? *1. Schauspieler (Leiser)* Das sehen die ja nicht, verstehst du. Im Theater sitzen meistens Leute, denen es besser geht. Die sehen es gern, wenn der Mensch sich entscheidet und dann handelt. *(laut)* Also los, was entscheiden wir? *5. Schauspieler* Wir könnten aufstehen. *(Sie tun es. Jeder schaut den anderen an dabei. Es fällt nicht ganz leicht)* Du könntest aus freier Entscheidung dorthin gehen. *(Zeigt nach links)* Ich könnte mich frei entscheiden, dorthin zu gehen. *(Zeigt nach rechts)* Einverstanden? *1. Schauspieler* Einverstanden.«[31]

Ein Meisterwerk aus dem Vexier-Kabinett des Dr. Martin Walser ist sein vom Westdeutschen Rundfunk produziertes Hörspiel »Säntis«. Unter einer scheinbar so simplen, gar billigen Fabel liegt mehr verborgen, als an Scherz, Satire, Ironie und tieferer Bedeutung manch dickleibiger Roman birgt.

Der berühmte ältere Schriftsteller, seit sieben Jahren produktionsimpotent, wird von einer flott-plappernden Pressefotografin erobert – und alsbald, mit einem jüngeren Kollegen, verlassen. Das hatten wir schon einmal; Dreiecksgeschichten sind in der Literatur fast häufiger als Zweierbeziehungen.

Aber Walser, dessen ganzes Werk auf nahezu verletzend genauer Menschenbeobachtung und akrobatischem Sprachraffinement gründet, zieht Minute um Minute, die dieses Hörspiel währt, die Schraube eine Windung enger, schafft krimi-ähnliche Spannung damit. Daß aus der Journalistenflottheit »Na, wo machen's wir beide denn nun?« keine große Liebe werden kann, ist wohl alsbald klar. Aber eine Verfallenheit vielleicht, eine Hörigkeit – da der Jugend, dort dem Porsche? Das wäre immerhin denkbar gewesen.

Die Beichte, zu deren Ohrenpartner sich der Erfolgsautor Färber nun einen Privatdetektiv mietet, gibt aber alsbald preis: Es ist die Wanderung durch ein seelisches Watt; quatschend, seicht, feucht, klebrig. Die Röntgenbosheit von Walser will es nun, daß der junge Konkurrent – »herzlich begabt, würde ich sagen. Wenn auch ... Die ganze Wahrheit wäre, daß dieser junge Mann nicht nötig wäre« – daß der junge Literaturstarter also dieselbe egomanische Wehseligkeit kultiviert wie das inzwischen gehaßte, »ent-mannte« einstige Vorbild. Die jeweilige Dame – austauschbar, wie das höhnische Ende des Hörspiels es vorführt – ist immer Gegenstand; nicht einmal Modell wie bei Menschenverschlingern à la Picasso, sondern Teewagen, Truchseß, Plumeau. Der Jammer um die fortlaufende, geraubte oder wiederzuerobernde oder – schlimmste Vorstellung – gar wieder ins Haus stehende Geliebte ist stets nur Jammer um die eigene Seelenlage. Die Klage gilt der eigenen Seele – so oder so. Der Dankbarkeit des Alten für die verursachte Qual, da sie ja wieder zum Produzieren führte, entspricht auf präziseste spiegelverkehrte Weise die Wut des Jungen; ging die Dame doch zum unvorteilhaften Zeitpunkt, vor Vollendung der Prosaarbeit, nun auch von ihm weg.

Gefühle aus zweiter Hand, Literatur, die sich an der Wirklichkeit vorbeischreibt. Daß Peter Streich, der junge skrupulöse, aber skrupellose Aufstreber un-schwer als Porträtskizze zu Peter Handke zu erkennen ist, darf wohl als mehr verstanden werden denn als Literatenranküne: spätestens, als Gertrud den Titel der so wichtigen Erzählung »Die Begeisterung des Bergsteigers beim Bergsteigen oder Die Gedanken des Denkenden beim Denken« nennt, ist das jedem klar. Und daß der Herr Dr. Färber Züge des »Montauk«-Autors Max Frisch trägt, ist ebenso unübersehbar. Nur: hier geht es überhaupt nicht um Kollegenhäme oder Literaturparodie. Es geht um Ernsteres.

Martin Walser schreibt natürlich *sich*, wenn er seine Figuren stets auf der Grenze des Lügnerischen, der Pseudotrauer und Pseudolust balancieren läßt. Dieses Hörspiel ist eine dramatisierte Studie über Ironie. Nun ist, fällt im Zusammenhang mit Literatur der Begriff Ironie, nahezu automatisch der Name Thomas Mann genannt. In der Tat sind ja Züge der Bösartigkeit wie die Vorliebe, Kollegen zu porträtieren – ob nun der Herr Peeperkorn Gerhart Hauptmann oder der Herr Naphta Georg Lukács meint –, durchaus Spezifika von Thomas Manns Prosa. Es ist seine Entfernung von der Wirklichkeit, die Elemente von ihr erst wahrnehmbar macht. Nähe aus Distanz, Distanz durch Nähe. Das ist Geisteshaltung, und das ist künstlerische Methode.

Wir finden sie bei Martin Walser allenthalben, und in diesem Hörspiel gar exemplarisch. Es ist eine Ironie, die sich selber einbegreift. Eine Methodendeklaration, gleichsam.

Nicht hier und nirgendwo hat Martin Walser den Künstler als den Produzenten des Guten, Wahren, Schönen gezeigt. Immer ist er eine Spur Gaukler, Taschenspieler – »unseriös« nannte der »Buddenbrook«-Autor das. Gefährdet wohl auch, darf man ergänzen. Es ist nämlich keineswegs bloß ein höhnisches Hörbild, wenn die Introvertiertheit, die bühnenhaft unehrlichen Abgründe und Gebirge literarischer Jagdgründe hier denunziert werden: Das Schwert im Ring des Nibelungen ist immer auch aus Pappe.

Auch; denn Literatur ist Metapher. Sie stiehlt, sie blinzelt, sie verrät – und ist stets das Werk eines Voyeurs. Niemand weiß das so gut wie Martin Walser, in dessen Büchern sich lebendes Personal zuhauf findet, von seinem bösen Blick (und Ohr) aufgespießt wie die schillernden toten Schmetterlinge des Vladimir Nabokov. Kunstwerke sind sie erst durchbohrt. Von Aristophanes bis Proust: die wirkliche Welt gerinnt erst zum Kunstprodukt, wenn sie durch das Säurebad des menschlichen Gedächtnisses getrieben wurde; Gedächtnis nämlich macht aus drei Personen

eine, aus fünf Situationen zwei, aus a-synchronen Geschichtsperioden eine unwirkliche, aber wahre: Die Phantasie des Erfindens verdankt sich einem Auffinden und Zusammenfügen disparater Teile. Das Mögliche wird das Wirkliche. Sowenig die Figuren von Walsers Hörspiel schlecht schreiben müssen, weil sie schlecht fühlen, sowenig sind wahre Gefühle Garantie für wahre Kunst.
Die amüsante Drehgeschwindigkeit dieses Mini-Dramas ist die des »Reigen« – nicht von Bett zu Bett, aber von Larve zu Larve; will sagen: zur Entlarvung. Indem die Menschen hier Stück um Stück maskenlos gemacht werden, gewinnen sie auch an Erkenntniswert – nicht sich selbst gegenüber, aber gleichsam als Instrumente für den Leser. Literarisches Personal als Instrumentarium, das ist Kennzeichen sehr bewußter, rationaler, ironischer Literatur. Es ist nicht Geste der Verwerfung, sondern Demonstration von Verhaltensweisen.
Walser führt ja in dieser Literaturparodie keine Halunken oder Schurken vor, sondern ganz »gewöhnlich« in sich versunkene, mit sich beschäftigte Pfauen. Die Lust an diesem Spiel treibt ihn sogar zu der leicht überdrehten Pointe, daß schließlich das Buch des erfolgreich Alternden schlichtweg abgeschrieben ist von den Protokollen des schreibenden Detektivs, der das seinerseits erst bei Lektüre einer jener wortreich verblasenen Rezensionen entdeckt, die Walser so besonders verhaßt sind. Es ist also Leben aus dritter Hand – zählt man die Rezension noch als weitere Ebene hinzu, dann aus vierter Hand. Der Dr. Färber hat weder gelitten noch sich in ein Quasi-Leid hineingesteigert, sondern er hat ganz einfach jemanden bezahlt, dessen notierte Beobachtungen er sich ausbeutend zunutze macht. Der Autor als Amöbe, Schmarotzer, Expropriateur ...
Das Besondere dieser kritischen Weltsicht ist, daß nicht plakativ argumentiert wird, sondern daß der Leser (wie übrigens der Autor) einbezogen wird. Aussage über Welt ist Aussage über sich selber.
Martin Walsers Hörspiel läßt lauter Lügner miteinander umgehen; insofern ist es wahr. Es läßt lauter erfundene Gefühle zu Literatur werden; insofern ist es Literatur. Es ironisiert unsere Wirklichkeit; insofern ist es ein Stück von ihr.
Auf ähnliche Weise ist auch Walsers wohl gelungenstes – und erfolgreichstes – Stück »Zimmerschlacht« eine zwischen Tragik und Komik balancierende Farce. Nicht etwa sollte man es verstehen als abermalige Paraphrase des Satzes aus »Überlebensgroß Herr Krott«: »Das ist die Ehe. Das Resultat: Verblödung. Bitsche-Batsche hinten drauf.«[32] Auch ist die »Zimmerschlacht« kein »Who is afraid of Virginia Woolf?« für arme Leute. Es ist ein Ehedrama der baren moralischen Impotenz.

Cognac-geschwängerte Annäherungsversuche können nur mehr mit Leihgaben der Werbesprache exekutiert werden (»Der geht ins Blut«, »das reinste Feuer«), vom Klappspiegel zum Kamasutram – es sind fremde Dinge, die als Hilfsmittel herangezogen werden, um Ferne in Schein-Nähe zu wandeln. Martin Walsers Stücke haben eine stärkere kritische Brennschärfe als die großen – durch gelegentlichen vokabulären Quasselgalopp zerstiebten – Romane. Es scheint, als schriebe Walser sich mit seinen Dialogen auf Karl Marx zu: Menschliche Beziehungen werden jetzt klar erkannt und ent-tarnt als Warenbeziehungen. In »Überlebensgroß Herr Krott« werden ja nicht nur Staubsauger für die fußbodenlosen Hütten nach Lateinamerika exportiert – da geht es auch um kleinere Münze:

»*Mafalda:* Herr Strick, auf, auf, schreien Sie rasch was, laut, ihm ins Gesicht, Revolution oder sowas, Herrgott, nun schnappen Sie nicht wie ein Fisch, schreien Sie, irgend so'n Satz von Ungerechtigkeit, schlechter Lüftung, Kindergeld und Menschenwürde, zeigen Sie ihm Ihre Faust, daß er weiß, die Ablösung ist da, er kann gehen. Ich hab gewartet auf Sie, Herr Strick. An dem verlier ich nicht viel. Sie aber werden aufräumen mit dem Hochmut der Ehefrau, die herabblickt auf unsereinen aus ihrem schmutzigen Nest. Wer ist denn die, die ausgehalten wird? Doch die Ehefrau. Geliebt werden wir! Und doch verweigert man uns Legalität und Tageslicht. Ich red nicht von Versorgung, Herr Strick. Die Eherentnerin soll ihr Sicheres haben. Ich verlange lediglich die öffentliche Demütigung der Ehefrau, ihre Herabsetzung auf die zweite Stelle; das ist nämlich der Kurs, zu dem sie gehandelt wird, und der Kurs muß endlich in die Zeitung. Mehr verlang ich nicht von Ihnen, lieber Herr Strick. Und jetzt, geben Sie dem armen Krott den Rest, er war ein lieber Kerl, aber Frauen hat er nie begriffen, immer nur Ehefrauen. Los jetzt, Herr Strick.
Strick: Nur zu gern wär ich Ihnen behilflich, nur zu gern, gnädige Frau, aber mein Auftrag ist ganz streng begrenzt auf die Beschwerde betreffs der Gardinen in Villenvierteln und der brandmarkenden Luftballons, verstehen Sie bitte, ich bin gehalten.«[33]

Auf dem Wege zu Marx? Eine zu glatte Frage, auf die es eine einfache Antwort nicht gibt. Literatur birgt immer ein Element des Ungleichzeitigen; so ist zwar der Abschlußband von Walsers Kristlein-Trilogie »Der Sturz« erst 1973 erschienen – man kann aber seine Hauptfigur dennoch *die* Symbolgestalt der fünfziger Jahre nennen: der Mitmacher, Anpasser, social climber. »Er konnte ja nicht anders als mitmachen. Sich sträuben, das war ihm das Fremdeste. Anpassung, Dabeisein, Mitmachen: Das war seine Seligkeit... Er hatte Freunde und Freundinnen, die von ihm fast so wenig hatten wie er von ihnen. Er war allein. Alles war Feindesland.«[34] Mit dieser Charakteristik nahm Walser Abschied von seiner Figur. *Sein* »Feindesland« hatte er inzwischen auf vielerlei Weise zu beschreiben versucht. Noch 1961 gab er zur Bundestagswahl jenes Bändchen »Die Alternative oder Brauchen wir eine neue Regierung?« heraus, das mit seinen zwanzig Schriftstelleraufrufen zum Regierungswechsel Furore machte (die auflagenstarke politische Taschenbuchreihe rororo-aktuell begründete) und in dem Walser die SPD »eine winzige Hoffnung« nannte und Günter Grass »die laue, brave, muffige Tante SPD das kleinere Übel«; Hans Magnus Enzensberger befand: »Sie biedert sich bei ihren Feinden an, sie ist zahm, sie apportiert und macht Männchen«[35]. Doch selbst diese eher nach Zwangsehe denn nach Allianz wirkende Gemeinsamkeit hielt nicht lange vor. Schon bald tut Walser derlei öffentliche Aktionen seiner Kollegen barsch ab:

»Zum Glück ist unsere Gesellschaft schon so weit entwickelt, daß nur noch ihr verlebtester Teil in Gefahr ist, auf den Schriftsteller als Humanitätskapo oder Sensibilitätsstar oder Existenzvirtuosen hereinzufallen. Aber im sogenannten Kulturleben wird dem Schmerzensmann eben doch noch jede Menge Weihrauch gespendet. Und es ist nicht nur die Gesellschaft, die mit dem Schriftsteller ihr Bedürfnis nach Veitstanz und Feinheit bedient. Auch der Schriftsteller ist in Versuchung, als Religionserbe aufzutreten und durch bloße Literatur eine Religion für Ungläubige zu gründen.«[36]

Dem ehemaligen Freund Enzensberger – »Dieses Gesicht hat Übung im Staunen, im skeptischen und bösen Lächeln. Man sieht aber sofort, mit diesem Gesicht wäre sehr viel Freundliches, Liebenswürdiges und Charmantes anzufangen, auch Spitzbüberei und Frechheit, bloß ist dazu nicht immer Anlaß.«[37] – wird nun der Hochton dilettierender deutscher Geschichtsphilosophen und eine Wirkung bescheinigt, »um die sie jedes Kurorchester beneiden muß«[38]. Indirekt greift Walser sogar in die Debatte zwischen Peter Weiss und Enzensberger ein, dem er das Ausrufen des »Tod der Literatur« verübelt. Enzensberger wird für ihn mit seiner Attacke auf den realistischen Schriftsteller Peter Weiss als einem affirmativen Schriftsteller zum »Feingeist in Becketts schwarzer Umarmung«[39]. Walser fordert jetzt – von sich und anderen – nicht mehr »bloße Literatur«, sondern Tätigkeit. »Einfälle großbürgerlichen Überdrusses,

auch dann, wenn sie von linksradikalen Großbürgersöhnen formuliert werden«, sind ihm verdächtig – aber auch beneidenswert, »die Beckettschar, die sich im Nichts rekelt«.[40]
Die Fronten laufen inzwischen zickzack und Autoren, jahrelang zumindest bei den Tagungen der Gruppe 47 wie eine befreundete Clique auftretend, verfeinden sich – Walser nennt es eine »ganz miese Aufklärung, die den Vietnamkrieg verurteilt und die Entwicklung der SPD seit 1960 gutheißt«; das seien »unterhaltsame Bürgerschreckeffekte, deren Zeit vorbei ist«.[41] Wider das von Golo Mann noch als würdigste Haltung gegenüber der amerikanischen Vietnampolitik empfohlene höfliche und traurige Schweigen fragt Walser »wie macht man das, höflich und traurig schweigen«.[42]
Die Nähe der Positionen von Peter Weiss und Martin Walser ist auffällig. Weiss nennt seine frühen Bücher inzwischen »meine pubertär-subjektivistische Arbeitsphase«[43] und sieht auch literarische Einwände gegen seine Arbeiten als verbrämt politische:

»Grass (unter andern): weil sie meine politische Einstellung ablehnen, lehnen sie auch meine literarischen Arbeiten ab. Ihre spöttischen Bemerkungen zu meiner pol. Haltung betreffen ebenso meine Bücher. Politik u Schreiben ist für mich eins. Für sie auch, aber bei ihnen die Politik liberal, reformistisch. Immer wieder: eine uralte parteipol. Gegnerschaft, übertragen aufs Kulturelle. –«[44]

Walser nennt Grass einen Ratgeber und Hofastrologen, die Forderung nach seiner Form von Engagement eine nach dem Arierausweis und verspottet die »bewunderungswürdige artistische Anwendung der Talente eines Schriftstellers« beim Werben für die SPD und ihre Persönlichkeiten: »Das ist etwas Schönes. Vor allem, wenn es einem liegt«.[45] Wie Peter Weiss beginnt auch Walser einen kritischen Dialog mit Institutionen der DDR, denen er mal als Gegner des Vietnamkrieges willkommen, mal als Interpellant für seine Schriftstellerkollegen Biermann oder Havemann lästig ist. Ein Brief, den Walser im Auftrag von sechzehn westdeutschen Autoren wegen der Diffamierungskampagne schrieb, die das 11. Plenum des ZK der SED gegen kritische Autoren begann, wurde vom Leiter der Kulturabteilung des ZK beantwortet; fürwahr ein seltsames kulturpolitisches Dokument:

»Daneben aber gibt es einzelne Personen, die als Nihilisten oder Einäugige die Probleme und Aufgaben unserer sozialistischen Entwicklung in ihrer Gesamtheit nicht übersehen und wohl deshalb besonders anfällig sind für die Propaganda des westdeutschen Imperialismus und so zu ihrem Werkzeug werden. Sie können uns nicht zumuten, solchen Leuten auch noch staatliche Förderung zu gewähren... Es gibt bei uns noch einige halbanarchistische Elemente, die sich in grenzenloser Überheblichkeit sehr klug vorkommen, objektiv aber nur den westdeutschen Machthabern in die Hände arbeiten... Unsere Bevölkerung hat es begrüßt, daß dem Eindringen von westlicher Unmoral und amerikanischer Unkultur in unsere Republik ein Riegel vorgeschoben wird. Sie versteht nicht, wenn dafür noch Devisen ausgegeben werden.«[46]

Was hat das alles mit dem Schriftsteller Martin Walser zu tun? Viel. Festzustellen ist nämlich eine genuine Entwicklung, eine folgerichtige, konsequente Bewegung von Einsichten, zu denen ihn seine literarische Methode geführt hat. Es hat sich nicht ein Autor sprunghaft politisiert, der ansonsten immer so weiter schrieb – sondern die Art dieses Autors, Welt zu sehen, hat die Ansichten des Citoyen Walser geformt. Von Beginn an hat er den Blick von unten versucht – damit die Kleinbürgerlichkeit der Bundesrepublik besonders schräg schraffierend –, hat Psyche, Verhaltensweisen und Mechanismen der sogenannten kleinen Leute skizziert. Mit der gierig notierenden Beobachtungsgabe, die der kleine Sohn eines Bodensee-Gastwirts entwickelte, als er die Pensionsgäste der Konkurrenz zählen mußte, hat Walser immer wieder Emotionen, Seelen»ausschläge« zwar geschildert, aber als – Produkte: »... weil ich der Ansicht bin, es gibt keine Nebenprodukte auf der Welt. Nicht die Sucht, mich besonders demokratisch zu gebärden, verhalf mir zu dieser Ansicht, sondern die Erfahrung, daß ich an einen stellungslosen Tanzlehrer, den ich vor neun Jahren in Stuttgart im Wartezimmer eines Zahnarztes traf (und dann nie wieder), daß ich an den so oft denke wie an meine Mutter.«[47] Diese Methode hat Walser bald weggeführt von seiner anfänglichen Schreibweise, von jener Kafka verpflichteten Stilhaltung beispielsweise seiner Kurzprosa, die Peter Suhrkamp noch den Debütanten beschwören ließ, wenigstens die Titel aus Kafkas Nähe zu rücken.[48] Der Autor, der einmal Kafka, Hölderlin und Robert Walser zu seinen Glücksgöttern ausrief,[49] der sich selber am genauesten analysierte, indem er Proust analysierte[50] – der schreibt jetzt:

»Die Romanliteratur der letzten 150 Jahre, die in ihren Kompositionen die Bedeutungen wie Ostereier leicht auffindbar versteckte, hat uns den Geschmack an Lebensläufen fast verdorben, die nachgemachte Authentizität schmeckt uns nicht mehr. Wir glauben nicht mehr, daß einer über andere Bescheid weiß. Bei mir ist der Überdruß aber noch nicht soweit gediehen, daß ich auch an die Erzählung in der I. Person Einzahl nicht mehr glaubte...«[51]

Das ist die Abkehr von der Literatur, die Hinwendung zur Authentizität. Diese Sätze aus Walsers Nachwort zum Gerichtsbericht der Ursula Trauberg »Vorleben« signalisieren seine Hinwendung zu dem, was in der dramatischen Literatur »Dokumentartheater« genannt wurde. Mit diesem Versuch, sich auf Realität ganz unmittelbar einzulassen, faction statt fiction zu schreiben, ist Walser weiter denn je weg von jenem ersten Satz seiner Kafka-Dissertation. Er schildert nun nicht mehr Krankheiten, er will die Erreger bekämpfen. Das Resultat heißt etwa »Die Gallistl'sche Krankheit«, und deren Diagnose liest sich so:

»Gallistl sieht sich nach Heilung um. Das Aufschreiben seiner Krankengeschichte war schon ein Anfang. Mit den alten Freunden käme er jetzt nicht weiter. Er sucht andere. Seine neuen Freunde erklären ihm die Praktiken des Kapitalismus, sie geben ihm eine neue Sprache, sie verhelfen ihm zu einem anderen Bewußtsein. Mit ihnen übt er neue Verhaltensweisen, soziale. Er ist süchtig nach Positivem. Immer wieder drohen Rückfälle in die alte Konkurrenz-Mentalität. Es bleibt ein Kampf, d.h. Gallistls Lage bleibt kritisch, aber er ist nicht mehr allein; er arbeitet mit anderen zusammen. *(Es wird einmal)*«[52]

Von der Prosa zum Programm. Martin Walser hat sich von seiner Wortgewalt verabschiedet, er sucht jetzt den Ton, in dem bei uns der Sozialismus real werden könnte; er nennt das »eine praktische Aufgabe«. Nun ist aber dem Schriftsteller Martin Walser bei dieser Hinwendung etwas Sonderbares passiert: Er hat seine Sprache verloren. Oder hat er sie verabschiedet? Jedenfalls sind die Bücher des zur politischen Erkenntnis gekommenen Walser blutleer, falb, dorr. Eine verquere Dialektik ist seiner Kunst nicht bekommen – als er die Luft aus Worten schwirren machte, entstand daraus ein Bild der Welt: seine Artistik schuf Realität. Nun er auf peinture verzichtete – auch darin dem Prozeß des Peter Weiss sehr ähnlich –, wurden die Bilder fahl, und die Welt findet sich in ihnen nicht. Es ist die Entwicklung von der Unbestimmbarkeit durch absolute Prosaherrschaft zur lediglichen Bestimmbarkeit; ein Kunstverlust. Ein Roman wie »Der Sturz« oder eine Etüde wie »Fiction« sind bedeutungsschwer und inhaltsleer. Der Weg vom »Einhorn« zum »Fliehenden

Pferd« wurde zur Schattenlinie. Gefällige Variationen seines großen Themas vom Makler, der doch immer auch Gaukler war, werden nun jugendstilig umrankt wie im Publikumserfolg »Das Schwanenhaus«. Vom »Unerbittlichkeitsstil« hat Walser einmal gesprochen anläßlich seines Urahns Robert Walser, von Büchern, die sinken allmählich in uns hinein und hören und hören nicht auf.[53] Von solcher Prosa hat der »Enkel« einiges geschaffen; da ging es ihm gut, weil es ihm schlecht ging.[54]

Heinrich Böll

Er ist eine Instanz; wovor es ihm graust – er nennt es »krankhaft«,[1] und das Wort vom »Gewissen der Nation« ist für ihn »Wahnsinn«:[2] »Das Gewissen der Nation ist eigentlich ihr Parlament, ihr Gesetzbuch, ihre Gesetzgebung und ihre Rechtsprechung, das können wir nicht ersetzen und das maßen wir uns auch gar nicht an.«[3]
Er ist ein Bürger katholischer Herkunft, aber Religion im Sinne von religio-Bindung wird durch ihn nahezu aufgelöst.[4] Die Radikalität seines Bildes vom Menschen, den er in Freiheit gesetzt sehen möchte im umfassendsten Sinne des Wortes, hat etwas Anarchisches:

»Ich selber schreibe mir einen erheblichen Prozentsatz Anarchie zu – das kommt auch durch meine Herkunft: ich bin nahezu anarchistisch erzogen worden. Wir müssen feststellen, daß Anarchie nicht Unordnung bedeutet, nicht Chaos, sondern Herrschaftslosigkeit. Dann nähert man sich einem ganz anderen Begriff von Anarchie. Dann akzeptiere ich die Benennung als Anarchist ohne weiteres.«[5]

Er ist, ohne Apparat, Hausmacht oder eigenes Medium, Politiker mehr und leidenschaftlicher als die meisten beamteten Regierer, von Moskau bis Havanna nicht nur gehörte Stimme, sondern auch Handelnder; in *seinem* Haus in der Eifel suchte der verbannte Solschenizyn Zuflucht, und eben dieses Haus wurde, Maschinenpistolen im Anschlag, nach Terroristen auf Zuflucht durchsucht – aber eine präzise politische Theorie, eine exakte Anleitung zum Handeln sucht man bei ihm vergebens, sein »humanistisches Manifest« kündet die Suche nach dem Dritten Weg:

»Ich meine, ich hätte immer versucht, das Dritte zu sehen und darzustellen. Und nichts wird, man muß schon sagen: von der reaktionären Presse und öffentlichen Meinung so sehr diffamiert wie das Dritte. Wenn Sie sich vorstellen oder ins Gedächtnis zurückrufen, daß wir ja als christliche Kultur trinitarisch definiert und, ich sage mal: angetreten sind, dann fehlt da auch noch etwas von der Verwirklichung dieses christlichen Antritts-

Modells, ganz gewiß, was Ehe, Liebe, Prostitution, Erotik, Sexualität und all die Dinge angeht. Sowohl zwischengeschlechtlich wie politisch. Nehmen Sie Kapitalismus und Sozialismus: das eine ist nicht mehr rein und das andere auch nicht.«[6]

Heinrich Bölls politisch-publizistische Arbeiten sind einige unverwechselbare Charakteristika eigen; viele Aufsätze und Ansprachen verrieten ihren Autor, wäre er auch nicht genannt. Wirklichkeit wird ihm erst evident als *sinnlich menschliche Tätigkeit, Praxis.*[7] Seine politischen Überlegungen sind ein anderes Ausloten der Realität. Nicht zu einer These Belege zu finden, zieht Böll aus, facettiert oder montiert – wie etwa Hochhuth oder Peter Weiss –, sondern er schlägt politische Münze aus Konkreta, die in sich ohne Ideen sind; er erinnert mit dieser Methode an den Mann, der nicht zu faul ist, die 159 Füße eines Wurmes zu zählen, den faule Nichtzähler Tausendfüßler nennen. Seine »Verteidigung der Waschküchen«[8] etwa ist ein gutes Textbeispiel, wie er aus literarischen Metaphern soziologische Modelle herauslöst (und wie er eben solchen Modellen wieder poetische Möglichkeiten abzwingt).

Bei diesem Benennen der Details, beim Ablisten von Verhaltensmustern aus Tätigkeiten verläßt sich der politische Argumentierer Böll gern und meist zuverlässig auf den Autor Heinrich Böll: Er unterwandert die Worte. Dem Vaterlandsekel des fiktiven Briefpartners, der den germanischen Donnergott Donar sogar im zarten »Schmetterling« am Werk sieht, hält Böll-Lohengrin einfach eine germanistische Kurzlektion über Dissimilierung von n zu r, erklärt, daß »Schmetterling« mit »schmetten« = absahnen, Rahm abschöpfen zusammenhängt und damit der im Englischen noch bewahrte »butterfly« – die Molkenfliege, der Buttervogel – in aller schaukelnden Leichtigkeit erhalten ist.[9] Bölls Ausflüge in die Philologie sind meist politische Dechiffrierungen.

Seine Kritik der Adenauer-Memoiren ist typischerweise ehestens Sprachkritik. »Der Erwerb mäßigen Besitzes für alle ehrlich Schaffenden ist zu fördern« – in so einem Satz (aus dem Wirtschaftsprogramm von Neheim-Hüsten) ist ja nicht nur der Dekret-Stil »... ist zu fördern« eklatant, sondern auch der Gegensatz zu dem unmäßigen Besitz der unehrlich Schaffenden unfreiwillig enthalten; Adenauers Phrase vom »Ausführen des Amtes« (des Bundeskanzlers), obwohl man zwar Befehle ausführt, Ämter aber ausübt, oder sein Vorschlag, das Amt des Bundespräsidenten Professor Heuss zu »übertragen«, statt es ihm anzutragen – das alles dient Böll zu einer nahezu vergnüglichen Analyse des Prozentgehalts dieser Demokratie.[10] Nur: Zusammenhänge werden, mit dieser Methode, allenfalls schemenhaft deutlich. Sprachkritik bleibt, so gehandhabt, Phänomenkritik. Die historisch-politischen Ursachen, die Mann und Typ Adenauer ermöglichten, damit seine Politik ermöglichten, bleiben unerkannt, zumindest unbenannt.

Die gegenständliche Wahrheit – der von Marx als rein scholastische Frage denunzierte Streit über die Wirklichkeit oder Nicht-Wirklichkeit des Denkens – bleibt bei Heinrich Böll eine subjektive Wahrheit. Bereits die Form seiner politischen Publizistik verrät dieses Element: offene Briefe, Ansprachen, Reden, Repliken, Interviews. Der formale Unterschied schon beispielsweise zwischen Heinrich Manns »Geist und Tat« und Heinrich Bölls »Will Ulrike Meinhof Gnade oder freies Geleit?« zeigt den Unterschied des politischen Erkenntnisorts.

In seiner Studie zum Thema »Der Zeitgenosse und die Wirklichkeit« reklamiert Böll zwar »auch unsere Phantasie ist wirklich, eine reale Gabe, die uns gegeben ist, um aus den Tatsachen die Wirklichkeit zu entziffern«;[11] aber das wirklich Politische gibt Böll doch eher im Stile eines synchronoptischen Geschichtsfahrplans. Ob Köln, ob Rhein, ob Ruhrgebiet – die politisch-sozialen Zusammenhänge muß sich der Leser aus Skizzen zusammenfügen.

Solche Grundrisse gehen von einem »Ich weiß nicht« aus (mit dem seinerzeit Bölls »Polemik eines Verärgerten«[12] begann); und in seinem Gespräch mit Marcel Reich-Ranicki vom 17. August 1967 gab Böll auch prompt zu, daß er eine der »wichtigsten Ängste« des Kommunismus, die vor Religion und Kunst nicht verstehe; daß er kommunistische Trauer und Verzweiflung erhoffe[13] (wie einen Monat später, in Bölls Brief an die tschechoslowakischen Schriftsteller, »Ich habe Hoffnung« das Schlüsselwort war).[14] Nun liegt aber in jener Furcht vor dem Irrationalen – vor dem Menschen und seinen Abgründen, vor Trauer, Verzweiflung und Zweifel eben, vor Kunst und Dämonie also – eine der Hauptmöglichkeiten, die Anthropologie, die Heilslehre, die Eschatologie des Kommunismus zu verstehen.

Nicht mehr im Ökonomischen findet sich der gewichtigste Unterschied zu den Lebensformen des Kapitalismus: Ob United Steel, United Fruit oder American Telephone & Telegraph im engeren Sinne des Wortes noch Privatfirmen sind oder nicht doch inzwischen fast so sehr Amalgam des Staates wie das Braunkohlenkombinat »Schwarze Pumpe«, wieweit dem Springer-Konzern nicht schon die Vollzugskraft eines Propagandaministeriums eigen ist – das hat der Volksmund schon witzig in Frage gestellt: im Kapitalismus herrscht die Ausbeutung des Menschen durch den Menschen, im Sozialismus ist es umgekehrt.

Es gibt Schriftsteller, deren Werk über den Kommentar hinausgeht, bei denen *revolutionäre Praxis* und Werk sich ergänzen, eines aus dem andern sich nährt. Neruda, Sartre, Peter Weiss, Déry oder Kolakowski haben reale Veränderungen nicht nur erhofft, auch bewirkt. Innerhalb des sozioökonomischen Gebildes Bundesrepublik ist eine der vehementesten – restaurativen – Kräfte der Katholizismus. Man muß vielleicht nicht so weit gehen, die Konzilsberatungen innerbetriebliche Rationalisierungsmaßnahmen zu nennen – aber man darf vielleicht so weit gehen, sich zu fragen: Hätte ein Autor von Rang und Gewicht des Heinrich Böll nicht doch die Möglichkeit der »revolutionären Praxis«?
Seine Attacken und Widerlegungen, im Zusammenhang gelesen, geben den Eindruck eines freiwilligen Verzichts; hier stellt sich jemand frei – in des Wortes doppelter Bedeutung. Gewiß hat Böll recht, wenn er sich stets und wiederholt gegen den Genre-Begriff des »katholischen (oder christlichen) Dichters« wendet. Aber hat er noch recht – im Sinne von Berechtigung –, in seiner Pamphlet-Kritik von Carl Amérys Essayband »Fragen an Welt und Kirche« »ein letztes Mal zur Feder« zu greifen und für einen Romancier von weltweiter Bedeutung sonderbar resignierend zu raten: »Améry ist zu schade für den deutschen Katholizismus. Er sollte wieder Romane schreiben...«?[15] Wem wird hier geraten – und was, und wozu?
Bölls religiöse Selbstentfremdung – oder ist es eine Selbstentfremdung der Religion? – wird deutlich an seiner Wendung von der Heiligen Familie zur irdischen Familie. Seine Themen, besser gesagt: sein Thema ist Liebe und Schmerz. Aber seine Mater dolorosa heißt Mutter Ey. Sein Schmerz, keineswegs frei von Bitterkeit, keineswegs ersetzt durch politische Resignation, wird manifest im Mitleid mit der Kreatur. Es ist Schmerz aus Liebe, es ist auch Schmerz durch Liebe. Jenes »es«, das sich beim Erzähler Böll – ist vom Eros die Rede – oft einstellt, ist nicht das »es« der Versachlichung, sondern der Scheu.
Denn Heinrichs Bölls *Anschauung* ist immer die der *praktisch-sinnlichen Tätigkeit:* Heinrich Böll – allein eine formale Untersuchung seiner Arbeiten zeigt es, ist gar kein politischer Schriftsteller, oder nur im sehr erweiterten Sinne des Wortes: er ist ein Schriftsteller der Realität. Als Künstler ein Realist. Als »Politiker« ein Idealist.
Immer wieder nämlich wird deutlich, daß ihm nie die Summe der Dinge interessant ist, sondern das *menschliche Wesen,* das man als *Ensemble der gesellschaftlichen Verhältnisse* sehen mag, das bei Heinrich Böll aber im Vordergrund steht, die gesellschaftlichen Verhältnisse oft vergessend, selten interpretierend.

Sogar ein Porträt von Karl Marx wird ein typisches Böll-Konterfei, Vaterfigur eher und tragisch hilfloser, gar einsamer Denker – der Erfinder des Marxismus, der nicht Marxist sein wollte:

»Die westliche Welt hat auf Marx geantwortet, indem sie das historische Material, das seinem historischen Materialismus zur Grundlage diente, geändert hat; sie hat sich damit in einen heillosen Materialismus manövriert, in den die Christen auf eine heillose Weise verstrickt sind, verstrickt in die Folgen eines Marxschen Irrtums, nicht in seine Wahrheit.«[16]

Heil(los), Irrtum, Wahrheit – das sind die Wortraster, die Böll für Marx zur Verfügung stehen, wie ihm bei Oppenheimer, dem Vater der Atombombe, das Wort Sünde zur Verfügung steht oder bei Franz von Assisi das Wort Geheimnis. Das ist, man begreift, das Material des Biographen, des Boten – nicht des Diagnostikers von Zeit und Zeitgesetz.
So sehr scheint Böll in die *Anschauung der einzelnen Individuen und der bürgerlichen Gesellschaft* vertieft, daß er selber doch Produkt, gar – abermaliger – Repräsentant der bürgerlichen Gesellschaft bleibt. Er fragt, aber fordert nicht. Er belächelt und beweint, aber beerdigt nicht. Aus den Fugen will er sie nicht gehoben sehen, diese Welt – auch jenem jungen Katholiken gab er nur eine Art Anti-Brevier; den Zweifel, ob Deutschland überhaupt eine Bundeswehr braucht, gab er ihm nicht. Keine Tabula rasa ist zu erwarten von seiner kritischen Integrität, seinem überzeugenden Humanismus.
Heinrich Böll hat unsere Welt verschieden interpretiert, nachdem es anderen vor ihm gelang, sie zu verändern.

Was sagt Böll? Seit Jahrzehnten wird das gefragt zu Atombombenbewaffnung oder Ostverträgen, Strauß oder »Bild« oder Ulrike Meinhof, Kambodscha oder Prag oder Chile.
Wie *schreibt* Böll – das wurde immer weniger gefragt. Er selber hat auf die Frage eines Interviewers nach der Gefahr, seine Bücher verschwänden allmählich hinter den politischen Kommentaren, schlicht geantwortet: »Ja.«[17] Das ist ungerecht gegenüber dem Œuvre dieses Erzählers – und es verrät seine Literatur an die EDV-Archive, die seine Interviews, Manifeste und Pamphlete speichern. Erst die völlige Umkehrung dieser Fragestellung ermöglicht es, das spezifisch literarische Gewicht der Prosa Heinrich Bölls zu verstehen: Er ist der Historiograph der Bundesrepublik Deutschland.
Bölls Romane und Erzählungen leben vornehmlich von einem Impuls:

dem des Erinnerns. Das ist nicht Prousts Suche – der ja Klage innewohnt – nach verlorener Zeit, es ist Aufspüren – dem Anklage innewohnt – von verratener Zeit; Zeit als etwas, das wir *getan* haben: keine psychologische, sondern eine historische Kategorie. Heinrich Böll ist kein psychologischer Schriftsteller. Er ist Chronist. Was heißt das?

Es bedeutet, daß es großartig gelungene Prosapassagen bei ihm gibt – aber kein stilistisches Raffinement. Die Sorgsamkeit des Autors gilt der Konstruktion, dem Bau – er erfindet nicht, sondern findet; es ist vorgegebenes, »erinnertes« Material, das er zusammenfügt. Adornos Angsttraum von einer Menschheit ohne Erinnerung, den Christian Linder in einem Gespräch mit Böll erwähnte[18], entgeisterte den Schriftsteller als Vision der Geschichtslosigkeit. Die Kraft seiner Bücher wurzelt nicht im Ausloten individueller Strukturen, im Produzieren des abgründigen Einzelschicksals – sondern im beharrlichen Nachweis, daß die Gesellschaft das Individuum an den Rand drückte; Individuum als schuldhafte Existenz per se, nicht zufällig ein Schimpfwort, das die deutsche Sprache im Angebot hält. Wenn Heinrich Böll immer wieder betont hat »Ich bin kein psychologischer Schriftsteller«[19] und daß keine seiner Personen eine Identifikationsmöglichkeit bietet, dann heißt das mehreres: Erst einmal funktioniert das bei Interpreten beliebte Spiel nicht, herauszufinden, mit welchen seiner Figuren Böll identisch ist; da es tatsächlich Kunstfiguren sind, können sie Zeugnis ablegen von ihrer Zeit – nicht Zeugen sein für das erlebte Leben des Heinrich Böll:

»Sie verstehen Schreiben nicht so sehr als autobiographisch, sondern biographisch, im Sinne von Teilnahme an Zeitgeschichte?« fragte ihn Christian Linder. – Heinrich Böll: »Ja.«[20]

Wenn man diesem Diktum folgend die Personen des Böllschen Œuvre als Täter (oder Opfer) der Zeitgeschichte begreift, dann kommt man zu einem verblüffenden Schluß, zumindest Vorschlag einer Neudefinition: Der Autor von »Ansichten eines Clowns«, »Gruppenbild mit Dame« oder »Ende einer Dienstfahrt« ist keineswegs ein »realistischer Erzähler«, vielmehr ein materialistischer Schriftsteller. Heinrich Böll ist – wie jener die Raff-Gesellschaft des Bürgerkönigtums porträtierte – der Balzac der zweiten deutschen Republik. Seine Leni ist keine Emma Bovary, eher eine Mutter Courage der Jetztzeit: Nicht eine Gestalt, der unser Mitleid zu gelten hat, sondern eine Figur, die ihre Verwüstungen vorführt als solche, die die Zeit ihr angetan hat, damit uns. Die Schreibhaltung Heinrich Bölls ist tatsächlich weniger die eines Seelenverwandlers wie

Kafka, eher die des Antipsychologen Bertolt Brecht – dem er im »Gruppenbild«-Roman durch ein verstecktes Zitat eine Hommage machte.[21] In einem Brief schreibt Böll:

»Vergessen Sie nicht: daß ich, wann und durch wen weiß ich nicht einmal – metaphysisch geimpft bin. Brecht hatte das verstanden. In Moskau sagte mir einmal einer der vielen klugen Russen (der noch da ist) – Brecht wäre der letzte katholische, ich vielleicht der erste proletarische Schriftsteller. Da ist was dran. Hierzulande werden Moral, Ästhetik, Politik immer noch zu sehr getrennt.«[22]

Böll hat keine »anti-aristotelischen« Theorien und auch kein kleines oder großes »Organon« – aber es gibt zahlreiche Selbstauskünfte über seine schriftstellerische Methode und seinen Umgang mit der Wirklichkeit; des Stückeschreibers sich stets einmischende Ruppigkeit ist Bölls Nicht-Angst vor »Schmutz« in der Literatur: »Denn Schreiben, so wie ich es verstehe und zu erklären versucht habe, ist per se auch schmutzige Arbeit, weil es eben Reinheit und Integrität gar nicht gibt und ich die auch gar nicht anstrebe, ich mißtraue ihnen.«[23]
Das ist einerseits eine Schreibhaltung, die ihn etwa die Thomas Mannsche Ironie als zu unbeteiligt-fein, jedenfalls als »zu bürgerlich«[24] abwehren läßt; das ist auch eine literaturpolitische Haltung, die ihn grobianisch den Vorwurf der Sieburg und Jünger, die deutsche Gegenwartsliteratur sei dünn gesät, als »schweinisch. Ich bitte die Schweine um Verzeihung«[25] abkanzeln läßt; es ist vor allem auch ein Menschenbild.
Dieser Entwurf vom Menschen als Sünder ohne Schuld, als Täter und Opfer zugleich liegt zutiefst allem zugrunde, was Böll je schrieb. Das ist zu fixieren auf drei verschiedenen Ebenen: der literarischen, der weltanschaulich-geistigen und der politischen; die drei gehen ineinander über, ja: sie bedingen sich. Für die Struktur des literarischen Werks von Heinrich Böll bedeutet es ein Element des Statischen. Seinen Menschen wird etwas zugefügt oder angetan, sie verlieren oder gewinnen; entwikkeln tun sie sich nicht. Der Cognac aus dem Eisschrank trinkende Hans Schnier geht aus dem Roman »Ansichten eines Clowns« heraus wie aus einer Arena: abgeschminkt, aber unverändert. Um Leni Pfeiffer ist allerlei Gruppenbild arrangiert und aufgenommen – aber sie wirkt wie die Personifizierung von Bölls Satz: »Ich glaube, es ist fast wirklich eine deutsche Tragödie, daß wir alles lernen, zu Hause oder auch in der Schule – aber leben lernen wir nicht.«[26] Leni *wird* gelebt, ihre Biographie passiert ihr gleichsam, und wenn sie – wie in der Liebe zu dem sowjeti-

schen Kriegsgefangenen – initiativ wird, ist es der Gebrauch, den sie von einem Angebot macht, das die Gesellschaft heimlich offeriert. Schicksal als Offerte. Böll selber benutzt das Wort »aufladen«: »Es hat mir immer vorgeschwebt diese ganze Zeit, so Deutschland zwischen Erstem Weltkrieg und Ende des Zweiten mal einer Frau aufzuladen und nicht immer einem Mann, verstehen Sie.«[27]

Dieses Konzept verrät zweierlei: den Historiographen – und den Schriftsteller, dessen Personen einem Gesetz der Passivität, der Entgegennahme von Leben unterliegen. Sowenig er sich mit seinen Charakteren identifiziert, so wenig bietet er sie dem Leser als Identifikationsmöglichkeit; eher als Orientierungspunkt in politischen Abläufen; Böll nennt seine Leni eine »stumme Person, statisch, die nur die Bedeutung hat, Menschen um sich zu versammeln«.[28]

In gewisser Weise ist Heinrich Böll der Regisseur seiner Texte; er entwikkelt Gestalten nicht von innen, sondern verleiht ihnen Attribute von außen. Seine Prosa ist dort am genauesten, wo sie Verhalten, Redeweisen, Bewegungen verordnet fast im Ton der Regieanweisung; so eine Vorstellung einer Person (aus den »Ansichten eines Clowns«) ist ein Beispiel, wie er mehr sichtbar als erfahrbar macht:

»Als Leo ins Zimmer kam, war Chopin sofort weg; Leo ist sehr groß, blond, mit seiner randlosen Brille sieht er aus, wie ein Superintendent aussehen müßte oder ein schwedischer Jesuit. Die scharfen Bügelfalten seiner dunklen Hose nahmen den letzten Hauch von Chopin weg, der weiße Pullover über der scharfgebügelten Hose wirkte peinlich, wie der Kragen des roten Hemdes, das über dem weißen Pullover zu sehen war. Ein solcher Anblick – wenn ich sehe, wie jemand vergeblich versucht, gelockert auszusehen – versetzt mich immer in tiefe Melancholie, wie anspruchsvolle Vornamen, Ethelbert, Gerentrud.«[29]

Das macht Bölls Menschen ziemlich einsam, ihre Berührungen flüchtig oder korrupt, enttäuschend oder feindselig – bis hin und gerade in der Sexualität. Schon in »Wo warst du, Adam?« gibt es eine solche Szene der Entferntheit: »›Wozu küssen?‹ sagte sie leise; sie sah ihn traurig an, und er hatte Angst, sie würde weinen. ›Ich habe Angst vor der Liebe.‹ ›Warum?‹ fragte er leise. ›Weil es sie nicht gibt – nur für Augenblicke.‹«[30]
Und der Regisseur wird zum kommentierenden Be-deuter, wenn es eine Seite später heißt:

»Vielleicht hätte er ihr nachlaufen und sie zwingen können, zu bleiben – aber man konnte keinen Menschen zwingen, man konnte die Menschen nur töten, das war der einzige Zwang, den man ihnen antun konnte. Zum Leben konnte man keinen zwingen, auch nicht zur Liebe, es war sinnlos; das einzige, was wirklich Macht über sie hatte, war der Tod.«[31]

Im Clown-Roman findet sich ein Satz, den man als zentrale Formulierung von Bölls Menschenbild werten darf: »Jeder auf dieser Welt steht außerhalb jedes anderen.«[32] In »Entfernung von der Truppe« heißt die Variante dieses Credo: »Daß Menschwerdung dann beginnt, wenn einer sich von der jeweiligen Truppe entfernt, diese Erfahrung gebe ich hier unumwunden als Ratschlag an spätere Geschlechter.«[33] Das hat, auch, eine artistische Konsequenz. In der Übertreibung eines Paradoxons heißt sie: Heinrich Böll hat niemals einen Roman geschrieben.
Die Prosa Bölls ist ihrer Struktur, ihrem formalen Aufbau nach die von Erzählungen. In einem Gespräch mit Horst Bienek hat er die Kurzgeschichte als die ihm liebste, reizvollste Prosaform bezeichnet.[34] So sind seine frühen Texte tatsächlich Erzählungen – und die großen Romane (»Verstecke, in denen man zwei, drei Worte verstecken kann«)[35] Additionen von Erzähleinheiten. Das Konzept vom bindungslosen Menschen – »Glück? Wir sind nicht geboren, um glücklich zu sein«[36] steht im 1982 veröffentlichten frühen »Kurzroman« »Das Vermächtnis« – heißt ins Literarische übersetzt, daß es keine epischen Entwürfe im Werk Bölls gibt, sondern lose aneinandergereihte Sketches.
Das Wort ist nicht zufällig gewählt. »Sketch Book« hieß die erste bedeutende Erzählungssammlung, die 1819 im Staate New York von einem Mann namens Washington Irving publiziert wurde. Die amerikanische short-story – anfangs sketch oder tale genannt – war weitgehend geprägt von dieser deutschen Kurzform, deren Beliebtheit sich in Almanachen wie »Schatzkästlein des Rheinischen Hausfreundes« oder »Das Taschenbuch zum geselligen Vergnügen« manifestierte, in dem zum Beispiel E. T. A. Hoffmann publizierte; Edgar Allan Poes erste Erzählung »Metzengerstein« (1832) hatte den Untertitel »A Tale in Imitation of the German«. Die deutsche Kurzgeschichte pflegte aber keineswegs nur romantischen Weltschmerz – sie hatte auch schon jenes didaktische Element des »moral-teaching«, das von der jungen, calvinistisch orientierten Literatur Amerikas begeistert aufgenommen und verstärkt wurde. Die Kurzgeschichte ist viel weniger die Kunstform des Realismus als vielmehr das Instrument weltlicher Predigt. Sie ist deshalb Heinrich Bölls Form. Sein großer Roman der siebziger Jahre »Fürsorgliche Belagerung«

ist ein Beweis für diese These. Er stellt erst einmal die Frage: Ein Trivialroman? Ein Trivialroman. Wenn denn unsere Wirklichkeit und ihre sanft-erbarmungslose Abschilderung trivial ist. Dieser Roman, in seiner raffinierten Kunstlosigkeit durchaus an Fontanes ironische Pseudo-Gemächlichkeit erinnernd, zeigt einen reifen, auch müden, aber vor allem: sehr erschrockenen Heinrich Böll.

Die weitverzweigte Familie des Provinzmillionärs Fritz Tolm, der sich mit kleinen Zeitungen und ständigen Aufkäufen der Konkurrenzblätter Geld und Schlößchen, Ruhm und Verbandspräsidentenehren eingesammelt hat – Axel-Caesar Schleyer –, ist in nuce Spiegelbild der bundesrepublikanischen Gesellschaft: Die gesellschaftlich nützliche Ehe einer Tochter hat sich rasch als moralisch unnütze herausgestellt, das äußerlich glanzvolle Leben der schönen und illustrierten-berühmten Springreiterin ist in Wahrheit leer, zerbrochen, das Leben mit ihrem wichtigtuerischen Ehemann eher qualvoll. Die »Satellitenkinder« haben die Kaviar-Krippe verlassen:

»Und doch wurde ihm nicht der Tee, den er bei ihnen trank, fremd, nicht das Brot, das er bei ihnen aß, nicht die Äpfel, die sie ihm ins Auto legten; sie waren doch seine Kinder, und irdisch waren doch Tee, Brot, Suppe und Äpfel. Was ihm Angst machte: diese überirdische Fremdheit in ihren Gedanken und Werken. Kälte wars nicht – Fremdheit, aus der heraus natürlich einer plötzlich schießen oder Granaten werfen konnte, und doch fielen auch sie jetzt aus seiner Angst heraus in seine Neugierde: Rolf, sein eigener Sohn, der da Tomaten zog, Apfelbäume hegte, Hühner hielt, Kartoffeln und Chinakohl pflanzte, alles in diesem herrlichen alten, hochummauerten Pfarrgarten in Hubreichen; und wohnten – man konnte es nicht anders nennen, in dieser allerdings hübschen Hütte nebenan, hatten sie hübsch gestrichen, Geranien im Fenster, holten abends im roten Emailletopf Milch beim Bauern Hermes, gingen sogar hin und wieder in eine der beiden Dorfkneipen, tranken Bier, nahmen Holger mit, der Limonade bekam – die reinste, allerreinste Idylle, in der keine Verbitterung spürbar war. Sie versuchten schon lange nicht mehr den Bauern und Arbeitern ihren, ja *›ihren‹* Sozialismus zu erklären, ließen sich nicht mehr provozieren durch besoffene Lümmel, sprachen schon lange nicht mehr über Landwirtschaftspolitik und Streiks und Straßenbau, nahmen protzig und auch rotzig daherredende Motorradfahrer nicht an, lächelten, tranken Bier, sprachen übers Wetter – und doch war dahinter – wo? – hinter dieser idyllischen Front, die nicht einmal künstlich war – mit geweißtem Haus, grünen Läden und roten Geranien

– dahinter mußte sein, was den Schrecken gebären konnte: eine unheimliche Ruhe.«[37]

Es ist die Ruhe des »Stechlin«, man weiß nie, wann sie aufgestört wird; weiß nicht einmal genau, durch wen.
Bölls makaber-realistischer Einfall läßt seine »Leute von Seldwyla« an sehr modernen Drähten zur Handlung tanzen: Der alte Tolm und seine gesamte Familie werden, rund um die Uhr, bewacht. Kein Schritt ohne Begleitbeamten, kein Telephonat ohne Mithörer, keine Reise ohne Folgewagen oder Hubschrauber – die Familie gilt als von Anschlägen (aus der eigenen Familie?) bedroht. Wie andere Leute einen Zweitwagen haben, so haben alle Tolms ein Zweitleben – jede Bewegung einen Spiegel, jeder Ton ein Echo, jede Haltung ihren Affen.
Den Autor von »Nicht nur zur Weihnachtszeit« oder »Doktor Murkes gesammeltes Schweigen« *muß* das zu parodistischen Erzähleinlagen (ver-)führen. Und den vielfachen »Präsidenten« Heinrich Böll muß das zum Ein- oder Aufarbeiten eigner Erfahrung mit der Firma »Freund & Helfer« bringen, die sein Haus umstellte, durchsuchte und seine Söhne beargwöhnte. Nur: der Schriftsteller Böll ist kein Mätzchenmacher, und er hat in seinem großen Gespräch mit René Wintzen dargetan, welch' winzige Partikel des Autobiographischen in seinen Büchern zu finden sind:

»Die Tradition sitzt in der ganzen abendländischen Kultur so tief, der Gedanke, der Autor sei der Held oder sei annähernd der Held, daß ich dem heftig widersprechen möchte. Es gibt einen anderen Vergleich: Sie wissen, daß viele Regisseure manchmal aus Spaß in ihren Filmen eine kleine Rolle übernehmen, nicht nur Fassbinder, auch Käutner und andere haben das gemacht. Sie kommen plötzlich als Diener, bringen ein Glas Bier oder machen die Tür auf oder was, und ich sehe mich eher in dieser Rolle in meinen Romanen.«[38]

Nein – Tolm ist nicht Böll. Nein – in diesem Buch sucht vergebens, wer »Bullen«-Geschimpfe oder nächtliche Pistolenfuchtelei zu finden hofft. Es ist schlimmer: Es ist normalgrau, zäh; hauchdünn, aber drahthaltbar liegt ein Spinnweb über dieser Mini-Gesellschaft. Sowenig es eine »schuldige« Spinne gibt, so wenig können etwa die fürsorglichen Belagerer für ihren verächtlichen Job – »verächtlich« als Adjektiv und als Attribut; denn die Beamten hassen diese Arbeit wie ihre Zöglinge, mal im Negligé, mal besoffen aus den Limousinen fallend, mal auf der Ehrentribüne und

mal im Puff. Immer aber die Feinen und Reichen, Autos und Häuser und Reisen und Derby und Beverly Hilton – und sie dürfen zum Schluß noch die Tüten mit den zwölf Paar Schuhen tragen.
Es ist ein hochpolitischer Roman – weit über die erste, sich anbietende Ebene hinaus, die die Entwicklung der Bundesrepublik von einem wachen zu einem Überwachungsstaat vorführt. Es ist eine tödlich-moderne Variante des Hegelschen »Herr und Knecht«-Verhältnisses, eine Industriefamilie der Puntilas und lauter uniformierte »Knecht Matti«-Ameisen. Die sich selber vergiften; denn: unbeschadet tut auch kein Polizeibeamter diesen Dienst. Die Herren gewöhnen sich eher daran, daß sie auch beim Vögeln im Kairoer Bordell, die Damen mühelos, daß sie beim Anprobieren des vierzehnten Kleides beobachtet werden; andere Domestiken. Daß sie auch die Kinder durch den Garten führen müssen und Puppe, Bär, Eimerchen und Schaufel tragen, ist nur konsequent, sie holen auch die Brötchen – »Herr Wachtmeister, die Morgenzeitung bitte.«
Ein hochpolitischer Roman? In dem Sinne, in dem Böll immer und nie politische Bücher schreibt.
Tatsächlich läßt sich durch eine Analyse nahezu *aller* politisch-publizistischen Texte Bölls nachweisen, daß auch dies eher Entwürfe zu Kurzgeschichten, gar Romanen sind. Der programmatische Aufsatz »Hierzulande« wäre, vertauschte man Namen und Personalpronomen, fast eine perfekte Story. Selbst Buchkritiken (wie die über Amerys Essays) beziehen ihren moralischen Impetus aus erzählerischen Elementen: »Vor einigen Jahren fragte der Vorsitzende bei uns an...«[39] Seine großen politgeographischen Lagepläne sind immer Skizzen des Romanciers. Man lese nur die Anfänge: »Nordrhein-Westfalen«: »...wenn der D-Zug Hamburg–Frankfurt wenige Kilometer südwestlich von Osnabrück den Bahnhof Hasbergen passiert...«;[40] »Raderberg, Raderthal«: »...als ich vier Jahre alt war, zogen wir aus der Vorstadt in einen noch halb ländlichen Vorort«;[41] »Der Rhein«: »...eine Möglichkeit, dem Rhein gerecht zu werden: sich ihn wegzudenken oder ausgetrocknet vorzustellen«;[42] »Im Ruhrgebiet«: »...aber es riecht dort vor allem nach Menschen, nach Jugend, Barbarei und Unverdorbenheit«;[43] »Die Moskauer Schuhputzer«: »Die Moskauer Schuhputzerinnen und Schuhputzer lassen sich Zeit und haben sie. Ihre Kabinen, mannshoch, verschließbar, mit knapp soviel Grundfläche wie ein schmales Bett, sind kleine Tempel der Würde, die, nennt man sie Menschenwürde, nur die Definition der Voraussetzung von Würde wäre.«[44]
Sogar ein politisch-aufklärerisch gemeinter Text wie der »Brief an einen jungen Katholiken« zieht seine Überzeugungskraft nicht aus dem Argu-

ment, der logischen Deduktion, dem Beweis – sondern aus dem Bericht. Jene freundliche Erinnerung an das ziemlich freudlose Freudenhaus, das Bild der Hände, die sich an der Kaffeetasse wärmen mußten, *ist* Argument in sich.

Wir sagten: Als Künstler ein Realist. Als »Politiker« ein Idealist.

Für diese Schreib- und Moralhaltung ist der Roman »Fürsorgliche Belagerung« klassisches Exempel. Es macht seine Suggestivität aus, sein in leise, enger und gefährlicher werdende Strudel sich zusammenziehendes Tempo – und es birgt auch eine Gefahr: die der Plattheit. Böll ist ihr nicht gänzlich entgangen. Die gegenseitigen Verletzungen, zu denen Menschen gezwungen werden, können wohl literarisch nur eindringlich gemacht werden, wenn die gesellschaftliche Kälte – also die Ursache – ihre Balance findet in der Gebärde des Bittens – auf seiten des Urhebers. Jene Geste des Flehentlichen, die wir aus Brechts Ballade vom lebend geschlachteten Pferd kennen: »Was für eine Kälte / Muß über die Leute gekommen sein! / So helfet ihnen doch!«[45] Leute statt Menschen. So bat Böll ja auch um *Gnade* für Ulrike Meinhof; Sakrileg in einer gnadenlosen Gesellschaft. Deshalb wären makabre Mätzchen, Ironismen und Satire-Einlagen in diesem Roman so besonders unangebracht. Heinrich Böll ist nicht Hermann Kant.

Doch ein – in der Dramaturgie des Buches leider wesentliches – Handlungselement ist schlichtweg banal. Es schadet der Würde des Buches, macht es flach, wo es schneidend sein sollte.

Die Klatschspaltenschöne, die Derby-Prinzessin, die Tochter Tolm und Ehefrau Fischer erwartet ein Kind – von einem der Polizisten. Gewiß, Böll wollte darstellen, wie die sich entzünden, die da immer als die Affen der reichen Leute herumstehen dürfen, wie das Gift dieser Welt eindringt in ihre Zweizimmerfrauundkindnormalität, einmal im Jahr drei Wochen Urlaub und der Opel Rekord noch nicht abbezahlt.

Das ist zu simpel, nicht kühl, nicht böse genug. Hier wird das Buch trivial, statt Triviales darzustellen. Es ist die harmlose, gar leicht verklebte Variante des Klischees von der Gesellschaftsziege, die mit dem Chauffeur schläft. Bedrohung und Verwüstung von Menschen wird umgebogen in ein »Barbara-Hutton-und-ihr-Gondoliere«-Abziehbild.

So ist es kein Zufall, daß genau in diesen Passagen Bölls diszipliniert faxenlose, ganz rhythmisch erzählende Sprache ausrutscht: »anheim fallen« nennt er das, was zwischen dem Polizisten und der Dame da heimlich-rasch geschieht (das peinliche Wort benutzt er auf zehn Seiten zweimal); tut's der Ehemann, heißt es »ihr beiliegen«, und tut's der Polizeibeamte mit seiner Frau, dann liest sich das so: »Gern war sie von ihm erfüllt worden, hatte ihm Erfüllung gegeben«,[46] und denkt die reiche Einsame an den, so liest's sich auch nicht besser: »Diese Sehnsucht nach Hubert – nach seinen Händen, seinem Mund, seiner Stimme und dem Ernst seiner Augen.«[47] Der Stilbruch ist komplett; selbst wenn die alten Tolms über das seltsame Begebnis sinnieren, verwischt sich das ins Neckische:

»Wenn sie wirklich lückenlos überwacht worden ist – was ich voraussetze – kann nur die Sicherheitsbehörde wissen, wer der Vater unseres zukünftigen Enkelkindes ist – ... wenn die Bewachung wirklich funktioniert, dann weiß das Tonband, wer der Vater unseres Enkels ist.«[48]

Böll hat seinen Roman zu Recht einen Krimi genannt – doch dessen Gesetz ist eine gewisse Härte, ein Automatismus des Perfiden; das Böllsche Mitleid mit seinen Kreaturen zerrinnt in solchem Ablauf zum Sentimentalen. Man kennt seine Sprachüberlegungen als Denkwiderlegungen – ob er einmal das kommune »Hokuspokus« aufs Sakrale »hoc est corporus...« zurückführte oder das lateinische »humor« ins deutsche »feucht« übersetzte; so ist auch rechtens und wichtig, wenn er in einer Erörterung dieses Romans darauf hinweist, daß Terror mit Schreck zu tun hat, Terrorismus also derselben Erschrockenheit entspringt wie jegliche Kriminalität. Doch ist eben dieser sprachlich-gedankliche Härtegrad hier zerschmolzen.

Vielleicht ist dies der Grund: Heinrich Böll, erklärtermaßen am liebsten Kurzgeschichtenschreiber, hat auch hier wieder Elemente dieses anderen Genres benutzt. Die Kurzgeschichte, von Ambrose Bierce bis zu Hemingway – darf und muß sein: krude, überraschend, aperçuhaft. Sie zurrt Gedanken zusammen zum Bonmot; oft gerade am Anfang. Bölls Buch »Du fährst zu oft nach Heidelberg – und andere Erzählungen« ist bestes Beispiel dafür. »Als mein Vater so alt wurde wie ich jetzt werde, kam er mir (natürlich?) älter vor als ich mich fühle« beginnt die Erzählung »Der Husten meines Vaters«; so ein Text kann sich auch winzige Einschübe leisten, lebt gar davon: »Ich denke dabei an Beuys, der einmal eine Ansprache hielt, die nur aus Hüsteln und Räuspern bestand, eine sehr kluge Ansprache übrigens.«[49] Das Tempo einer anderen Geschichte – eine visionäre Anekdote, falls es das gibt –, beginnt noch schärfer:

»Günter Grass, der bei Familie Strauß zum Kaffee eingeladen war, gibt dort Rudi Dutschke die Klinke in die Hand. Dame, Herr und Söhne des Hauses rufen Grass nach und Dutschke zu: ›Der Sozialismus hat gesiegt.‹

Dutschke korrigiert: ›Nicht der, sondern ein Sozialismus hat gesiegt.‹ Umarmungen finden statt, Tränen fließen, Kaffee strömt, Innigkeit breitet sich aus, während Dutschke frisches Hefegebäck, das dem Löffel nicht gehorchen will, kurz entschlossen in die Hand nimmt. Die Söhne des Hauses erkundigen sich nach Hosea Che.«[50]

Diese Art Heiterkeit, Spiel-Wippe nicht ohne Denkschärfe, ist einem Roman unzuträglich. Solch zerbrechliche Leichtigkeit ist Baumaterial der Kurzform, sie wird pappig und weich wie nasses Knäckebrot, mischt man sie in einen Roman. Mag sein, daß es ein altmodisch-unerlaubtes Wort ist, dennoch: Ein Roman hat Würde; sie ist der Shortstory fremd. Das hieße, angewendet auf »Fürsorgliche Belagerung«, daß die kühle Distanz des Voyeuristischen, das a-humane Berührungsverbot der Peep-Show außer acht gelassen wird. Es ist also nicht das Element des Journalistischen, das diese Prosa stört – der Roman ist ja ganz bewußt eine Fortführung der »Katharina Blum« und bezieht gerade daraus auch seine Stärke. Journalistisch durchaus auch im Sinne von filmischen Zeitnotaten wie »Deutschland im Herbst« oder »Die Ehe der Maria Braun«, dessen Feueruntergangsende der Roman paraphrasiert. Eine Passage wie die folgende, bestürzend durch ihre lakonische Selbstverständlichkeit, könnte jedem Fernsehinterview, jeder Alternativzeitung, jedem »Kursbuch«-Protokoll entstammen:

»Heinrich Schmergen saß vor dem vollen Aschenbecher und der Kaffeetasse und erzählte stockend, daß er im Bus von Köln nach Hubreichen gesessen und in einem Buch mit dem Titel ›Castros Weg‹ gelesen habe; friedlich habe er da gesessen, nicht bemerkt, wie ringsum die Leute Zeitungen mit Berichten von Bewerlohs Ende lasen, und plötzlich, so kurz vor Hurbelheim, habe ihn die tödliche Stille im Bus aufgeschreckt, er habe aufgesehen und festgestellt, daß alle stumm und feindselig auf ihn, auf das Buch gestarrt hätten, wortlos eisig und eisern, ›als würden sie mich jeden Augenblick erwürgen‹, und er habe Angst bekommen, richtig Angst, ja, und er habe fast in die Hose gemacht vor Angst und sei schon in Hurbelheim ausgestiegen und den Rest des Weges zu Fuß gegangen, und nun wolle er weg, einfach weg, egal wohin. ›Irgendwohin, wo man Bücher lesen kann, auch im Bus, ohne solche Angst zu bekommen; man kann ja streiten, man kann ja Krach miteinander kriegen – man kann ja – ich weiß nicht, was, vielleicht sogar argumentieren – aber diese stummen mörderischen Blicke... o Gott‹, sagte er, ›Katharina, ich glaube, ihr täuscht euch, wir alle täuschen uns – ich geh weg, ich wollte euch nur adieu sagen, euch danken und euch bitten, mir vielleicht etwas Geld zu geben – ich such mir ein Land, wo ich in Ruhe im Bus lesen kann, was ich lesen möchte.«[51]

Dem kann sich niemand entziehen. Schwarz muß heute keiner sehen noch malen, verläßt er sich nur auf die Wirklichkeit: Das ist Bölls materialer Realismus. Skepsis und Sorge muß keiner fabulieren, berührt er unsere Gesellschaft, an den Rändern oder im Zentrum: Das ist Bölls Begriff des Politischen. Schmecken, riechen, tasten und zur Sprache bringen, was ist: daraus wurde Heinrich Bölls politischer Roman über die siebziger Jahre der Bundesrepublik.
Dem Realismus im Sinne der Milieustudie sagte er schon früh ab:

»Es ist ein Irrtum, zu glauben, jeder Autor mache Milieustudien. Ich glaube, er muß nur die Elemente des menschlichen Lebens kennen, und die muß er, so scheint mir, bis spätestens zu seinem 21. Lebensjahr kennen, im Zustande verhältnismäßiger Unschuld und Naivität.«[52]

Elemente menschlichen Lebens – das ist Voraussetzung eher für eine Botschaft als für das Epos. »Er hat nichts getan. Er lebt nur«[53] endet »Das Vermächtnis«.
Das ist die zweite Ebene. Man mag sie nennen die weltanschauliche, die ideologische, die religiöse; zwar hat Böll sich zeitlebens das Etikett »katholischer Schriftsteller« verbeten, sich lieber einen Schriftsteller genannt, der katholisch ist – aber die Überzeugungskraft seines Werks, damit auch die Integrität seiner Person, hängt wohl zusammen mit diesem christlichen Modell einer nicht-individuellen Schuld, der die Verstrickung in Schuld entgegengesetzt wird. Diesen Begriff der Entschuldung trägt Heinrich Bölls Œuvre bis hin zur säkularisierten Absolution: freies Geleit. Sein Appell um Gnade für Ulrike Meinhof, mit dem er diesen christlichen Akt in die politische Vollstreckungsmaschine einbringen wollte, konnte nur den verblüffen oder erregen, der mit Denkkategorien und Fühlweisen dieses Schriftstellers gänzlich unvertraut war; sein Werk in jeder Verästelung ist Bitte um Gnade. Er hat das einmal an seiner Figur der Katharina Blum erläutert:

»Die Bindung Katharinas an diesen jungen Mann ist weder mit juristischen noch mit moralischen Kategorien zu erfassen. Und da fängt ihre Verstrickung an, fängt auch die Unerklärlichkeit an. Es gibt unerklärliche Dinge, es gibt Geheimnisse; dazu gehört auch ihr Wunsch, ihn zu decken, was ja kriminell ist. Liebe ist nicht gerecht und nicht moralisch. Diese, sagen wir, erotische und sexuelle Bindung ist nicht moralisierbar. Das ist nicht meine Schuld. Wenn ich einen alten Freund hätte, den ich wirklich gern habe, vielleicht sogar lieb, und er würde einen Mord begehen, blieb der natürlich mein Freund. Ich kann doch nicht als Person Urteile der Gesellschaft, die man objektiv richtig findet, übernehmen.«[54]

Daß Mut dazugehört, das zu sagen, gehört zum Typischen unserer feigen, mutlos machenden Gesellschaft. Böll ist offensichtlich nicht bereit, deren Verkrustungen hinzunehmen, die von ihr gezogenen Grenzen und aufgestellten Verbotstafeln zu respektieren: »Wir dürfen uns nicht davor fürchten, zu weit zu gehen, denn die Wahrheit liegt jenseits«[55] hat er einmal einen Proust-Satz paraphrasiert. Darf man es eine säkularisierte Eschatologie nennen?

Das ist der Sprengsatz Utopie. Böll, auf seine so sanfte wie hartnäckige Weise, hat jedenfalls die Silhouetten seiner erfundenen Gestalten immer gegen diesen Horizont des Möglichen, Wünschbaren, Erträumten gestellt. Dadurch sind sie literarisch gelegentlich »unspezifisch« – Silhouetten eben –, aber besetzt mit Hoffnung. Christian Linders Frage »Das Sterben einer Gesellschaft, Tod, Leben, Glück... alle Ihre Romanfiguren haben eine sozialistische Vergangenheit oder Zukunft; diese Utopie, die...« unterbrach Böll mit einer geradezu heftigen Bestätigung: »Ja, natürlich, und ich werde mir die Hoffnung auf diese Utopie nicht ausreden lassen.«[56]

Diese Utopie nun ist eine sehr hiesige, politische. *Da* steckt der vielgepriesene und vielverrufene Realismus des Autors Böll, in dieser dritten Ebene seines Werks, das nicht zufällig umfangreiche Pamphlete, Essays, Rezensionen umfaßt: die Splitter des Tages. Sie führen übrigens, auch splitterförmig, zu seinen schönsten Stiletüden, vom einzelnen Wort »Fliegerangriffsbutterbrote«[57] über die Momentaufnahme »Was kosten zwei Achtelpfund Kaffee, wenn ein Kilo zweiunddreißig Mark kostet«[58] bis zur zärtlichen Mini-Szene »Sie lag da oben auf ihrem Bett, ganz zugedeckt von dem unsichtbaren Staub, den der Sekundenzeiger aus dem Nichts herausbohrte«.[59]

Erinnern ist bei Böll ein transitives wie intransitives Wort: Er erinnert sich und uns. Kein einziges Buch seiner Prosaarbeiten, das nicht Fäden hin- und zurückspönne zwischen heute und damals. Vielleicht liegt da auch die Ursache seines Welterfolgs – daß er immer und immer wieder zeigt: Das Deutschland von heute ist geprägt, geformt vom Deutschland der bösen Jahre; das eine ist nicht reine Nachfolge des anderen, sondern das andere durchdringt noch immer, durchsetzt gar das eine. Bölls enorm weit gespanntes Werk ist stets auch die große Frage nach Kausalität in der Geschichte. Er ist hier auf grandiose Weise nicht nur Materialist, sondern auch Dialektiker:

»›Ein Bild aus deutscher Zukunft; im Jahre 1958; aus dem einundzwanzigjährigen Unteroffizier Morgner ist der sechsunddreißigjährige Bauer Morgner geworden; er steht an den Ufern der Wolga; es ist Feierabend, er raucht sein wohlverdientes Pfeifchen, hat eins seiner blonden Kinder auf dem Arm, blickt versonnen zu seiner Frau hinüber, die gerade die letzte Kuh melkt; deutsche Milch am Wolgaufer ...‹«[60]

Ob hier, in »Billard um halbzehn«, ob in den »Ansichten eines Clowns«, dessen Schwester Henriette mit ein paar belegten Broten und einem unbeteiligten »Mach's gut« in Krieg und Tod geschickt wurde, oder im »Gruppenbild mit Dame«, dessen Figurenpanorama die Lemuren der Vergangenheit ganz unverhüllt als Funktionsträger unserer Gegenwart bloßstellt – ein eher leiser Satz klingt wie das Urteil über sie alle: »Eure Wohltaten sind fast schrecklicher als eure Missetaten.«[61]
Urteil – aber nicht Verurteilung. Das ist das Spezifische des politisch argumentierenden Heinrich Böll, der einmal gesagt hat: »Es gibt ja Autoren, deren Einstieg in die Autorschaft unmittelbar politisch ist. Meiner war es nicht... Ich glaube nicht, daß ich ursprünglich den Wunsch oder die Ambition hatte, über die Zustände dieser Welt, über die Ungerechtigkeit und Gerechtigkeit zu schreiben.«[62] Es scheint, als sei die oberste Kategorie für Böll Mitleid; in dem gewiß ein Quentchen Verachtung geborgen ist für die »Schlammschwimmer mit humanem Horizont und überdimensionaler Frisur«.[63] Das läßt ihn analysieren, aber kaum je attackieren. Das macht seine Fragestellungen so empfindlich, weil sie nicht agitatorisch sind. Das verleiht ihm die gelassene innere Freiheit, auf die Frage nach seiner Vorstellung von einer Gesellschaft schlicht zu antworten: »Eine profitlose und klassenlose Gesellschaft.«[64]
Das, alles zusammen, hat ihn zu einer Instanz werden lassen.

Günter Grass

Der junge Bildhauer, der sich als Friedhofssteinmetz in Paris ein Loch in die Lunge gehungert hatte, mußte sich die Reise zur Gruppe 47 dadurch finanzieren, daß er in den Lesepausen mit einer großen Mappe herumlief und Zeichnungen feilbot; Wolfgang Hildesheimer besitzt deshalb noch heute eine reiche Sammlung früher Arbeiten des damals knapp dreißigjährigen Günter Grass. Die erste öffentliche Erwähnung findet sich im Berliner Tagesspiegel: »Einen neuen, als ›kräftig, vital und bravourös‹ apostrophierten Ton brachten die Gedichte des Berliner Bildhauers Günter Grass.«[1]
So fing es an. Der bald darauf erscheinende schmale Band »Die Vorzüge der Windhühner« faßt auf so zögernde wie sonderbare Weise viele Elemente des später wachsenden Œuvre zusammen; er enthält Gedichte, Prosa und Zeichnungen; er variiert das Sujet Vogel – bis zur Vogelscheuche, zu Ballettfigurationen und Graphiken ein stetig paraphrasiertes Motiv bei Grass; er gibt den Ton an – Gesang, musikalische Spuren als Grundierung eines frühen moll prägen viele der Gedichte:

»Denn die Kreide hat recht
und der Tenor der sie singt.
Er wird den Samt entblättern,
Efeu, Meterware der Nacht,
Moos, ihren Unterton,
jede Amsel wird er vertreiben.«[2]

Und das letzte Gedicht dieser ersten Buchveröffentlichung von Günter Grass heißt »Blechmusik«. Es dauerte noch drei Jahre, bis sich auf der Gruppentagung in Großholzleute etwas ereignete, das sich in einem rückblickenden Bericht des »Spiegel« so anhört:

»Im Sessel rechts neben [Richter], die Lippen unter dem schwarzen Schnauzbart zu verbissenem Lächeln verzerrt, beide Hände an einen Packen Manuskriptpapier geklammert, erprobte währenddessen ein jun-

ger Autor Atemtechniken. Nach einem letzten Blick in den Halbkreis grinsender, flüsternder und gähnender Gesichter begann er zu lesen.
Er las vom Blechtrommelgnom Oskar Matzerath und vom Alltagsleben im Irrenhaus, von Verbrecherjagd und kaschubischer Leidenschaft bei der Kartoffelernte.
Nach den ersten Sätzen hatte sich Schadenfreude in Beifallsgelächter verwandelt, übernächtig Gähnende zwangen sich zur Konzentration. Spätestens am Ende der Lesung war offenkundig, daß das kritische Auditorium – die Gruppe 47 – von Oskars Abenteuern angetan und vom Talent des Oskar-Urhebers überzeugt war: Günter Grass hatte – und die Beckmesser des literarischen Meistersingens bescheinigten es ihm – mit seiner Probe aus dem noch unfertigen Roman ›Die Blechtrommel‹ reüssiert.«[3]

Grass hatte nicht nur »reüssiert«, sondern die Gruppe hatte vor dieser Prosa voll »wilder Energie des Ausdrucks, unwiderstehlicher Sicherheit der Gebärde und unheimlicher Empfänglichkeit für bizarr-groteske Verbindungen«[4] schlichtweg kapituliert. So resümierte der begabteste ihrer Kritiker, Joachim Kaiser, in der Süddeutschen Zeitung. Ein Jahr später, mit einem von Grass gestalteten Umschlag, war der 734 Seiten starke Roman da: Unabhängiges Chaos von Phantasie und strotzende Sprachkraft, barocke Sinnenlust und abwägende politische Vernunft sind zusammengefügt zu einem einmaligen Kunstbau. Ein deutscher Entwicklungsroman, gewiß. Aber die hießen »Simplicissimus« oder »Wilhelm Meister«, »Der grüne Heinrich« oder »Buddenbrooks«; der Name des Helden gab den Titel. Es ist kein Zufall, daß zum erstenmal ein *Gerät* das Individuum aus dem Buchtitel verdrängte, ein gemeinhin martialisches noch dazu. Grass' Buch, das nicht »Der Blechtrommler« hieß, ist ein Anti-Entwicklungsroman. Historie, nicht Psyche.
Oskar Matzerath, entsprungen den kaschubischen Kartoffeläckern – dort, wo seine Großmutter Anna Bronski, spätere Koljaiczek, in den vierfach übereinandergetürmten Röcken hockte, unter die einer floh, der selbigen Ortes familiengründend tätig wurde –, Oskar Matzerath also beschloß, vom dritten Lebensjahr an nicht mehr zu wachsen. Der Gnom, das Murkel, die Mißgeburt: Oskar, der zwar klein bleibt, aber rasch einen großen Verstand und bald auch ein anderes großes Körperteil hat, sieht die Welt aus einer Perspektive, die sie nicht verzerrt, sondern ins Lot rückt. Der Blick von unten entkleidet die Erwachsenen aller Würde, wird ihnen gerecht, indem er ihr Unrecht, ihre Ungerechtigkeit wahr-nimmt. Verweigerung (erwachsen zu werden) als Kraftakt mit der besonderen

artistischen Pointe, daß der Held eines Romans nicht spricht. Die eigenwillige Konstruktion des Buches, eine moderne Variante des pikaresken Romans, läßt eine Entwicklung abweisende Figur durch die Verwucherungen der Geschichte wandern. Sie zeckt sich ein und klinkt sich aus, ein Zirkuszwerg, der sich mit der Welt nicht durch Sprache, sondern mit seiner Trommel »verständigt«. Eine Larve, die entlarvt.

Das Geniale des Buches – ein Episodenroman ohne Fabel – besteht darin, daß es Lehrbuch und Spielbuch und Märchenbuch in einem ist. Ob deftig oder traurig, ob erschreckend oder den Schrecken erklärend, ob potent oder bizarr – dieser aus phantasmagorischen Kaskaden sich ergießende surreale Bilderbogen hört nie, auf keiner Seite, auf, vergnüglichen Spaß zu bereiten. Ähnlich dem Spaß, den der Kretin bei Rasputin, seinem ersten »Bildungserlebnis« empfand:

»Rasputins Tod ging mir nach: Man hat ihn mit vergifteter Torte, vergiftetem Wein vergiftet, dann, als er mehr von der Torte wollte, mit Pistolen erschossen, und als ihn das Blei in der Brust tanzlustig stimmte, gefesselt und in einem Eisloch der Newa versenkt. Das taten alles männliche Offiziere. Die Damen der Metropole Petersburg hätten ihrem Väterchen Rasputin niemals giftige Torte, sonst aber alles gegeben, was er von ihnen verlangte. Die Frauen glaubten an ihn, während die Offiziere ihn erst aus dem Weg räumen mußten, um wieder an sich selbst glauben zu können.«[5]

Und ist doch alles von großem Ernst. Oskar berichtet von einem, der Oskar heißt – und erzählt zugleich als ich, Oskar. Dieser merkwürdige Kunstgriff spaltet Erfahrung, gibt mal flirrende Ironie preis und gleich wieder düsteren Bericht; vom Überfall auf Polen, das Grass liebt und dem mitunter die schönsten Wortsetzungen gewidmet sind:

»Während man hierzulande das Land der Polen mit der Seele sucht – halb mit Chopin, halb mit Revanche im Herzen –, während sie hier die erste bis zur vierten Teilung verwerfen und die fünfte Teilung Polens schon planen, während sie mit Air France nach Warschau fliegen und an jener Stelle bedauernd ein Kränzchen hinterlegen, wo einst das Getto stand, während man von hier aus das Land der Polen mit Raketen suchen wird, suche ich Polen auf meiner Trommel und trommle: Verloren, noch nicht verloren, schon wieder verloren, an wen verloren, bald verloren, bereits verloren, Polen verloren, alles verloren, noch ist Polen nicht verloren«;[6]

oder Bericht von der Feigheit und dem Versagen derer, die dann gegen Aussiedlertransporte protestieren oder von etwas, das »Nachfolge Christi« benannt wird und in dem der Katholik Grass seine Scham über eben diese Nachfolger so behutsam wie eindringlich vorträgt. In diesem schrecklich-schönen Kapitel, in dem Oskar seine Blechtrommel dem Jesusknaben der Herz-Jesu-Kirche leiht, und der wirbelt nun wirklich, »was damals in aller Leute Mund war, ›Es geht alles vorüber‹, natürlich auch ›Lili Marleen‹«, und der fragt schließlich herrisch: »Liebst du mich, Oskar?«, in diesem Kapitel voll Bizarrerie und voller katholischer und nichtkatholischer Wunder heißt es dann schließlich: »Die Ostarbeiterinnen auf dem Bahndamm waren weg.«[7]
Hier wird keine »Faschismustheorie hinterfragt« und werden nicht die »relevanten sozio-ökonomischen Strukturen der Restauration der Adenauer-Ära bloßgelegt«: Hier taumelt ein bucklicht Männlein, ein Däumling, ein Jonas ohne Wal durch den Irrwitz dessen, was wir uns angewöhnt haben, Geschichte zu nennen, und da zischt das Brausepulver im Bauchnabel einer Maria, die bei diesem Spiel schließlich schwanger wird; und da frißt eine, die gerne mit zwei Männern lebte, aus Ekel vor den aasfressenden Aalen sich an Aalen in Öl zu Tode; und da beginnt der Krieg mit dem Zerstören der polnischen Post (also mit dem Zerstören der Kommunikation zwischen den Menschen), aus der sie schließlich Oskars zweiten, den polnischen Vater abführen zum Erschießen; und da kommt Oskars dritter Trommelstock bei Frau Gemüseladeninhaber Lina Greff zu Ehren – »Ach du best es, Oskarchen. Na komm beßchen näher und wenn de willst inne Federn, weil kalt is inne Stube und der Greff nur janz mies jehaizt hat!«[8] –; aber der Greff, wo nich jehaizt hat, hängt inzwischen im Keller, denn er liebte die Damen nicht so sehr und das durfte man damals nicht, und so wog er sich auf, in seiner Pfadfinderuniform, gegen fünfundsiebzig Kilo Kartoffeln, weniger hundert Gramm.
Dieser Tod am Schwebebalken der Händlerwaage ist in seiner entsetzlichen Choreographie Leitmotiv von Grass' erstem Roman – und wird es bleiben sein Werk hindurch.
Günter Grass' Lyrik vereint scheinbar einander ausschließende Elemente: Naivität mit melancholischer Reflexion, nahezu grobe Genauigkeit des Details mit der luftigen Traumwelt des Surrealismus; oft wird ein Text *durch* das Benennen, Aneinanderreihen scheinbar banaler Realitätspartikel ganz unwirklich. Er selber nennt seine Gedichte »Versuche mit Tinte, / Niederschriften im Rauch«.[9]
Heinrich Vormweg hat in seiner Einleitung zu Grass' »Gesammelten

Gedichten« mit einem schönen Wort von den Traumrinden der frühen Gedichte gesprochen,[10] und, wohl unter Anspielung auf das fünfte Gedicht des Bandes »Gleisdreieck« mit dem Titel »Gesang der Brote im Backofen« gesagt, daß diese Traumrinden nicht mehr erhältlich seien – »das Brot kommt vom Bäcker«.[11] Doch so kompakt ist in Wahrheit die Lyrik von Grass nicht: »Aber wir sind kein Brot, / Steine sind wir, / die durch Euch hindurchfallen«[12] heißt die vorletzte Strophe dieses Gedichts. Man kann wohl Grass' Gedichte – der erste Band »Die Vorzüge der Windhühner« erschien immerhin drei Jahre vor der »Blechtrommel« – überhaupt nicht losgelöst von seinen epischen Arbeiten *und* seinem politischen Konzept betrachten. Wollte man ein Leitmotiv benennen, so müßte es »zögern« heißen bis zum Umkreisen des Begriffs Vergeblichkeit. Das einzige Gedicht, das den Titel »Der Dichter« trägt, ist eher ein Märchen voller Traurigkeit:

»Böse,
wie nur eine Sütterlinschrift böse sein kann,
verbreitet er sich auf liniertem Papier.
Alle Kinder können ihn lesen
und laufen davon
und erzählen es den Kaninchen,
und die Kaninchen sterben, sterben aus –
für wen noch Tinte, wenn es keine Kaninchen mehr gibt!«[13]

Viele Interpreten haben sich an das Vordergründig-Grobianische von Grass' Wortwelt von Hahn und Salzhering, Bier und Milch, Brot und Sülze gehalten, in ihm einen Vokabel-Gargantua gesehen wie Johannes Bobrowski in seinem Distichon »Nußknacker«:

»Welch ein großmächtiger Kiefer! Und dieses Gehege von Zähnen!
Zwischen die Backen herein nimmt er, was alles zur Hand,
und zerkracht es und weist schon die faul' oder trockenen Kerne,
leere Schalen, den Wurm – flieht, hört ihr knirschen den Graß!«[14]

Aber so knochenkrachend knirschte er gar nicht; er zwang viel öfter sein Lachen ab der drohenden Verkarstung durch Frost:

»Es ist ein Lachen tief unterm Schnee.
Denn auf der Lichtung
Zwischen den Schlafenden
Wechselnder Lücke
Hastet der Sand.
O du der Erde alter Verdruß
Wenn sich der Tote bewegt.
Es war ein Tier und ein Stern
Die trauernd so sprachen.
Es war ein Schlitten überm Kristall
Schön und mit Schwermut bespannt.
Es ist ein Lachen tief unterm Schnee.«[15]

Nun hat seinerzeit die Aggressivität politischer Gedichte – etwa das gegen Peter Weiss gerichtete »Der Delphin« aus dem Band »Ausgefragt« – allerlei Aufregung verursacht bis hin zu deprimiert-verbitterten Eintragungen in Peter Weiss' »Notizbüchern«.[16] Tatsächlich aber formulierte Grass eher Skepsis als Wut – die eigene Geschichtsskepsis wie die gegen allzu euphorisch-militante Lust an rascher, revolutionärer Veränderung:

»Mein großes Ja
bildet Sätze mit kleinem nein:
Dieses Haus hat zwei Ausgänge;
ich benutze den dritten.
Im Negativ einer Witwe,
in meinem Ja liegt mein nein begraben.«[17]

Das könnte, fast wörtlich, sowohl im »Tagebuch einer Schnecke« stehen wie in einer seiner Wahlreden. Die Analyse eines Vierzeilers mag das genauer ausweisen:

»Als die Spitzengruppe
von einem Zitronenfalter
überholt wurde,
gaben viele Radfahrer das Rennen auf.«[18]

Spruchweisheit, Apodiktum, Lakonie? Ganz anders: dieser Vierzeiler bannt auf seltsam intensive Weise ein Leitmotiv des Günter Grass – Skepsis. Das Gedicht will verstanden sein nicht lediglich als muntere

Reporter-Parodie; es ist – dem eben erwähnten Leitmotiv folgend – Metapher für Vergeblichkeit. Es hält Bewegung an. Die kunstvolle Balance aus Schweben und Bewegung erreicht ebendies: Einhalten.
Das aktivistische Hauptwort der ersten Zeile, das sich bewußt der Assoziation »Wirtschaftsführer« oder »politische Führungskräfte« stellt, wird durch das Hauptwort der zweiten Zeile derart »überholt«, daß sich der Bedeutungshof beider Wörter gegenseitig aufhebt. Was Grass vorführt, ist die Überwindung des Bemühens durch das Mühelose. Das gesamte Wortfeld des Gedichts ist mit nahezu graphischer Artistik – lyrische und graphische Phase fallen in Grass' Arbeit stets zusammen – ausgezirkelt. Ein Begriff des Sportmanagements wird aufgehoben durch ein gleichsam zärtliches Wort, das einem Liebesgedicht entnommen scheint. Das erste Verb verleiht dem Ganzen die anhaltende Bewegung, und das ist: das Spielerische. »Das Rennen aufgeben« ist eine in sich metaphorische Redefigur.
Es handelt sich um ein melancholisches Gedicht. Begriffe des Zögerns, Bedenkens, des Behutsamen durchziehen alle lyrischen Arbeiten von Grass; wenig Forderung findet sich.
Dieser Vierzeiler, eben weil im härenen Gewand Bertolt Brechts daherkommend, ist ein Gegen-Brecht-Gedicht. Genau dessen Appellcharakter fehlt hier, dessen Aktivitäts-Credo wird geradezu geleugnet; nicht: der Mensch kann alles, sondern: der Mensch kann wenig. Er kann »überholt« werden, nicht nur beim Vorantreten. Grass sieht Geschichte – also menschliches Tun – als sehr kleine Einheit. So, wie die beiden Verben des Gedichts Nicht-Tätigkeits-Worte sind – überholt werden, aufgeben. Sehr oft sind eingesprengte Andeutungen auf andere Autoren solche Bewußtseinsverschübe; »Das lebt vor sich hin, bis«[19] (im Gedicht »Offenes Feuer«) – das ist kaum noch versteckte »Antwort« auf den politischen Dichter Büchner.
Kein Zufall, daß Grass' Antwort an einen anderen glaubensgebundenen Kollegen, an den »Apostel Paulus und Peter Weiss« im Gedicht »Der Delphin« –, ebenjene Furcht vor dem Ziehbar-Belehrbaren artikuliert:

»als ich dran glauben sollte, dran glauben sollte,
säuerte Angst mein Gelächter:
ich sicherte den Ausgang,
tauchte und schwamm mich frei.«[20]

Auch dieser Freisprung zeigt den Grundgestus, den das Gedicht so vollendet festhält: nicht Resignation etwa, aber die Fähigkeit zu fragen. Prinzip Zweifel.

Die Anspielung auf das Zusammenfallen lyrischer und zeichnerisch-graphischer Arbeiten ist keine leere Redeweise;[21] alle seine drei Gedichtbücher hat Grass selber illustriert. Die Umschläge – von der skelettierten, drahtartigen Phantasiefigur der »Windhühner« über die behäbig-breite Zeichnung des Bandes »Gleisdreieck«, der ein Jahr nach der »Blechtrommel« erschien, bis hin zur geballten Faust des politischen Bandes »Ausgefragt« – setzen bereits Signale. Inzwischen gibt es eine Dokumentation, die genauestens dieser Bild-Text-Verbindung nachgeht und deren Herausgeber Anselm Dreher sehr überzeugend etwa die Zeichnungen »Amseln« aus dem Jahr 1961 zu diesem Litanei-Gedicht setzt:

»schwarz,
regenschirmschwarz,
priesterschwarz,
witwenschwarz,
schutzstaffelschwarz,
schultafelschwarz,
falangeschwarz,
amselschwarz,
othelloschwarz,
ruhrschwarz,
veilchenschwarz,
tomatenschwarz,
zitronenschwarz,
mehlschwarz,
milchschwarz,
schneeschwarz.«[22]

In ihrem besonders genauen und beispielhaft analysierenden Nachwort hat die amerikanische Germanistin Sigrid Mayer an vielen Einzelbeispielen dieses Ineinander zweier nur scheinbar unabhängiger Kunstformen dargestellt:

»Irgendwo hier liegt vermutlich der geheimnisvolle Punkt, wo die zunehmende Abstraktion der gezeichneten Vögel, dieser fein-getönten und manchmal explizit ›verschlüsselten‹ Gebilde, in das musikalisch-sprachliche Konzept der ›Windhühner‹ überging, die in Form von Lyrik – auf ihrer ›Stange aus Zugluft‹ – kaum noch Platz einnahmen. Bei der Transformation aus Bildern in Sprache entstanden dann neue Medien-Beziehungen. Denn die als ›Vorzüge der Windhühner‹ bezeichnete Lyrik besteht nicht etwa aus statischen Bildreihen, sondern aus Gedichten, deren Objekte häufig als Musik- oder Toninstrumente auftreten, wie in ›Schule der Tenöre‹, ›Drehorgel kurz vor Ostern‹, ›Musik im Freien‹, ›Die Klingel‹, ›Tierschutz‹, ›Bauarbeiten‹ und ›Blechmusik‹. Zur Verschlüsselung beziehungsweise Entschlüsselung der ›Windhühner‹ gehört daher außer ihrer Form und Transparenz, ihrer variablen Konsistenz und Tönung, auch das Signal ihrer Töne. Insofern wird, etwa bei der Betrachtung der vier abgebildeten Hähne (4–7), die Formel vom ›Objektzwang‹ des Grass'schen Stils zwar nicht entwertet, jedoch im musikalisch-lyrischen Sinne erweitert.«[23]

Nicht richtig wäre es natürlich, dieses Verweben unterschiedlicher artistischer Methoden ausschließlich auf Lyrik und Zeichnungen einzugrenzen. Eine solche Sicht wäre schon widerlegt durch die skulpturalen Arbeiten von Günter Grass, die ganz offensichtlich im Zusammenhang mit seiner Prosa stehen. Aber schon sehr früh – man denke nur an Brunos Bindfadenskulptur in der »Blechtrommel« – spielt neben musikalischen Motiven und Tonläufen auch das Bildnerische in der Prosa von Grass eine wesentliche Rolle; »Menschenscheuchen« nennt mit einem schönen eigenen Wort Sigrid Mayer die lächerlich-unheimlichen Mumien, mit denen der »Hundejahre«-Autor Begriff und Bild vom Menschen kunstvoll verunsichert.

Grass weiß, daß die Narrenkappe seiner Dichtung auch Tarnkappe ist; durch sie hindurch – denn er leiht sie dem Leser – kann man erblicken, mit welch Scheußlichkeit und Schönheit, Gemeinheit und Erhabenheit wir Menschen uns in einer gemäßen Welt eingerichtet haben. Wem gemäß?

Diese Frage beschäftigte Grass die Jahre nach dem Welterfolg seines Erstlings, der inzwischen eine Gesamtauflage von drei Millionen Exemplaren hat, in zwanzig Sprachen übersetzt wurde und die Aufmerksamkeit des Auslands erstmals nach dem Kriege wieder auf die deutsche Literatur lenkte. Das US-Magazin »Time« schrieb im April 1970 in seiner ersten Titelstory, die es einem deutschen Nachkriegsautor widmete (1963 und 1969 hatte ihn der »Spiegel« einer Titelstory für wert befunden): »Mit 42 Jahren sieht Grass wohl nicht so aus wie der größte lebende Romancier der Welt oder Deutschlands, aber er mag beides durchaus sein.« »Schreiben fällt schwerer seitdem«, faßte Grass später in

seinem »Rückblick auf ›Die Blechtrommel‹« die Zeit nach dem Erfolg zusammen; jener Beginn, in dem »Sprache mich als Durchfall erwischt hatte«[24] lag nun hinter ihm.
Der frühe Ruhm war nicht nur das stabile Podest für die souverän konstruierte Erzählung »Katz und Maus« oder das bissig-aggressive Anti-Brecht-Stück »Die Plebejer proben den Aufstand«; er führte Grass auch in die Arena der Politik wie nie zuvor einen deutschen Schriftsteller. Was er sagte oder redete, seine Interviews und Statements waren zumindest so beachtet wie seine Bücher. Schon nach Erscheinen der »Blechtrommel« hatte Hans Magnus Enzensberger ihm attestiert:

»Mit seinem drei Bücher, sechsundvierzig Kapitel und 750 Seiten schweren Roman hat sich Grass einen Anspruch darauf erworben, entweder als satanisches Ärgernis verschrien oder aber als Prosaschriftsteller ersten Ranges gerühmt zu werden. Unserm literarischen Schrebergarten, mögen seine Rabatten sich biedermeierlich oder avanciert-tachistisch geben, zeigt er, was eine Harke ist. Dieser Mann ist ein Störenfried, ein Hai im Sardinentümpel, ein wilder Einzelgänger in unsrer domestizierten Literatur.«[25]

Und 1978 erscheint eine der zahllosen Untersuchungen über ihn, eine Studie von knapp 400 Seiten, die in der Formulierung des Untertitels fixiert, was Grass inzwischen geworden ist: ein »Markenbild«.[26] Ein Jahr zuvor war sein nächst der »Blechtrommel« wohl erfolgreichstes Buch »Der Butt« erschienen. Eine deutsche Anglerzeitschrift bat dringlich um einen Vorabdruck; doch ein Fischereiroman ist es nicht: Wer hier am Angelhaken zuckt, sich wehrt, klagt, fleht und aufschreit in Schmerz und Wut und Mockerei, das ist nicht Fabelwesen noch Märchentier, nicht Fisch noch Frosch noch Qualle gar; es ist Günter Grass. Der mit diesem Roman sprachmächtigste, phantasiestärkste Prosaschreiber des Dezenniums, aber nie ohne Keuschheit. Sein Roman, zu Unrecht nicht »Märchen« genannt, ist auf frappante Weise beides: Sinnenorgie bis zur gänzlichen Entblößung und schüchternes Schneckenzucken zurück ins verwinkelte Haus. Verletzlichkeit als Zeichen einer großen Angst.
Denn auf Seite 1 beginnt dieses Buch nicht. Vielmehr auf Seite 174 eines ganz anderen, das schon 1972 erschien; es heißt »Aus dem Tagebuch einer Schnecke«. Grass' Kraft aus Schwäche ist hier in einem Autoporträt skizziert, das auf die eigenen Verwundbarkeiten weist. Dieses Buch ist nicht, was Tagebüchern oft und gern vorgehalten wird, Ausbiegen vor der Notwendigkeit zu gestalten, Zeichen formaler Hilflosigkeit, Einge-

ständnis artistischer Impotenz. Es ist vielmehr Zeugnis eines schneckenbeharrlichen Trotzes und einer Einsamkeit, die ständig, nie ganz erfolgreich, überwunden werden soll:

»Ich gebe kein Bild ab. Vor allen anderen Blumen gefällt mir die hellgraue, das ganze Jahr über blühende Skepsis. Ich bin nicht konsequent. (Sinnlos, mich auf einen Nenner bringen zu wollen.) Meine Vorräte: Linsen Tabak Papier. Ich besitze einen schönen leeren Rezeptblock. …
Ich kann mit Kohle, Feder, Kreide, Blei und Pinsel links- und rechtshändig zeichnen. Daher kommt es, daß ich zärtlich sein kann. …
Doch das ist sicher: lachen konnte ich früher besser. Manches verschweige ich: meine Löcher. Manchmal bin ich fertig, allein und möchte in etwas weich warm Feuchtes kriechen, das unzureichend bezeichnet wäre, wenn ich es weiblich nennen wollte. Wie ich mich schutzsuchend erschöpfe.«[27]

Hier liegt das innere Zentrum des Buches – und hier auch die Schwierigkeit der Analyse: Warum denn wirkt dieser Text so human? Die überzeugende Menschlichkeit ist abgezwungen einer großen Trauer. Zu Unrecht hat die Kritik das »Un-Intime« dieses Tagebuches hervorgehoben; man muß sehr sorgsam lesen, um – bis ins Detail der erzählerischen Konstruktion hinein präzise plaziert – die steigende Einsamkeit des Textes zu verstehen.
Die Zahl 3 ist seit eh Grass' epische Ritualziffer. »Blechtrommel« wie »Hundejahre« sind in drei Bücher eingeteilt, dieses »Sudelbuch« nun, das nicht nur Lichtenberg zitiert, sondern sich den Vergeblichkeitshinweis auf das »Wastebook« englischer Kaufleute nicht erspart, hat 30 Teile; der letzte jene Dürer-Rede, deren Entstehen Teil der Beschreibung ist. Genau die Mittelachse, Teil 15, gibt den Schlüssel: er endet mit dem Abschied von einem »Vladimir, dem Anna anhing… weil er, ist Anna, bin ich.«[28] Es geht um den Prager Schriftsteller Vladimir Kafka, den Anna Grass liebte, der im Oktober 1970 starb.
Tod ohne Lösung, Geschichte als Erfahrung, die nicht vermittelt werden kann, steigende Einsamkeit – das bereitet sich vor und durchzieht schließlich das ganze Buch. »Früher kam Johnson manchmal vorbei, um hier zu sitzen und merkwürdig zu sein«[29] – das ist so gut der Gestus des Vereinsamens wie Werbung. Denn innerhalb aller drei stilistisch durchgeführten Ebenen, die sich ja herleiten von zeitlichen Dimensionen – Vergangenes, Gegenwärtiges, Mögliches –, dringt die Ruf-Form am

deutlichsten hervor; wenn Grass in einem Interview nur zwei Zeitebenen (Vergangenheit–Gegenwart) als Konstituanten des Tagebuches angab, zeigt das am deutlichsten jene Skepsis oder Melancholie, die er »Unterfutter der Utopie« nennt – Melancholie und Utopie sind ihm einander Ursache. So gewinnt eben jene Ruf-Form manchmal den Charakter des SOS-Rufes, der Beschwörung zumindest. Sie ist Umzingelungsversuch, bei Grass immer da zu beobachten, wo er politisches Einverständnis erzielen will, indem er sprachliches Vorverständnis ausnutzt. Die Ummünzung von Spruchweisheit, Märchensprache, Volkslied oder anderen Gemein-Sprachen ist deutlich Mittel. Ob Oskar »beschloß, auf keinen Fall Politiker zu werden« oder ob er »das Land der Polen mit der Seele sucht«; ob »das Taxi bei heiterem bis wolkigem Wetter wartete« oder im Zwiebelkeller-Kapitel den hosennässenden Besuchern einer Bar »wer will fleißige Waschfrauen sehen« vorgespielt wird – das hat man wohl fälschlich unter »Parodie« rubriziert. Selbst die Heidegger-, Hitler-, Bibel-Parodien, die Collagesprache der Juno-Zigaretten, Gefrierfleischorden oder Blitzmädchen bedeuten ja mehr als sprachliche Jongleurkunst und Erinnerungsvirtuosität. Es sind Mittel der Lockung und Verführung. Wenn Grass' Wahlreden »Des Kaisers neue Kleider«, »Was ist des Deutschen Vaterland« oder »Ich klage an«[30] heißen, dann sind das bewußte Verwendungs-, also Verführformen, die sich des Bekannten bedienen: Märchen, Lesebuchgedicht, UFA-Filme – die umgewendeten Titel sollen die Hörer umwenden zum Gläubiger.

Denen Grass selber nicht mehr ganz glaubt. Das ist eine neue Haltung, also auch ein anderer stilistischer Habitus. Parodie, das konnte ja begriffen werden als abermalige Fortschraubung jener Thomas Mannschen Ironiehaltung, der laut Lucien Goldmann einzige Möglichkeit des spätbürgerlichen Erzählers war, sich mit der Wirklichkeit ins Benehmen zu setzen. Haltung als moralische wie stilistische Kategorie. Hier nun aber, wo »Zukunft als Fraß scheibenweise geschnitten« wird, wo auch an Lenins Hand der Freisler-Finger gesehen wird und die »I love peace«-pinselnden Zwillinge sich beim Pinseln bis kurz vorm Brudermord streiten[31], wird ein anderer Prozeß evident.

Die Grass'sche Abwehr Hegels ist keineswegs Option für den »Kollegen aus Danzig« namens Schopenhauer. Aber sie versteht sich als Skepsis gegen Geschichte, genauer gesagt: gegen ihren peristaltisch-dialektischen Ablauf. Grass ist fasziniert vom a-synchronen Ablauf des Geschehens, vom a-logischen. Das dringt nicht vor als proklamierte Erkenntnis, sondern dringt ein ins sprachliche und gedankliche Detail: »Als Zweifels Salatkopf durchstochen und der Koffermaler Semmelmann mit Walkhölzern zerschlagen wurde ...«[32] das ist nicht ins bigotte Paradoxon verliebte Zeitangabe, sondern historisches Credo. Der gesamte Bau des Buches führt diese Wucherung vor, ein sich immer stärker einwachsendes Nachdenken über moralische Hohlräume und historische Widerläufigkeiten – die Schönheit auf Gesichtern, die hassen, findet ihre Balance in dem Satz: »Ich mag alte gebrochene Leute.«[33] Nicht Denkübung und artistisches Exerzitium finden hier statt, vielmehr wird vorgeführt das reflektorische Kontinuum einer nur scheinbar kraftstrotzenden, einer gefährdeten Existenz. Man mag »Hüpfschnecken« züchten können, »doch die übersprungenen Spannen wollen sich nicht beeilen«; so heißt es schon sehr bald nach dem entscheidenden 15. Kapitel – »und Zweifel melken«.[34]

Das ist der Sprengsatz. Das ist das Grundmotiv. Das ist der Wirbel, der Einen zu zerreißen drohte und den er bändigen mußte durch Form – um zu überstehen. Deshalb steht zu Beginn des »Butt« die Mischung aus Trotz und Versuch: »Ich, das bin ich jederzeit« – und lautet der letzte Satz: »Ich lief ihr nach.« In diese riesig spreizende Klammer hat Günter Grass hineingepackt, was die Welt einem zufügen kann.

Es sind drei mal drei Bücher; also neun; also, die Zeit, die ein Mensch braucht, geboren zu werden. Metapher und Realität zugleich – denn die Widmung gilt einem realen Menschen, Grass' Tochter Helene, die gezeugt und geboren wurde, während dieses Buch entstand (und die den Namen seiner Mutter trägt). Nicht nur Psychogramm ist es, wenn das vorletzte Gedicht des Buches diese Zeitabfolge nachzeichnet:

»Im ersten Monat wußten wir nicht genau
und nur der Eileiter hatte begriffen.
Im zweiten Monat stritten wir ab,
was wir gewollt, nicht gewollt,
gesagt, nicht gesagt hatten.
Im dritten Monat veränderte sich der faßbare Leib,
aber die Wörter wiederholten sich nur.
Als mit dem vierten Monat das Neue Jahr begann,
begann nur das Jahr neu; die Wörter blieben verbraucht.
Erschöpft aber noch immer im Recht
schrieben wir den fünften, den sechsten Monat ab:
Es bewegt sich, sagten wir unbewegt.
Als wir im siebten Monat geräumige Kleider kauften,
blieben wir eng und stritten uns
um den dritten, versäumten Monat;

erst als ein Sprung über den Graben
zum Sturz wurde –
Spring nicht! Nein! Wart doch. Nein. Spring nicht! –
sorgten wir uns: Stammeln und Flüstern.
Im achten Monat waren wir traurig,
weil die Wörter im zweiten und vierten gesagt,
sich immer noch auszahlten.
Als wir im neunten Monat besiegt waren
und das Kind unbekümmert geboren wurde,
hatten wir keine Wörter mehr.
Glückwünsche kamen durchs Telefon.«[35]

Das Gedicht faßt in nuce schon die Geschichte zusammen. Der Satz davor gibt den Schlüsselnamen: Ilsebill. Zugrunde liegt das Märchen vom »Fischer und syner Fru«. Es hat genau neun Phasen – von der Hütte über Paläste und Schlösser zurück zur Hütte: »Aber sie war nicht zufrieden, und die Gier ließ sie nicht schlafen. Sie dachte immer, was sie noch werden könnte«[36], so heißt der Drehpunkt des von den Brüdern Grimm gesammelten Märchens. Mit dieser epischen Konstruktion öffnet Grass sein Buch jenem Element, das es gleichsam in sich hineinschlingt: Geschichte. Es ist die kunstvollste Verzwirnung individuellen Geschehens mit Historie, die ein Roman seit Joyce' »Ulysses« geleistet hat. Stete Hoffnung, permanente Skepsis – nicht zufällig wird sie in den Kategorien Bloch'schen Denkens angedeutet: »Ich bin. Aber ich habe mich nicht. Darum werden wir erst.«[37] Die Geschichte dieses Werdens versucht Grass zu schildern wie zu bezweifeln. Sie überwältigt sein ursprüngliches Vorhaben, über Kochkunst und deren Vestalinnen eine muntere Fabel zu spinnen:

»Anfangs hätte ich nur über neun oder elf Köchinnen eine Art Ernährungsgeschichte schreiben wollen: vom Schwadengras über die Hirse zur Kartoffel. Aber der Butt sei gegengewichtig geworden. Und der Prozeß gegen ihn. Leider habe man mich als Zeugen nicht zulassen wollen. Meine Erfahrungen mit Aua, Wigga, Mestwina und Dorothea seien den Damen wenn nicht lächerlich, so doch bloße Fiktion gewesen. ›Richtig abgeschmettert habt ihr meine Anträge. Was bleibt da übrig, als das Gewohnte zu tun: schreiben schreiben.‹«[38]

Dieses Schreiben heißt nicht nur, durch die Epochen hindurch – von der Steinzeit zu Women's Lib – die sonderbaren Geschicke von neun Köchinnen zu erzählen; es heißt vor allem, »ich jederzeit« zu sein. Der »Butt« des Märchens war unsterblich. Nun ist es auch der Fischer – er brennt Kohle in der Bronzezeit für Wigga oder wird als Bischof Adalbert erschlagen von Mestwina; er wird der wenig gebrauchte Ehemann der Dorothea von Montau, Heilige und Hexe, oder ist Ankerschmied Stubbe und Stobbe, dessen Frau Lena ein proletarisches Kochbuch verfaßt. Vor allem aber ist er der Schriftsteller unserer Jahrzehnte, der seiner Ilsebill eben die Geschichte der neun Köchinnen erzählt, der ihr zugetan ist, der zurückgestoßen wird, der einranken und zuranken will in der Kürbishütte der Sehnsucht:

»Und ich lasse im Garten (dem Friedhof daneben) für uns eine Kürbishütte ranken, so eine, wie sie, mitten im Dreißigjährigen Krieg, dem Kneiphof gegenüber, auf Königsbergs Pregelinsel drei Sommer lang blühte. In der saß mein Freund Simon Dach, wenn er mir (dem Opitz von Boberfeld) zierlich in Reimen schrieb: ›Hie wünsch ich stets zu wohnen, bei Kürbsen und Melohnen. Hie schöpff ich Lufft und Ruh und sehe durch daß Laub den schnellen Wolcken zu...‹«[39]

Zeit wäre ausgespart, ausgesperrt – eine Existenz, unbeschädigt vom Müll der Menschen und ihrer Geschichte. Zeit wäre gar aufgehoben, außer Kraft gesetzt. Es wäre jener hauchdünne Augenblick des Stillstandes, den Liebe sich wünscht, jenes schwebende Zittern, das von Luther einst so glorios in »erkennen« übersetzt wurde. Es ist der Moment, in dem entsteht, was je entstand und entstehen wird. Den meint Grass, den will er bannen, auch seine bittere Einsamkeit schmecken – und sieht ihn, die Jahrhunderte hindurch, gestört:

»Aber du willst nicht mit mir einranken, zuwachsen. ›Deine Scheißidylle‹, sagst du. ›Deine barocken Ausflüchte. Das könnte dir so passen. Mich wie ein Landei nach Bedarf aus dem Nest holen. Und deine ewige Nabelschau spannend finden. Dafür habe ich nicht wie verrückt studiert‹, sagst du, ›um hier auffem Land mit Kindern und Küche in einer Kürbishütte, auch wenn das Spaß macht manchmal, dir das Kopfkissen zu schütteln. Nein!‹ sagst du. Reisen willst du. Kleine Antillen und andere Prospekte. In London und Paris interessante Leute treffen, die in Milano und San Francisco interessante Leute getroffen haben. Die Emanzipation durchdiskutieren. ›Und außerdem‹, sagst du, ›fehlt uns eine geräuscharm laufende Geschirrspülmaschine und eine städtische Zweitwohnung. Kürbishütte? Dann kannst du auch Pißpott sagen, wie es im Märchen steht. Eher treib ich das ab, und zwar in London, eh ich mich hier von dir einranken lasse. Ist doch der alte Männertrick. Goldener Käfig und so. Bist wohl müde?‹ Ja, Ilsebill. Ein bißchen schon. Gegenwartsmüde.«[40]

Geschichtsmüde. Das eben ist die »Störung«: Fortschritt als Rückschritt. Entwicklung kaum, eher Bedrohung. Das Rad der Geschichte als eines, auf das wir geflochten werden.
Auch – es wäre anders kein Buch von Günter Grass – das Schwungrad der Ironie; Skepsis kann auch lächeln. Wie sonderbar sich Historie, Gegenwart und Fabulierkunst mischen, dafür ist eines der besten – von sieben möglichen – Beispielen das Kapitel »Verehrter Herr Doktor Stachnik«. Bereits diese Anrede-Überschrift ist keine beliebige Spielerei: Msgr. Dr. R. Stachnik, Absender Liebfrauenburg, Postfach 167, ist keine erfundene Figur. Wir kennen ihn bereits aus den »Hundejahren« als noblen Zentrumspolitiker aus Danzig. Tatsächlich ist der Monsignore nicht nur der Lateinlehrer des Schülers Grass gewesen, er ist bis zur Stunde militanter Fürsprecher der »geistig und religiös-sittlich bedeutendsten Frau des Deutschordenslandes Preußen«, wie es in einem Brief an Grass heißt, der Dorothea von Montau. Er arbeitet – etwa durch die Herausgabe eines »Dorotheen-Boten« – »für unsere heimatliche Heilige, die Schutzpatronin Preußens«, die inzwischen heilig gesprochen wurde, über die Stachnik ein Buch verfaßt hat und die er in langen Briefen an den Schriftsteller verteidigt:

»Ich habe mich sehr gefreut, durch Ihr Schreiben Einblick in Ihre Arbeiten erhalten zu haben, denen Sie sicher mit größtem Ernst obliegen... Zum sexuellen Verhalten Dorotheas! Dorothea hat nie die eheliche Pflicht von ihrem Mann verlangt, hat sie aber immer geleistet, wenn ihr Mann sie verlangte. Auch dieser war hierin sehr zurückhaltend; nach der Empfängnis eines Kindes verzichtete er auf den ehelichen Umgang. Nach der Geburt des jüngsten Kindes verpflichteten sich die Ehegatten zu voller sexueller Enthaltung. Soweit zu Ihrem Schreiben, sehr geehrter Herr Grass!«[41]

Was im Roman wie schiere Phantasie wirkt, als bloß episch-artistische Dialogform, das sind ganz reale Zitate einer realen Korrespondenz. Nur: das Gran Absurdität, das eben die enthält – »die Dame war sehr empört«, berichtet Stachnik in einem anderen Brief[42] von einer Bekannten, die Teile des »Butt« im Radio hörte –, diese Mischung aus Groteske und rührend verlorener Ritterlichkeit wird nun von Grass ein Stückchen weiter vorangetrieben, einen Stollen weiter: Die Ebene von Geschichte und Realität wird verlassen, da sie nicht verläßlich ist; gewonnen wird die Dimension der Phantasie als das Wahre – etwa in dem Sinne, in dem Balzac sagte: »Kehren wir zur Realität zurück«, als er sich von den politischen Ereignissen der Märzrevolution ab- und wieder der Arbeit zuwandte. Bei Grass heißt es, gleich im Anschluß an ein Briefzitat, er unternähe *seiner* Dorothea einen anderen, mehr irdischen Sinn:

»Dorothea war (in unserer Region) die erste Frau, die gegen den vaterrechtlichen Zwang der mittelalterlichen Ehe revoltiert hat. Bald nach dem Tod ihres Vaters wurde sie durch ihren ältesten Bruder ungefragt (sechzehnjährig) einem schon ältlichen Mann (mir) zur Frau gegeben... Sie werden es bemerkt haben, verehrter Herr Stachnik: wie Sie (wenn auch ohne himmlischen Lohn) habe ich Dorothea geliebt. Doch sie hat den Butt geküßt, worüber ihr Biograph Johannes Marienwerder kein Sterbenswörtchen verliert. Zwar ist ihr nach dem Kuß (und der Unzucht mit dem Fisch) das Mündchen verrutscht, doch selbst schiefmäulig und mit querem Blick blieb sie schön. Die Last ihrer Haare. Ihr wundgegeißeltes Fleisch. Sogar ihre Reime auf ›herz‹ und ›smerz‹ habe ich gemocht. Und daß sie Asche an alle Suppen rührte. Auch konnte sie wirklich zwei Fuß hoch über dem Boden schweben: hab ich gesehen, mehrmals (nicht nur im Freien bei Nebel).«[43]

Der »irdische Sinn« also als Produkt kreativer Irratio. Die Wahrheit nicht in der Wirklichkeit, aber in der Möglichkeit: Das ist das Gesetz dieses Romans. Er verdaut Geschichte in einem Saugvorgang, indem er sie »aufhebt«: bewahrt und vernichtet. Ihre Logik wird ausgezogen wie eine immer länger, dünner, unsichtbarer werdende graphische Linie – und am Ende taucht etwas auf, das die Unlogik des Traumes hat. Eine eigene Logik. Die der Kunst. Literarisch und Realität seien Widersprüche in sich, die Literatur tut etwas zur Realität hinzu, meinte einmal Döblin, als dessen Schüler Grass sich in Maßen begreift und über dessen Technik er in seiner Rede gesagt hat: »...vor dem Wegtauchen steht der alles tragende Einfall.«[44]
Dies genau ist Grass' Technik im »Butt« – der Autor, immer wieder vorhanden, verschwindet ebenso immer wieder, unterwirft sich der Eigenentwicklung seiner Arbeit, die – Erfindung seiner Spielmanier – nun mit ihm selber spielt. Der Souveränität, mit der Grass über sein historisch präzise erarbeitetes Material verfügt, entspricht die eigene

erzieherische Überlegenheit: »Am liebsten gehe ich in die Irre. Für mich sich zu opfern, zahlt sich nirgendwo aus.«[45] Den geschichtlich zuverlässigen Erfahrungen setzt Grass entgegen die individuelle Konsequenz aus ihnen; »Ausblick ins Ungefähre«, der erlaubt sein muß und den Schmiere stehende Hüterinnen des rechten Wegs – die Parzen der Gegenwart – weg-pfeifen; wie jeden »grellbemalten und wüst tätowierten Zweifel«.[46]
Der schlägt durch, wo und wann Grass sich auf Aktualität einläßt. »Die Beliebigkeit historischer Auftritte... Überall unbeglichene Rechnungen«[47], heißt es in dem furiosen Kapitel, das den Schriftsteller Günter Grass im Auftrag des NDR nach Danzig führt, »noch ungedeckte Behauptungen über mein Vorleben zur Zeit der hochgotischen Fastenköchin Dorothea von Montau« zu überprüfen, im Gepäck aber auch Fragen an Maria, die Kantinenköchin der Leninwerft:

»Hör mal, Maria. Wie war das im Dezember siebzig? War dein Jan dabei, als dreißigtausend Arbeiter vor dem Parteigebäude aus Protest gegen die Partei die Internationale gesungen haben? Und wo genau stand dein Jan, als die Miliz auf Arbeiter schoß? Und wo traf es ihn?«[48]

Was Grass hier gelingt, ist nicht bloßer Larvenwechsel und Versatzmontage, nicht Kulissenschieberei, ist vielmehr das Gewinnen einer ganz eigenen, unverwechselbaren epischen Disziplin. Sie hat Elemente des in jeweils einer Zeitdimension angesiedelten pikaresken Romans wie des großen Gesellschaftsromans der Thackeray und Laurence Sterne so gut wie der psychologischen Intimstudie Marcel Prousts, von dem Grass einmal meinte: Es käme bald wieder seine Stunde, er könne sich ihm doch nicht entziehen.
Diese Wirkung eines ganz einheitlichen Baues, dessen Streben, Nischen und Lichtquellen aus so verschiedenem Material zusammengefügt wurden, hängt wohl mit einem Merkmal des Romans zusammen: *einer* stilistischen Ebene. Grass veranstaltet eben kein sprachliches Kostümfest (bei aller Lust, alte Sprachattitüden zu parodieren), sondern bleibt in einer augenfällig ruhenden Erzählhaltung. Die sprachliche Schönheit dieses Romans verdankt sich einer gelassenen Unaufgeregtheit, der sich die Gefahr irgendeiner Manier, irgendwelcher Mätzchen nie anbietet. Genau diese ausgeprägte Ruhe erlaubt Grass, Ebenen, Zeiten, psychische wie faktische Verhaltensweisen unentwegt ineinander zu schieben, sich gar gegenseitig verursachen zu lassen. So kann in einem einzigen Satz der Handwerkeraufstand von 1378 mit dem Werftarbeiterstreik 1970 – nein,

nicht: erzählt werden, sondern buchstäblich Gestalt gewinnen; wie ein Fresko, das Zeiten und Orte verbinden kann, die nicht zusammengehören.

Die großen mexikanischen Wandmaler, Diego Rivera oder David Alfaro Siqueiros, haben vorgeführt, wie historische Abläufe, aktuelles Geschehen und Traum des Einen miteinander verbunden werden können zu einem einzigen, grandiosen Kunstganzen. Sie haben malerisch erzählt. Grass erzählt al fresco. »Es soll nämlich (wie in meinem Kopf, so auf dem Papier) alles gleichzeitig stattfinden«[49] – diese Erzählhaltung der »Kopfgeburten« prägt und trägt den »Butt«. So kann Grass beim Drehen für den NDR »übern Bauzaun und ins sechzehnte Jahrhundert« gucken; kann ein Blinzellicht auf das Jahr 1451 werfen, während er den O-Ton laufen läßt: »Kamera läuft. Zwölfsieben. Statement: Trümmer in der Johanniskirche«; kann von Dorothea fabulieren: »...in Lumpen, von Schlangen umzüngelt, fiebertoll, nackt ein Schwert reitend, dem Vogel Greif ins Gefieder geätzt, durch Gitter geflochten, offen, gläsern, an sirrenden Fäden hängend, wie sie den Butt küßt, endlich vermauert, vom Fleisch gefallen, schon heilig, in Anbetung schrecklich« – und kann mit demselben Atem sich erinnern, wie den Jan am 18. Dezember die Miliz voll in den Bauch traf: »›Diese Idioten‹, sagte Maria, ›wollten vor Weihnachten die Preise für Lebensmittel erhöhen!‹ Sie zeigte mir ein Foto ihrer Mädchen Damroka und Mestwina: hübsch. Dann schwiegen wir jeder was anderes, bis Maria plötzlich stand, über den Strand an die baltische See lief und laut kaschubisch dreimal dasselbe Wort rief, worauf ihr der Butt aus dem Flachwasser auf beide Handteller sprang...«[50]

Daß derlei nicht zum Zaubertrick verkommt, zu literarischer Degenschluckerei und Riesenradgeflimmer, hat noch eine weitere Ursache: Die komplizierte Architektur des Romans wird gehalten durch »Rippen«, die von puristischer Haltbarkeit sind – Gedichte. Nimmt man das Buch in die Hand, so überrascht anfangs das typographisch ganz Ungewohnte: Gedichte in einem Roman! Die Arbeit aber, die das Buch dem Leser abfordert, kommt in diesen Lyrik-Haltepunkten einen Augenblick zur Ruhe, wird unterbrochen, schafft Klarheit. Es sind Ruhepunkte der Fabel, weil Besinnungsmomente des Erzählers. Es sind auch die unverhohlensten Selbstaussagen. Man erinnert sich der »Hofnarren«-Rede aus Princeton, die so endet: »Seien wir uns dessen bewußt: das Gedicht kennt keine Kompromisse; wir aber leben von Kompromissen. Wer diese Spannung täglich aushält, ist ein Narr und ändert die Welt.«[51]

Dieser »Narr« spricht in den Gedichten. Stellte man sie zu einem eigenen Band zusammen, dann erhielte man die Legende einer gescheiterten

Liebesbeziehung: »Nachdem es geklappt haben mochte, rauchten wir im Bett unter einer Decke jeder seine Vorstellung von Zigarette. (Ich lief, die Zeit treppab, davon.) Ilsebill sagte: ›Übrigens brauchen wir endlich eine Geschirrspülmaschine.‹«[52] Doch es bleibt nie bei der persönlichen Leiderfahrung.

Es zeigt die artistische Potenz von Grass, daß er das nicht erläutert. Vielmehr gibt er eine Gegenbalance durch ein in sich geschlossenes, genuin poetisches Element innerhalb der gesamten Prosastruktur des Buches. Er argumentiert nicht, verläßt sich nicht auf den sicheren Boden des Rationalen, sondern auf jene vom Geschichtspessimisten Walter Benjamin schon analysierte allegorische Methode. Ihr liegt ein Kunst- und Geschichtskonzept zugrunde. Benjamins Dialektik von Vergangenheit und Zukunft ist eine deutlich resignative. Das leere Übrig-bleiben ist Zentrum des gesamten Trauerspielbuches, gegen dessen Ende der Psalm 126/6 barock paraphrasiert wird: »mit Weinen streuten wir den Samen in die Brachen und giengen traurig aus«; ist letzter Ausdruck von Kunstwollen – jene neue Humanität, als deren Vermittlungskategorie Benjamin Kunst einerseits sieht, ist andererseits eine, »die sich an der Zerstörung bewährt«. Und der neue Engel ist einer, »welcher die Menschen lieber befreite, indem er ihnen nähme, als beglückte, indem er ihnen gäbe«.[53] Darin verrät sich, im großen Bogen, kein optimistischer Geschichtsbegriff. Kunst als Besinnung, nicht Gesinnung. Die Summe der Geschichte: Katastrophe.

Grass' Roman wird getragen von *einem* großen, wenn auch nicht hermetisch abgegrenzten, so doch präzise ineinander verwobenen Motivfeld, das bis ins intimste sprachliche Detail zu verfolgen ist – Animalität und Tod, Sexualität, Essen und Angst: »Wir sprachen gaumig über Gott und die Welt / und über das Fressen, das auch nur Angst ist.«[54] Die gesamte Motorik des Grass'schen Romans verdankt sich dem Ineinanderhaken dieser Motive, von der Lockung und Bedrohung der dreibrüstigen Aua, Köchin und Priesterin, über das probeweise Umtaufen des Dr. Zweifel in Dr. Zärtlich bis zu jenem Vorschlag, den die Gebärde des Flehens mehr trägt als die des Bittens:

»Ab vierzig sollten alle Männer wieder gesäugt werden:
öffentlich und gegen Gebühr,
bis sie ohne Wunsch satt sind und nicht mehr weinen,
auf dem Klo weinen müssen: allein.«[55]

Essen als erotischer Vorgang, als Möglichkeit des Nicht-Alleinseins, und Kochen als Möglichkeit des Tötens – das sind die beiden »Vorschläge«, die Grass einander in Schwebe hält. In seiner Welt-Sucht treibt er sie durch alle historischen und moralischen Konstellationen. Nahrung bereiten, um den Mann zu gewinnen; Nahrung vergiften, um ihn zu vernichten – zwei elementare Waffen der Frau die Jahrhunderte hindurch, die andere Waffen ihr nicht boten.

Genau dieses Element des Schwebenden setzt Grass außer Kraft in dem einzigen Kapitel, das nicht in Danzig spielt, nur aus einem einzigen Text besteht, kein Gedicht enthält und in dem Grass sich zur Farce verirrt: »Vatertag«. Kein Zufall, daß Essen wieder im Mittelpunkt steht – »Das Grillen auf offenem Feuer war immer schon Männersache«[56], ruft der/die lesbische Billy – und daß Futtern im Freien, beim Vatertagsausflug im Grunewald, Drehpunkt der Erzählung zum Bösen wird; denn eine in sich geschlossene Erzählung ist dieser »Ausflug der toten Mädchen«, stilistisch völlig aus dem Klima des übrigen Buches herausfallend, der einzige Text, dessen Schärfe man unbarmherzig nennen könnte, ja: hämisch. Grass' Attackierwut läßt ihn ein Ballett von Karikaturen inszenieren, die drei »lesbischen« Kerle – »los, Jungs« – wirken lächerlich und stehen, auch wenn sie wie Männer aufrecht pinkeln dürfen, vom Hohn ihres Schöpfers übergossen da. Hohn ist aber kein Mittel der Literatur, ist ein Destillat, aus dem Mitleid oder Teilnahme oder das auch nur ungläubigst-staunende Verstehen herausgefiltert ist. Das Kapitel gerinnt zu einer Schärfe der Überzeichnung, daß einem Angst wird vor den »Lachern«, die es mit Sicherheit bei jeder Lesung bringt. Die große Humanität des »Ich auch. Ich auch«, die das gesamte Buch sonst überspannt, ist hier ganz vergessen – und prompt endet die Erzählung im Debakel. Womit nicht der inhaltliche Ablauf gemeint ist: Billys Ende als zermanschtes Stück Fleisch, von sieben Motorradhelden »hergenommen« und nun wenig mehr als ein Fleck auf dem Nadelboden – das hat etwas Pastoses, Unentschiedenes. So merkwürdig es klingt: es ist nicht hart genug. Wahre Härte braucht als Grundlage Barmherzigkeit. Grass hatte von Beginn an kein Mitleid mit den Figuren seiner Erzählung, und so kann er es auch nicht im erbärmlich-gräßlichen Crescendo haben, in dem sie endet. Es ist eine gebremste Schonungslosigkeit.

Wenn man diesen Text vergleicht etwa mit dem Grausen, das die Texte von Hubert Selby vermitteln, die Abschnitte »Eine Großfürstin stirbt« und »Tralala« seines Buches »Letzte Ausfahrt Brooklyn«, dann sieht man: Selby grauste selber, was er beschrieb – er liebte diese Menschen, die *er* nicht zu Müll machte. In diesem Grass-Kapitel werden sie eher achselzuckend zu Müll, sind es sozusagen von Beginn an, bigotte Figuren, die im Schunkelrhythmus untergehen. Die lesbischen Frauen von Günter Grass sind traurige Gestalten; tragisch sind sie nicht. Ein seltsam vertrotzter Ton des Rechtbehaltens zeigt, daß Grass sich, seine Weichheit, Empfindlichkeit hier ganz »herausgehalten« hat – genau das Gegenteil von Ethos und Impetus des übrigen Buches. Er belehrt und doziert und zieht Figürchen am Draht, die sich nach seinem Willen läppisch und verrenkt bewegen müssen. Probates Mittel, Scherenschnitte statt Charaktere herzustellen.

Ein Glück, daß der Roman mit diesem Kapitel nicht endet; daß Grass in einem furiosen Schlußkapitel noch einmal alle Erzählebenen, alle Kraftströme zusammenfaßt. Es ist noch einmal die schier übermächtige Gewalt seiner Phantasie und seine formale Energie, die bis in die Tonalität hinein die Artistik eines Pastiche durchhält. Sie treten alle noch einmal auf, die Köchinnen in ihren Gezeiten; doch nur ein Satz wird wiederholt: »Ach, Butt! Dein Märchen geht böse aus.«[57] Es ging böse aus – »Geh nur hin, sie sitzt schon wieder in der Fischerhütte«, bedeutet der Butt im Märchen dem unglücklichen Mann der gierigen Ilsebill, »Da sitzen sie noch bis auf den heutigen Tag.« Grass stülpt auch diesen Ausgang des Definitiven um. Er macht einen Prozeß daraus – aber einen, dessen Grundzug Vergeblichkeit ist: »Ilsebill kam. Sie übersah, überging mich. Schon war sie an mir vorbei. Ich lief ihr nach.«[58]

Wie seinerzeit nach der »Blechtrommel« die knappe Meistererzählung »Katz und Maus« Auslauf einer nicht erschöpften Kreativität war, so entstand »Das Treffen in Telgte« im Nach-Sud des »Butt«; ein Fisch-Soufflé, um in Grass'scher Terminologie zu bleiben – voll Gewürz, Deftigkeit und doch ganz kunstvoll leicht.

Die Erzählung verdankt sich einem äußerlich banalen Anlaß, was sie mit vielen Meisterwerken der Literatur teilt (die »Buddenbrooks« sollten eine schmale, eher private Familienminiatur werden): Grass wußte nicht, was er seinem Freund Hans Werner Richter zum 70. Geburtstag schenken sollte; und geschenkt werden mußte unbedingt, denn Günter Grass – sich darin von manchen seiner Kollegen unterscheidend – hat nicht vergessen, was er Richter und der Gruppe 47 zu verdanken hat. Hier wurde er, 1956, entdeckt, und aus dem unbekannten Bildhauer wurde der weltberühmte Romancier. Anekdoten? Wohl nicht nur; denn Gedächtnis und Dankbarkeit haben eine Barockperle der modernen Erzählkunst geschaffen.

Das macht ihm wohl heute niemand nach; wenn »Le Monde« schon

über den »Butt« schrieb, ein solches Buch sei seit langer Zeit keinem Weltautor mehr gelungen – dann muß gesagt werden: Die Perfektion dieses schmalen Bändchens ist schlechterdings bewundernswert. Wieso? Es gibt verschiedene Antwortmöglichkeiten. Grass hat ein nahezu unübersichtliches historisches Material nahezu mühelos geordnet, die Arbeit vieler schwitzender Germanistikseminare spielerisch überwältigt; alles stimmt. Jede Paul-Gerhardt-Zeile (»Wach' auf, mein hertz, und singe...« oder »Nun ruhen alle Wälder – Vieh Menschen Städt und Felder...«) ist exakt, jeder Gryphius-Satz (»O du wechsel aller dinge immerwährend eitelkeit...«) stimmt; und es vermittelt doch zugleich alles ein sonderbar ziehendes Gefühl von Traurigkeit. Das ist die zweite Ebene der Grass'schen Kunstfertigkeit. Auf dem gesicherten Boden einer (mit offenbar enormem Fleiß zusammengetragenen) Bildung hebt ein so schönes wie melancholisches Spiel an: Hervorgelockt wird eine Wahrheit – die Wirklichkeit war anders. Keiner der in Telgte Versammelten war je »versammelt«, kein Harsdörffer stritt mit Weckherlin, und nicht Logau noch Hofmannswaldau folgten je einer Einladung Simon Dachs. »Niemand wollte für sich bleiben«[59] – das ist Hoffen innerhalb der Unmöglichkeit. Es ist damit – dies die dritte Ebene – Grass' Scharnier zur Gegenwart. Sie sind es und sie sind es nicht: Böll und Enzensberger, Johnson und Walser. Einer ist es bestimmt: Simon Dach alias Hans Werner Richter.
Man trifft sich 1647, dreihundert Jahre vor Gründung der Gruppe 47; weil Günter Grass es so will. Seine Erzählung ist kein Kostümstück, sondern historische Fiktion, ist kein Schlüsselroman, aber eine Phantasmagorie möglicher historischer Parallelen. Ein Märchen von versäumten Möglichkeiten – literarischen und nationalen.
Mit der ihm eigenen Fähigkeit, didaktische Strenge und versponnene, balancierende Zartheit zu mengen, hat Grass sich nicht gescheut, das Element barocker Belehrkunst neu zu wenden:

»Dach hatte keine Zweifel an der Nützlichkeit des so lange vorbereiteten Treffens. Es waren, solange der Krieg schon dauerte, versammelnde Wünsche mehr geseufzt als geplant worden. Hatte ihm doch Opitz, noch kurz vor seinem Tod solche Zusammenkunft bedenkend, aus seiner Danziger Zuflucht geschrieben: ›Ein Treff allmöglicher Poeten, in Breslaw oder im Preußenland, sollte unsere sach einzig machen, derweil das Vaterland zerrissen...‹«[60]

Dennoch – nicht wichtig ist das kleine Zwinkerspiel, ob mit Moscherosch nun Enzensberger, ob mit Gryphius nun Walser gemeint sei; das hätte leicht zur Skatzeitung eines Klassentreffens ausrutschen können, ein mies verschminktes Historienspektakel – »Ach der mit dem Kneifer, gab der nicht Mathe?« Das also nicht, hier liegt ein ganz genuines Stück Prosa vor, und niemand muß wissen, wer mit wem auf der Tagung in Saulgau... Kein Schlüsselloch, sondern ein Fernrohr – in die Gegenwart. »Wo das Vaterland daniederliege, könne die Poeterei kaum in Blüte stehen«[61], heißt es an einer Stelle. Grass wehrt sich mit aller Macht seiner poetischen Kraft gegen dieses »könne«; ein Konjunktiv.
Und er setzt, dies eines der Geheimnisse seines nicht-realistischen Erzählstils, kein »Argument« dagegen; vielmehr die jenseits der Ratio wirkende Lust an der Sinnlichkeit. Wer die Sexualität in der Grassschen Prosa als Zote sah, die Eßorgien als Rezept begriff oder Sterben – auch Sterben ist Sinnlichkeit – als bloßen Verfall zu Dung, der hat von diesem Schriftsteller nichts begriffen. Der hat ihn als Redner mißverstanden, statt sich von ihm überreden zu lassen. Eine Szene, von der vielleicht nie ganz erklärbaren Intensität der Brechtschen »Hauspostillen«-Gedichte, sei Beispiel dafür; wie der vom politischen Gespräch und von den Mägden ausgesperrte Zesen mit sich allein sein wollte:

»Doch kaum sah ich ihn über der äußeren Ems stehen, die sich tief in Sandgrund gebettet hatte, trieben zwei aneinandergebundene Leichen gegen das Ufer: die waren, obgleich gedunsen, kenntlich als Mann und Frau. Nach kurzem Zögern – für Zesen verging eine Ewigkeit – lösten die beiden ihr Fleisch aus dem Weidengeschling, kreiselten in der Strömung, waren verspielt miteinander, entkamen dem Strudel, glitten flußab zu den Mühlwehren hin, wo der Abend in Nacht überging, und ließen nichts zurück; es sei denn mögliche Wortbilder, die Zesen sogleich mit gesucht neuen Klingwörtern aufzufüllen begann. Weil von Sprache bedrängt, blieb ihm nicht Zeit, sich zu entsetzen.«[62]

Da gönnt sich ein Text einen Rest, etwas Unbegreifliches unter allem Faßbaren, einen Moment von Vergeblichkeit im Versuch, durch Sprache zu hexen. Es ist Skepsis und Hoffen des Zauberspruchs.
Seit einigen Jahren gibt es eine literaturtheoretische Debatte über die Neuentdeckung des Mythos und seiner Kraft in einer rationalen (und rationalisierten) Gegenwart. Ernst Fischer und Louis Aragon deuteten das zuerst an, und nicht zufällig bezogen sie sich auf Kafka und Beckett. Es ist hier nicht der Ort, diese Debatte – und ihre dringliche Wichtigkeit

etwa vis-à-vis dem Werk von Heiner Müller – zu entwickeln. Doch es erweist sich Günter Grass als einer, dessen Werk zeigt, warum derlei Diskurse geführt werden; denn es ist ja das Märchen irdischer Mythos, grausam meist, süchtig machend nach mehr – mehr Hoffnung, mehr Gelingen, mehr Glück:

»Keiner ging uns verloren. Alle kamen wir an. Doch hat uns in jenem Jahrhundert nie wieder jemand in Telgte oder an anderem Ort versammelt. Ich weiß, wie sehr uns weitere Treffen gefehlt haben. Ich weiß, wer ich damals gewesen bin. Ich weiß noch mehr. Nur wer den Brückenhof hat in Flammen aufgehen lassen, weiß ich nicht, weiß ich nicht...«[63]

Das war schon Denkspiel so gut wie Prosawurf, Reflexion innerhalb des Märchens. Zu beobachten ist eine Veränderung in der Erzählhaltung dieses Schriftstellers: Phantast in der Form, Realist in der Idee – Günter Grass hat sich seit geraumer Zeit ein neues Genre erarbeitet: den erzählenden Essay. Schon seine beiden großen Prosastücke »Kafka und seine Vollstrecker« und »Im Wettlauf mit den Utopien«, die in dem Band »Aufsätze zur Literatur« vorliegen, hatten diesen Doppelcharakter; es waren literarische Essays zu Kafka und Döblin, und es waren erzählte Phantasmagorien zugleich. Doppelbelichtungen.

Das Buch »Kopfgeburten« setzt diese neue Prosastruktur fort. Ein virtuoses Meisterstück. Es ist gearbeitet wie das, was man in der Malerei eine Gouache nennt, es wirbelt Techniken und Methoden durcheinander, läßt sich auf jede Form ein, aber verläßt sich auf keine.
Vordergründiger Anlaß war des »Blechtrommel«-Regisseurs Schlöndorff Vorschlag, einen neuen Film für ihn zu entwerfen. Grass fand rasch heraus, daß ein übliches Drehbuch keine eigentliche literarische Form ist, daß seine Fabuliersucht und Erfindungsgabe ein so enges Bett sprengen. Entstanden ist ein höchst seltsames Gebilde, das die eigenen Beobachtungen einer Chinareise wie mit einem weitreichenden Hohlspiegel einem holsteinischen Lehrerehepaar aus der Apo-Generation oktroyiert. Grass schickt Dörte und Harm Peters auf eine Fernostreise. Aber im Gepäck haben sie nicht nur die Leberwurst des Itzehoer Schlachtermeisters, sondern sich: den Streit um das Kind, das Dörte mal ja, mal nein will, das Harms mal nein, mal ja will. Grass verspottet die Gedankenfloskeln und Redeklischees, die hinter politischen Phrasen – »Mein Kind in diese von Kernenergie verseuchte Welt...« – menschliches Unvermögen verbergen; aber er höhnt seine Figuren nicht – dazu steckt in ihnen zuviel von ihm

selber. Denn ihre querulierenden Diskussionen, Pille weg und Fledermaus aus der heiligen Gruft im Haar, das sind auch seine, Günter Grass', Debatten: Er mischt sich ein, immer mal wieder.
Grass spricht von sich in diesem Buch, auch immer da, wo er Schlöndorff eine Filmeinstellung eher ausredet als vorschlägt: »Ich weiß noch nicht: wird es ein Buch oder Film? ›Kopfgeburten‹ könnte der Film oder das Buch oder beides heißen...«[64]; immer da, wo seine Gabe zu grotesker Komik die Welt verzerrt – wie wäre es, es gäbe 800 Millionen Deutsche und 60 Millionen Chinesen:

»Die Deutschen sterben aus. Ein Raum ohne Volk. Kann man sich das vorstellen? Darf man sich das vorstellen? Wie sähe die Welt aus, gäbe es keine Deutschen mehr? Was finge die Welt mit sich an ohne die Deutschen? Müßte sie fortan am chinesischen Wesen genesen? Ging den Völkern ohne die deutsche Zutat das Salz aus? Hätte die Welt ohne uns noch irgendeinen Sinn oder Geschmack? Müßte die Welt sich nicht neue Deutsche erfinden, inbegriffen Sachsen und Schwaben? Und wären die ausgestorbenen Deutschen im Rückblick faßlicher, weil nun in Vitrinen zur Ansicht gebracht: endlich von keiner Unruhe mehr bewegt?«[65]

Und wenn Grass von sich spricht, dann spricht er von uns, er ist wohltuend anmaßend und verkündet das Ende der Bescheidenheit gegenüber den törichten Verwaltern der Macht:

»Das hieße, der dummen Macht Respekt erweisen. Ihre Stinkmoral gelten zu lassen, hieße das. Das hieße, Folgerichtigkeiten zu akzeptieren, die das serbische Sarajewo berüchtigt gemacht und meine Heimatstadt Danzig zerstört haben; während ich, mit Wörtern nur, die Stadt Danzig, die heute Gdańsk heißt, wieder entstehen ließ. Keiner der Mächtigen kann mir das Wasser reichen. Lächerlich sind sie und Pfuscher obendrein. Hochmütig spreche ich ihnen die Kompetenz ab, mich beim Schreiben zu stören.«[66]

Souverän und raffiniert zugleich ist Grass' Artistik, in deren Formwirbel nichts so »falsch aussieht wie die Natur«, in der eine herrliche Parodie auf das Mitglied der Gruppe 47 Franz Josef Strauß so »richtig« ist wie der Ton wahrer Betroffenheit über den Tod des Freundes Nicolas Born. Kein Film, keine Novelle, keine Filmnovelle, aber eine Prosaetüde voll skurriler Komik, die plane Logik außer Kraft setzt, um sich der des Unsinns anzuvertrauen, in den jeder von uns eigenen Sinn einbringen kann:

»Deshalb halte ich auch die Form nicht mehr reinlich. Auf meinem Papier ist mehr möglich. Hier stiftet einzig das Chaos Ordnung. Sogar Löcher sind Inhalt hier.... Ohne ihren tieferen Sinn preiszugeben, überdauert die Leberwurst im Reisegepäck. Doch wenn ich die Gesichtszüge von Harm und Dörte Peters ausspare, ihm keinen Silberblick, ihr keine Lücke zwischen den Schneidezähnen erlaube, geschieht das mit Absicht: Schlöndorff wid diese genau umrissenen Leerstellen mit dem Mienenspiel zweier Schauspieler ausfüllen; nur sollte er semmelblond, sie küstenblond sein.«[67]

Zu dieser sehr spezifischen Form der Grass'schen Essayistik gehört, daß die eigene Person unverhohlener ausgestellt wird als in strengen Prosastrukturen – vergleichbar der Zunahme von Selbstporträts in den graphischen Arbeiten dieser Zeit. Mit Mitte fünfzig hat Grass sich eine Schreibpause auferlegt, ist zurückgekehrt zu seinen künstlerischen Anfängen und arbeitet in einer eigenen Werkstatt in Wewelsfleth als Bildhauer; die Skulpturen und Bas-Reliefs, aber auch die Zeichnungen, Lithographien und Stiche haben das Erzählen übernommen – zwei der ersten skulpturalen Arbeiten zeigen den abgegessenen Butt und die Schnecken, nun im gebrannten Ton zum Stillstand verdammt. Doch während Grass die – wie er es nennt – »dumme« Arbeit des Bildhauers mit Lust verrichtet, bleibt die magische Phantasie tätig. Es sind nun große Steinblöcke, wie erstarrte Pergamentrollen, in die er seine Sätze ritzt. Vorerst nur für ihn lesbar, Ton-Hieroglyphen, gebrannte statt gebannte Worte. Warum es ein zögernder Beginn ist, den Schriftsteller Grass wieder zu entbinden zur Wortphantasie, das hat er in seiner Rede anläßlich der Entgegennahme des Feltrinelli-Preises im Herbst 1982 in Rom formuliert:

»Zwischen den Büchern gab ich der Politik, was mir überschüssig und möglich war. Manchmal bewegte sich etwas.
Nach all den Erfahrungen mit der Zeit und ihrem gegenläufigen Verlauf, schrieb ich mir ein langsames Tier ins Wappen und sagte: Der Fortschritt ist eine Schnecke. Damals wünschten viele – und auch ich wünschte – es möge spinnende Schnecken geben. Heute weiß ich und schrieb es zuletzt: Die Schnecke ist uns zu schnell. Schon hat sie uns überrundet. Doch wir, aus der Natur gefallen, wir, die Feinde der Natur, glauben immer noch, der Schnecke voraus zu sein.
Ob es den Menschen gelingen kann, von sich abzusehen? Sind sie, die mit Vernunft begabten, gottähnlich schöpferischen, sich ihre Vernichtung immer totaler erfindenden Menschen auch fähig, nein zu sagen zu ihren

Erfindungen? Sind sie bereit, Verzicht zu üben gegenüber dem Menschenmöglichen und bescheiden zu werden vor den Resten der zerstörten Natur? Und zuletzt gefragt: Wollen wir, was wir könnten: einander ernähren, bis der Hunger nur noch Legende, das böse Märchen ›es war einmal‹ ist?

Die Antworten auf diese Fragen sind überfällig. Auch ich kann nicht antworten. Doch in meiner Ratlosigkeit weiß ich dennoch, daß Zukunft nur wieder möglich sein wird, wenn wir Antwort finden und tun, was wir als Gäste auf diesem Erdball der Natur und uns schuldig sind, indem wir einander nicht mehr Angst machen, indem wir einander die Angst nehmen, indem wir uns abrüsten bis zur Nacktheit.«[68]

Wolfgang Hildesheimer

Fallensteller und Fuchs im Eisen zugleich; Fährtensucher oder auch Spurenverwischer; scheinbar indiskreter Enthüller fremden Lebens, dabei doch die Figuren seiner Romane erst wie den Golem zu Leben erweckend durch eine schier unerschöpfliche Phantasie: Wolfgang Hildesheimer ist der Prosa-Autor der Nachkriegsliteratur, der sich einen von der Zeit nahezu unversehrten Kosmos geschaffen hat. Anders als Walser oder Weiss, Hochhuth ohnehin, aber auch Grass oder Johnson ist sein Œuvre eine in sich geschlossene Phantasmagorie. Nicht weltlos, aber gegenwartsarm. Das Ende seiner Erzählungen findet sich in der Psyche seiner Charaktere: also nirgend. Weswegen die Form seiner Epik zumeist die der – fiktiven – Biographie ist. Und die Struktur seiner Prosa die des Absurden. Was die Weltsicht des Autors, der in seinen erfundenen Figuren immer auch ein wenig von sich verbirgt wie enthüllt, preisgibt als einen Entwurf: der Skepsis. In der Literatur heißt das: Ironie. Glücksverheißung als Gaukelspiel, Sehnsucht als gebrochene Linie. Erfüllung nurmehr Chance, nicht wahrgenommen; oder gestohlen.

Das Buch des Jahres 1981, »Marbot – eine Biographie«, führt diese Elemente meisterlich zusammen. Es ist die so akribisch wie artistisch virtuos erzählte Geschichte eines Mannes, den es nie gab. Nur ein Anglistikprofessor und »Welt«-Kritiker konnte so töricht sein, darauf reinzufallen und zum Gespött aller Literaturkundigen Sir Andrew Marbot für eine historische Figur nehmen und allen Ernstes die Edition von dessen Schriften annoncieren[1]; dabei hätte er nicht mehr tun müssen, als das von Hildesheimer listig auf der ersten Seite seines Romans – um eine solchen handelt es sich natürlich – zitierte Gespräch Johann Wolfgang von Goethes mit dem Staatsrat Schultz vom 4. Juli 1825 nachzuschlagen.

Wer sich so wenig Mühe gibt mit den Verwirrspielen Hildesheimers, kann diesen Autor nie gelesen geschweige denn begriffen haben. Das Furiose an Hildesheimers Kunst liegt ja in einem Double-Twist: Das unendlich variierte Sprachspiel erlaubt ihm, einen Schopenhauer-Brief mit einer Marbot-Charakteristik so täuschend zu erfinden, daß ein Schopenhauer-Forscher ihn nach der »unbekannten Quelle« fragte;

Tagebuchnotizen Goethes, Notate von Grimm oder Äußerungen Turners als Pastiche zu benutzen, daß vielfacettiert eine veritable Person aufscheint. Diese Person, beglaubigt durch historische Soffitten und wahrscheinlich gemacht durch die eigenen Reaktionen darauf, durch – angeblich nur teilweise erhaltene – Briefe, stellenweise in Englisch zitiert, ist eine »Als-ob-Figur«: Sir Andrew Marbot könnte gelebt haben. So. Hat aber nicht gelebt. Er hat den Inzest mit der Mutter nicht begangen, hat Goethe nie gesehen, war nicht befreundet mit Turner noch mit Delacroix und konnte auch nicht über Schopenhauer räsonieren. Sein Schöpfer hat ihm diesen Atem eingehaucht.
Das ist die zweite Dimension. Hildesheimer ist kein Bauchredner – aber was sein Marbot denkt und spricht, hat Wolfgang Hildesheimer ihm in den Mund gelegt: »Das Kunstwerk als Diktat der unbewußten Regungen seines Schöpfers«[2] heißt es an zentraler Stelle zu Beginn des Buches, einem thematischen Auftakt gleich. Damit ist das Buch, im erzählerischen Duktus sehr wohl Roman, auch etwas anderes: ein großer Essay, ein Diskurs über die Kunst und den Künstler; und zwar ein Diskurs des Autors Wolfgang Hildesheimer. Kunst als Bedrohung und Not, als das va-banque-Spiel zum Scheitern hin:

»Goethe weiß, wie die Kunst sein soll, aber nicht, wie sie ist. Seine idealen Vorstellungen findet er denn auch selten verwirklicht, doch fände er sie, so wäre es eine mindere Kunst.«[3]

Künstler sein als Existenz an der Grenze, über sie hinaus, als das Leben zum Tode hin: »Marbots Leben erhält seinen höchsten Sinn durch den Freitod. Mit ihm hat er das einzige für sich Richtige getan.«[4]
Hildesheimers »false biography« ist ein Palimpsest; unter ihren Worten und Sätzen liegt verborgen, aber lesbar die wahre »intellektuelle Autobiographie« des Autors. Der junge Elegant aus gutem Hause, der kennerische und genießerische Bildungsreisende des 19. Jahrhunderts, der durch Europas Museen flaniert und sich Italien erwandert – das ist die eine, die narrative Ebene des Buches. Ihr zugehörig ist die Inzestbeziehung, kaum geschildert, mehr dargestellt durch unerhörte Briefe – die aber mehr transportiert als den Gang der Erzählung; nämlich: Einsamkeit. Inzest, eine Liebe des Außenseiters, nicht einlösbar wie die des Homosexuellen, Wahn und Rausch, glühendes Eis und zerbrechliches Glas, Tautropfen, in dem eine Welt sich gaukelt – der aber vom ersten Anhauch der Welt zerschmilzt. Es ist die epische Chiffre für Unerfüllbarkeit. »Jeder Mensch ist mit sich und seiner Welt allein; glücklich können

nur jene sein, die es nicht wissen«[5] heißt Marbots Lebensbilanz. Danach ist er tot.

Alles davor war ein Unterwegs; und zwar zur Kunst – die er nicht ausübte, die er aber (im Konzept des Romans) durch seinen Biographieknick sensibilisiert, besser versteckt als manch einer. Denn der Künstler ist der, dessen Einsamkeit zur Kreativität umgemünzt ist:

»Der wahre Künstler liebt nur sich selbst, und von sich auch nur den schöpferischen Teil, während er den menschlichen Teil vernachlässigt oder nicht berücksichtigt...«.[6]

Das ist eine Erkenntnis Marbots. Nur Marbots? Indem Hildesheimer seine Gestalt das Metier des Schöpferischen reflektieren läßt, reflektiert er – Hildesheimer – sich selber. Und nimmt sofort ein etwa hastig ergriffenes Angebot der Selbstaussage, Selbstentblößung gar, zurück. Ein Bild – ein Buch –, wie intensiv betrachtet, ergründet, analysiert, verrät sein Geheimnis nicht; es verriete denn seine Kunst: »In Wirklichkeit wirst du nichts über mich erfahren«, läßt Marbot ein Giorgione-Bild zu sich sprechen, »du kannst es nicht.«[7] Scheitern als Erfolg: Höhepunkt und Sinnsetzung seines Lebens ist Marbots Selbstmord; Summe der Erkenntnis des Mannes, der seine Existenz der Kunst geweiht hatte, ist das nicht erschlossene Rätsel:

»Große Malerei erzählt keine Geschichte, sondern macht eine tiefe Wahrheit sichtbar, die sich anderen Medien entzieht. Sie ist das Resultat einer Erkenntnis (cognition), die Worte nicht ersetzen können. Wo sie es können, handelt es sich nicht um große Malerei.«[8]

Das Rätsel Kunst, das Rätsel Welt. Hildesheimer umspinnt sie wie ein Kind die Dunkelheit des Waldes fortsingt: das Böse, das Unheimliche, das Unwirkliche – nicht zu bewältigen. Nur »lässige Wühler im Unwesentlichen«[9] können das Leben gut meistern, heißt es in einem Text. Und »Nachtstück«, eine frühe Prosaarbeit, kommentiert Karl Markus Michel so:

»Es ist zu spät. Die Welt ist verteilt, die Entdeckungen sind alle gemacht, die Träume alle geträumt. Die Kultur hat stattgefunden. Es gibt sie nur noch als lastenden Alptraum.«[10]

Hildesheimers Biographienspiel ist keine Kostümprobe, sondern ein Ausprobieren – ob andere, denkbare und imaginierbare Leben das aushielten, was schon die erste seiner »Lieblosen Legenden« im Titel führte: »Das Ende einer Welt.« In seiner zweiten Legende taucht der erste Biograph, James Boswell, auf; und ob es die Kurzviten in »Masante«, die Spielfiguren aus »Tynset« – »Ein Beispiel: ich hatte mir einen Dr. Hanskarl Fuhricht erdacht, er sollte Graphologe sein und in der Lichtenbergallee 24 wohnen«[11] – oder der groteske Bildfälscher seines ersten Romans »Paradies der falschen Vögel« sind: Hildesheimers vielfach modelliertes Figurenarsenal gleicht den unterschiedlichen Schachfiguren, die in kleinen, längeren oder verquerhakigen Läufen hin- und herhuschend (genauer: geschoben werden!), doch einem nicht entrinnen können: dem Rand des Spielfelds und dem »Schachmatt«. Hildesheimers artistisches Raffinement bewahrt ihn davor, das mit Augenrollen und heftiger, gar anklägerischer Gebärde zu künden; gerade, weil er es *weiß*, kann er sich die Gnadenlosigkeit des bösen Blicks leisten, voller Grazie. »Rudolf Westcotte war ein Begnadeter«, beginnt eine der »Lieblosen Legenden«, und Gnade ist, wie man liest, auch ein Ende in Lakonie:

»Wenige Tage nach dem Konzert lud Hedwig Rudolf zum Tee. Sie saßen in ihrem kleinen geschmackvollen sitting-room, zwischen Blattpflanzen, Franz-Marc-Reproduktionen und handgewebten Kissenbezügen.
›Der Tee ist köstlich‹, sagte Rudolf.
›Darjeeling‹, sagte Hedwig.
›Aber es ist noch etwas anderes dabei, was ihm dieses besondere Aroma gibt.‹
›Das‹, sagte Hedwig, ›ist Gift.‹
Rudolf lehnte sich genießerisch zurück und trank seine Tasse leer. Dann sagte er: ›*Ich* habe meine Aufgabe erfüllt.
...
Und wieviel hat er Ihnen dafür bezahlt, daß Sie mich aus der Welt schaffen?‹
›Wer?‹
›Rosenbarth.‹
›Zehntausend.‹
›Zu wenig‹, sagte Rudolf, stellte die Tasse ab und verschied.«[12]

Wolfgang Hildesheimer gleicht einem Kriminalisten. Er verdächtigt. Er nimmt nicht für bare Münze. Er traut niemandem. Hinter den Leben, die er entwirft, wittert er andere verborgene Leben. Gleich dem Bildfälscher seines Romans »Paradies der falschen Vögel« schafft er auf solche Weise Doppelfiktionen: Er malt ein Porträt, löst das ab und auf – und findet, angeblich, unter dieser Übermalung das wahre Bild. Die erste Schicht wird so als Fälschung enttarnt, die unterste gibt sich als echt aus. Daß beide in Wahrheit »Fiktionen« sind – eben wie die Figuren von Hildesheimers Romanen –, wird durch diese dialektische Volte verschleiert. Dieses Spiel mit den »Legenden« – so werden ja auch die fiktiven Lebensläufe von Agenten genannt – verleiht Hildesheimers Prosa ihren Reiz, ja: ihre Spannung. Der Leser wittert stets das Unheimliche, Doppelbödige, den »kleinen Zwischenfall«[13] im scheinbar ordentlichen Leben des braven Beamten, wie das in »Masante« heißt. Die behutsame, geradezu zeichnerische Deutlichkeit, mit der Hildesheimer seine Personen körperlich macht, ist Teil dieser Methode der Irreführung. Ein literarischer trompe-l'oeil-Effekt. In seine sorgsam ausgetuschten faux-marbre-Wände hat Hildesheimer immer die Tapetentür zum Doppelleben eingelassen. Diese Kunst der Verdächtigungen hat er in »Tynset« geradezu genußvoll perfektioniert, wo jemand wahllos aus dem Telefonbuch seine Opfer »erwählt« – und alle und jeden prompt in Panik versetzen kann:

»›Herr Malkusch, es ist alles entdeckt.‹ Nach einer Sekunde sagt er heiser: ›Nein.‹ – ›Ja‹, sagte ich, ›alles, leider.‹ – ›Also doch!‹ – ›Alles‹, wiederholte ich, diesmal mehr wie ein beteiligter und damit betroffener Mitwisser als wie ein Warner. – ›Und jetzt?‹ fragte er. – ›Malkusch‹, flüsterte ich freundlich, denn nun tat er mir beinah ein wenig leid, ›Malkusch, fliehen Sie, bevor es zu spät ist!‹ – Wieder eine Pause der Ratlosigkeit, dann: ›Hab ich Zeit, ein paar Sachen einzupacken?‹ – ›Ich fürchte nicht‹, flüsterte ich, denn plötzlich tat er mir nicht mehr leid, ›nein, Malkusch, ich würde es an Ihrer Stelle nicht tun.‹ – Und dann sagte er: ›Danke Obwasser‹, – ja, ›Obwasser‹ nannte er mich und hängte ab, und ich bin beinah gewiß, daß er nichts eingepackt hat.«[14]

Nun sind das aber nicht lediglich Spielchen eines verhinderten Krimiautors. Hinter Hildesheimers Bild vom alibilosen Menschen steckt ein zutiefst pessimistisches Geschichtskonzept: irgendwo hat jeder eine Schuld zu verbergen. Weshalb ein jedes Leben zum Scheitern verurteilt ist. Am ehesten noch kann »gerettet« werden, obzwar stets gerichtet, wessen Schuld Sünde ist – denn Sünde ist jene »feuchte Stelle«, die produktiv macht; und sei es der Inzest. Kein Zufall, daß es von allen anwesenden Schriftstellern bei einer Tagung im Herbst 1981 Wolfgang

Hildesheimer war, der betroffen und empört reagierte, als ein Referent den Autoren ihr »Außenseitertum« absprechen und es allenfalls als modische Attitüde von letztlich Privilegierten gelten lassen wollte.[15] In dieses Denksystem des Außenseiterischen paßt es auch, daß die einzige »wahre« Biographie, die Hildesheimer je schrieb, die eines Genies ist, das im Leben scheiterte: Mozart. Dieser Riesenessay über Schöpfertum und Einsamkeit, vorbereitet in zahlreichen frühen Mozartstudien, läßt sich schon im Vorwort auf das Thema ein:

»Denn es ist unmöglich, eine Gestalt der Vergangenheit, geschweige denn ein Genie, zu verstehen, wenn man niemals den Versuch gemacht hat, sich selbst zu verstehen.«[16]

Das Buch ist eine einzige Paraphrase des Satzes (der auch wie ein Leitmotiv immer wieder zitiert und erörtert wird) »Der Tod als wahrer Endzweck des Lebens«. Diesen Endzweck heißt es zu akzeptieren; dennoch sinnvoll leben – das ist für Hildeshcimer, eben weil es nur »dennoch leben« sein kann, Kreativität:

»Mozart, gleich vielen der großen Künstler, besaß die Gabe, seine tiefe und begründete Seelennot sowohl durch ein Übermaß an Arbeit als auch durch einen immer hektischer werdenden Drang nach Geselligkeit, und zuletzt wahrscheinlich durch Ausschweifung, zu verdrangen. Jedenfalls gelang es ihm, die Einsicht in seine immer hoffnungsärmere Lage, das gesellschaftliche Versagen, die wachsende Isolation, während seines gehäuften Tages vor sich herzuschieben, um sich dann, meist zu später Nachtzeit, notgedrungen, mit ihr zu konfrontieren, nicht länger als der Versuch einer, natürlich immer nur provisorischen, Abhilfe es verlangte.«[17]

Mozart als Inbegriff des Gescheiterten: wahrlich ein kühner Wurf. Man darf ihn verstehen als Gegenentwurf zum Leben eines, der es sich behaglich ründete und dessen Kunstbegriff Hildesheimer durch eine seiner Figuren ständig als gipsern-starr ablehnen läßt; so spricht Sir Andrew Marbot:

»Goethe ist in seinem Kunstverständnis deshalb so fehlbar, weil ihm eine irrige Art der Betrachtung zugrundeliegt. Wenn er über Bilder schreibt oder spricht, so meint er meist (more often than not) die Kupferstiche nach den Bildern, Werke also, die ein anderer, und natürlich Minderer, wenn auch mit größtmöglicher Genauigkeit und Einfühlung (›empathy‹: dieses Wort dürfte hier zum ersten Mal gebraucht worden sein) nach den Werken des betreffenden Malers gemacht hat. Diese geben zwar Aufschluß über die Komposition, der sie mit minuziöser Genauigkeit nachfahren – wenn auch das meist reduzierte Format des Stiches eine Täuschung in der Anschaulichkeit der Dimensionen bewirken muß, denn jedes Bild hat die seinem Konzept entsprechende Größe und verliert durch ihre Veränderung –, sie geben aber nicht Aufschluß über die Farbe, der jedes Bild sein inneres Leben verdankt, und nicht über die Pinselführung, die Handschrift des Künstlers, in der sich seine Seele und ihre Beziehung zum Gegenstand des Bildes offenbart. Die Deutung eines Bildes hat mit der Deutung seines Gegenstandes so wenig und so viel zu tun, wie der Charakter einer Bühnenfigur mit der des Dramatikers, der sie erfand; diese Beziehung ist immer wieder eine andere. Wenn wir aber einen originalen Kupferstich mit dem Kupferstich nach einem Gemälde vergleichen, so haben wir den Unterschied zwischen einem Menschen und einem Denkmal (effigy), wenn nicht gar mit einem Leichnam (corpse).«[18]

Es scheint, als verachte Wolfgang Hildesheimer das Heiter-Gelassene. Selbst der Zeichner bevorzugt sinistre vie-morte-Strukturen, und sein Anekdotenhaushalt hält einen Vorrat des Makabren bereit: »Dennis has gone out to commit suicide and will, I expect, be back for tea...«[19] Wollte man seiner Prosa ein Kennwort finden, müßte man wohl eine Anleihe bei der Sprache der Dramatiker machen: Prosa des Absurden. Zwei der im Œuvre von Hildesheimer sehr seltenen Essays beweisen, daß damit kein schnellfertiges Etikett geprägt wäre.

Seine Rede über Büchner ist ein einziger Versuch, das Element der Melancholie bei diesem vermeintlichen Umstürzler herauszuarbeiten; und nicht etwa am »Lenz«, sondern an jenem Stück, das gemeinhin als Komödie mißverstanden wird, »Leonce und Lena«. »Ein melancholisches Meisterwerk«, nennt Hildesheimer es, eine »Tragikomödie des Leerlaufs und der Frustration«[20]; für ihn ist es ein Spiel zwischen Menschen, die den Winter im Herzen tragen – die aber damit keine Singulare sind, sondern typische Wesen ihrer Gattung, auch nicht veränderbar, gar erziehbar: »Es kommt mir ein entsetzlicher Gedanke: ich glaube, es gibt Menschen, die unglücklich sind, unheilbar, bloß weil sie *sind.*«[21]

Diese Wesen sind Produkt einer Welt, die schweigt. In seinem Vortrag »Die Wirklichkeit des Absurden« hat Wolfgang Hildesheimer sich gleichsam die eigene Charta geschrieben: Kunst nicht als Antwort, sondern als Frage; immerwährend. Die Welt ist nicht zu enträtseln, und nur das kann Kunstwerk sein, das dieses verschlossene Mysterium nicht aufbrechen will. Schon der Versuch zum Zwiegespräch ist Schluchzen; Kitsch also, in landläufiger Formulierung. Nur die Kenntnis der vollkommenen Einsamkeit, ihr Akzeptieren ohne das Gaukeln der Hoffnung, führt zu Formen der Kunst. »Ein Musiktheoretiker erklärt uns den Affenbrotbaum – das ist im großen ganzen immer die Lage«[22], zitiert Hildesheimer Günter Eich und postuliert diese Verzweiflung nicht als zu beweinende Gemütslage, sondern als stabilen Zustand der Verzweiflung. Ersatzantworten gibt Hildesheimer der Lächerlichkeit preis, sie sind immer Pseudowissen, das vorgibt, es sei gelungen, die Welt zu entschweigen. Literatur, die diesem falschen Gesetz sich verdankt, sänftigt und täuscht; sie ist Trivialliteratur. Für die, die *er* meint, findet Wolfgang Hildesheimer in seinem Aufsatz tatsächlich jenes Wort, das Zusammenhänge und Kausalitäten leugnet, Glückshorizonte verhängt und den Menschen in einen Existentialismus Camus'scher Prägung wirft:

»Absurde Prosa weist auf das Schweigen der Welt hin, indem sie die Tragikomik der Ersatzantworten beschreibt; indem sie jene anprangert, die sich als Stellvertreter der Welt sehen und Ersatzantworten erteilen, und indem sie jene verspottet, die sich nach den Ersatzantworten richten.«[23]

So ist das Geheimnis der Prosa Wolfgang Hildesheimers gleich dem des Spinnwebs: von zarter Schönheit, die über giftige Tödlichkeit hinwegtäuscht; nicht Verschleierungen, sondern ausgelegte Fangnetze. Gleichzeitig selber der Zerstörung anheimgegeben – anfällig dem raschen Tod wie Eisblumen, deren Kunstvollendung sich der Kälte verdanken, einem Hauch nicht standhalten. Ihr Schöpfer, ungreifbar, ist stets flüchtig:

»Im September vorigen Jahres begab ich mich in mein Schlafzimmer, öffnete das Fenster weit, verzauberte mich und flog davon. Ich habe es nicht bereut.
Jetzt ist es Mai. Es ist Abend und es dämmert. Bald wird es dunkel sein. Dann fange ich an zu singen oder, wie die Menschen es nennen, zu schlagen.«[24]

Jürgen Becker

Der beste, auch häufigste, Interpret von Jürgen Becker heißt Jürgen Becker; nicht nur an versteckter Stelle, in einer WDR-Schulfunkbroschüre etwa, in den offenbar von ihm selber verfaßten Verlagstexten seiner Bücher, gelegentlichen Interviews oder im Gespräch mit dem von ihm favorisierten Funkregisseur Klaus Schöning finden sich Selbstaussagen: Spezifikum aller Arbeiten Beckers ist die Reflexion dessen, was da »gemacht« wird. Beckers Texte reagieren nicht nur auf die Umwelt; sie sind auch gereizt und irritiert von sich selber. Eine philosophische Prosa, nicht einem philosophischen Kopf entspringend, sondern sich nervöser Materialbefragung verdankend.
Die Frage ist eine der häufigsten Stilfiguren Beckers; das »Offene« seiner Texte ist seit Enzensbergers Einführung des Autors im »Vorzeichen«-Band obligates Etikett:

»Die Anstalten, die damit, mehr oder weniger entschieden, getroffen sind, tragen weit. Sie zielen nicht auf das romantische Prinzip des Fragmentarischen, auf den Reiz des Unfertigen, auf die Vorliebe für den Torso. Auch der Begriff des Ausschnitts, der die Bedeutung der Ränder eher betont als mindert, wird ihnen nicht gerecht. Eher scheint es, als würden die Schreibenden der Lüge sich bewußt, die allein schon darin besteht, Anfang und Ende zu setzen, als wäre damit das Werk aller Kontingenz enthoben ... und aller Sorge um das, was es nicht einbegreift, ledig ... Jedenfalls ist die Offenheit der Werke gegen ihre Ränder kein bloßes Oberflächenmoment, keine nur technische Appretur. In ihr drückt sich etwas vom gleichen Gehalt aus, der auch ihrer kategorialen Beschaffenheit (ihrem Verhältnis zur ›Gattung‹) abzulesen ist, und der sich bis in ihre Komposition, ja bis in ihre Syntax hinein verfolgen läßt.«[1]

Aber solche Erläuterung, der Becker immerhin den Titel seines nächsten Bandes entnahm, wiederholt eigentlich nur Beckers eigene Argumentation, die er in einem Brief an den »Vorzeichen«-Herausgeber übergeben hatte:

»Dieser Text demonstriert nur die Bewegungen eines Bewußtseins durch die Wirklichkeit und deren Verwandlung in Sprache. Bewußtsein: das ist meines in seinen Schichten, Brüchen und Verstörungen; Wirklichkeit: das ist die tägliche, vergangene, imaginierte. Sie lesen nur Mitteilungen aus meinem Erfahrungsbereich; das ist die Stadt hier, mein tägliches Leben, die Straße, die Erinnerung. All das reflektiere ich in einer jeweils veränderten Sprechweise, die aus dem jeweiligen Vorgang kommt. So entstehen ›Felder‹; Sprachfelder, Realitätsfelder, etc.«[2]

Derartige eher ideologischen Beiworte müssen noch einmal vom Text her befragt werden: Woher kommt jenes sonderbar Saugende, den Leser nicht Auslassende, Phantasie gleichzeitig Bindende und Initiierende fast aller Arbeiten Jürgen Beckers? Die »Felder« beginnen mit einer Frage »Ist der Mond nun auf (?)«. Sie enden mit einem Postskriptum, denn natürlich »hängt« das letzte 101. Feld über – »eigentlich« endet das Buch mit Nr. 100, dem Abschnitt »gesprächsweise noch versuchen etwas zu ändern rückgängig zu machen zu verschieben zusammenzuhalten zu Ende zu bringen zu beginnen«.[3]
Was folgt, ist eine (typisch Beckersche) fiktive Präzision; das Buch entstand in drei Jahren, fixiert einen drei Jahre währenden Vormittag: »Vorne ist vor drei Jahren, hinten ist jetzt.« Frageform und die Vokabel »verändern« in allen möglichen Synonyma (»bewegen«, vornehmlich): Das ist das Bewegungsgesetz dieser Prosa. »Weiß ich nicht«, »keine Gewißheit«, »ungewiß«, »fragend«, »liegen«, »reisen«, »fahren« – diese und zahlreiche ähnliche Reizworte schaffen jene gegliederte Unruhe. Die einzige Wortreihung besteht aus Bewegungsmustern – nämlich 43 Verben im Partizip Präsens. In jedem Buch Beckers gibt es eine solche Passage, und sie zeigt die jeweilige Veränderung der artistischen wie ideologischen Position an: In den »Rändern« ist es eine Kette von 51 Substantiven (die optisch aufgefüllt werden wollen). »Felder« enthält zwei zentrale Passagen der Ich-Reflexion – beide Passagen sind »versteckte« Gedichte, beide gruppieren sich offensichtlich um die topoi Bewegung/Veränderung. Feld 11, um ein Beispiel zu geben, läßt sich tatsächlich »rückübersetzen« in ein perfektes Gedicht.
Auffällig ist zweierlei: Beckers Ton und Syntax wird hymnisch, wenn »ich« auftaucht; dieses Ich ist Energie-Zentrum, es trägt Rhythmus wie Bedeutung der Passage – und den Ich-Abfolgen sind zugeordnet Begriffe wie raten, fragen, suchen, rufen. Das Feld 35, ebenfalls streng rhythmisiert, hebt an mit »wie weiter« und endet »die Hoffnung auf Sprechen und kein Ende, das nicht, bloß dies ein geringes weiter«. In der Mitte,

eingehend auf die peristaltische Frage »wie weiter«, »was weiter« heißt es »fortsetzen was und beenden eine Bewegung oder anfangen, beschleunigen, unterbrechen im Mittendrin der Anfänge, Beschleunigungen, Unterbrechungen einer Bewegung«.[4]
Nun weiß man, daß Becker mit Schreiben begonnen hat, indem er Gedichte schrieb. »Kursbuch« Nr. 1 brachte seine »Glücksreihen«, noch »Kursbuch« Nr. 10, ein Jahr vor Veröffentlichung der »Ränder«, einen poetischen Text »Momente. Ränder. Erzähltes. Zitate«. Andere, unveröffentlichte Gedichte haben interessanterweise alle *eine* Metapher gemeinsam: Schnee (einige, wie »Schnee-Gedicht« oder »Gedicht über Schnee im April«, hoben sie gar in den Titel). Deutlich eine Chiffre für fruchtbar sich Veränderndes, für etwas, das geht, weil das nächste kommt: Schneeschmelze heißt vergehen und kommen.

»April-Schnee; schnell; noch einmal
ist fünfzehn Minuten
Winter und völliges Verschwinden
der Krokus-Gebiete
und
fünfzehn Minuten, in Zukunft,
sagt Warhol, ist Ruhm. Schnell
ein Gedicht über Schnee im April,
denn schnell ist weg
Stimmung und Schnee
und plötzlich,
metaphorisch gesagt,
ist Schnee-Herrschaft verschwunden
im Krokusgebiet
und die Regierung des Frühlings regiert.
Nun Frühlings-Gedicht.
Und schnell. Winter ist morgen, wieder.
und neue Herrschaft,
nein,
nicht morgen: in fünfzehn Minuten,
mit Schnee, wie schnelles Leben,
sagt Warhol, metaphorisch gesagt,
wie Schnee, Verschwinden, April.«[5]

Prompt begegnen wir dieser Metaphorik in den »Feldern«. Den Nummern 63 bis 65, die von Schnee und Schlitten und klirrenden Pferden sprechen, folgen montierte Sätze, die Abfolge, Weiterfolge, Veränderung insinuieren:

»66 alt aufeinmal und alles vergessen
67 man halte sich an's fortschreitende Leben (Goethe)
68 modern wie die nächste Minute (Zahnpasta)
69 Raub des gegenwärtigen Eindruckes (Lessing)«[6]

Was er mitbekommt, verändert ihn: Jürgen Becker registriert einen historischen wie biologischen Vorgang und versucht, diesen Vorgang, während er sich ihm ausgesetzt, unterzogen weiß, zu beschreiben – es gibt keinen Zustand, der bleibt. In einer Selbstanzeige hieß das so:

»Schwierig zu lesen bin ich nur in dem Maß, in dem in meinem Schreiben die Schwierigkeit wirksam geworden ist zu leben, sich selber auszuhalten, die Leute auszuhalten, zu vergessen, zu erinnern, gleichgültig zu werden, nicht gleichgültig zu bleiben, die Erstarrungen aufzulösen, weiterzumachen und frei zu kommen.«[7]

Mit dieser »Naturphilosophie« stellt Becker sich auch bewußt in eine literarisch-historische Tradition – seine ästhetische Theorie, das »Ich« oder »Wir« als Medium anzusehen, als Membrane, als Objekt und Subjekt zugleich, wurde 1890 in einer Schrift mit dem Titel »Die Kunst. Ihr Wesen und ihre Gesetze« so formuliert: »Die Kunst hat die Tendenz, wieder die Natur zu sein, nach Maßgabe ihrer jedweiligen Reproduktionsbedingungen und deren Handhabung.«[8] Der Autor hieß: Arno Holz. Jürgen Becker, ein manieristischer Materialist, ist verblüffend exakter Nachfahre des großen Naturalisten, dessen »Phantasus« er als den »durchgeführten Versuch einer Komposition« sah, »die Sprache autonom macht und zugleich dem fortwährend wechselnden Erfahrungskomplex anmißt«.[9] Die Übereinstimmung, auch der künstlerischen Methode, nicht nur des theoretischen Selbstverständnisses, ist gelegentlich frappant. Holz versuchte, spezifische Natureindrücke durch riesenhafte Wortzusammenballungen wiederzugeben – also innerhalb der sprachlichen Mittel einen eigenen Aggregatzustand herzustellen, nicht zu beschreiben:

»hochzeitsflinkerleuchtschlankszepteranfachenden ...
narbenrhombenschildschüppchenruschelig ...
jungefruchtsamenknospenzäpfchenunterschmuckzierten ...«[10]

Dieser Versuch, die Sache zur Sprache und die Sprache zur Sache zu machen, also nicht zu »behaupten« »über allen Wipfeln ist Ruh«, nicht durch die eher aktivierende Vokalreihe ö, ei, ei und a mitzuteilen, »die Vöglein schweigen im Walde«, sondern Sachverhalte aus der Sprache zu entwickeln, liest sich bei Becker, etwa in »Ränder«, so:

»außerhalbzeitverlustverlorengingimmeram
randlangsamweilinmittentrafanzeichengabes
warschönheiterkeitundzynischerweisheitam
endemitunruhestörenfriedenszeithälfte«[11]

Es ist Holz' Konzept, daß der »Dichter« nur dann gestaltet (auch innere Erlebnisse), wenn er sich an einer »Sache« – der Natur – orientiert, wenn er die aus dieser Sache selbst entspringende, notwendige Form findet. Es gibt natürlich die Subjektivität des Dichters, aber sie ist »es«, »das Erlebnis soll dichten im Dichter. Es soll sich formen. Nicht der Dichter soll formen.«[12] Die Vorstellungs- und Erlebniswelt des Autors ist abhängig von Umwelt – »Umgebungen«, »Felder«, »Ränder«. Der Autor als Identität von Subjekt und Objekt:

»Ich gestalte und forme die ›Welt‹, sagte ich mir, wenn es mir gelingt, den Abglanz zu spiegeln, den sie mir in die ›Seele‹ geworfen. Und je reicher, je mannigfaltiger, je vielfarbiger ich das tue, um so treuer, um so tiefer, um so machtvoller wird mein Werk. ... Drücke aus, was du empfindest, unmittelbar wie du es empfindest, und du hast ihn (den notwendigen künstlerischen Ausdruck und Rhythmus). Du greifst ihn, wenn du die Dinge greifst. Er ist allen immanent.«[13]

Das sagt nicht Becker, sondern Holz; aber Becker sagt:

»Ich weiß zwar nichts vom Bewußtsein und von den Reaktionen des einzelnen Lesers, aber ich glaube eine Antenne zu haben für die Äußerungen eines allgemeinen, öffentlichen Bewußtseins. Denn ich erfahre diese zeitgenössische Realität nicht viel anders als jeder andere Zeitgenosse, mit dem Unterschied vielleicht einer intensiveren Irritierbarkeit und Sensibilität, mit dem Unterschied vor allem, die Schwierigkeiten besser zu kennen in der Erkenntnis, in der sprachlichen Vermittlung von Realität. Ich stoße dabei fortwährend auf Redeweisen, die zwar nichts Unvermitteltes und auch nichts Wahres mehr enthalten, aber doch vollkommen authentisch sind als Äußerungen bestimmter Denk- und Verhaltensweisen... Die Sprache, in der ich schreibe, ist die Sprache meiner redenden Umgebung. Wenn dann im Vorgang des Schreibens die Sprache selber zum Problem wird, dann keineswegs aus fetischistischen Gründen, sondern weil sie in ihrem Repertoire, in ihrem gegebenen Zustand derart blockiert erscheint, daß sie von sich aus nichts mehr, keinen Gedanken, kein Gefühl, keine Erkenntnis, keine Erinnerung produziert. Dies alles, dennoch, ist in ihr enthalten und transportiert sie weiter und nehme ich wahr als auch mein eigenes Repertoire, und so muß ich versuchen, mit dieser fertig gemachten Sprache zu leben, und das heißt, in ihr so zu schreiben, daß ihr Zustand und all das offenbar wird, was sie meint, erinnert, reproduziert, deutlich macht, verschleiert an Schrecken und Schönheit bereithält, vergißt, verdrängt, erklärt, illusioniert, verschweigt.«[14]

Diese Form einerseits eines »ignorabimus« (wie Holz' berühmtestes Stück heißt), andererseits der »Natur«-Nähe fordert weniger Änderung der kognitiven Haltung als der artistischen; Beckers Befragungen der Realität richten sich in der formalen Struktur nach veränderten Realitätsirritationen. Akustischer und optischer Lärm ging von Anfang ein in seine literarische Haltung – daß auf die ersten Prosaversuche Hörspiele folgten, war eher selbstverständlich.

»Wer Jürgen Beckers Prosa genau gelesen hat, wird sie auch gehört haben; denn wie sie geschrieben ist, so ist sie auch gesprochen; von einer Vielzahl von Stimmen, die freilich weniger mit bestimmten Figuren identisch, sondern Äußerungen eines aufgelösten Bewußtseins sind. Der Schritt von seinen Texten ins Medium des Hörspiels ist für Jürgen Becker darum nur zwangsläufig: die Stimmen verselbständigen und konkretisieren sich; sie konstituieren einen Zusammenhang sprachlicher Verhaltensweisen.«[15]

Das Besondere nun aber an dieser eben erreichten Form ist, daß sie sich bereits wiederum in Veränderung befindet; während Becker sich in einer Analyse von Handkes »Hörspiel« – das die Gattung als Titel, also als zu reflektierenden Inhalt zitiert – noch damit auseinandersetzt, daß Handke nicht Wirklichkeit beschreibt, sondern in und mit der Sprache herstellt, daß Handke sich schon weiter als etwa Ludwig Harig mit dem Hörspiel »Blumenstück« (das auf das Tagebuch des Auschwitz-Kommandanten Höß verwies) von inhaltlichem Referat entfernte – entfernte er sich gewissermaßen bereits vom eben eingespielten Medium: Das erste der drei Hörspiele, die 1969 entstanden, heißt »Bilder«. Es ist, deutlich im geringsten Detail, optisch gearbeitet. »Das sieht man doch ganz deutlich«; »das sieht man nicht«; »Nun sag doch was. Was soll ich denn groß sagen, Du siehst doch alles«; »Sieht man was? Ja. Was denn? Sag ich nicht, nee, sag ich nicht«[16]: hier entsteht ein Film. Da bei Becker Reflexion über die Mittel, deren er sich gerade bedient, immer Bestandteil des Kunstwerks selber ist, schließt eine großangelegte Paraphrase der Erkenntnismöglichkeit durch das Medium »Bild« folgerichtig die Nur-noch-Hörfolge. Die Prosa der »Ränder«, im selben Jahr entstanden, versteht sich auch konsequent diesem inneren Programm entsprechend: Das »Unsägliche« ist nicht mehr allein durch Worte auszudrücken.

»Indessen meint dieser Titel nicht mehr allein ein literarisches Problem, das mit dem Vorgang der Auflösung und Verschmelzung der Gattungen verbunden ist, mit der Verwischung der Grenzen, die einem Text den Austritt aus dem Bereich der literarischen Reglements verwehren. Indem ich nämlich dieses praktizierte, geriet ich in einen Bereich jenseits der Literatur, an die Ränder schließlich des Wirklichen, des Erfahrbaren und Sprechbaren. Dieser Bereich schließt konkrete Zeit, konkrete Umstände nicht aus, im Gegenteil: er offenbart sich mitten im Vertrautesten.«[17]

Die Wortsubstanz des Buches, das zu Beginn noch mit »alten« Worten wie »Veränderung«, »Hoffnung«, »Dauer« anknüpft, ist auch vollkommen verändert: glänzen und glitzern und schimmern, milchgrün und blau und rot – »unkenntlich noch und nicht in der Reichweite dieser Wörter«[18] ist, was Becker herstellt. Es sind nämlich Bewegungsabläufe, Szenarien:

»wie jemand aus dem Zug stolpert sich umsieht zögernd über den Bahnsteig durch die Halle auf den Vorplatz geht sich umsieht gesehen wird begrüßt wird zum Wagen geführt wird einsteigt fortgefahren wird aussteigt empfangen wird wartet empfangen wird Platz nimmt aufsteht hinausgeführt wird herumgeführt wird vorgestellt wird weitergeführt wird besichtigt fragt vorgestellt wird weitergeführt wird besichtigt staunt zurückgeführt wird hereingeführt wird Platz nimmt lächelt fragt raucht antwortet aufsteht herausgeführt wird zum Wagen geführt wird fortgefahren wird aussteigt empfangen wird hereingeführt wird begrüßt wird steht staunt hereingebeten wird Platz nimmt ein Glas annimmt trinkt aufsteht hereingeführt wird Platz nimmt ißt trinkt plaudert aufsteht sich bedankt sich verabschiedet herausgeführt wird zum Wagen geführt wird fortgefahren wird aussteigt hereingeführt wird in der Halle steht zögernd zum Aufzug geht drückt wartet einsteigt hochgefahren wird aussteigt über den Flur geht die Tür öffnet eintritt Licht macht«[19]

Landschaft – für den »Materialisten« Becker wichtigster Rohstoff – wird ausgesprochen malerisch evoziert, Menschen in motorischen Situationen erfaßt; nicht Böll wird mehr zitiert, sondern Lettaus Trickfilm-Strichmännchen Manig. Jene 51 Substantiva sind – verglichen mit den an Menschen gebundenen Verben des ersten Buches – reine Kulissenangaben, Bezeichnungen des Spielorts: »Neue Dinge, es gibt keine Wörter, die Augen und einige Sinne tun es noch.«[20] Das Buch endet mit dem Satz »Und jetzt, endlich, sehen wir nichts mehr«.[21] Und es bereitet, mit der hartnäckig-auffälligen Wiederholung eines Wortes auf der vorletzten Seite, ein neues vor: Umgebung.
Die beiden vorangegangenen Hörspiele aber trugen bereits synonyme Titel: »Häuser«, »Hausfreunde«. Die Überschriften geben eine Veränderung an, die eklatant den Stil auch des Prosabandes »Umgebungen« markiert – der letzte ist Beckers erster Titel, der Menschen meint. Dem entspricht, daß »Hausfreunde« von einer streng durchgehaltenen Dialogform getragen ist, Stimmen, die natürlich nicht benennbaren Personen gehören – aber Stimmen immerhin. Dialog, Menschen, Stimmen: Ein neues Element prägt diese Arbeiten, ein psychologisierendes. »Umgebungen«, das mit einer gleichsam aus den Soffitten hängenden Standortangabe einsetzt (»Entwurfssatz« benannt) spricht im ersten Satz von »geographischer Imagination«[22]. Das Wort gab es bisher bei Becker nicht. An winzigen Veränderungen von Beckers immer wiederkehrenden Selbstzitaten und Verweisen auf zuvor Gesagtes läßt sich dieses Auffüllen durch eine dialog-fähige Menschenwelt festmachen. In »Ränder« fiel einmal, ohne Hinweis, das Wort »der Pestfriedhof«; wer nicht wußte, daß Jürgen Becker in den zwei Jahren seines Hamburg-Aufenthaltes in einer Wohnung über dem ehemaligen Altonaer Pestfriedhof gelebt hatte, wußte wenig mit der einsilbigen Flaschenpost zu beginnen. Jetzt heißt es:

»In unserer möblierten St.-Pauli-Dachwohnung zum hanseatischen Mietpreis von DM 350,– mit Blick auf den Pestfriedhof waren bequemerweise Badezimmer und Küche ein und dasselbe dunkle, am Ende meinetwegen gemütliche Kabuff. Mit Frau Hoppenau, Schaustellerin, teilten wir das Klo.«[23]

Aus der nüchternen Umgebung sind Interieurs geworden, aus Manig-Figuren Personen mit Name, Beruf und Klo. Becker erzählt. Mehrere der Zwischenüberschriften benutzen das Wort »erzählen« oder »Geschichte«. Der Dialoghaltung der »Hausfreunde« entspricht die direkte Ansprache: »Ihr seid meine lieben Freunde, ich bewundere Euch.«[24] Eine neue Sprachgebärde – und auf die Frage nach den anderen Menschen, »Wer kennt denn wen in dieser Gegend«, wird mit einer Serie von Verben im Infinitiv eingegangen, mit grammatikalischen »Antworten«, nicht mehr nur Verben, nicht mehr nur Substantiva:

»Nach einer Zeit der Abwesenheit wiederkommen und das Maß der Wiedersehensfreude mit dem Maß des Nicht-Vermißt-Worden-Seins vergleichen. Eine Frage stellen, nicht verstanden werden, den Namen langsam und deutlich buchstabieren. Verzweifelt nach dem Ort suchen, an dem das plötzlich aufgetauchte Gesicht schon einmal aufgetaucht ist. Grüßen und nicht wieder gegrüßt werden... Mit Hallo auf einen Nachbarn zugehen, der gar kein Nachbar ist. Den Urlaubsvertreter des Briefträgers fragen hören, wer hier alles wohnt.« [25]

Natürlich ist »Umgebungen« kein psychologischer Roman; »Du bist das reinste Medium, sagt Klaus, ein Hausfreund«[26]; und Klaus Schöning, dem Regisseur der »Hausfreunde«, sagt Becker in einem Gespräch über das Neue Hörspiel – quasi als Postskriptum zum »Welt«-Interview vom Januar 1970:

»Jürgen Becker sprach von seiner Praxis, in der Kritik folgenlos geblieben ist. Wo und in welcher Weise hat er versucht, Kritik zu üben, und wie hat er diese Kritik verbunden mit der Kritik an bestehenden Produktionsverhältnissen?
Becker: Zunächst hatte ich Lust, auf diese Frage, ihrer inquisitorischen Attitüde wegen, gar nicht zu antworten. Denn aus dem, was ich geschrieben habe, sollte hervorgegangen sein, daß sich meine Arbeit auf direkte Kritik an bestehenden Produktionsverhältnissen nicht einläßt. Dennoch, meine Arbeit ist so komplex angelegt, daß sie kritisches Verhalten miteinschließt; aber dieses Verhalten kennt weniger den Ausdruck in Sentenzen und Parolen, sondern äußert sich in der Art meines Schreibens und in der Gestalt meiner Texte selbst. Ohne daß beides durch kritische Intention allein erklärt und bestimmt wird, so demonstrieren meine Schreibverfahren, meine Texte doch einen Widerspruch zu bestimmten Konventionen, Regeln und Kanons, einen Widerspruch mithin zu einem

Denken und Glauben, das seinerseits gesellschaftlich überliefert und vermittelt ist. Und ohne sie weiter zu deklarieren, praktiziert meine Schreibweise längst jene Veränderung, die als stur gebrauchte Polit-Parole inzwischen mehr Drohendes als Befreiendes bekundet; und weiter ist meinen Texten eine Sensibilität für sprachliche, und das heißt, gesellschaftliche Zustände eigen, die wahrzunehmen nichts anderes als Aufklärung produziert.«[27]

Das verwahrt sich einerseits gegen eine vordergründige Form der Rationalität, spaltet andererseits doch die Subjekt-Objekt-Identität auf, schafft Zwischenräume für Historie, will sagen: Menschenschicksale. Die nächste Stufe von Beckers Recherche beginnt: das Drama. Zwar denunziert Becker nach wie vor den Unterschied zwischen Fiktion und Nicht-Fiktion, also zwischen gegebenen Zeichen und deren Leser, zwischen Material und Medium. Aber seine Objekt-Besessenheit – die ihn zum adäquaten Interpreten progressiver Kunstströmungen wie nouveau realism oder fluxus machte – zergliedert sich allmählich, seine Texte wuchern aus, fächern auseinander. Landschaft, zentrales Thema, Zentrum unzähliger Einkreisungen, ist nun »ideale Landschaft« (wie ein kleiner Text von ihm heißt), wenn Ich eingeführt wird, wenn sie mit diesem Ich in Verbindung gesetzt werden kann, einem Erkenntnisprozeß Vorschub leistet:

»Dies, wenn alles ganz anders ist, wird mein Land sein, dies wird es sein ohne die alten Schrecken, die Luft nicht aus Gips, und der Wald wieder aus Holz, dies, wenn es kein anderes Land der Angst mehr gibt, dies in wirklicher Zeit und das Mögliche ist kein Wort mehr für etwas, das es nicht geben wird, offenes Land, wo Ruhe nicht verschrieben und Ruhe nicht verboten wird, wo Widerstand allein nötig ist gegen das Blechlaub der Eichen, dies wird einmal neu sein, wenn das Denken seine Landschaften verwirklicht und der Haß im alten Museum hängt, wenn jeder sich endlich aushalten kann und keiner quält die Umgebung, dies gibt es nicht mehr, explodierte Gebirge, Gift im Regen, einrückende Hundertschaften, Kämpfen um die Sonne am Sonntag, dies und alles Vermeidbare im Umgang mit Feinden, Rasenflächen, Bodenschätzen, Fischwudeln, Baumgruppen, Andersdenkenden und weiteren Bestandteilen der kommenden Geschichte, dies nicht mehr, wenn es soweit ist, neues Land, wo du hingehörst und du und wer nicht, wo wir Wörter haben, keine Verwirrung, Spiel und den Glanz, wo das Heimweh nach alten Zeiten aufhört und das Altwerden allen Spaß macht, dies wird es sein, anderes

Land, später, wenn wir nicht da sind und nicht mehr wissen, wie es wird.«[28]

Hier wurde ein Leerraum eingesprengt, der eine dialektische Spannung absorbiert und Erkenntnisvokabeln Platz schafft: Denken und Geschichte sind die Achsenwörter dieser kausal gegliederten Wortfolge. Beckers stetes Betonen, seine Arbeit verstehe er als eine intermediale, als eine künstlerische Praxis, die mit hergebrachten Arbeitsteilungen gebrochen hat, hängt mit dieser un-rationalen Vernünftigkeit zusammen; nicht gemeint ist das Durcheinander artistischer Medien, von Klangreihen und Bilderfolgen etwa:

»Die intermediale Praxis, wie ich sie meine, vollzieht sich vielmehr in einem Bewußtseinsbereich, in dem Kunst und Leben verschmolzen sind, keineswegs zu verwaschener Identität, sondern zu einer Art von Wirklichkeit, die sich aus Denken und Empfinden, Realien und Künstlichkeiten, Vorstellungen und konkreten Geschehnissen konstituiert. Diese Bewußtseinswirklichkeit ist imstande, künstlerische Ereignisse hervorzubringen, auf die noch keine Ästhetik einen Bescheid weiß. Denn nicht im Kunstprodukt selber liegen die neuen Kriterien verborgen, sondern in den Widersprüchen der Realität, in den Reaktionen der Psyche, in den Zumutungen der gesellschaftlichen Existenz, in den Offenheiten der Utopie, in den Verhaltensweisen des Bewußtseins.«[29]

Da ist genau formuliert, wohin diese nur vorgeblich artistisch raffinierte, in Wahrheit gelegentlich fast naive Kunst will: eine Einheit nicht künstlich schaffen, sondern Pseudo-Einheiten aneinandergliedern – also doch wohl: analysieren –, in ihren Einzelheiten sichtbar, hörbar, möglichst tastbar zu machen; aber: um sie neu zusammenzusetzen. Nicht zu harmonischer Totalität, aber zur Demonstration disharmonischer Universalität. Es steckt die – romantische – Sehnsucht nach dem Gesamtkunstwerk in diesem Konzept. Eine nächste Arbeit, vorläufig noch angewiesen auf technische Realisation, heißt typischerweise: »Ein Hörspielfilm«. Ein Widerspruch im Begriff, solange man Prosagedicht als widersprüchlichen Begriff auffaßt. Es ist die Partitur zur Konkretisierung eines Bewußtseinsvorgangs, der während des Schreibens abläuft und Hören wie Sehen gleichzeitig fixiert wie auf eben jene Medien überträgt, die Hören wie Sehen transportieren. Beckers Vorstellung:

»In der Praxis muß dieser Vorgang nachvollzogen werden, das heißt, das Stück muß von den zuständigen Ressorts *zugleich* produziert und auch gesendet werden, genauer: zunächst muß das Hörspiel gesendet und im unmittelbaren Anschluß der Film gezeigt werden, wobei die akustische Fassung des Films identisch mit dem Hörspiel ist.«[30]

Diese parallel geschriebene, weil gleichzeitig empfundene »Wirklichkeit der Landkartenzeichen« benutzt, typisch für Becker, Figuren aus Radio und Fernsehen, Ansager und Sprecher. Er schaltet optische mit akustischer Irritation nicht gegeneinander, sondern synchron, dabei als »Kulisse« ein Selbstzitat – die Manetsche Picknick-Szene – verwendend. Der Zwang, optisch zu arbeiten, augenfällig zu werden, zwingt gleichzeitig, sinnfällig zu werden: Becker zitiert nicht mehr nur Menschen, sondern schafft welche. Es setzt (aus dem Eigengesetz des künstlerischen Materials?) ein Humanisierungsprozeß ein – bei Becker, im konkreten Fall, ein De-Humanisierungsprozeß, was artistisch dasselbe ist: Das Bild des Edouard Manet zersetzt sich, als betrachte man seine impressionistische Technik durch ein tausendfach vergrößerndes Glas; es wird scheußlich.

Das soll keine endgültige Entscheidung für ein Genre suggerieren; Becker hat in den Jahren immer wieder Gedichte, Prosa oder Hörspiele abwechselnd publiziert. Der Zeigegestus blieb ihnen gemeinsam. Auch der schon im Titel proklamatorische Gedichtband »Das Ende der Landschaftsmalerei« will in seiner demonstrativen Nicht-Innerlichkeit das Fremdbestimmte von Denkabläufen, Verhaltensweisen vorweisen. Beckers Assoziationssignale sind Chiffre für eben jene Produkthaftigkeit; auch der Produzent ist Produkt: »Ein Gedicht verändert die Person, die es macht«[31]; führt nicht zur Innerlichkeit, sondern zur Wahrnehmung, Verdeutlichung des Äußerlichen. Diesen »unbenennbaren Erfahrungen, den riesigen Räumen ohne Wörter« will Becker Benennung und Wörter abzwingen. Im Zeigen der Dinge – »da draußen alles ist ein tägliches Gedicht«[32] – zeigt Becker, was hinter den Dingen ist. Indem er seine eigene Erfahrung rauh macht, reizbar vorführt, schafft er im Leser – Erfahrung. Der Mechanismus des Autors wird zum möglichen Mechanismus des Lesers. So erweist sich diese scheinbar statische Literatur als eine dynamische. Übrigens auch als eine politische, im nicht-expliziten Sinne.

Der Band »Erzählen bis Ostende« – war das nicht der Ort, in dessen Wartesaal Thomas Bernhards auswegloses Stück »Minetti« spielt? – deutet die Richtung, in der sich die Menschen seiner Umgebung bewegen: nirgendwohin. »Wohin gehen, aber lohnt es sich denn, irgendwohin zu gehen?«[33] Beckers poetische starre Kamera hat die Bewegungslosigkeit erfaßt, in der wir verharren, grundlos erstarrt: »Es gab keinen Grund, unzufrieden zu sein, obschon ich mich am liebsten umgebracht hätte.«[34]

Beckers Texte der achtziger Jahre choreographieren minutiös auseinanderdriftende Figuren, erstarrte Bewegung, gefrorene Beziehungen; schon der Titel des Gedichtbandes »In der verbleibenden Zeit« hat etwas Endgültiges und seine Bewegung ist: keine. »Wäre tödlich gewesen eine Bewegung«[35] heißt es da. Beckers Ende der Landschaftsmalerei ist noch radikaler geworden, nämlich zum endgültigen »Naturverlust«, wie Günter Kunert seine Analyse eines bis dato in Buchform unveröffentlichten Becker-Gedichts überschrieb:

»Das von alters her klassische Refugium, die Natur, erscheint in diesem Gedicht von Jürgen Becker nicht mehr als heiliger Bezirk, als Ort der Heilung und Erlösung von den Unseligkeiten einer von Menschen verdorbenen Welt. Im Gegenteil: Auch sie, ihre scheinbare Unerschütterlichkeit ist aufgehoben, ihr Verschwinden eingeleitet, die Axt an die Wurzel gelegt. Und es ist darum auch eine ganz andere Kälte als nur eine klimatische, die durch den Sommer geht: Es ist der Schauder vor dem zerstörerischen Fleiß dessen, der nicht aufhört.

Auch daß das Schwierige gestern eine Amsel war, nämlich für das Gedächtnis, das Wiedererkennen und Wiedererinnern, zeigt den Verlust an Natur: Man lebt in ihr schon fast wie in der Fremde.

Was ›nur‹ Naturverlust im ersten Teil des Gedichts war, erweist sich zu einem weitaus umfassenderen und endgültigeren. Der Gang durch die Nacht wirkt wie ein Fortgehen ohne Rückkehr, obschon die Kreide den Rückgang markieren soll, damit er sich wiederfinden läßt.

Die Stätte selber, die durchwandert wird, scheint ausgestorben. Die früh gebrochenen Türen, aus denen nichts mehr schwärmt, deuten auf menschenentleerte Gehäuse. Wo sind die Bewohner hin? Und: Geht das ›Du‹ des Gedichts den gleichen Weg wie die anderen Abwesenden?

Es gibt nur einen einzigen Weg, der immer unbegreiflich bleibt, obwohl man ihn kennt, und den man geht, solange man ›weiter atmet‹. Und ein anderer Weg kann in der letzten Strophe nicht gemeint sein, denn das Begreifen betrifft keinen real vorhandenen Fußpfad.

Was wie Naturlyrik auftritt, wenn auch wie moderne, und vom ländlichen Leben zu sprechen vorgibt, ist in seiner Knappheit von einem Endlichkeitsbewußtsein wie selten ein Gedicht in unseren Tagen.«[36]

4.
Das neue politische Bewußtsein

Wolfgang Koeppen

Was wäre gewonnen, wenn man das Ich, den Erzähler, wegließe und nur die Welt, die er, der nicht in Erscheinung tritt, beobachtet, zeigen würde? Das wäre ungefähr das in seinen Romanen angewandte Prinzip. Aber Koeppen hat die Methode zu Tode gehetzt und ist gescheitert. Der Roman war ohne Leben. Dennoch ließe sich in der Art des Kameraauges manches so schön kalt berichten, überbelichten, durch die Lupe vergrößern, den Lauf anhalten, beschleunigen, die Bilder montieren, und der unsichtbare, aber ja doch wirkende Erzähler bliebe als Unperson von vornherein geheimnisvoll. Aber wie könnte man Empfindungen beschreiben, die er hat, die in ihm entstehen und leben, die ihn antreiben, wie beispielsweise die Wollust der Bewegung und des Frostes.[1]

Dieser Absatz ist eine Fälschung; er ist Teil eines in Buchform unveröffentlichten Textes von Wolfgang Koeppen, der den Schriftsteller Alain Robbe-Grillet und seine Schreibmethode meint – statt dessen Namen wurde der von Koeppen eingesetzt. Dieser Trompe-l'oeil-Effekt soll das Augenmerk schärfen für die Schönheit und die Gefahren von Wolfgang Koeppens Prosa. Sie ist ganz einheitlich wohl nur in seinem fiktiven Erzählwerk der Nachkriegszeit. Seine beiden frühen Bücher[2] wirken in Konstruktion und Stil wie von einem anderen Autor geschrieben. Der 1934 erschienene Erstlingsroman »Eine unglückliche Liebe« fand zwar positiv kritisches Echo; doch nach neuerlicher Lektüre des Bandes fragt man sich, worauf Herbert Iherings vielzitierter Jubelruf über den achtundzwanzigjährigen Debütanten – »ein Kunstwerk der Prosa... ein herrliches Buch«[3] – sich eigentlich bezieht. Es ist in Wahrheit die arg jugendstilige Allerweltsgeschichte, deren Fabel der Titel benennt und die vor peinlichen Bildern – »Ihre Schultern standen breit über dem schmalen Bau ihres Leibes«[4] – oder schiefen Metaphern – »Die gewaltige Bleiplatte eines Gewitters rückte von Afrika her gegen die Küste vor und preßte die Luft über den glatten Spiegel der See zu einem Block weißglühenden Schmiedeeisens zusammen«[5] – so wenig einhält, wie sie zurückscheut vor veritablem Kitsch:

»Die Knie der jungen Burschen waren nämlich neben- und gegeneinander gelehnt, und ihre oberen Schenkel bildeten zusammen ein Bett aus elastischen, straffen Muskelgurten, auf dem ein Mädchen ruhte und schlief, während die Gesichter der Jünglinge, die zum Waffendienst fuhren und dieses Mädchens wegen dem natürlichen Schlafbedürfnis der Jugend widerstanden und mit offenen Augen die Nacht durchträumten, in der müden Spannung der späten Wache von durchsichtig marmorner Haut und wie von innerem Feuer erhellt, über dem Schlaf des Mädchens einen Himmel bildeten, edel und erfüllt von jeder Schönheit der südlichen Lande.«[6]

Iherings Lob ist nur verständlich, wenn man weiß, daß er den jungen Koeppen in die Feuilletonredaktion des »Berliner Börsen-Courier« geholt hatte und den jungen Kollegen vielleicht vor Gegnern schützen wollte, die wegen dieses Buches bereits nach dem Arbeitslager für den Autor rufen ließen. Dieser Drohung entwich Koeppen nach Holland, wo es ihn nicht hielt. Seine Rückkehr, ihre Motive und sein Leben in Nazideutschland schildert er so knapp wie eindrücklich in einer kurzen »Autobiographischen Skizze«:

»Es gefiel mir in Holland, aber ich erkannte, daß man als deutscher Schriftsteller sich nicht aus dem Land der deutschen Sprache entfernen durfte. Ich war sehr unglücklich.
Das Grauen kam über die Welt. Ich stellte mich unter, ich machte mich klein, ich ging Eulenspiegels Wege, ich erlebte Grotesken und Verhängnisse, Freundschaft und Verrat, ich war ein Schaf unter Wölfen und ein Wolf unter Schafen, ich wollte das Ende der Tragödie sehen, und als der Vorhang fiel, war ich erschöpft. Ich wunderte mich über die vielen Unschuldigen, die auf einmal auftauchten und zur Krippe gingen, über die alten Schuldigen, die ihre Stellungen hielten oder verbesserten, über jeden, der nichts gesehen, nichts gehört, nichts gewußt und nichts gelernt hatte. Ich lebte. Es ging mir schlecht. Ich hatte die Freiheit und die Freiheit zu verhungern. Das ist sehr viel wert!
Eines Tages kam Henry Goverts, der Verleger, zu mir. Er fragte mich: Warum schreiben Sie nichts mehr? Da fragte auch ich mich, worauf ich all die Jahre gewartet hatte und warum ich Zeuge gewesen und am Leben geblieben war.«[7]

Die Antwort auf diese Frage ist lang; viele hundert Seiten: Sie bildet sein Prosa-Œuvre der Nachkriegszeit. Etwas Eigenartiges war geschehen –

der ins Dritte Reich zurückgekehrt war, um Zeuge zu sein, schrieb keine Zeile über die Zeit seiner Zeugenschaft. Aber er wurde der genaue, gnadenlose Chronist jenes Nachkriegsdeutschland, das seine jüngste Vergangenheit keineswegs überwunden, »bewältigt« schon gar nicht – sondern schlicht übernommen hatte.
Der Schriftsteller, der immer und immer wieder sich als ein Mann ohne Bindung charakterisiert hatte – »der moderne Autor ist immer ein Mann allein«; »der geniale Mensch, also er, Baudelaire, sagt es oft, will, soll, muß einsam sein«[8] – erkannte als ersten den Kitt, den die Deutschen zum Verfugen ihres Neubaus benutzten. Seine drei Romane »Tauben im Gras«, »Das Treibhaus«, »Der Tod in Rom« sind ein einziges grausames Fischaugenphoto der »Neuen Heimat«.
Hier lag das doppelte Skandalon: ein politisches und ein literarisches. Die Tangoharmonie der ersten Wirtschaftswunderphase wurde bereits durch Koeppens Konterfei des schiebenden und geschobenen Nachkriegsdeutschland empfindlich gestört; der Roman »Tauben im Gras« löste geradezu Empörung aus, die in Hans Schwab-Felischs (später von ihm in für Kritiker seltener Noblesse widerrufenem) Verriß gipfelte:

»Weil dieses Buch sich fast ausschließlich im Morbiden, im Sumpfe tummelt, weil es außer in der Analyse dieser Gegebenheiten keine Kraft aufweist, weil sein Pessimismus keine substantielle Größe hat – darum auch mangelt es ihm an dem Atem, an der Überzeugungskraft, die es hätte ausstrahlen können, wäre es nur von einer höheren Warte aus geschrieben worden.«[9]

Überraschenderweise war es Karl Korn, der nicht nur lobte, sondern die innere Substanz der Empörung Koeppens begriff, der ja lediglich deutlich machte, »daß wir drauf und dran sind, den Gewinn der geistigen und seelischen Erschütterungen von 1945 und alles dessen, was davor und danach liegt, zu vertun im Taumel einer fragwürdigen Restauration«.[10]
Fast stärker war das literarische Entsetzen. Koeppens Technik stieß auf schieres Unverständnis, seine Kälte wurde als »literarisches Franktireurtum«[11] denunziert, sein durchdringender Blick als das Blinzeln des Voyeurs verhext. In einer furiosen Replik durchbrach Koeppen das ungeschriebene Gesetz, demzufolge ein Autor nicht antworten dürfe, und widerlegte nicht nur das Society-Gewisper von angeblichen Konterfeis, die sein Buch verrätsele, sondern legte auch seine Methode, seine Schreibhaltung offen:

»Nein, ich war nicht dabei! Ich besitze keine Kamera und kein Scherenfernrohr, ich muß die Herrschaften enttäuschen und leider auch erschrecken: der Vorgang ist viel einfacher und viel, viel unheimlicher. Der Skribent sitzt zu Hause an seinem Tisch, er saugt sich's aus den Fingern, er richtet seinen Blick ins Leere oder ins Schwarze oder Helle, und sein Blick durchdringt die Türen, die Mauern, die geschlossenen Jalousien, er dringt durch die Kleidung, er dringt ins Herz, und er sieht im Herzen der Menschen die Wahrheit, die Süße und die Bitternis des Lebens, sein Geheimnis, seine Angst, seinen Schmerz, seinen Mut. Gegen diese Durchleuchtung kann man sich nur wehren, indem man die Bestie wieder in den Kindergarten einer ›Schrifttumskammer‹ sperrt, um sie dort mit bukolischem Salat oder völkischem Kraut zu füttern. Solange wir aber noch nicht wieder eingepfercht sind, werden wir uns, werde ich mich auf der Weide des Lebens, im Umkreis der Zeit tummeln.«[12]

Im Vorwort zur zweiten Auflage von »Tauben im Gras« verstärkte Koeppen seinen Einspruch noch, indem er sich ein Wort von Georges Bernanos anverwandelte, nachdem das Handeln des Schriftstellers dem eines Mannes gleiche, der das Leben in seinem Herzen filtere, um die geheime, mit Balsam und Gift erfüllte Essenz herauszuziehen.[13]
Hier aber sind nun etliche Stichworte gefallen – ob der durchdringende Blick oder die gifterfüllte Essenz des Lebens –, die als Selbstdefinition von Koeppens Begriff des Schreibens und Schreibers nicht zu unterschätzen sind. Sie erläutern eine Zielvorstellung, aber sie bezeichnen auch eine Grenze.
Tatsächlich haben die drei Romane etwas Anämisches. Ihr Stil ist von einer nahezu verblüffenden Perfektion; aber sie haben etwas Gläsernes, Starres. Koeppens Sprache ist makellos, und von Enzensberger (»Die Prosa des Romanciers Koeppen ist die zarteste und biegsamste, die unsere verarmte Literatur in diesem Augenblick besitzt«)[14] bis Max Frisch (»Die Prosa, die Wolfgang Koeppen heute schreibt, durchbricht Vorstellungsgrenzen auf jeder Seite, oft Satz um Satz«)[15] erschallt Kollegenlob. Doch diese streng rhythmisierte Sprache, die sich Sätze von ganz unerhörter Schwingungsweite leisten kann, hat kein Geheimnis. Sie entsprießt, genaugenommen, der höchst zugespitzten Feder eines Essayisten. Sie benennt, aber sie ergründet nicht. Koeppen, als erster der deutschen Nachkriegsautoren die Tradition Döblins oder Dos Passos' aufgreifend, macht sich vollkommen zum Instrument. So – ob Kameraauge oder Mikroskop – verbietet er sich jeden emotionalen Raum. Das läßt den Kritiker Lothar Baier zum dritten Buch der Trilogie verblüfft konstatieren:

»Es ist jedoch schwer, eine Antwort auf die Frage zu finden, als was ›Der Tod in Rom‹ überhaupt zu lesen ist. Denn nicht nur den ›Zeitroman‹, von dem soviel die Rede war, habe ich nicht gefunden, den Roman überhaupt habe ich vergeblich gesucht. Dieser Roman, von dem Kritiker wissen, daß er vielperspektivisch erzählt oder daß er die Spuren von Joyce oder Faulkner trägt, ist offenbar nicht geschrieben worden. Was geschrieben wurde, ist eine Vielzahl von Hinweisen auf einen Roman; aber dieser Roman ist nicht mit dem Roman ›Der Tod in Rom‹ identisch, sondern er existiert irgendwo außerhalb, vielleicht im Kopf des Autors.«[16]

Indem Koeppen sich von der herkömmlichen Romanform mit ihrem Helden und dessen einsehbaren, gar mitvollziehbaren Schicksal löst, löst er aber auch die Hoffnung auf die Explosion eigener Phantasie beim Leser auf. Das Präzis-Deskriptorische seiner Prosa macht sie unproduktiv für den Adressaten; sie kann in ihm nicht weiterarbeiten. Dieser Abschnitt aus dem Bonn-Roman »Das Treibhaus« zeigt, wie genau und nahezu prophetisch Koeppen sieht; seine Kamera ist aber die einer Wochenschau, kein Film entsteht:

»Eine Rundfunkstation hatte die ideale Familie gesucht. Hier war sie. Der Konfektionär hatte sie längst gefunden. Ein grinsender Vater, eine grinsende Mutter, ein grinsendes Kind starrten verzückt auf ihre Preisschilder. Sie freuten sich, weil sie billig gekleidet waren. Keetenheuve dachte: Wenn es dem Dekorateur einfiele, den Mann in eine Uniform zu stecken, wie wird er grinsen, wie werden sie ihn grinsend bewundern; sie werden ihn bewundern, bis im Druck der Explosion die Scheiben platzen, bis im Feuersturm das Wachs wieder schmelzen wird. Auch die Dame im Nebenfenster, die eine mondäne Frisur, einen lüsternen Mund und einen netten frech herausgestreckten Unterleib hatte, freute sich ihrer preiswerten Drapierung. Es war eine Idealbevölkerung, die da stand, ideale Väter, ideale Hausfrauen, ideale Kinder, ideale Freundinnen *Fortsetzungsbericht* Ich war Keetenheuves Schaufensterpuppe *Keetenheuve Persönlichkeit der Zeitgeschichte, Keetenheuve Sittenbild der Illustrierten,* sie grinsten Keetenheuve an. Sie grinsten aufmunternd. Sie grinsten: Greif zu! Sie führten ein ideales sauberes und billiges Leben. Selbst der frech herausgestreckte Unterleib der mondänen Puppe, der kleinen Hure, war sauber und billig, er war ideal, er war synthetisch: in diesem Schoß lag die Zukunft, Keetenheuve konnte sich eine Puppenfamilie kaufen. Eine ideale Frau. Ein ideales Kind. Er konnte seine Abgeordnetenpuppenwohnung mit ihnen bevölkern. Er konnte sie lieben. Er konnte sie in den Schrank legen, wenn er sie nicht mehr lieben mochte. Er konnte ihnen Särge kaufen, sie hineinbetten und sie beerdigen.«[17]

Das ist wohl besser, als die zu der Zeit kurante Konsumschelte; aber eben nur besser. Mehr ist es nicht. Wenn Prosa die Funktion hat, falsche Realität zu dekuvrieren – dann ist das große Prosa. Wenn sie die Chance hat, eigene, echte Wirklichkeit herzustellen, dann ist es keine.
Denn Wolfgang Koeppen ist auf hochmütige Weise an seinen Personen uninteressiert. Er läßt sie regelrecht im Stich, auf mürrische Weise wie bei Keetenheuves Sturz von der Brücke oder gar kolportagehaft wie mit der Schluß-Schießerei im »Tod in Rom«. Koeppen schildert Dinge aufs genaueste:

»Das Hotel war ein Neubau; die Einrichtung war fabrikfrisch, gelacktes Holz, sauber, hygienisch, schäbig und sparsam. Ein Vorhang, zu kurz, zu schmal und zu dünn, um vor dem Lärm und dem Licht der Straße zu schützen, war mit dem Muster einer Bauhaustapete bedruckt.«[18]

Aber er setzt Menschen nicht miteinander in Beziehung, charakterisiert sie nicht einmal genau: »Ihre Gesichter waren wie die Gesichter von Leichen, die an einer widerlichen Krankheit gestorben waren.«[19] Also wie sahen sie nun aus? Koeppen etikettiert seine Gestalten, stattet sie aus wie ein phantasievoller Kostümbildner – aber Judejahn, der Alt-Nazi in arabischen Diensten, bekommt bei aller Schlemmerei, Hurerei, Phraserei kein Eigenleben.[20] Er bleibt voll rastloser Tätigkeit; ohne Tun. Die gesamte Familie, die zum Todesfest von Koeppen nach Rom beordert wird, ist ausstaffiert mit Klischees, vom Dutt der Nazisse bis zu Dialogen, wie sie Koeppen selber in seinem Thomas-Mann-Aufsatz einmal als unerträglich charakterisierte. Koeppens Personen sind Personal. Sie haben keine Handlungsräume, sondern Regieanweisungen. Die Bücher gleichen Inszenierungen mit hohem Anspruch, wie man sie in ihrer gekonnten Leere etwa von vielen Noelte-Aufführungen kennt: Paare, Passanten; perfekte Läufe ins Nichts. Sie haben etwas Erbarmungsloses – nicht gegenüber einer verurteilten Welt, sondern im Urteil über die Menschen. Koeppen will mit ihnen etwas zeigen – aber sie interessieren ihn letztlich nicht. Ein Regisseur, der Texte verehrt, aber Schauspieler nicht liebt. Helmut Heißenbüttel hat in seinem Koeppen-Kommentar auf diese Vereinsamung hingewiesen, in die die Erzählungen letztlich selber zurückfallen. Womit sie etwas Literarisch-Beliebiges bekommen, das Präzise des politischen Journalismus, das zugleich poetisch vage bleibt:

»Das Selbst, von dem Koeppen schreibt, das er anhand seiner Figuren und dem, was ihnen zustößt, zu treffen sucht, entzieht sich immer wieder der Erzählung. Ja, es entzieht sich der Ausdrucksmöglichkeit. Das Wort ›hochmütig‹ hat einen Annäherungswert, aber es verliert zugleich einen Teil seines Inhalts. Die Wörter bekommen blinde Stellen, blinde Wörter schieben sich ein. Die Figuren der drei Romane lassen sich in einer Skala der Vagheit anordnen. Zum vageren Ende hin läßt sich mehr sagen anhand dieser Figuren.«[21]

Koeppens Welt ist eine ohne Eros. Ohne den heimlichen Zwang der Menschen zueinander. Es ist gar eine Welt ohne Sexus. Genauer gesagt: Sexualität (wie Liebe; etwa im ersten Roman) ist bei Koeppen stets auch Akt des Bewußtwerdens von Alleinsein: »Sie wußten, daß sich nichts geändert hatte und daß die Wand aus dünnstem Glas, durchsichtig wie die Luft und vielleicht noch schärfer die Erscheinung des anderen wiedergebend, zwischen ihnen bestehen blieb«,[22] heißt es schon in »Eine unglückliche Liebe«. Koeppens Figuren werden in Assoziationsstürzen geradezu beschworen, seine Litaneien an Bewegungsverordnungen, Handlungsritualen machen sie zugleich zu Dienern einer nach heimlichem Kodex festgelegten Meß-Ordnung; werden sie zueinander in Beziehung gesetzt, dann ist es stets Konfiguration einer Versteinerung. »Die Verbindung zum anderen ist nur noch in der Selbsttäuschung möglich«,[23] sagt Reinhard Döhl in seiner Koeppen-Studie. Vollendung im Sexus ist allenfalls Vollendung einer Kampfhandlung; nur der Haß, der Wille zur Vernichtung des anderen schafft Momente der Nähe:

»Aber der Gedanke an die Sünde reizte die Hoden, regte die Samenzellen an, doch die Verbindung blieb unerlaubt, es sei denn, dies war ein Traum in einem roten Nebel, der ihm dann vor die Augen trat, war keine klare Überlegung, war ein Wachschlafgedanke, man zerschlug nach vollzogenem Samenopfer, nach den befreienden, Dumpfes lösenden Stößen des Lusthasses die Muschel aus beschnittener Zeugung, das unreine Gefäß unbegreiflicher Verführung und kabalistischer Magie, welches das kostbare Gen des Ariers erlistet hatte.«[24]

Nun ist die Darstellung von Entfremdung in der Literatur nicht neu, nicht als Thema. Bei Koeppen aber ist sie *Material:* Er akzeptiert die Situation, indem er sie teilt. Das Gläsern-Schöne seiner Sprache verdankt sich dieser Haltung einer inneren Akzeptanz, die nur mehr konstatiert:

»Er trank seinen Kaffee im Stehen, und er beobachtete die hübschen nettbestrumpften Mädchen, und er beobachtete die jungen Männer in kurzen Socken, die wie unzufriedene Engel aussahen, und dann erkannte er, daß ihre schönen Gesichter gezeichnet waren, gezeichnet von Leere, gezeichnet von bloßem Dasein. *Es war nicht genug.*«[25]

Nur selten begnügen sich Schriftsteller mit so einer Bilanz – ohne Hoffnung, ohne Urteil, Klage, Anklage gar. Koeppen stellt das eigene Ich beiseite, filtert den Autor so radikal aus seiner Prosa aus, daß schließlich auch deren Gestalten subjektlos bleiben, ohne Eigenleben und Entwicklung, die gar ihrem Schöpfer davonlaufen *könnte*. Gewißlich vermöchte Koeppen nicht wie Balzac über die Geschicke seiner Helden in Tränen auszubrechen; derlei Schicksale hat er ihnen nicht zugebilligt. Damit ist Koeppens erzählerisches Werk von einem Paradoxon geprägt: politische Romane, die geschichtslos sind; falls man sich darauf einigen kann, daß Geschichte dialektische Abläufe birgt und stets aus diesen Widersprüchen sich neu, unvollendet produziert. Eine solche Prozeßordnung des stets Unfertigen ist der »objektiven Prosa« Koeppens (objektiv auch im Sinne des Kamera-Objektivs) fremd. Durchaus ist man erinnert an Brechts Diktum, demzufolge eine Photographie der IG-Farben-Werke nichts über die IG-Farben-Werke besage. Koeppens literarischer Photo-Realismus gibt Momentaufnahmen der Realität preis – aber auch seine Gestalten, die in a-psychologische Verhaltensmuster eingefroren sind. Geradezu mürrisch wirft der Puppenspieler Wolfgang Koeppen seine Puppen am Ende der Vorstellung weg. Sie enden alle in jähem Tod, und der Akt des »Fallenlassens« (seitens des Autors) findet sich gespiegelt sogar in der Todes*art*: Keetenheuve stürzt sich von einer Brücke, Judejahn »hatte das Gefühl, ins Bodenlose zu sinken«, als er in den Tod weggleitet, und in »Tauben im Gras« ist es die Tiefe unter einem Aussichtsturm. Die Abgründe Wolfgang Koeppens sind perfekt, seine Impassibilité ist total.

Die Aussagen zur eigenen Person sind deshalb mehr als übliche Interview-Antworten eines frage-gepeinigten Autors. Ob Koeppen nun Auskunft gibt über seinen Arbeitsprozeß – »Ich arbeite ungern und unstet in meiner Wohnung. Am liebsten arbeite ich in dem größten Hotel einer mir fremden großen Stadt«[26] – oder sich zu seinen Leseerfahrungen mit Joyce äußert[27]; ob er sein Schreiben als »düsteres Selbstgespräch«[28] charakterisiert, oder dekret-knapp das Verhältnis des Schriftstellers zu seinem Publikum skizziert – »Die Menge ist doch sein Feind«[29] –: immer laufen seine Selbstbeschreibungen auf die fürchterliche, krude, unbarmherzigehrliche Summe hinaus: »Weil ich das sowieso schon bin, fremd ganz und kraß.«[30]

Nur: Koeppens frappante Einblicke in eine Beckettsche Isolierstation sind, gelangen sie über Interview-Partikel hinaus, Literatur. Es zeigt sich, daß seine Ego-Miniaturen nicht Blüten am vielfach verzweigten Baume des Narzißmus sind, sondern Hineinhorchen in sich selber, zugleich auch Abhorchen von Geschichte. Der zuerst in Klaus Wagenbachs Literatur-»Atlas« (dort noch unter dem Titel »Ein Kaffeehaus«) publizierte Text »Romanisches Café«, ein einziger rhapsodischer Satz von fünf Druckseiten, ist Biographie eines in Trümmern versunkenen Reiches und Autobiographie in einem. Christian Linder hat Koeppen nach dieser möglichen »Flucht ins autobiographische Sprechen« befragt, nach den Gründen für die immer stärkeren autobiographischen Elemente beim »späten Koeppen«, und Koeppen prägte den schönen Satz: »Ich habe vielleicht einen Brief abgeschickt, aber an einen unbekannten Empfänger.«[31] Er hat aber auch – außer der kleinen Notiz zum New-York-Text wohl die einzige präzis-persönliche Auskunft – einen kurzen Steckbrief des Wolfgang Koeppen gegeben:

»Gymnasium in Ostpreußen, Distanz von der Herkunft, unregelmäßiges Studium, bildungsbeflissen, aber kein Ziel, Zeit der Arbeitslosigkeit (in der ich Außenseiter blieb), Schiffskoch (zwei Fahrten), 14 Tage Fabrikarbeiter, Platzanweiser im Kino, Eisbereiter in St. Pauli, Dramaturg und Regievolontär an guten Theatern, loses Verhältnis zu Piscators dramaturgischem Kollektiv (unbefriedigend, aber schon Berlin), früher Journalismus, gleich in Berlin, links, Gast im Romanischen Café, Anstellung am *Börsen-Courier*.«[32]

Da ist es also, wenn auch in einem kürzeren Satz: Gast im Romanischen Café; ein Stück Geschichte des Autors – und ein Stück Geschichte seines Landes. Wo Koeppen eine solche Engführung gelingt – wie in dem schmalen Band »Jugend« –, bekommt seine Prosa ein spezifisch anderes Gewicht; sie verliert das Starre, Lauernde. Ein Satz wie dieser aus »Jugend« führt nicht nur stilistische Perfektion vor, sondern bezieht seine Schönheit vielleicht auch aus dem Einführen einer humanen Dimension:

»In Bugenhagens Buchhandlung knistert Gelehrsamkeit aus Papier wie ein Kamm, den man durchs Haar führt. Trocken, manchmal ein Funke.«[33]

Reinhard Döhl hat eine ähnliche Beobachtung mit Koeppens Text »Anamnese« verbunden[34] und zu Recht die autobiographischen Texte mit den Reisebüchern Koeppens in Verbindung gebracht.
Der Streit um die Frage, ob Koeppens Reiseberichte, durchweg Auftragsarbeiten von Funkanstalten, nun Umwege – gar Fluchtwege – sind und sein eigentliches Werk verraten, oder ob sie vielmehr sketchbook-ähnliche Vorstudien zu geplanten Romanen sind, ist unergiebig. Koeppen selber hat die letztere Version unterstützt und diese Arbeiten im Gespräch mit Bienek »Umwege zum Roman, Kulissenbeschreibungen«[35] genannt. Einige Interpreten sahen in den Features eher überflüssige Schilderungen französischer Restaurants oder lieblose Aufzählungen ohnehin bekannter Sehenswürdigkeiten. Die kleine New-York-Beobachtung liest sich in der Tat schon wenige Jahre später veraltet – ein Zeichen, daß es mehr Oberflächenphotographie als Analyse war. Man muß wohl sehr sorgsam trennen: Es gibt allerlei Flaneur-Unternehmen Koeppens, die lediglich Außenansichten vermitteln und damit literarisch das legitime Gegenstück bilden zu der voyeuristischen Prosa. Und es gibt sehr sonderbare Selbstfindungen, bei denen das geographische Muster zum Vermessen der eigenen Existenz gerät. »Proportionen der Melancholie« nennt Koeppen typischerweise sein Nürnberg-Porträt, womit es bereits im Titel dem Genre der puren Ortsbeschreibung entzogen ist; und seine Studie über München trägt den Untertitel »oder Die bürgerlichen Saturnalien«. Da finden wir also jene beiden Pole Ich und Geschichte, die einen Spannungsbogen bilden nicht für geographischen Bericht, die vielmehr Entgrenzung des Individuums Wolfgang Koeppen ermöglichen. Solche »Reisetexte« sind Vermessungen des Weges zu sich selbst.
Dieser Fortgang ins Fremde, um sich zu finden, ist auch die Methodik von Koeppens Literaturbetrachtungen. Sie sind auf eigenartige Weise seinen Reisefeuilletons ähnlich: Seine Annäherungen an die fremden Kontinente der großen Kollegen bergen lauter eigene kleine Erzähleinheiten:

»Ein langer, heller Tag im nordischen Sommer, die weiße Sonne hitzt die Stube, in der einer zur Welt kommt, das satte Licht wandert mit den Gerüchen des Schlicks, des Teers, des Salzes von den Segeln, die sich noch über den Wellen entfalteten und nun gerefft unter dem Fenster lagen, dem Rauch der Schleppdampfer, der die Wände rußte, den süßen oder beizenden Aromen der Frachten, den Schmalz- und Fischdünsten aus Schiffskombüsen und Nachbarschaftsküchen über die beladene Oder um Wochenbett, Nähmaschine und Bügeltisch, Amerika und China stehen

Pate, Kopenhagen, Stockholm, Sankt Petersburg sind gute oder böse Feen, Helsingör nicht zu vergessen, nicht Senta, der Klabautermann, die Heiligen und Märtyrer der Religionen, Systeme und Gedanken, im Erdkreis, irgendwo, Stettin, 10. August 1878, Bollwerk 37.«[36]

So zum Beispiel, nicht zufällig eigene Prosa provozierend, beginnt Koeppens Erörterung zu Döblin, einem seiner erklärten Vormeister. Ähnliche Strukturen findet man in seinen Texten zu Thomas Mann oder Robert Walser – und das ist für das Begreifen des Schriftstellers Koeppen wichtiger als ein Abwägen seiner literaturkritischen Urteile, die oft spinös oder sich widersprechend sind (»Von Hemingway wird viel bleiben... Es wird nichts von seinem Werk bleiben« – im Abstand von zwei Buchseiten). Über die Autoren, zu denen Koeppen sich äußert, findet man wenig Neues; allzuoft schließt eine Betrachtung mit schlichtem literarischen Händefalten: »Das sind Sätze von großer Schönheit und nur zu bewundern« (Proust)[37]; »Es ist erstaunlich und sehr zu bewundern« (Thomas Mann)[38]. Oder Koeppen versteigt sich zu pseudoeleganten Platitüden: »Stendhal starb am Geist, Proust an der Schönheit, Hemingway am Tod. Im Leben kommt es auf dasselbe hinaus.«[39] Ernsthafte Literaturkritik also ist seine Sache nicht. Der Band mit diesen Aufsätzen ist vielmehr ein Spiegelkabinett, ein Echolot; er produziert großartige Erkenntnisse über einen einzigen Autor: Wolfgang Koeppen. Deswegen erinnern die meisten seiner Fremdbegegnungen mit Literatur jenen Begegnungen mit fremder Welt; beide berühren ihn, beide berührt er nicht wirklich. Es sind alles Erkundungsfahrten in das einzige Universum, das ihn interessiert und das ihm dennoch unausgeforscht geblieben ist ganz und gar – das seine:

»Was tun Sie den ganzen Tag über. Gehen Sie viel spazieren, sehen Sie oft Fernsehen?
Ich bin sehr beschäftigt.
Womit?
Das weiß ich nicht.«[40]

Peter Weiss

Der Anfang war kein Beginn. Als der damals einunddreißigjährige Peter Weiss im Sommer 1948 sein erstes Manuskript an Peter Suhrkamp schickte, erhielt er eine so freundliche wie bestimmte Ablehnung; Suhrkamps Brief liest sich zu Teilen wie ein Gutachten – und zwar eines, das nicht nur diese eine Arbeit von Peter Weiss charakterisiert:

»Es ist die Niederschrift eines, der an Selbstgespräche gewöhnt ist. Dessen Sprache eine wesentliche Fähigkeit der Sprache verloren hat, nämlich sich verständlich mitzuteilen; die Übersetzung ins Sichtbare. Die Visionen bleiben Phantasien einer innerlichen Welt, ihre Realität ist nicht die Realität von anderen Menschen. ... Ich weiß keine andere Erklärung dafür als die, daß Sie selbst aus irgendeiner Empfindlichkeit heraus Ihre Isolierung etwas kultiviert haben. Und gerade das noch im Schreiben taten. Das scheint mir eine Sackgasse.«[1]

Peter Suhrkamp hat da ganz früh eine Grundbefindlichkeit fixiert, eine der Ursachen wohl auch für den angeblichen Stilwechsel, den Peter Weiss von Buch zu Buch vorführte und den so viele Interpreten zu ergründen suchten.[2] Für Peter Weiss hieß schreiben nämlich ums Überleben kämpfen. Und Überleben lernt man jeden Tag neu. Deshalb sind die verschiedenen, scheinbar widersprüchlichen literarischen »Umgangsformen« des Peter Weiss nicht etwa spielerische Theaterproben, sondern Teile seiner Biographie. Einer, der quasi durch Zufall der Ermordung entkam, sucht seinen Ort zu finden; seine Identität.
Diesen Ort, der ihm »zugedacht« war, hat er in einer unvergeßlichen Prosastudie gebannt:

»Nur diese eine Ortschaft, von der ich seit langem wußte, doch die ich erst spät sah, liegt gänzlich für sich. Es ist eine Ortschaft, für die ich bestimmt war und der ich entkam. Ich habe selbst nichts in dieser Ortschaft erfahren. Ich habe keine andere Beziehung zu ihr, als daß mein Name auf den Listen derer stand, die dorthin für immer übersiedelt werden sollten. Zwanzig Jahre danach habe ich diese Ortschaft gesehen.

Sie ist unveränderlich. Ihre Bauwerke lassen sich mit keinen anderen Bauwerken verwechseln.
Auch sie trägt einen polnischen Namen, wie meine Geburtsstadt, die man mir vielleicht einmal aus dem Fenster eines fahrenden Zuges gezeigt hatte. Sie liegt in der Gegend, in der mein Vater kurz vor meiner Geburt in einer sagenhaften kaiserlich-königlichen Armee kämpfte. Von den übriggebliebenen Kasernen dieser Armee wird die Ortschaft beherrscht. Zum besseren Verständnis der dort Werksamen und Ansässigen wurde ihr Name verdeutscht.«[3]

Der Ort hieß Oświecim; wir kennen ihn als Auschwitz. Peter Weiss war Emigrant. Aber das Schicksal des Schriftstellers Peter Weiss war anders als das der exilierten deutschen Autoren – er war ja noch keiner. Er hatte kein begonnenes, gar berühmtes Werk im Gepäck, konnte sich nicht selber »fortsetzen«. Im Unterschied zu den Thomas Mann, Bertolt Brecht oder Anna Seghers *begann* er in dem Augenblick zu schreiben, in dem man ihn seiner Sprache beraubt hatte. Er mußte sich eine Tradition zurückerobern, als sein »Vaterland« sie selber zerstörte; eine Kultur aneignen, als man in seiner »Heimat« bei ihrer Benennung die Revolver entsicherte; eine Kunst ausüben, die man »zu Hause« als entartet denunzierte und zu vernichten begann. Den Schock dieses Raubes hat Peter Weiss nie verwunden – und seine Literatur ist ein einziges Einkreisen, was heißt: definieren dieser Wunde. In immer neuen Angangen baute er seine Kunst-Welt:

»Was für eine Existenz baute ich mir selber auf, eine Existenz, die aus Büchern, Bildern, Musik und manchmal aus Frauen bestand. Eine Existenz, gekrönt vom Triumph, noch am Leben zu sein.«[4]

In derselben Rede, die der nun schon arrivierte Autor 1966 in Princeton hielt, berichtet Weiss – damit Suhrkamps Urteil im nachhinein bestätigend – von seiner Einkapselung in Melancholie und Unglück statt eines Protestes, von seiner Metaphysik statt Wissen.[5] Damit meint Weiss seine frühen Bücher, die »pupertär-subjektivistische Arbeitsphase«, wie er es in den später publizierten Notizbüchern nennt. Doch schon damals habe er künstlerische Erzeugnisse nie außerhalb eines sozialen und politischen Zusammenhangs stellen können und mögen. Das stimmt.
Der 1960 erschienene Band »Der Schatten des Körpers des Kutschers« zeigt bis zu den beigefügten Collagen des Autors den Versuch, die Zersplitterung der Welt nicht lediglich wahrzunehmen, sondern auch

ihre zerschnittenen Teile miteinander in Beziehung zu setzen. Jürgen Becker analysierte damals diese Methode, das Vertraute fremd zu machen – und den Leser damit zu neuer Aufmerksamkeit zu zwingen:

»Dieser Erzähler registriert Gegenstand und Geschehen mit einer Schärfe, daß die Fakten ihren vertrauten Habitus verlieren: sie verzerren sich und verkehren sich gleichsam in ihr magisches Negativ. Reales Geschehen, das in einer tristen Pension auf dem Lande verläuft, schlägt ins Irreale um; Tun und Lassen der beteiligten Figuren gerät ins Gespensterhafte. Zuletzt sind es allein noch die Schemen, die Schatten der Figuren, die vor erstarrter Szene agieren.«[6]

Die Worte »Figuren«, »Szene«, »agieren« stehen hier nicht beliebig – schon das Ende dieser kurzen Prosaarbeit läuft ins Optische hinein. Schon hier ist der Dramatiker Peter Weiss geboren, der Schriftsteller, der nicht so sehr Charaktere erschafft als vielmehr Situationen. Seine Sprache, bereits in diesem Erstlingswerk, ist eine gestische, keine psychologische. »Meine Tätigkeit... besteht aus einem Erdenken von Bildern«[7], läßt er die Ich-Figur des Textes sagen; und zwei Jahrzehnte später notiert er während der Arbeit an der »Ästhetik des Widerstands«:

»Frisch macht es z B anders: er erfindet Figuren, die ständig nach ihrer Identität suchen, oder diese wechseln. Auch eine Art von Autobiographie. Ich bin zu solchen Umschreibungen nicht fähig. Lebe mit dem Unausgesprochenen –[8]«

In dieser Rigorosität, die mißverständlich sein könnte, stimmt das nicht. Peter Weiss' Denken und Kunst sind zwar prozeßhaft, dialektisch, zum Handeln drängend – formal wie ideologisch; »Eine Kunst, die die Sterilität, die Entfremdung und Absurdität eines Lebensbereiches aufzeigt, ohne gleichzeitig nach einer Alternative zu suchen, hat als Kunst aufgegeben und wird zum Bestandteil ihrer eigenen Negationen«[9], formulierte er einmal sein Credo in einem Offenen Brief an Wilhelm Girnus, den das »Neue Deutschland« dann keineswegs öffentlich machte. Aber das ist nur *ein* Aspekt. Der andere ist, daß Weiss – so gut Narziß wie jeder andere Künstler – die eigene Person durchaus stets als Teil dieses geschichtlichen Prozesses einbringt: »Mein Ich, das ist meine Imagination.«[10] Schon sein zweiter Prosatext »Abschied von den Eltern« ist von dieser Kraft geprägt – eine unverhohlen autobiographische Erzählung, die ganze Passagen der Eigenliebe widmet wie dem Vorgang, sich die

Welt zurechtzuhalluzinieren. Es geht nicht nur um das Eins-sein mit der Welt, es geht auch um das Eins-sein im Geschlecht – beides zwanghafte Träume oder Räusche, unerfüllbar:

»Es war die vollkommene Liebe, die hermaphroditische Liebe, geschlossen in sich selbst, sich selbst verbrennend. Die Geliebte war Teil von mir, sie war das Weibliche in mir, jede ihrer Regungen kannte ich, jede meiner Regungen beantwortete sie. Wenn ich sie umarmte, umarmte ich mich, ich streckte mich mir selbst entgegen, drang ein in mich selbst.«[11]

Die Phasen des Inzests und des Vaterhasses sind Stadien der endgültigen »Abnabelung« – Verlust als Voraussetzung, erwachsen zu werden. Verlust auch als Voraussetzung, Künstler zu werden. Das ist für den, der seines Landes beraubt wurde, genau jener doppelte Vorgang, der die Arbeit des Bürgers und des Schriftstellers Peter Weiss trägt wie prägt: ein politisch-historischer, den es zu bewältigen gilt durch Erkenntnis; und ein artistischer, den es einzufangen gilt durch Können:

»Mit dem Schreiben schaffe ich mir ein zweites, eingebildetes Leben, in dem alles, was verschwommen und unbestimmt war, Deutlichkeit vorspiegelt.«[12]

So steht es im Roman des Jahres 1962, »Fluchtpunkt«, der auf paradigmatische Weise diese beiden Elemente – politische Reflexion und artistische Perfektion – birgt; denn jenes Ich des Peter Weiss stellt sich hier nicht nur psychologisch als inzestuöser Narziß in Frage, sondern auch als zoon politicon: »Ich hätte auch auf der anderen Seite stehen können«, heißt es da, »hätte mich nicht der Großvater im Kaftan davor bewahrt, so wäre ich wohl drüben geblieben.«[13] Aber das Buch endet mit dem Bekenntnis: »In diesem Augenblick war der Krieg überwunden, und die Jahre der Flucht waren überlebt«; der Augenblick aber bezeichnet keinen historischen Moment, sondern einen künstlerischen: »Ich trug die Sprache bei mir.«[14]
Diese dialektische Doppelvolte, Historisches in der Eigenanalyse festzumachen, Grundmuster des Romans »Fluchtpunkt«, hat Hans Magnus Enzensberger seinerzeit in seiner Interpretation hervorgehoben:

»Hier ist, aufs strengste, die Wildnis eines Lebens in die genaue Wildnis der Kunst verwandelt, und zwar mit einfachen Worten, mit einfachen technischen Mitteln, ohne Glanzkaschierung und Süßigkeit.

›Fluchtpunkt‹ ist die Geschichte vieler Verstrickungen und die Geschichte einer Befreiung, die Peter Weiss mit seinem früheren Buch, dem ›Abschied von den Eltern‹, begonnen hat. Seitdem hat Weiss seinen Prozeß weitergetrieben, übers bürgerliche Familiendrama, über das vergilbte Tonio-Kröger-Problem hinaus. Der Außenseiter hat das Pathos des Außenseiters hinter sich gelassen, hat eingesehen und einsichtig gemacht, daß es nur noch Außenseiter, Davongekommene gibt.«[15]

Die Wirklichkeit seines Ich, sein Akzeptieren hat sich Peter Weiss immer nur aus diesem Vorgang erzwungen; deswegen ist von der ersten Prosaarbeit, in der die Sprache zu ihrem eigenen Gegenstand wurde, über die Laokoon-Studie anläßlich des Lessing-Preises im Jahre 1965 bis zu den Notizbüchern von 1981 dieser Kampf immer und immer wieder Thema:

»Die Sprache, in der ich schreibe, ist eine arme Sprache. Jedes Wort, das ich verwende, habe ich mir mühsam herbeigesucht. Ich kann nicht aus einem Überfluß heraus arbeiten. Die Sprache kommt nicht unerschöpflich auf mich zu. Ich bin keinen Eingebungen ausgesetzt. Bilder, Figuren, Situationen, Dialoge nehmen nicht von selbst Form an. Ich bin kein Medium. Die Sprache ist keine Inspirationsquelle. Und doch ist ein Dasein ohne Sprache unvorstellbar. Würde ich anders schreiben, wenn ich heimisch geblieben wäre in meiner Sprache?«[16]

Im schwedischen Exil hat Peter Weiss vielerlei versucht, er begann als Schauspieler, wollte dann Maler werden, später schwedischsprachiger Schriftsteller. Es wären Identitätswechsel gewesen, das Akzeptieren der Ausbürgerung. So erkämpfte er sich die andere Konsequenz: Er schrieb Stücke für Schauspieler, er blieb Maler – und er wurde einer der weltberühmten deutschsprachigen Schriftsteller der Nachkriegszeit. Vor allem mit seinen Stücken.
Sein erfolgreichstes, »Die Verfolgung und Ermordung Jean Paul Marats dargestellt durch die Schauspielgruppe des Hospizes zu Charenton unter Anleitung des Herrn de Sade«, ist jenseits aller Kunstfertigkeit und doppelbödigen Dialektik wohl auch ein Dialog mit sich selber. Es ist sozusagen der »Danton« des Peter Weiss – eine Paraphrase über Revolution, ihre Möglichkeit und ihre Vergeblichkeit. In einer Erläuterung zu seinem Stück charakterisierte Weiss die Position der beiden Protagonisten – und damit die eigene:

»Was uns in der Konfrontation von Sade und Marat interessiert, ist der Konflikt zwischen dem bis zum Äußersten geführten Individualismus und dem Gedanken an eine politische und soziale Umwälzung. Auch Sade war von der Notwendigkeit der Revolution überzeugt und seine Werke sind ein einziger Angriff auf eine korrumpierte herrschende Klasse, jedoch schreckt er auch vor den Gewaltmaßnahmen der Neuordner zurück und sitzt, wie der moderne Vertreter des dritten Standpunkts zwischen zwei Stühlen.«[17]

Das Stück erschien 1964 in der Bundesrepublik, 1965 in der DDR. In diesen beiden Jahren trat eine wichtige Wandlung bei Peter Weiss ein. Die Zeitschrift »Theater heute« publizierte ein Interview mit ihm, dessen Quintessenz eben diese eigene Position zwischen den Stühlen noch einmal präzisierte:

»So ist das ewige Irrenhaus Ihre politische Antwort?
Weil ich nicht an politische Gesellschaftsformen glaube – so wie sie heute sind – wage ich es nicht, irgendeine andere vorzuschlagen. Natürlich ist das ein Zeichen von Schwäche. Es wäre viel besser, wenn ich von mir sagen könnte, ›Ich bin überzeugter Kommunist‹ oder ›Ich bin extremer Sozialist‹. Dann könnte ich etwas sagen. Ich stehe aber nur in der Mitte. Ich vertrete den dritten Standpunkt, der mir selber nicht gefällt. Vielleicht kann ich, wenn ich weiter schreibe, langsam eine Konzeption herausarbeiten. Ich schreibe, um herauszufinden, wo ich stehe, und deshalb muß ich jedes Mal alle meine Zweifel hineinbringen. Bis jetzt sehe ich noch keine Alternative, ich hoffe aber, eines Tages dahin zu gelangen.«[18]

Nur: dieses Interview, ursprünglich vom BBC gesendet und von Peter Weiss in dieser Form nie autorisiert, war ein Jahr alt, es stammte aus dem November 1964 – und Peter Weiss veröffentlichte 1965 ein vehementes Dementi:

»Den Standpunkt des Abwartens und der konstanten Ungewißheit, über den ich mit Alvarez vor einem Jahr sprach, habe ich aufgegeben, und ich habe seitdem bei verschiedenen Gelegenheiten deutlich gemacht, welche sozialen und politischen Ziele ich mit meiner Arbeit anstrebe.«[19]

Es begann der Weg des Dramatikers zum Marxismus, und wieder kann man seine spätere Interpretation des »Marat« als Selbstaussage nehmen:

»Kaum eine der Gestalten der Französischen Revolution wurde von der bürgerlichen Geschichtsschreibung des 19. Jahrhunderts so abschrekkend und blutdürstig dargestellt wie Marat, und dies wundert uns nicht, da seine Tendenzen in direkter Linie zum Marxismus führen.«[20]

Von nun an nämlich fühlt sich auch der Autor Peter Weiss verfolgt. Eine der ersten Kritiken über das Stück schrieb Reinhard Baumgart, nannte es ein »Musical fürs Staatstheater« und sprach von allgemeiner Monotonie, von Schulfunk, Nachtstudio, Nachhilfe-Unterricht – hochherzige Hanswurstiade, poetisches Tohuwabohu, Weltgeschichte als Affentheater: »Rhetorik verkommt bei ihm zu sanften Litaneien.«[21] Das geschmähte Stück wurde ein Welterfolg, in drei Jahren gab es 55 Inszenierungen zwischen New York und Finnland; sein Autor aber geriet immer mehr in den Mittelpunkt von Polemiken – etwa, als er im Mai 1965 bei einem vom Schriftstellerverband der DDR in Weimar einberufenen Kongreß sagte:

»Für uns, die wir in der westlichen Gesellschaft leben und arbeiten, ist die Verbreitung der Wahrheit, von der Brecht spricht, mit großen Schwierigkeiten verbunden. Zunächst müssen wir die erste Schwierigkeit überwinden, die Wahrheit überhaupt aufzufinden, und wenn wir sie gefunden haben, müssen wir als Partisanen arbeiten, um die Wahrheit zu verbreiten.«[22]

Das trug ihm nicht nur eine der banalen Attacken von Matthias Walden im Elite-Blatt »Quick« ein, sondern auch vielerlei Verwunderung. Daß Peter Weiss kurz darauf, im September 1965, im »Neuen Deutschland« »Zehn Arbeitspunkte eines Autors in der geteilten Welt« publizierte, war wohl nicht eine bloße Trotzreaktion; obwohl noch nie ein »westlicher« Autor im »Neuen Deutschland« veröffentlicht hatte. Es war gewiß auch neue »Ort«-Suche – Annäherung an die andere Hälfte Deutschlands wie Suche nach einem neuen Standpunkt; endgültiger Abschied auch von einem früheren Arbeitsbegriff:

»Das formale Experiment, der innere Monolog, das poetische Bild bleiben wirkungslos, wenn sie der Arbeit an der Neuformung der Gesellschaft nicht von Nutzen sind.«[23]

Nicht nur Peter Weiss beschäftigte sich mit der DDR; auch umgekehrt: die intensivsten Analysen (und seiner Meinung nach beste Aufführung)

des »Marat« erschienen in der DDR, in »Sinn und Form« und in den »Weimarer Beiträgen«.[24] Westdeutschland wird dem nie zurückgekehrten Emigranten, der das Thema zu seinem Marat-Stück durch die Ratlosigkeit seines vierzehnjährigen Sohnes beim gemeinsamen Besuch eines Films über die französische Revolution gefunden hatte, immer fremder: »Alles ist mir so zuwider«, notierte er, »daß ich nicht einmal mehr die Sprache sprechen möchte.«[25]
Er spricht sie und schreibt sie weiter. Gerade der kritische Umgang mit dieser Sprache, die er sich offenbar von Thema zu Thema regelrecht neu erkämpfen muß, führt ihn zu seinem furiosen Auschwitz-Stück »Die Ermittlung«. Die Protokollsituation der Verhöre, durch die der übliche Dramendialog zwischen erfundenen Figuren abgelöst wird, hat das Mißverständnis ausgelöst, hier habe ein Schriftsteller seine Waffen gestreckt, sich der eigenen Sprache begeben und quasi Tonbänder eines Gerichtsverfahrens abspulen lassen. Das ist falsch. Die gar nicht zu überschätzende Leistung dieses Stückes liegt in haarfeinen Sprachverschüben, die psychische Verkrüppelung und moralische Verwahrlosung der Nazibediensteten kenntlich macht. Der politische Impetus des Stükkes ist klar und nicht disputierbar: Was hat es vermocht, daß diese braven Familienväter und biederen Hausfrauen, fürsorglichen Eltern und gehorsamen Kinder ihre Normalität so a-logisch von ihrer Bestialität separierten?

»Sie wiederholten ständig, daß sie nur ihre Pflicht taten. Für uns mag das banal klingen. Aber es ist ein wichtiges Faktum. Warum gaben sie diese Haltung nicht auf? Weil ihre Handlungen die natürliche Folge einer Gesellschaftsordnung waren, in der sie, zusammen mit vielen andern, lebten. Die Angeklagten waren Durchschnittsmenschen, und in den meisten Fällen hatten sie ein durchschnittliches Familienleben, mit all den uns bekannten banalen und rührenden Einzelheiten. Wie konnten sie gleichzeitig an einem Massenmord teilnehmen?«[26]

Peter Weiss' Oratorium ist eine Studie über Schuld und Versagen, und ihr Gelingen liegt in den künstlerischen Mitteln: »Ich war nicht in die Materie eingeweiht«, sagt einer der Zeugen, oder »Es war ein stark frequentierter Zielbahnhof« oder »Ich hatte keine Zeit, mir den Inhalt der Züge anzusehen«.[27] Der Verräter ist die Sprache; denn wer von »Inhalt« spricht, der wußte, daß keine üblichen Passagiere die Züge benutzten – es gibt keinen »Inhalt« eines TEE. Jedes einzelne Segment solcher Sätze – jenseits ihrer ungeheuerlichen Sachverhalte – gibt Lüge preis, knickrige Stelzen wie die von der »Materie«, in die da einer nicht eingeweiht war; ein reines Gewissen spräche etwa »Ich wußte nicht Bescheid« – hier wird eine Mischung aus Sachvokabular oder oktroyierter Anwaltssprache wie ein Schutzmantel angezogen. Peter Weiss gelang es, die menschliche Erbärmlichkeit durch sprachliche Kümmerlichkeit klar zu machen; der Niedrigkeit des moralischen Niveaus entsprach und entspricht das der Formulierungen:

»Richter: Sahen Sie die Schornsteine am Ende der Rampe
und den Rauch und den Feuerschein –
Zeuge 2: Ja
ich sah Rauch –
Richter: Was dachten Sie sich dabei
Zeuge 2: Ich dachte mir
das sind die Bäckereien
Ich hatte gehört
da würde Tag und Nacht Brot gebacken
Es war ja ein großes Lager«[28]

Die Debatte über das Stück, am 19. Oktober 1965 von mehr als einem Dutzend deutschsprachiger Bühnen gleichzeitig aufgeführt, konzentrierte sich sozusagen auf eine bühnendramatische Erweiterung des Adorno-Diktums, nach Auschwitz könne man keine Gedichte mehr schreiben; in einem »Plädoyer gegen das Theater-Auschwitz« argumentierte Joachim Kaiser gegen die Überwältigung des Zuschauers angesichts dieses nichtfiktiven Brockens zitierter Realität:

»Wird auf dem Theater der ›König Lear‹, der ›Faust I‹ oder Kipphardts Oppenheimer-Darbietung mißverstanden, dann kann das Publikum protestieren, die Kritik kritisieren. Jeder darf sagen, das gefällt mir nicht – darf notfalls in der Pause nach Hut und Mantel verlangen. Die ›Ermittlung‹ aber, obwohl für die Bühne hergerichtet, erlaubt solche Reaktionen nicht. Daß da jemand sagt, ich finde, Kaduk spricht zu schlecht, das Ende der Lili Tofler hätte vom Bühnenbild her besser gelöst werden müssen und die Bunkersachen sollte man streichen – das wäre reine Schamlosigkeit. Es *war* doch so, Lili Tofler starb so, auch wenn viele es nicht *wahrhaben* wollen. Das Publikum muß den Fakten parieren. Es hat keine Freiheit, weil sich auch der Autor keine Freiheit nahm.«[29]

Das eben ist die Debatte, die seitdem um Peter Weiss' Stück geführt wird, die er selber nicht nur provoziert, sondern auch mit sich selber ausgetragen hat: Wieviel Wirklichkeit, unverformt, darf in ein Kunstwerk integriert werden, ohne es zu einem ächzenden Karren zu degradieren, der unbehauene Brocken Realität abtransportiert; also nicht mehr transportiert. Kaiser hat in einem anderen Aufsatz den Schluß gezogen, es gehöre zu den Gesetzen der Bühne, daß ein Vorgang in dem Augenblick, da er gespielt wird, auf keinen Fall identisch sein kann mit der Faktenwahrheit.[30] Peter Weiss hat sich mehrfach zu diesen Vorwürfen geäußert, seine Methode erläutert, etwa in seinen »Notizen zum dokumentarischen Theater«: Das lebe von Protokollen, Briefen, Akten, Berichten oder Börsenmeldungen; die Arbeit des Autors sei die eines Arrangeurs, eine Art Nachrichtenredakteurstätigkeit:

»Im Unterschied zum ungeordneten Charakter des Nachrichtenmaterials, das täglich von allen Seiten auf uns eindringt, wird auf der Bühne eine Auswahl gezeigt, die sich auf ein bestimmtes, zumeist soziales oder politisches Thema konzentriert. Diese kritische Auswahl, und das Prinzip, nach dem die Ausschnitte der Realität montiert werden, ergeben die Qualität der dokumentarischen Dramatik.«[31]

Der Schriftsteller als Cutter? Tatsächlich gab Weiss in einem »Spiegel«-Interview anläßlich seines Vietnam-Stückes zu, Kennedy-Sätze zusammengefügt zu haben, wie sie so als zusammenhängende Rede der amerikanische Präsident nie gesagt hatte; »natürlich wird die Qualität der Aussage bestimmt durch die Auswahl des Materials.«[32]

Für Peter Weiss ist diese Auswahl – auch seiner Themen – Teil eines Prozesses, Geschichtsverschüttungen aufzubrechen, sein eigenes Bewußtsein (und damit das anderer) zu wecken, gar zu läutern. Diesem Impuls verdankt sich sein Trotzki-Stück, das er zum Beispiel gegen die vehemente Attacke des sowjetischen Schriftstellers Lew Ginzburg verteidigte; gerade die Sorge, Trotzkis Konzept von der permanenten Revolution sei vom Stalaktit eines orthodox-unlebendig gewordenen Marxismus erschlagen worden wie sein Protagonist von dessen Abgesandten, hat Weiss zu diesem Stück getrieben.[33] Die eigene Position, die er mit dieser Replik skizziert, ist die bewährte, alte, immer neu errungene und verteidigte: die dritte; der Sitz zwischen den Stühlen.

Gleichzeitig das Unbehagen daran: Peter Weiss verharrte zeitlebens nie auf einer Position – kaum errungen, stellte er sie schon in Frage. Die größte künstlerische Anstrengung im Sinne dieser permanenten Befragung, Versuch, die Spuren der eigenen Vita einzuzeichnen in ein gigantisches Prosafresko von Faschismus und Widerstand, ist seine Romantrilogie »Ästhetik des Widerstands«. Weiss hat die Schwierigkeit, wenn nicht Unmöglichkeit seines Unterfangens durchaus selber gesehen – »es wird alles verkrampft«, trägt er während der Arbeit am Roman in sein Notizbuch ein, »die Bemühung um einen objektiven Realismus stellt genau das Gegenteil her: subjektivistische Unklarheit«.[34] Doch seltsam, der Reinigungsprozeß, dem Peter Weiss seine Sprache unterzog, hat sie abgeätzt, ihr Spiel und Luft und Irritation genommen. Entstanden ist ein Text ohne Körperlichkeit, in den Falten der Wörter nistet nichts. Titel und Untertitel widersprechen sich nicht nur, sie heben einander auf. Kein Essay – kein Roman.

Der Beginn des ersten Bandes ist so sonderbar wie verlockend. Vor den Figuren des Pergamon-Altars in Berlin treffen sich drei junge Antinazis. Aus dem erzählerischen Abtasten des steinernen Artefakts, einer glanzvollen Prosapassage, sollen sich wohl die lebenden Figuren lösen, zurücktreten gleichsam in die aktuelle Geschichte. Doch eben das geschieht nicht. Die Politik dieses Septembertages 1937, Tag der »Abreise« des Erzählers, bleibt Fries. Der Ich-Erzähler – nicht zufällig einen langen Romananfang hindurch ohne Namen, ohne Familie, ohne Individualität – wandert wie der zeigestockhaltende Erklärer der Stummfilmära durch eine Art überdimensionierte kulturpolitische Wochenschau; er proklamiert, erläutert, kommentiert. Aber er bleibt ein Schemen. Der junge Mann, achtzehnjährig zu Beginn des Buches – also etwa gleichaltrig mit dem Autor –, ist sozusagen die kleinbürgerlich-proletarische Variante des Peter Weiss; nicht Fabrikantensohn, sondern aus dem Arbeitermilieu, aber ebenfalls durch tschechoslowakischen Paß sicher vor dem Abtransport in die »Ortschaft« und in der Lage, Deutschland rechtzeitig zu verlassen. In diesem Fall geht die Reise nach Spanien, in den Bürgerkrieg auf der Seite der Republik. Hier endet das Buch; mehr Handlung bietet es nicht. Widerstand und antifaschistischer Kampf werden intellektuell-moralisch begründet und erörtert – ge*zeigt* werden sie nicht. Der Nazismus wird verurteilt – die Mechanismen von Entstehen wie Herrschaft bleiben leblos-vage, weil figurenlos. Das Werk kommt vollkommen ohne Menschen aus; es kann also, da ohne Schicksale, nicht das Schicksal einer Nation verdeutlichen. Kein »Siebtes Kreuz«. Kein Roman überhaupt. Statt der Geschehnisse einer Romanhandlung, die dem Leser ermöglichen, zu eigenen Schlüssen zu kommen, wird Geschichte berichtet. Die drei Figuren vor dem Pergamon-Altar bleiben Stichwortgeber – der Hamlet aus dem Souffleurkasten.

Stichworte wozu? Neben der einen, der verkümmerten Ebene des Romans ist die andere die einer großen reflektorischen Etüde über »Kultur als Waffe«. Peter Weiss' Held hat sich in einem offenbar gargantuesken Bildungshunger die Kulturschätze des Abendlandes angeeignet. Über die läßt der Autor ihn – reden. Bis zur Unerträglichkeit. Das ganze Repertoire eines umfassend gebildeten Sechzigjährigen wird in diesen jungen Mann – und gelegentlich seine beiden noch jüngeren Freunde – hineingestopft. Da finden sich ausnehmend kluge essayistische Einsprengsel über Herakles oder moderne Literatur, über entlegenste Künstler wie George de la Tour, Staatsmänner und ihre Opfer wie Francesca da Rimini oder Paolo Malatesta – aber wozu dient das alles? Seit es eine materialistische Kulturphilosophie gibt, wird über die Frage gestritten, wie die Klasse der Depravierten Kultur »nützen« könne; welche Kultur? Diese Diskussion greift Peter Weiss auf:

»... und wenn wir dabei waren, Zeitloses und Mächtiges zu entdecken, so gerieten wir in die Gefahr, uns von unsrer Klasse zu entfernen«.[35]

Peter Weiss bejaht das einerseits, setzt diesem zu kurzen Ästhetikbegriff aber zugleich seinen Widerstand entgegen, will deutlich machen, daß der Arbeiterklasse alles gehören soll. Das ist so redlich wie inzwischen nicht mehr neu. Aber diesen gigantischen Verdauungsprozeß der Geschichte zerredet er in endlosen Assoziationsketten.
Das Buch hat nicht wenige Seiten, auf denen man zwanzig und mehr Namen zählen kann, querbeet: von Barbusse und Döblin über Gorki, Mehring und Heinrich Mann bis zu Zetkin und Zweig. Es enthält ganze Zeilenblöcke, die nur Namen nennen, dreißig und mehr. Wie sieht das exakt aus? Aus Hunderten von Seiten voller Bildungsvortrag ein Beispiel: eine Passage von knapp vierzig Seiten gibt den Besuch bei der lieblos nicht-charakterisierten Mutter von einem der drei jungen Leute wieder. Sie badet ihre wunden Füße:

»Wir haben doch kaum, sagte sie, indem sie sich setzte und die Füße wieder ins Bad stellte, Lesen und Schreiben gelernt, und das Bilderansehn war etwas, an das überhaupt nicht gedacht wurde.«[36]

Dann folgt eine halbe Seite Überlegungen zum Herstellungsprozeß des Pergamon-Altars. Neues Stichwort:

»Für die Mohammedaner, sagte Heilmann, die früher in Pergamon eingefallen waren und sich zu neuen Angriffen sammelten, war das hellenistische Kunstwerk von ebenso barbarischem Aussehen wie für die Byzantiner, die ihre Besitzungen verteidigten.«[37]

Dann folgt eine Seite über die Sozialgeschichte von Byzanz. Neues Stichwort:

»Coppi wies darauf hin, daß demnach die ganze Götterordnung längst nur noch ein Bestandteil des Überbaus war, von den Regenten zur Einschüchterung verwendet, gleich der heutigen Religion, mit der die Aufgeklärten die Unwissenden einschläferten.«[38]

Es folgen sechs Seiten über die Sklavengesellschaft. Neues Stichwort für viele Seiten über die pädagogischen Prinzipien der Antike.
So geht es ein halbes Hundert »Roman«seiten. Die Menschen agieren allenfalls in hilflos gestellten Genrebildern, ihr Handeln wird ihnen abgenommen.
Peter Weiss hat seine Gestalten aus Sympathie umgebracht. Sein Ruf: »Seht her, wie sie sich quälen...« hat sie taub, sein Fingerzeig: »Die werden es schaffen...« blind gemacht. Statt Menschen, die wir mögen – oder hassen – könnten, entstanden Karikaturen; keine Teilnahme ist ihnen gewiß.
Das verleiht der Arbeit, paradoxe Verkehrung seiner Intention, etwas Liebloses, ja Hochmütiges. Flüchtigst ausgeschnittene Figurinen haben ihre Entsprechung in hingeworfenen Geschichtsskizzen. Keine Haarfarbe und kein Augenfältchen und keine Vorlieben oder Sehnsüchte der Menschen: Souffleusen. Und kein Entwickeln der Geschehnisse, kein Verzwirnen politischer Kausalitäten, kein Verdeutlichen bestimmter Abläufe: Polit-Quiz. Der entstehende Faschismus als Kreuzworträtsel.
Ein ganz sonderbares Mißverhältnis beherrscht das Buch: Bekanntes wird liebevoll ausgemalt, Entlegenes (und jungen Leuten mit Sicherheit Unbekanntes) wird wie selbstverständlich hingesetzt. Picassos Guernica-Bild etwa zeichnet Peter Weiss seitenlang interpretatorisch mit Worten nach (beiläufig: meisterhaft). Mitteldeutscher Aufstand, Kapp-Putsch, Jungdo – das weiß »man« offenbar. Wer ist »man«? An wen wendet sich dies eigentlich? Leute, die Géricault so gut kennen wie das Schicksal der Ruth Fischer, der Kollontai oder Franz Neumanns, die wissen, wer Ivens oder Remmele oder Alberti waren – brauchen es nicht. Fraglos will Peter Weiss aufklären. Aber leistet er diese Arbeit? Die innerparteiliche KP-

Diskussion der ausgehenden zwanziger Jahre bleibt Intimkreisel; wer das kennt, erfährt nichts Neues – wer es nicht kennt, lernt daraus nichts.
Da Peter Weiss kein hochmütiger Mann ist, muß dies Mißlingen an etwas anderem liegen. Der Defekt hat wohl ein Mißverständnis zur Ursache. Peter Weiss wollte eine Debatte, die er mit sich führte über die Jahre hinweg, aus sich heraus lagern, objektivieren. Solange es *seine* Debatte war, war es auch eine artistische Übung – und war gerade dadurch Mitteilung in seinem Sinne. Jetzt soll belehrt werden, und genau dieser Belehrungsgestus macht sein Wort stumpf, sein Salz dumpf. »Meine eigene Entwicklung zum Marxismus hat viele Stadien durchlaufen«, schrieb er 1967 an den tschechoslowakischen Schriftstellerverband, »vom surrealistischen Experimentieren, von Situationen des Zweifels, der Skepsis und der absurdistischen Auffassung aus, bis zur radikalen politische Stellungnahme.«[39]
Diese achtbare Radikalität hat sein Mißtrauen gegen das Spielerische so überreizt, daß er die Faktengläubigkeit einer Encyclopaedia Britannica reproduziert, aber die Suggestivität des Ambivalenten außer acht läßt. Bloße Tatsachen sind langweilig. Wirklichkeit ist nicht dasselbe wie Wahrheit – also das Dahinter. Dabei kann hier nicht diskutiert werden, ob die vielen Dikta des Buches »stimmen« wie das über Kafka, der einen Proletarierroman geschrieben habe: Dieses Urteil über »Das Schloß« scheint angreifbar, wie viele politische Behauptungen, etwa über die ungetrubt positive Rolle der KPD und die ganz negative der SPD in der ausgehenden Weimarer Republik.
Auch diese dritte Ebene, die der politischen Argumentation, ist keineswegs in sich konsequent. Streckenweise erinnert es an die große Auseinandersetzung über »Humanismus und Terror«, die die europäische Linke seit den Stalinprozessen nahezu zerriß. Peter Weiss ist honorig genug, nichts zu verschweigen – er spricht von Unrecht und Fragwürdigkeit in der Partei, von der in der Sowjetunion verschwundenen Carola Neher und von der moralischen Luftschaukel, mit der sich auch ein Brecht über die Verhaftung seines Lehrers Tretjakow hinwegschwang. Man kennt diese Integrität von Peter Weiss. Aber auch hier wieder: da das Buch keine Gestalten, menschlichen Konflikte, Probleme hat, sondern Seminaristen noch im spanischen Bürgerkrieg miteinander über Sexualmoral und Konzentrationsmethoden disputieren, bleibt es ausgelaugt, wirkungslos. Es ist kein Essay wie die Studie von Merleau-Ponty, und es ist kein »Pfahl im Fleische«. Es führt nicht einmal das riesig ausgebreitete Material konsequent gegeneinander.
Das wäre wohl die Chance eines strikten Verfahrens gewesen. An einer

Szene schimmert diese Möglichkeit zum Aufmerken, ja zum Schock durch – das Ende von Bucharin war Beginn des faschistischen Sieges:

»Mit kleinem Tintenstift machte Bucharin, von Lenin der Liebling der Partei genannt, sich noch fieberhaft Notizen zu seiner Verteidigungsrede, da fielen Quinto und Montalban, und die italienischen Brigaden des Schwarzen Pfeils, die Einheiten der Fremdenlegion, die maurischen Truppen durchbrachen die republikanischen Linien, die Weltpresse begann zu den Detonationen der deutschen Fliegerbomben vom nah bevorstehenden Ende des spanischen Bürgerkriegs zu sprechen. Bucharins Letztes Wort, um sechs Uhr abends am zwölften März, ging unter im Dröhnen der Panzerwagen, im Stampfen der fünfundsechzigtausend Mann, die in Österreich einmarschierten.«[40]

Diese Intensität erreicht der Roman selten. Wenn schon Materialsammlung zum Thema Politik und Moral, dann wäre dies eine handhabbare Methode gewesen – gleichsam in zwei Farben die Linien übereinanderzuzeichnen, die die Geschichte zog. Was geschah in Plötzensee, etwa, als Berlin und Moskau sich über Polen »einigten«; welche Henker waren am Werk, etwa, als man in Moskau zum Empfang Ribbentrops das Hakenkreuzbanner hißte; welcher sowjetische Autor verschwand, etwa, als am 10. Mai 1933 in Berlin die Bücher brannten. Da hätte es keiner halbfiktiven Begegnungen mit Herbert Wehner oder spanischer Ehrenburg-Auftritte im Wolfspelz bedurft. Eben dies, die Unentschiedenheit zwischen Fiktion und historischem Bericht, neutralisiert jede Wirkung dieses ersten Bandes, erstickt den nobel gemeinten Appell, dem man sich aus der Feder dieses Autors gern ausgesetzt hätte.

Was Peter Weiss versucht hat, das zeigt genauso deutlich der zweite Band, ist vielleicht zuviel für die Struktur eines Romans: Die Schilderung des großen, schwierigen Aneignungsvorgangs der bürgerlichen Kultur durch die neue Klasse; die Zerschlagung dieser Klasse (teilweise mit ihrer eigenen Hilfe) durch den Faschismus; die Zersprengsel und Wirrläufe der Emigration. Entstanden ist auf diese Weise kein Fresko, sondern ein Potpourri: keine surrealistische Collage, die zu neuer, eigener Kontur zusammenschießt, sondern ein fast beziehungsloses Nebeneinander fremder, sich abstoßender Elemente.

Die Ich-Figur (wohl nicht gänzlich identisch mit dem Autor), Kommunist und Emigrant, reflektiert in den verschiedenen Stadien und Ländern ihrer aufgezwungenen »Wanderschaft« deren Ursache, die Widersprüche der Parteilinie und den eigenen Erkenntnisprozeß, spiegelt den in Begegnungen mit Genossen und Weggefährten – von Münzenberg in Paris bis Brecht in Skandinavien. Nur, seltsam: diese Ich-Figur bleibt gänzlich konturenlos, ihr intellektuelles wie existentielles Schicksal hat die Blässe einer Fibelgestalt; nichts greift oder ergreift gar. Ob Lachen oder Zorn, Trauer, Wut oder Liebe, Depression oder Aggressivität – keine Regung oder Reaktion eines lebenden Menschen fängt Peter Weiss ein oder vermittelt sie. Seinem Doppel-Ich ist alles wegdiszipliniert worden, was ihn zu einem Dialog mit dem Leser instandsetzte. Ein beinerner Zeitgenosse, ohne Schlaf, ohne Essen, ohne Körper. In einer überanstrengten Denkübung hat Peter Weiss sich selber so extensiv zurückgenommen, daß er aus dem Leben seiner Figur jeden Atem gepreßt hat; was bleibt, ist Papier. Den Gestalten seines Romans ist widerfahren, was man »verordnete Haltung« nennen könnte, ähnlich der »Regie«-Anweisung, nach der eine seiner wächsernen Heldinnen sich zu richten hat:

»Sie wußte, Ungepflegtheit macht dich verdächtig, vielmehr gehörte es zu ihrer Überzeugung, daß sie sich als Kommunistin stets beispielhaft zu zeigen hatte, und dazu gehörte die Sauberkeit.«[41]

Überspitzt formuliert: man ißt, weil man sich für die Partei erhalten muß. Diese schattenlosen Wesen, Schemen, die einen Auftrag, aber keine *Vita* haben, jagt Peter Weiss durch die Zeitgeschichte. Und dabei geschieht das nächste Seltsame: Selbst historische Figuren der Zeitgeschichte, Wehner, Münzenberg, Hilferding, gerinnen zur bloßen Konturenschärfe des Scherenschnitts; Profil erhalten sie nicht. Sie hasten durch dieses Buch unter dem Zwang einer eher wirren Anordnung, sie begegnen mal van Gogh auf der Straße oder Lenin im Zürcher Café – doch was sie sagen, ist von der Starre einer Sprechblase, kommt nicht von ihnen, ist ihnen wie ein falscher Bart vor den Mund gehängt. Geht das, zum Beispiel, daß statt Lernprozeß und Anfang aus der bürgerlichen Kulturgeschichte schlichtweg Reihungen von Namen gegeben werden:

»Die Außenseiter der Kultur hatten sich in diesen Winkel verzogen, weil sich hier billiges Obdach finden ließ. Utrillo, Picasso, Gris, Braque, Herbin, Apollinaire, Laurencin, Brancusi, Severini, Modigliani, Derain, Reverdy, Salmon, Gertrude Stein und Max Jacob waren in den Stallungen beherbergt oder zu Gast gewesen, dort unter dem zersprungenen Glas auf dem zuhöchst gelegenen zerfledderten Dach hatten die Demoiselles d'Avignon den dunstigen Schein der Welt erblickt.«[42]

Oder geht das, zum Beipsiel, daß historisch-politische Diskurse der Arbeiterbewegung in Namensketten eines Steinschlags zusammengezurrt werden:

»Vielleicht war es so, daß die Kämpfe, die jetzt stattfanden und in die auch die übrigen Mitglieder des Zentralkomitees, Dahlem, Florin, Dengel, Abusch, Eisler und Anwärter auf führende Posten, wie Mewis, Kowalski, Knöchel, verwickelt waren, bedingt wurden durch die ständig gesteigerte Furcht, der höchsten Prüfungsinstanz nicht standhalten zu können und liquidiert zu werden, gleich ihren Genossen Remmele, Flieg, Neumann, Kippenberger, Eberlein.«[43]

Wer, außer ganz wenigen Spezialisten, kann diesen lexikalischen Galopp aushalten, gar mitmachen; kann da mitdenken, widersprechen, Eigenes einnisten lassen? Wenn Peter Weiss sich einmal gestattet, Menschen – oder Kunst; also sinnliches Menschenwerk – behutsam zu lösen aus festgehauenem, fertigem Material, dann gelingen ihm Fragmentpassagen großer Prosa, dann hat seine Sprache eine ganz eigene, nahezu trunkene Musikalität, deren Sog und Phantasieangebot den verprellten, eingeschüchterten Leser hervorlockt. Dieser Absatz, nach der Dürrestrecke politischer Versammlungsdispute, liest sich aber auch wie ein Widerspruch zur Struktur des Buches:

»Oft hatte ich mich gefragt, auf welche Weise sich die Eindrücke des Kriegs wiedergeben lassen sollten, immer verloren sie, auch bei genauer Beschreibung, etwas von ihrem Wesen. Den mitgeteilten Erlebnissen haftete etwas Fremdartiges an, die realistischen Schilderungen vermochten nur einen winzigen Ausschnitt zu decken, darunter lag ungelöst der alpdruckhafte Schrecken, die panische Verwirrung. Hier brach nun alles Untergründige, gelockt durch die Gestalt der Megäre, hervor. Da war der Feuerstaub, der brüchige Boden, da war das von der Hitze verdorrte Gezweig des Baums, das geborstne Gemäuer, da waren die behelmten Köpfe der Späher hinter Luken, da war das Gemetzel in Torgängen und Erdhöhlen, das Schutzsuchen unter Felsblöcken, da war das Wiedererkennbare, überdeutlich in jedem Detail, und da war das Brütende, das Ausgeheckte, da waren die Phantasmagorien der Arglist, des Verrats, der Schamlosigkeiten und Schandtaten, alles war von gleicher Greifbarkeit im Getümmel. Die Verbindungen der Ausgeburten des Wahns mit den Gesten und Bewegungen aufgescheuchter, gemarterter Menschen stellte einen Zustand her, der jener Verrückung und Hellsichtigkeit nahkam, die wir manchmal, sekundenlang, empfunden hatten. So waren beim Starren auf Sanddünen und Steinhaufen aus Rillen und Löchern Gesichter hervorgetreten, so hatten sich Wurzeln, verkohlte Balken in lauernde Körper verwandelt, so waren staubgraue Wegstauden zu angehobnen Schußrohren geworden, und aus diesem Übergang zwischen blitzhaften Eindrükken und Täuschungen wucherten weitre Erscheinungen hervor, gezeichnet von dem Ekel, der stets der Furcht nah war. Versetzt in den Zwang, aus Notwehr zu morden, hatten wir um unsre Vernunft gekämpft, daß sie nicht verunstaltet werde, angesichts dieses Bilds drang das Unnatürliche ungehemmt auf uns ein, beleckte, betastete uns, strich uns grauenhaft über die Haut, streckte uns Borsten, Rüssel, Saugnäpfe, Hauer und Krallen entgegen. Versammelt war hier, drastisch und frech, alles, was dem Geschäft des Gerüchteschmiedens, des Falschspiels, des Intrigierens nachging, in aufgehängten Blasen, unter Glasglocken, in hohlen Rieseneiern hockte äffisches, gefiedertes Gesindel, Schnauzen, Schnäbel aufsperrend, bereit, Galle, Pech zu spein, Bleikugeln herabzuwälzen, auf einem Dach saß, mit gespreizten Beinen, ein Unhold, die Kleider gerafft, den Arsch entblößend, mit einem Löffel stochernd im vorquellenden Kot. Diese krabbelnden Jauchetonnen, diese Käfer mit Hüten und Angeln, diese Spinnen, die Harfenstränge zum Einfangen der Beute spannen, diese Kreuzungen zwischen Maden und Fischen, Insekten und Nagern, das war das Gezücht, das sich sonst vor uns verborgen hielt, das am Werk war ohne Aufenthalt, das waren die Parasiten, die Pestbringer, fast gemütlich konnten sie sich geben, aufweisend feiste Pfaffenfratzen, behäbig schienen sie dazuliegen, unversehens aber konnten sie verschwinden, wer es wagte, und wem es überhaupt gelang, sie zu zerquetschen, der würde nur sehn, wie sie sich, beim Aufplatzen, zu Schwärmen von Ungeziefer vermehrten. Wer sich im Wundfieber befand, hatte am ehesten vermocht, den Einbruch der höllischen Herrschaft zu erkennen, oft hatten wir solche, deren Augen ausgeschossen, deren Arme, Beine abgerissen worden waren, bitten hören, wir sollten dieses Tier dort, diese Ziege, diese Eule, diesen schnappenden Karpfen, oder was es war, von seiner Bettstatt entfernen, sollten diese Speifliegen von ihm wegwischen.«[44]

Das ausführliche Zitat soll keineswegs nur stehen, um dem Schriftsteller Peter Weiss Gerechtigkeit widerfahren zu lassen. Es sei auch vorgeführt, um jenen Bruch zu zeigen: Hier, in dieser meisterlichen Szene, handelt es sich ja um – Kunst. Es ist die Wiedergabe eben *nicht* der Wirklichkeit, sondern die Abschilderung eines Bildes (von Breughel). Damit rechtfer-

tigt Peter Weiss den Eingangssatz, Eindrücke verlören etwas von ihrem Wesen durch genaue Beschreibung, mache etwas Fremdartiges aus ihnen. Und damit führt er sein eigenes Stilprinzip (dieses Romans) ad absurdum; denn er hat, ganz im Sinne dieses Postulats, durch seine vorgeblich »realistische Schilderung« einen winzigen Ausschnitt nur geboten – ein Verwirrspiel toter Legoteilchen.
Außer – es ist von Kunst die Rede. Außer – es ist von Künstlern die Rede. Fast ein Schock, wie gipsern alle, ausnahmslos alle politisch Agierenden des Buches bleiben (selbst der in tragischer Verstrickung gezeigte Herbert Wehner). Sie grinsen, und lächeln nicht, sie dräuen, aber bedrohen nicht; und mit welcher Kraft Weiss das Porträt des Flüchtlingsgesprächspartners Bertolt Brecht entwirft. Das ist nun plötzlich nicht mehr die strohtrockene Repetition von Lebensläufen (zum Beispiel Ossietzkys), die man kennt und die allenthalben nachzulesen wären; das ist, voll innerer Distanz und enttäuschtem Befremden ein sehr sicher gezeichnetes Menschenbild: Der dünne, käsig bleiche Brecht als rauchender, thronender, fast unberührbarer Despot, dessen Angst zur Geste erstarrt ist:

»Hinter den dicken Gläsern der Hornbrille hatten seine rotgeränderten, eng aneinanderliegenden Augen einen starren, leicht tränenden Blick, der hin und wieder von einem heftigen Blinzeln unterbrochen wurde. ...
Nie war ich Gast bei ihm, wie die sozialdemokratischen Abgeordneten Branting und Ström, denen er verpflichtet war, weil sie ihm die Einreiseerlaubnis nach Schweden beschafft hatten, wie die Ärzte Hodann und Goldschmidt, die Schriftsteller Blomberg und Edfelt, die Schauspieler Greid und Wifstrand, die Wissenschaftler Steinitz, Scholz und Ziedorn, die Politiker Enderle und Plenikowski. Ich vermutete, daß Brecht nicht einmal wußte, daß ich in einer Fabrik arbeitete, es entstand nie die Gelegenheit, ihm darüber zu berichten. Ich gehörte, was auch immer er von meinen Diskussionsbeiträgen halten mochte, zu den jungen Flüchtlingen, die wohl, wegen ihrer Teilnahme am Kampf der spanischen Republik, als zuverlässig angesehn werden konnten, sonst aber für ihn keine der Eigenschaften besaßen, die sie dazu berechtigt hätten, an den Zusammenkünften einer intellektuellen Elite teilzunehmen, der unter anderm die Planung und Gründung eines antifaschistischen Verbands oblag. Zwar hatte ich Brecht verächtlich über die Intellektuellen sprechen hören, es sei auf sie, konnte er sagen, kein Verlaß, der Umgang, den er suchte, aber bestand vor allem aus akademisch geschulten oder politisch einflußreichen Persönlichkeiten. ...
Geplant war die Weiterreise, vor der es Brecht bangte, über die Sowjet-

union nach den Vereinigten Staaten, oder, wenn dies nicht möglich wäre, nach Mexiko, Haiti. Der Gedanke, was aus uns andern und all den Internierten, den in der Illegalität Lebenden werden sollte, war belanglos.«[45]

Es geht hier nicht darum, ob jemand richtig oder falsch charakterisiert wurde – es geht vielmehr darum, daß Peter Weiss' Berührung mit Brecht ihm ermöglicht und gestattet hat, dem Leser einen widersprüchlichen, klüftigen Menschen nahezubringen – meinetwegen durch eigene Ferne.
Damit gibt dieses Buch viele Fragen auf, weit über das eigentlich Gemeinte und Geschriebene hinaus; Fragen zur Literaturtheorie nämlich auch. Wenn die Basis des gesamten Literaturkonzepts, von Ernst Bloch etwa, ist, daß Kunst nur Annäherung sein kann, ein Prozeß eben, dann darf sie beides nie sein: Widerspiegelung und vollkommen. Ein Meisterwerk sieht nie aus wie ein Meisterwerk, dieses scheinbare Paradoxon liebte Bloch; sein prophetischer Satz wurde schon zitiert: »Zuvor. Wie nun? Ich bin. Aber ich habe mich nicht. Darum werden wir erst«[46] – will sagen: Sein Gang durch diese Welt ist so wenig abgeschlossen wie der Gang der Welt. Daher das Utopische als wesentlicher Bestandteil der Kunst; aber als Fragment. Zwangsläufig ergibt sich daraus – und man könnte viele nachdenklich stimmende Zitate Blochs anführen –, daß Kunst nicht Widerspiegelung des Vorhandenen sein kann. Sie bliebe so ohne Geheimnis, ohne Dimension – ein mißverstandenes Mißverständnis. Autoren, die nach solcher Regel schrieben, »hörten bloß, was gängig war, nicht was vorging«.[47] Blochs Begreifen der Kunst als eines Aktivums ist bereits dem Bild des – passiven – Spiegels fremd. Kunst aber als Vor-Schein, das heißt auch das Bemühen um ein noch nicht erreichtes Gelingen, birgt den Kampf um ein Voran; es ist damit ein wesentlich politischer Begriff für Bloch, Teil nämlich revolutionärer Praxis. Dieses Praxiselement, dieses Aufsprengen, dieses Voran ist in Peter Weiss' Buch nirgendwo zu finden. Auch wenn es sich absurd anhört: es ist in Wahrheit unpolitisch.

»Ich möchte an das System der deutschen Konzentrationslager erinnern. Auch hier herrschte weitgehend die Meinung, es handele sich um Dinge, die wir nicht fassen können. Und doch zeigt es sich, daß auch das Schrecklichste immer noch menschliche Proportionen besitzt, und daß alles, was von Menschen in die Wege geleitet worden ist, seinen Ursprung und seine Erklärung hat.«[48]

Diese Sätze stammen aus dem Jahre 1966. Peter Weiss schrieb sie (»Kursbuch« Nr. 6) im Zusammenhang mit einer Polemik mit und gegen Hans Magnus Enzensberger über politische (Doppel-)Moral und Aktivität des Schriftstellers. Sie lesen sich, hält man fünfzehn Jahre später, ratlos den dritten Band seines ehrgeizigen Romanunternehmens in Händen, wie eine »Urzelle« dazu, ein Impetus. Der ganze Streit, seine Erbitterung und seine Argumentation, scheinen Pate gestanden zu haben; über Bord werfen, *expressis verbis,* wollte von jetzt an der esoterische Künstler des »Schattens des Körpers des Kutschers« den Schatten der *»esoterischen Kunst«*. Er wollte kämpfen, Schulter an Schulter, nicht nur für die, nein: mit den Ausgebeuteten dieser Erde. Enzensberger – »Wer klopft sich da eigentlich immerfort selbst auf die Schulter?« – höhnte »Peter Weiss und andere«:

»Unsere selbsternannten Vorbilder sind solidarisch mit den Unterdrückten. Sie bekennen Farbe. Wir andern hingegen sitzen in unsern Fünf-Zimmer-Wohnungen. Wir schreiben ja nur... Das sind ja bloße Worte... Dagegen Peter Weiss und andere! Die gefährden sich. Die kämpfen, Die haben nichts zu tun mit der Gesellschaft, in der sie leben. Die sind ausgetreten. Die stehen Schulter an Schulter mit dem schwarzen Grubenarbeiter in den Kupferminen von Transvaal, mit dem asiatischen Reisbauern in den Feldern von Südvietnam, mit dem peruanischen Indio in den Vanadiumbergwerken. Da stehen sie, Schulter an Schulter an Schulter, und kämpfen. Peter Weiss und andere sind nicht, wie wir, Komplizen der reichen Welt. Sie zeigen uns, mit ein paar Interviews, wie leicht Solidarität zu verwirklichen ist: mit ein paar Interviews.«[49]

Oder mit ein paar Romanen? Als vollkommen verspielte Chance, ein bedeutendes Thema sinnfällig zu machen, bietet sich jedenfalls der abschließende Band dar. Peter Weiss wollte ein Riesenfresko der Gejagten und ihrer Häscher an die Wand malen; Menetekel für Unterdrückung und Gewalt auch der Jetztzeit, keine historisch-autobiographische Reminiszenz, sondern Reflexion über Schuld und Versagen. Eine Studie über versenkte Moral, über morallos Versenkte. Der dritte Band beginnt mit einem wunderbar anrührenden, ja: erschütternden Porträt der Mutter des auf Umwegen nach Schweden gelangten Erzählers, die von Not und Qual in die Nacht der Wahrnehmungslosigkeit getrieben war:

»Wenn die Ruhe, die Geborgenheit nur lange genug dauerten, sagte er, als wir nebeneinander am Fenster standen, dann würde sie ihre Apathie überwinden, uns wieder wahrnehmen und wieder mit uns reden können. Mehr als zweieinhalb Jahre waren seit unsrer letzten Begegnung vergangen... Wie abgebrochen lag ihre linke Hand mit der Innenfläche nach oben in ihrem Schoß, die rechte Hand war vom sich aufstützenden Arm zu einer Gebärde angehoben, als wolle sie etwas Nahendem Einhalt gebieten... Einige Augenblicke lang war das Erinnerungsgewebe, das uns umgab, wahrzunehmen, doch gleich verlor es sich wieder, nichts im Gesicht meiner Mutter deutete darauf hin, daß sie auch nur ein einziges meiner Worte in sich aufgenommen hätte. Im Zug, während der Rückfahrt nach Stockholm, sah ich, aus dem Fenster blickend, dieses Gesicht, groß, grau, abgenutzt von den Bildern, die sich darüber hergemacht hatten, eine steinerne Maske, die Augen blind in der Bruchfläche. Es war das Gesicht der Ge, der Dämonin der Erde, ihre linke Hand, mit den zerborstnen Fingern, ragte auf, die abendlichen Landschaften flogen vorbei, Alkyoneus fiel, von der Schlange in die Brust gebissen, schräg von ihr weg.«[50]

Nahezu verächtlich gegen die eigenen Mittel, jedenfalls hastig und in einen stilistischen Aufzählungsgalopp wechselnd, läßt Peter Weiss die Möglichkeit seiner Sprache, seiner literarischen Fähigkeit fallen. Das eindringliche Porträt dieser Frau – und in ihm eindringlich das, was ihr Schicksal verursachte – wird gleichsam im Stich gelassen, der Bildniswirkung offenbar mißtraut. An einer Stelle spricht Weiss von der Poesie als einer Kraft, die wenigstens für einige Augenblicke den einschnürenden, würgenden, tötenden Ordnungen der Außenwelt überlegen sei: Warum verrät er diese Einsicht? Es ist, als nähme – wenige Seiten später – er die alte Debatte aus dem »Kursbuch« auf und als flüchte er, zwinge er sich geradezu in eine Kunsthaltung, die sich Figuren, Bilder, Menschengesichter verbietet; die alles erstarren macht:

»Es mochte zutreffen, daß der eine beherrscht war von der Vorstellung einer unüberwindlichen Kluft zwischen der Kunst und dem politischen Leben, während für den andern die Kunst von der Politik untrennbar war. Vielleicht waren dies nur verschiedne Auffassungen von ein und derselben Sache, und derjenige, der meinte, daß sie nicht gescheitert sei an dem Druck, den die äußern Verhältnisse auf die Kunst ausgeübt hatten, sondern an dem beeinträchtigten Vermögen, mit der Kunst, also dem selbständigen Denken, einzuwirken auf die scheinbar unerschütterliche Realität, hatte sich bloß einen Rettungsring angelegt, um sich an der Oberfläche zu halten, während die Kunst nicht davon ablassen konnte, so tief wie möglich zu tauchen. Wie aber stand es um ihre Suche nach der Wahrheit, fragte Hodann, hatte sie nicht, beim ständigen Provozieren des Widerspruchs, die Synthese aus dem Auge verloren und nur eine Paradoxie gefunden, eine Paradoxie von tragischer Art, an der sie dann zerbrach.«[51]

Gewiß, wir wollen alle keinen Kunstrichter, der uns – oder einem Schriftsteller – erklärt, ein Roman dürfe, ein Roman dürfe nicht, ein Roman sei nun einmal und: ein Roman ist, wenn man. Doch literarische Prosa, das wird man sagen dürfen, unterscheidet sich nun einmal von diskursiver; was dem Essay eher fremd ist, das Zögernde, Schwebende, immer wieder von Figuren und Umständen Fort- oder Daraufzulaufende: ist das nicht jenes Element von Utopie, das Prosa birgt und *produziert* und das der Essay *definiert?*

Ist das nicht gemeint, wenn Benjamin den, der ein Gedicht verstanden habe, als den bezeichnet, der ein Gedicht nicht verstanden hat? Das Unfertige der Literatur ist ihr Fertiges, das nicht Aus-Definierte ihre Präzision. Anders könnte sie Angst und Irren, Verrat, Qual, Verruchtheit nicht bannen; nicht Liebe, nicht Tod. Wo das Wort, ohne »Hof«, immer nur benennt, was es benennt, hat man es mit Sicherheit nicht mit Literatur zu tun – so wenig man es mit einem Bild zu tun hat, das jenen hauchdünnen Millimeter zwischen Apfel und dem Tisch, auf dem er liegt, außer acht läßt (wie Liebermann es einmal ausdrückte).

Peter Weiss hat Waggonladungen von Äpfeln auf einen Riesentisch geknallt, da ist kein Hauch und kein Millimeter; ein ästhetischer Streik gleich dem demonstrierender Bauern, die Wege und Straßen mit jenen Äpfeln zuschütten. Er hat, wie in den vorangegangenen Bänden, einen Geschichtsgalopp angeschlagen, der Geschichte eben nicht begreifbar macht, sondern zum historischen Dalli-Dalli verkommen läßt. Mit der nahezu verächtlichen Geste, mit der er die fast tausend Seiten seiner Trilogie ohne einen einzigen Absatz, Atempause des Schriftbilds dem Leser zumutet (womit verglichen Syberberg oder Peter Stein behutsame Kleinbildarrangeure sind), jagt er sich und sein Publikum in einer Parforcetour über eine Steppe von Namen, Daten, Ereignissen ... und unklaren, weil unerklärten Zusammenhängen. Die zweite Erzählebene, also der Bericht über das Schicksal der Widerstandskämpfer, liest sich dann beispielsweise so:

»Henke, dem die Rückkehr nach Schweden im September gelungen war, hatte ihm Auskünfte über die noch aktiven Kader vermittelt. Uhrig, von

Beruf Feinmechaniker, etwa gleichaltrig mit ihm, dem Schreiber, er erinnerte sich an seine Freundlichkeit, Offenheit, hatte im Sommer Sechsunddreißig, nach seiner Entlassung aus dem Zuchthaus Luckau, mit der Organisation von Betriebszellen begonnen. Saefkow, der Maschinenbauer, war, nach fünf Jahren in Fuhlsbüttel und Dachau, im Juni Neununddreißig zu ihm gestoßen. In der AEG Turbinenfabrik, im Kabelwerk Oberspree, bei Osram, Siemens, der Bamag und den Brandenburgischen Motorenwerken standen neben ihren nächsten Vertrauten, den Arbeitern und Arbeiterinnen Mett, Plön, Rietze, Siedentopf, Schmirgal und Tygör, auch sozialdemokratische Gewerkschafter. Von einem solchen, Tomschik, verliefen Verbindungslinien zu führenden Sozialdemokraten. Er setzte die Zeichen für sie, die für die Aktionseinheit wirkten. Leber, ehemaliger Abgeordneter im Reichstag, vier Jahre im Gefängnis Wolfenbüttel und in den Konzentrationslagern Esterwegen und Sachsenhausen, Haubach, kämpfend schon gegen den Kapp Putsch, Antimilitarist, zweieinhalb Jahre in Esterwegen, Leuschner, einmal Innenminister in Hessen, ein Jahr im Zuchthaus Rockenburg und in den Lagern Börgermoor und Lichtenburg, Reichwein, ihn hatte er gekannt als Leiter der Volkshochschule in Jena, war jetzt tätig an den Staatlichen Museen in Berlin, und andre, wie Maas und Mierendorff.«[52]

Sind das Schemen oder Menschen? Geschichtsdaten oder Schicksale? Ereignisse oder Tabellen eines antifaschistischen »Kulturfahrplans«? Was ist nun *»esoterische Kunst«* – die »Todesfuge« oder dieser Hürdenlauf? Es ist sonderbar: als könne er die ihm eigene schriftstellerische Kraft nicht gänzlich zurückdrängen, gelingen Peter Weiss immer wieder, wie gegen seinen Willen, brennende Sätze, die Geschichte und Geschick zusammenbringen:

»Wo Fälschung und Lüge sich zur höchsten Wahrheit ernannt hatten, war die einzige Handlung, die sich als wahr bezeichnen ließe, der Selbstmord.«[53]

Oder »unterläuft« ihm lediglich eine so endgültige Formulierung der Hoffnungslosigkeit, daß der Wirklichkeit nur noch gewachsen sei, wer nichts mehr erhoffe? Ich glaube nicht; denn sie stehen immer in der Nähe eines wahrnehmbar gemachten Menschen. Es *ist* eben kein Zufall, daß außer den Passagen über die versunkene Mutter die schönsten die sind, in denen eine zur illegalen Arbeit nach Deutschland eingeschmuggelte Widerstandskämpferin vor Angst bei ihrer ersten Straßenbahnfahrt im heimatlichen »Feindesland« fast umsinkt – und daß sie ein Chaos an Gefühlen bändigen muß, das so gar nicht planmäßig ist:

»Die Augen tränten vom Rauch, überall wurde geweint, ein Schluchzen hing in den Straßen, die Schwäche aber war von ihr gewichen, als sie sich dem Bahnhofsplatz näherten, in einem fremden Land war sie, doch in einem tief bekannten Land, unsägliches Leid umgab sie, und erbarmungslose Feindschaft, Mitgefühl war in ihr, und Haß, sie war hergekommen, weil sie tun mußte, wozu sie sich als Kind schon entschlossen hatte.«[54]

Derlei muß gar nicht immer zur großen Prosa-Architektur ausgebaut werden; das eben ist es ja, was Literatur leisten kann – in einer Geste, einer Handbewegung Leben und Sterben einzufangen; auch in der »Handbewegung« des Henkers:

»Die Gesellen hatten mit den Schlingen, die der Scharfrichter in die Fleischerhaken legen würde, schon ihre Späße getrieben. Sie erhielten dreißig Mark für jede Hinrichtung. Die Scharfrichter bekamen bis zu achtzig Mark. Früher, bei Enthauptungen mit dem Handbeil, hatte Röttger dreihundert Mark bezogen. Er war ein wohlhabender Mann. Unterhielt neben seinem Ehrenamt noch ein großes Fuhrgeschäft. Selbst bekam er für eine Hinrichtung, der er als Zeuge beiwohnte, nur zehn Mark Zulage. Doch wollte er sich, den Kollegen gegenüber, nicht mit Mißgunst hervortun. Immerhin kam ihm das Geld, und die Sonderzuteilung an Lebensmitteln, die heute zu erwarten war, grade recht, da er morgen seinen Weihnachtsurlaub antreten würde. Er sah sich schon am Heiligen Abend im Kreis der Familie, in Weißensee, in der Langhansstraße Hunderdreiundvierzig.«[55]

Man sieht, wie der aussieht, auch wenn man nicht sieht, wie der aussieht...
Doch die andern sieht man nicht. Wie schon in den vorangegangenen Romanteilen, so führt Peter Weiss auch in dem Schlußband eine – wenn man den noblen, leisen, integren Mann kannte – ganz unbegreifliche Arroganz vor. Es kümmert ihn offensichtlich nicht, wer das hier alles begreifen, mitvollziehen kann. Jedes historische Nachschlagewerk oder Dokumentenkompendium ist da anschaulicher – ob die nahezu spannenden »Deutschland-Berichte der Sozialdemokratischen Partei Deutschlands« oder Detlev Peukerts »Die KPD im Widerstand« oder Günther

Weisenborns unvergeßlicher Band »Der lautlose Aufstand«. Hier, bei Peter Weiss, werden wie in Sturzbächen Namen über den Leser geschüttet, von denen nicht einmal klar ist, ob es fiktive Gestalten oder historische Figuren sind.
Die Überhöhung des »bloßen Dokuments« durch winzige Versetzungen, Sprachverschraubungen, gelang Weiss so glanzvoll und folgenreich mit seinem Auschwitz-Stück; hier verplattet er selbst die Realität noch und erniedrigt das Dokument zur Akte. Vom Dokumentartheater zur Dossierprosa.

Rolf Hochhuth

Ein utopischer Pessimist – der Widerspruch dieser Formulierung umgreift den Widerspruch (in des Wortes doppelter Bedeutung) der Arbeiten Rolf Hochhuths; ist Definition für den Autor und sein Werk.
Versteht man Geschichte auch als Gegenwart, dann ist Hochhuth *der* deutschsprachige Gegenwartsschriftsteller, der am aktivsten in Geschichte eingegriffen hat. Vom Erstlingsdrama »Der Stellvertreter« bis zur Erzählung des Jahres 1979 »Eine Liebe in Deutschland«: fast ausnahmslos jede seiner literarischen Arbeiten hat etwas bewirkt. Die Reise Papst Pauls VI. nach Palästina – nie zuvor hatte er Italien verlassen – wäre ohne Hochhuths emphatische Frage nach Schuld und Versagen des katholischen Klerus nicht unternommen worden; in seiner ersten Rede im Heiligen Land ging der Pontifex Maximus auf den deutschen Schriftsteller ein. Und der fürchterliche Marinerichter Filbinger hegte gewiß noch heute sein unappetitlich schlechtes Gedächtnis in Amt und »Würden«; im Vollbesitz eines Gewissens, das Hochhuth deshalb »rein« nennt, weil es nie benutzt wurde. Die Aufregung über sein Churchill-Drama in England hatte immerhin die Kassation der britischen Theaterzensur zur Folge, die seit 1737 – als sie eine Komödie von Henry Fielding verbot – existierte, und seine »Hebammen«-Komödie zwang zum Beispiel die Stadt Kiel zu Neubauten für die in unwürdigen Asyl-Unterkünften hausenden sozial Gescheiterten. »Kleine schmutzige Erfolge ...«
Solche Wirkung hatte kaum ein Schriftsteller unserer Zeit – und sie kann nicht mit Zufall erklärt, kann nicht mit Vokabeln wie »Charakter«, »aggressiv« oder »Fundsache« hinwegeskamotiert werden. Hans Mayer hat in einem Artikel eine zentrale Kategorie des Hochhuthschen Literaturbegriffs angedeutet:
»Es ware banal, das allein mit den sogenannten ›brisanten‹ Themen erklären zu wollen: mit dem Papst, mit Churchill, jetzt mit dem amtierenden Ministerpräsidenten Filbinger. Brisant war, nämlich Sprengkraft entfaltend, das Grundprinzip allen Schreibens bei Hochhuth: das *Ernstnehmen individueller Lebensentscheidungen*. Davon aber hatte man allzu lange in der Literatur absehen wollen. Man hielt sich weitgehend an den Satz von Dürrenmatt: ›In der Wurstelei unseres Jahrhunderts, in

diesem Kehraus der weißen Rasse, gibt es keine Schuldigen und keine Verantwortlichen mehr. Alle können nichts dafür und haben es nicht gewollt.‹«[1]

Tatsächlich liegt dem gesamten Œuvre des so früh zu Weltruhm gekommenen Schriftstellers ein Geschichtskonzept zugrunde, dessen Grundstruktur nur scheinbar paradox ist: aktiv und resignativ. Er selber hat sich einmal »materialistischer Idealist« genannt (das Materialistische sehr kompakt begreifend: »Leben wir nicht nur einmal und kurz?«).[2] Und das allererste, was ein jugendlicher Autor schrieb, waren Gedichte; es entstand wie alles, was er später schrieb, unter dem Einfluß Jacob Burckhardts – »der mich nachhaltiger programmiert hat als jeder – als jeder – andere Autor«[3] – und dessen Maxime, daß einziges und bleibendes Zentrum eines jeden Werkes nur sein kann der duldende, strebende und handelnde Mensch. Das zweite Gedicht, das Hochhuth verfaßte, birgt bereits dieses Geschichtsverständnis:

»Sinnlos zwar, doch zweckvoll – Strategie,
denn Beschäftigungstherapie

Die zum Tode führt ist die Geschichte.
Und die Umwälzung der Machtgewichte

Hat nur *einen* Zweck: Potenzverschleiß.
Fortschritt, Endziel gibt es nicht; ein Kreis«[4]

Und noch dreißig Jahre danach bekennt Hochhuth, daß der Untertitel von Löwiths Burckhardt-Buch – »der Mensch inmitten der Geschichte« – seiner Sicht identisch geblieben sei.[5] Daß hier nicht lediglich griffige Selbsterläuterungen angeboten werden, zeigen Zeilen aus dem späten Gedicht »Lebenslauf« – »Wegwerf-Ware wie wir selbst... Teufelskreis humanae vitae«[6] – so gut wie sein ungewöhnlich offenherziges Gespräch anläßlich seines Hemingway-Dramas, in dem er auf die Frage nach *seiner* Angst, *seinem* Versagen antwortete: »Ich glaube nicht an den Fortschritt in der Geschichte.«[7]

Glaube an das Individuum (»Ein Individuum«, »Ein Subjekt« galt ja nicht zufällig in der Diktatur als Schimpfwort) – und Skepsis gegen Geschichte: ein Widerspruch? Hochhuths groß angelegter Anti-Marcuse-Aufsatz führt vor, daß er das als Alternative sieht; nicht zufällig taucht dort noch einmal, wörtlich, das Diktum von Potenzverschleiß als einzig konstanter Aufgabe der Geschichte auf.[8] Die ganze Arbeit ist eine

fulminante Attacke gegen elysische Paradiesvorstellungen, die Herbert Marcuse eine so große Gefolgschaft bescherten – die Gesellschaft ohne Krieg, ohne Raub, ohne Grausamkeit, Unterdrückung und Häßlichkeit. Hochhuth rückt das einerseits neben die Euphorie des Kardinals Bea, der bei der Verleihung des Friedenspreises des deutschen Buchhandels vom Lamm, das neben dem Löwen weiden werde, sprach; er stellt diese Illusion vom vegetarischen Haifisch andererseits in die Linie der Utopie-Philosophen Herder – Fichte – Hegel – Marx. Und hat recht. Nirgendwo ist ja Marx so gleißnerisch-unpräzise, so verheißungsvoll-vage wie da, wo er von der Zukunft der Menschen spricht. Es ist dieses Ausweichen vom Analytischen und Machbaren ins prophetisch Skizzenhafte, dem Hochhuth mißtraut, in dem er den Spalt zum Wuchern des Diktatorischen entdeckt – und dem er emphatisch widerspricht.
Hochhuth, der von flotten Spöttern so gern zum Schiller in kurzen Hosen herunterstilisiert wird, zum kenntnislosen Pinscher oder zur Ratte und Schmeißfliege gar, ist in Wahrheit der Nüchternere, Pragmatischere. Er leugnet, daß die Entwicklung von der Akropolis zum New Yorker UN-Gebäude Progreß genannt werden dürfe; daß irgend jemand das Recht habe oder sich anmaßen dürfe, Menschen zu ihrem Glück zu zwingen oder über sie, mit Adornos Spruch »Es gibt Menschen, bei denen ist es bereits anmaßend, wenn sie Ich sagen«[9], hybride Verordnungen zu treffen:

»Genauso wie Marcuse argumentiert nämlich die schwärzeste Reaktion: die Ausgebeuteten seien noch gar nicht fähig, soviel Freizeit sinnvoll hinzubringen! Laßt doch jedem Individuum die Freiheit, selber und ganz allein darüber zu befinden, ob es denken will – oder nur konsumieren. Das ist nicht zu planen ohne Eingriff in die Natur, das heißt, ohne Terror: ob einer als Normalverbraucher – oder nur als Normalverbrauchter leben will. Es lesen doch die meisten nicht deshalb nicht, weil sie zu lange am Fließband standen, sondern weil sie lieber Pingpong spielen. Ist das nicht ihr Recht? Lesen bedrückt, wenn das Buch etwas taugt. Wer lieber Pingpong spielt, ist meist glücklicher.«[10]

Hochhuths gelegentlich bissiger Hohn gegen Marcuses Heils-Vision kommt aber zu definitiven eigenen Standortbestimmungen. Für ihn gibt es verschiedene *Charaktere,* die sich – lebend in und aus demselben gesellschaftlichen Koordinatensystem – in vergleichbaren Situationen verschieden verhalten. Seine »Stellvertreter«-Widmung für Pater Maximilian Kolbe und Prälat Bernhard Lichtenberg sagt das in einem Kürzel, die Figur des Pater Ricardo zeigt es ausführlicher. Aus seinem Begriff des Individuums bezieht Hochhuth sein Recht zu Urteil, gar Verurteilung; in dem Sinne, in dem Piscator es sah: »Hochhuths Stück ›Der Stellvertreter‹ ist einer der wenigen wesentlichen Beiträge zur Bewältigung der Vergangenheit. Es nennt schonungslos die Dinge beim Namen; es zeigt, daß eine Geschichte, die mit dem Blut von Millionen Unschuldiger geschrieben wurde, niemals verjähren kann; es teilt den Schuldigen ihr Maß an Schuld zu; es erinnert alle Beteiligten daran, daß sie sich entscheiden konnten und daß sie sich in der Tat entschieden haben, auch dann, wenn sie sich nicht entschieden.«[11]

Hochhuths Werk ist die Feier des Einzelnen, und des Pessimisten. Churchill – den er ja, entgegen einem Mißverständnis der Kritik, nahezu *bewundert* – wie der Senator aus den »Guerillas«, wie Hemingway, die resolute Hebamme oder der sich in den Abgrund liebende Pole, der eine »Liebe in Deutschland« nicht leben durfte, es sind alles figurale Beweise für sein Menschenbild, »daß gerade die Pessimisten die politisch aktivsten Kämpfer und Revolutionäre gewesen sind. Eben weil sie wissen, wie böse der Mensch ist und die Macht, steigen sie auf die Barrikaden! Sie hoffen weniger, sie schießen öfter.«[12]
Hochhuths Menschenbild (und Geschichtsbegriff: »Geschichte ist, was uns mißglückt«[13]) prägt seine ästhetische Konzeption, also: seine schriftstellerische Arbeit. Am deutlichsten wird das in seiner Debatte mit Adorno, die mit ebenso respektloser Präzision seine ganz und gar konträre Kunstauffassung vorträgt wie das in der politischen Vorhaltung gegenüber Marcuse geschah; wohl kein anderer Schriftsteller hat – auf dem Höhepunkt des Einflusses dieser beiden Denker – so gänzlich vorbehaltlos eine Gegenposition bezogen und öffentlich gemacht. Nicht nur das Schmähwort vom »modischen Cheftheoretiker und seinen Nachschreibern« muß Adorno getroffen haben, sondern auch der Umstand, daß Hochhuths Aufsatz publiziert wurde ausgerechnet in einer Festschrift – für Georg Lukács, den jahrzehntelangen Widersacher.[14]
Es meldete sich hier ja nicht die dünne Stimme eines jugendlichen Debütanten, sondern ein Autor, dessen Erstlingswerk buchstäblich die Welt erregt, das die wichtigsten Regisseure – von Piscator zu Peter Brook – zur Arbeit gereizt hatte, dessen Premieren – ob in Berlin, Paris, Basel oder New York – von Polizeiaufgeboten geschützt werden mußten und zu dessen Stück sich in Essays, Sammelbänden oder Vorworten die internationale Elite des Geistes geäußert hatte: Hannah Arendt und Golo Mann, Susan Sontag und Carl Zuckmayer, der Papst (Kardinal Montini)

und Karl Jaspers[15]; und dessen artistische Lizenz etwa von Walter Muschg erteilt worden war:

»Die Vorwürfe, die Hochhuth gemacht werden, gelten für die Kampfdichtung aller Zeiten, sie wurden ihr schon immer gemacht und kehren mit monotoner Regelmäßigkeit wieder. Schon im Reformationstheater wurden der Papst und andere gekrönte Häupter auf die Bühne gebracht und bloßgestellt, nicht als interessante Charaktere, sondern als Verkörperungen eines Prinzips. Auch im Jesuitentheater der Gegenreformation haben die Figuren keine persönlichen, sondern typische Gesichter und sind streng in Gute und Böse geschieden. Lessing begann ein Trauerspiel ›Henzi‹, mit dem er in letzter Stunde die Hinrichtung eines Staatsverbrechers in Bern verhindern wollte. Als man die Verse seines ›Nathan‹ beanstandete, sagte er, sie wären schlechter, wenn sie besser wären. Auch ihm ging es nicht nur um schöne Worte, sondern um eine Sache. Und was den belächelten Umfang des ›Stellvertreters‹ betrifft: Der ›Don Carlos‹ zählt 5370 Verse, das ist das Doppelte der ›Braut von Messina‹ und mehr als der erste Teil des ›Faust‹. Schiller stellte von diesem Monstrum in der Folge drei Redaktionen und zwei Bühnenbearbeitungen her; die heute übliche Fassung hat immer noch einen so abnormen Umfang, daß sie nur gekürzt gespielt werden kann.«[16]

Es sprach also ein Schriftsteller, der ein »Werk von Ernst und Herz und Kunst geschaffen«[17] hatte und der sich aggressiv dagegen wehrte, das moderne Drama »zu ästhetisieren bis zur politischen Anästhesie« und es sich herausnahm, auch die Großmacht Bertolt Brecht herauszufordern:

»Und es ist aufschlußreich, daß stets nur an politisch engagiertes Theater die immer schlau als Argument getarnte Forderung gestellt wird, das Darzustellende zu ›verfremden‹, bis es kostümballvergnügt daherkommt wie eine Parabel aus Sezuan. Neu ist das nicht.«[18]

Wir werden sehen, daß die Argumentationslinien dieses Streits im Zick-Zack verlaufen; denn Adorno wird plötzlich sich auf – Brecht berufen; dessen Œuvre ihm Anlaß zu vielen Bedenken war. Jedenfalls ist es kein Zufall, daß Hochhuth seine Position klarmachte in einem Aufsatz, der auf die Frage der Zeitschrift »Theater heute«: »Soll das Theater die heutige Welt darstellen?« antwortete – also jene Frage, die Brecht einst zu seiner berühmt gewordenen Definition gebracht hatte: »Ja, aber als eine veränderbare.«[19] Hochhuth findet das nicht – nicht »die Welt« ist veränderbar (sein Satz »Zweck der Geschichte ist Potenzverschleiß«[20] taucht wörtlich im späteren Stück »Soldaten« noch einmal auf), sondern winzige Teile der Welt, Zeitbrocken; und das eben nur durch jene moralistische Hartnäckigkeit des Einzelnen, der allein durch Fragen etwas erreichen kann – jene Fragen, die Jaspers meinte:

»Die Forderung Hochhuths ist: nicht schweigen. Das Problem gibt es aber nicht nur im totalitären Staat, das gibt es in jedem Staat. Ich würde meinen, der Anspruch Hochhuths – nicht schweigen – gilt so intensiv für uns heute, daß ich fast sagen möchte, es wird ja viel zu viel geschwiegen. Nicht aus Angst vor dem Tode, sondern aus Angst vor Nachteilen, vor Unbequemlichkeiten.«[21]

Das ist bezeichnenderweise fast wörtlich identisch mit dem letzten Satz von Hochhuths Anti-Adorno-Essay: »Es gibt auch deshalb keine Revolution in Deutschland, weil es dort keine Intellektuellen gibt, Ideenträger, die ihr Leben einsetzen oder auch nur ihren Job. Der Schreiber ist keine Ausnahme.«[22]
Einer der typischen Hochhuth-Sätze, »Uniformen haben am Hals ihre Grenze«[23] meint jenseits seiner saftigen Eindrücklichkeit, daß die Eigenverantwortlichkeit des Menschen nicht hinwegkatapultiert werden darf durch die Ausflucht ins Anonyme, Apparathafte, in die Unüberschaulichkeit moderner Mechanismen; Hochhuth sieht darin die Gefahr, daß weder Dinge mehr dingfest gemacht noch daß Verantwortliche haftbar gemacht werden – und daß im Nebel des Absurden zerstiebt, was realistische Literatur eher verdeutlichen kann:

»Ich kann Adorno nicht zustimmen, wenn er sagt, ›jedes vermeintliche Drama des Atomzeitalters wäre Hohn auf sich selbst, allein schon, weil seine Fabel das historische Grauen der Anonymität, indem sie es in Charaktere und Handlungen hineinschiebt, tröstlich verfälscht und womöglich die Prominenten anstaunt, die darüber befinden, ob auf den Knopf gedrückt wird‹. Von solchen Formulierungen eines Namhaften ist man so lange gebannt, bis man wieder primitiv oder unverschämt genug ist, zu fragen, ob nicht vielleicht das Gegenteil wahr ist – nämlich die Einsicht, daß ein Drama des Atomzeitalters gerade nur dann und so lange noch möglich ist, wie wir bereit sind, ganz altmodisch zu empfinden, was Kogon angesichts der Skeletthalden von Buchenwald forderte: ›Betrachter der Zeitgeschichte, denke, dieser Rest von Fleisch und Bein sei *dein* Vater, *dein* Kind, *deine* Frau, sei der Mensch, der *dir* lieb ist!‹ –

Und die Prominenten, die auf den Knopf drücken – man muß sie nicht anstaunen, nein: aber ist das nicht eine faszinierende Szene, Stalin und Truman in Potsdam, mit der Verschrottung Deutschlands viel zu sehr beschäftigt, um mehr als einige Nebensätze der Frage zu widmen, ob der Krieg gegen Japan weitergeführt werden soll, da doch der Tenno die Kapitulation schon seit zehn Tagen angeboten hat? Und Trumans möglichst beiläufig vorgebrachte Feststellung, er habe da eine neue Waffe; Stalin tut so, als höre er kaum hin – und dann der Entschluß, dieses Ding demnächst mal auszuprobieren, natürlich nicht ohne daß der Herr Pfarrer die Flugzeugbesatzung gesegnet hat... *Das* ist doch die wesentliche Aufgabe des Dramas: darauf zu bestehen, daß der Mensch ein verantwortliches Wesen ist. Oder trug Truman keine Verantwortung für die Vernichtung Hiroshimas?«[24]

Das ist nun diametral entgegengesetzt dem Begriff des Kunstwerks, wie ihn Adorno Jahrzehnte hindurch entwickelte. Er hat sich zeitlebens gegen diese Unmittelbarkeit gewehrt, das Einsickern von Realität ins Kunstwerk spurenloser gesehen; Kunst muß in seinem Verständnis die Realität versehren, aufzehren und kann nur so zu eigener werden, die allenfalls Wirklichkeit durchscheinen macht. Was bisher nicht gesehen wurde: Hier findet statt die Fortsetzung der großen Realismus-Debatte zwischen Anna Seghers und Georg Lukács und die Fortführung des Streits um den Expressionismus, der im wesentlichen zwischen Brecht und Lukács ausgetragen wurde. Rolf Hochhuths Position ist zu begreifen als eine, die durchaus in der Tradition der großen Auseinandersetzungen in der deutschen Literaturtheorie und -praxis steht. Er erwähnt immer wieder Feuerbach als Gegenpol zu Hegel oder Marx. Es ist aber Feuerbach, dessen Konzept vom »starken Individuum« unter anderem die russischen Materialisten prägte, welchen Aspekt wiederum genau analysierte – Georg Lukács.[25] Und es gibt einen bedeutenden Dramatiker, Antipode Brechts und von Skandalerfolgen »ausgezeichnet« in der Weimarer Republik, der noch der Nachkriegsausgabe seiner Dramen ein Belinski-Zitat voranstellte: Friedrich Wolf.
Er ist der Vorfahr Rolf Hochhuths. Eines seiner ersten Stücke war »Mohammed«, seine großen Dramen heißen »Beaumarchais«, »Der arme Konrad«, »Professor Mamlock« oder »Thomas Münzer«, sein erfolgreichstes Hörspiel, »John D. erobert die Welt«, galt Rockefeller und sein erklärtes literarisches Vorbild war Kleists »Michael Kohlhaas«. Religiöse Führer (wie in »Mohammed«), der Patriarch des frühen Dramas »Tamar« oder die Hauptfigur seines ersten Stücks »Das bist Du« –

ein »Heiliger« –, zeigen einen Psychologisierungsvorgang ganz im Schillerschen Verständnis. Die Vorstudie zu seinem programmatischen Aufsatz »Kunst ist Waffe«, geschrieben zum Vortrag auf der Tagung des »Arbeiter-Theater-Bundes« (ATBD) in Berlin 1928, heißt »Der Dichter und das Zeitgewissen«. Diesem kurzen Text – auch beim Nachfahr Hochhuth kein Aufsatz oder Drama ohne Zitat-Motto! – steht ein Zitat des »Helden« Jean Jaurès zuvor. Die zitierten Vorbilder des Aufsatzes selber sind Hutten und Florian Geyer, Zolas »J'accuse«-Brief und Tolstois Brief an den Zaren, und noch 1947 nennt Wolf die Entscheidung im Theater »eine unmittelbare, sofortige, suggestive«.[26]
Die Verwandtschaft geht bis ins Anekdotische. Piscator – dessen sensationellste Nachkriegsinszenierung ja Hochhuths »Stellvertreter« war – brachte als seine letzte Arbeit vor der Emigration Friedrich Wolfs »Tai Yang erwacht« (in der Ausstattung John Heartfields) auf die Bühne – und zwar nach monatelangen Proben und so qualvollem Umschreiben, wie sie von Hochhuths Stücken bekannt sind; »Friedrich, komm schnell herein, gerade wird ein Satz von dir gesprochen!« sagte atemlos der Schauspieler Ernst Busch zu dem todtraurigen Wolf im Foyer.[27] Fast ausnahmslos alle Dramen Friedrich Wolfs basieren auf Dokumentationen – »Der arme Konrad« hat zur Vorlage ein altes Fastnachtsspiel des »Ehrsamen Narrengerichts«, das dem Dr. med. Friedrich Wolf ein dankbarer Patient geschenkt hatte; »Floridsdorf«, das Stück vom Februaraufstand der Wiener Arbeiter 1934, basiert auf Briefberichten und Zeitungsmeldungen[28], und »Die Matrosen von Cattaro« sind gearbeitet nach Bruno Freis Broschüre »Die roten Matrosen von Cattaro«, die die Vorgänge auf dem Panzerkreuzer St. Georg materialreich belegt.
Die Aufführungen von Friedrich Wolfs Stücken waren regelmäßig Sensationen, über sie wurde berichtet wie über Zeitereignisse, nicht im Feuilleton, sondern auf der Leitartikelseite. Erich Kästner bejubelte die aktivierende Wirkung von »Cyankali«:

»Am Schluß der ›Cyankali‹-Aufführung, die ich besuchte, schrie eine Stimme vom Balkon: ›Nieder mit dem Paragraphen 218!‹ und ein tumultuarischer Chor von Mädchen- und Männerstimmen rief: ›Nieder mit ihm! Nieder! Nieder!‹. Und die Zeitungen greifen das Thema wieder auf. Und die Ärzte werden antworten. Und die juristische Reichstagskommission wird Arbeit bekommen und erneut Stellung nehmen müssen. Durch ein Theaterstück veranlaßt! Es macht wieder Mut!«[29]

Und dasselbe berichtet, einigermaßen befremdet, die »Frankfurter Zeitung« nach der Aufführung der »Matrosen von Cattaro«:

»Aber das *Publikum* der ›Volksbühne‹, das seinen eigenen Kopf in diesem Theaterstück nicht zu riskieren hat, findet es gar nicht selbstverständlich. Es ruft Pfui! über die Lebenswilligen. Es bejubelt die Idealisten des Todes, die für die rote Fahne Märtyrer werden wollen. Nicht bedroht am eigenen Leibe, wahrt sich das Massenpublikum die Freiheit des Gewissens und die Reinheit der Idee. Dies Publikum ist für die Radikalen; es ist für die Don Quijotes; es ist ganz ahnungslos für den Idealismus! Verrückte Welt! Die Lebensforderer stehen beim Kommandanten und Militaristen! Aufwühlendes Theater! Als die ersten beschämten Kompromißler nach rechts übergehen, schreit einer aus dem Publikum: ›Die S.P.D.!‹ Dies im Hause der ›Volksbühne‹, die unter dem Zeichen der S.P.D. Theater spielt!«[30]

Herbert Ihering nannte »Cyankali« keine Dichtung. »Aber seine primitiven Mittel sind hier am Platz. Es gibt sogar Szenen, die eine dichtungnahe Einprägsamkeit haben«,[31] oder später: »Kein Stück der Rhetorik, sondern ein Stück der Tatsachen.«[32] Und sein Antipode Alfred Kerr schreibt über »Tai Yang erwacht«:

»Was an diesem Abend bewegt, ist nicht das Stück noch die Darstellung: sondern die Weltlage. Das Stück hätte noch matter sein können, noch gleichgültiger, noch schabloniger, noch leerer, noch abgegraster, dagewesener, rückständiger, überholter; die Darstellung noch unentschiedener; die Regie noch provinzieller: so wäre doch der Gedanke nicht gehindert worden, sich an die Furchtbarkeit einer heut auf der Kippe stehenden Welt zu erinnern.«[33]

Friedrich Wolfs Theater ist das Theater der »großen Person« – und es ist das Theater der großen Leidenschaften, der Identifikationsangebote. Heroendrama – oder, um in unsere Debatte zurückzuspringen, aristotelisches Theater. Es ist eine bewußte Gegenposition zu Brecht – und sie kommt noch nach beider Rückkehr aus der Emigration zum Ausdruck, in einem Dialog nach der Premiere der »Mutter Courage« in Ostberlin:

»*Wolf:* ... Sie haben Ihre ›Mutter Courage‹ gewiß nicht zufällig eine ›Chronik‹ genannt, zweifellos eine Form Ihres ›epischen Theaters‹. Wol-

len Sie also mit diesem bewußten Chronikstil nochmals betonen, daß es Ihnen in erster Linie darauf ankommt, die Tatsachen, die nackten Tatsachen zu den Zuschauern sprechen zu lassen?...
Brecht: Die Chronik ›Mutter Courage und ihre Kinder‹ ... stellt natürlich keinen Versuch dar, irgend jemand von irgend etwas durch die Ausstellung nackter Tatsachen zu überzeugen. Tatsachen lassen sich sehr selten in nacktem Zustand überraschen, und sie würden auch nur wenige verführen – wie Sie mit Recht sagen. Nötig ist freilich, daß Chroniken Tatsächliches enthalten, d. h. realistisch sind. Auch die Einteilung ›objektivierendes Theater gegen psychologisierendes Theater‹ hilft uns nicht wirklich weiter, da man ja auch objektivierendes psychologisierendes Theater machen könnte, indem man eben vornehmlich psychologisches ›Material‹ zum Hauptgegenstand künstlicher Darstellung machte und dabei Objektivität anstrebte...
Wolf: ... Lehnen Sie es ab, sich in gleicher Weise an das Gefühl, die Emotion – das Gerechtigkeitsgefühl, den Freiheitsdrang, den ›heiligen Zorn‹ gegen die Unterdrücker – unmittelbar zu wenden? ... müßte diese Mutter Courage (historisch ist, was möglich ist), müßte sie, nachdem sie erkannt hat, daß der Krieg sich nicht bezahlt macht, nachdem sie nicht bloß ihre Habe, sondern auch ihre Kinder verlor, mußte sie am Schluß nicht eine ganz andere sein wie am Anfang des Stückes?... da hätte ich mir die Courage *noch* wirksamer gedacht, wenn ihre Worte ›Verflucht sei der Krieg!‹ zum Schluß (wie bei der Kattrin) bei der Mutter einen sichtbaren Handlungsausdruck, eine Konsequenz dieser Erkenntnis gewonnen hätten...
Brecht: In dem vorliegenden Stück ist, wie Sie richtig sagen, dargestellt, daß die Courage aus den sie betreffenden Katastrophen nichts lernt. Das Stück ist 1938 geschrieben, als der Stückeschreiber einen großen Krieg voraussah: er war nicht überzeugt, daß die Menschen an und für sich aus dem Unglück, das sie seiner Ansicht nach betreffen mußte, etwas lernen würden. Lieber Friedrich Wolf, gerade Sie werden bestätigen, daß der Stückeschreiber da Realist war. Wenn jedoch die Courage nichts lernt – das Publikum kann, meiner Ansicht nach, dennoch etwas lernen, sie betrachtend.«[34]

Genau diese Position Brechts nimmt nun zwanzig Jahre später Adorno in seiner Antwort an Rolf Hochhuth ein. Er geht sehr exakt auf die von Hochhuth mit seinem Kogon-Zitat skizzierte Szene ein – und wehrt sie schon in der Idee als Kitsch und Schmalz ab:

»Sie stellen sich immer noch vor, daß man eine faszinierende Szene aus Stalin und Truman in Potsdam machen könnte, die nur einige Nebensätze der Waffe des Genocids widmen, nachdem der Tenno die Kapitulation seit zehn Tagen angeboten hat. Beiläufig werde der überflüssige Entschluß gefaßt, die Bombe über Hiroshima abzuwerfen. Ich kann mir nicht helfen: ich fände diese Szene auf dem Theater nicht faszinierend, sondern eher das, wofür der amerikanische Slang über das Wort phoney verfügt, das die Worte hohl oder scheinhaft nur unvollkommen übersetzen... Brecht hatte schon einen richtigen Instinkt, als er in ›Furcht und Elend des Dritten Reiches‹ dessen Unwesen an den Bevölkerungen zeigte, nicht an den Herren. Dafür mußte er das traditionelle Pathos der Tragödienform preisgeben und zur Episode greifen, vielleicht auf Kosten des eigentlich Dramatischen, Konsequenz der phoneyness, die des Subjekts sich bemächtigt hat, seines gesellschaftlichen Scheins. Nur ist Brecht, indem er das politische Drama von dessen Subjekten auf Objekte verschob, vermutlich noch nicht weit genug gegangen. Sie sind unvergleichlich mehr zu Objekten geworden, als er es sichtbar werden läßt. Unter diesem Aspekt sind die Beckettschen Menschenstümpfe realistischer als die Abbilder einer Realität, welche diese durch ihre Abbildlichkeit bereits sänftigen.«[35]

Es geht um Ästhetik – und es geht um mehr; »strittig ist mehr als nur literarische Standpunkte«, hatte Adorno gleich zu Eingang seiner Replik geschrieben. In der Tat prallen zwei ganz gegensätzliche Bilder von Welt, von Politik, von Geschichte aufeinander. Schon Hochhuths Philippika »übersetzte« aus der Kunstwelt in die Welt der Wirklichkeit – indem er gegen die seine Skepsis anmeldete; die Dialektik seines Denkens arbeitet gleichsam spiegelverkehrt zu der Adornos – *weil* Geschichte das Absurde ist, darf die Kunst es nicht sein:

»Es ist mir oft geraten worden, mein Stück, da es manche Elemente des Realismus enthält, durch Versetzung seiner Fabel in eine surrealistische Welt oder in eine absurde zu modernisieren. ›Das Absurdeste, was es gibt‹ aber ist – nicht das absurde Theater, sondern, laut Goethe, die Geschichte. Er nannte sie voller Ekel einen ›verworrenen Quark‹ und lehnte in höheren Jahren ab, sie überhaupt zu betrachten. Und wahrhaftig, ihre Wirklichkeit, die bethlehemitische oder Nürnberger Kindermord-Gesetze immer wieder auf die Speisekarte des Tatmenschen setzt, läßt sich nicht steigern durch Verlagerung in eine absurde Welt.«[36]

Fraglos liegt hier ein schwer auflösbarer Widerspruch, Zentrum der uralten Marxismus-Debatte von der Rolle der Persönlichkeit in der Geschichte. Prompt war es auch ein DDR-Wissenschaftler, der Brecht-Forscher Werner Mittenzwei, der diesen Widerspruch zwischen Hochhuths Geschichtsentwurf und Begreifen des aktiven Individuums analysierte. Mittenzwei, der Hochhuth einmal mit dem lustigen Etikett »ein Ossietzky des Dramas« charakterisiert hatte, geht in seinem Essay[37] erst einmal davon aus, daß der Dramatiker hinter den historischen Dokumenten immer die Biographie sucht; sein sehr einleuchtender »Beweis« ist Hochhuths Fotoalbum »Kaisers Zeiten«, das er aus den Beständen eines Eschweger Archivs und den dort aufbewahrten Arbeiten eines »Hofphotographen« zusammengestellt hatte. Aber von dieser beiläufigen Edition führt Mittenzwei auf jenen Widerspruch, der sich auch innerhalb der schriftstellerischen Arbeiten Hochhuths manifestiert:

»Ein Dramatiker, der seine Helden nicht aus gesellschaftlichen, sondern psychologischen Motiven handeln läßt und auf psychologisierende Wirkung aus ist, kann mit einer individuumsbezogenen Dramaturgie noch auskommen, aber nicht Hochhuth. Er will gesellschaftlich aufhellend wirken. Die Dramentechnik indessen, die er bevorzugt, macht das nur schwer möglich. Deshalb ist Hochhuth dauernd gezwungen, seine Helden entweder historische Analysen vortragen zu lassen oder lange Kommentare in seine Stücke einzumontieren, die nur der Leser, niemals der Zuschauer erfährt. So sind die großen geschichtsträchtigen Passagen in den Dramentexten Hochhuths alles andere als zufällig. Diese Manier ergibt sich folgerichtig aus dem direkten Zusammenhang von weltanschaulicher Konzeption und dramaturgischer Technik. Die dieser Dramaturgie eigene Überfrachtung mit gedanklichen Reflexionen und historischen Erklärungen, die alle über die geistige Physiognomie einer bestimmten Figur vermittelt werden müssen, führt dann auch dazu, daß kaum gestisches Material aufbereitet werden kann. Bei Hochhuth gibt es im Grunde keine Dialektik von Gestus und Dialog. Der Dialog fordert die Geste gar nicht heraus, er beschäftigt nur den Kopf, nicht den ganzen Körper des Schauspielers.«[38]

Hier hat erstmals, jenseits lechzend-schnöder Kritikerverrisse, die Analyse mit Häme und Stil mit Schnoddrigkeit verwechseln, ein Interpret die *Ursache* bestimmter Defekte in Hochhuths dramatischer Arbeit ausgebreitet. Letztlich ist Hochhuth Nihilist; er zitiert zustimmend Gottfried Benns Notiz bei der Lektüre von »Krieg und Frieden«: »Ich komme endlich dahinter, daß alle großen Geister der weißen Rasse seit 500 Jahren die eigentliche innere Aufgabe darin erblicken, ihren Nihilismus zu bekämpfen und zu verschleiern. Dürer, Goethe, Beethoven, Balzac, alle!«[39] Dieser Nihilismus führt ihn dazu, sehr deutlich und hart zu urteilen; daß auch französische Nachbarn, waren die jüdischen Mitbürger für Auschwitz zusammengetrieben, sich um die schönsten Wohnungen und Möbel der ins Gas Deportierten prügelten: »Dazu zwang niemand sie als ihre natürlichen Instikte, als ihre Menschlichkeit.«[40] Das ist Hochhuths Bild des Menschen, homo homini lupus est; und da genau setzt nun wieder Adornos Widerspruch ein – als ein Widerspruch, den er innerhalb des Hochhuthschen Denkens aufdecken will:

»Statt dessen proklamieren Sie: ›Der Mensch ändert sich nicht von Grund auf. Eine Epoche, die das behauptet, nimmt sich zu ernst.‹ Der Glaube an die Unveränderlichkeit der Menschennatur ist aber, wie ein Blick auf die Vulgärsoziologie und -pädagogik von heutzutage Ihnen bestätigen würde, mittlerweile zu einem Stück eben der Ideologie geworden, gegen die Ihre Dramatik angeht. Auf Ihren Vorwurf, eine Epoche nähme sich zu ernst, welche eine ›Veränderung von Grund auf‹ annimmt, entgegne ich, daß ein Ethos, das solcher Veränderung sich sperrt, nicht ernst genug ist.«[41]

Für einen Schriftsteller, über den sein Kollege Martin Walser sagte, »Geschichte sollte man von jetzt an füglich Hochhuth überlassen«[42], ist das ein Verdikt. Hochhuth hat es offensichtlich auch so empfunden und hat in einem sehr scharfen, bisher unveröffentlichten Brief – datiert Basel, 13. Juni 1967 – noch einmal Adornos Begriff des »objektiven Zugs der Geschichte« (den es statt der Einzeltaten im Kunstwerk zu erhellen gilt) strikt abgewehrt:

»Ich werde niemals begreifen, was unter diesem objektiven Zug ausgerechnet der Geschichte zu verstehen sein soll. Ich halte mich, Stoffhuber, der ich bin, an krude Details – und ich messe an dem Vorkommnis des Dezembers 41, als Winston Churchill sich – er entschied allein – gegen den Rat aller seiner Mitkämpfer dazu durchrang, zwei Schlachtschiffe in den Pazific zu entsenden, wo beide binnen weniger Stunden mit Tausenden von Matrosen vernichtet wurden – ich messe an dieser Tragödie Ihren Hohn über Sartre, der da mitwebe am ›Schleier der Personalisierung, daß verfügende Menschen entscheiden, nicht die anonyme Maschinerie, und daß auf den sozialen Kommandohöhen noch Leben sei‹.

Erklären Sie bitte: was ist das, eine anonyme Maschinerie. Seit ich lesen kann, und das sind nun auch schon zehn Jahre, lese ich in jedem dritten Feuilleton diese zwei zusammengeklebten Vokabeln, Sie übernehmen die auch. Aber war denn – um bei diesem Beispiel zu bleiben – die Maschinerie der Admiralität zu Whitehall, die diese zwei Schiffe zum Auslaufen in den Tod nötigte – war sie anonym?«

Wie nun aber? Der große Einzelne – groß nicht notwendigerweise in der gesellschaftlichen Rolle, groß aber im Akzeptieren und Ausüben eigener Verantwortlichkeit –, der in den Lauf der Geschichte eben doch eingreifen kann; einerseits. Und andererseits der Zweck der Geschichte als Beschäftigungstherapie, die zum Tode führt; »daß sie über diesen Zweck hinaus auch einen *Sinn* habe, ist zwar oft behauptet, aber niemals belegt worden.«[43]
Es gibt eine Kategorie, die wesentlich den Impetus der Arbeiten von Rolf Hochhuth bestimmt, und die bislang wenig beachtet wurde: Mitleid. Seine »Belastung« des Individuums ist, auf vielleicht verdrehte Weise, auch eine Form des Respekts. Hochhuths Achtung jedenfalls vor der Leistung anderer findet sich allenthalben – vor allem in seinen Überlegungen zu »Kollegen«; Nachrufe oft, bezeichnenderweise. In seiner Rede auf dem Schriftstellerkongreß 1970, in der er wütete über die flapsige »Spiegel«-Formulierung von Autoren, die »nicht mehr mitzählen... Ich *will* auch eine so niederträchtige Bemerkung gar nicht verstehen«[44], und in dem ergreifenden Nachruf auf Otto Flake klingt nicht nur Schmerz über einen verehrten Schriftsteller, sondern Scham über die Schnödigkeit des Vergessens:

»Der einzige deutsche Politiker, der Flakes Tochter kondolierte, war Hermann Höcherl. Die Landesregierung Stuttgart sah sich außerstande, einen Vertreter zu entsenden, und ließ um zehn Uhr früh bestellen, der alte Stadtrat Haebler, der auch Baden-Badens Oberbürgermeister (verhindert durch eine Finanzdebatte) zu vertreten hatte, möge auf den Kranz hinweisen, den jenes deutsche Land durch die Fleurop geschickt hatte, dessen Dichter Flake war, seit er von 1929 an alle seine Erzählungen in dieser Landschaft verwurzelt hatte. Es kondolierte auch nicht der S. Fischer Verlag, dessen Autor Flake von 1912 bis 1948 ohne Unterbrechung gewesen war. Flake hatte 1934, als keiner der anderen Dichter das mehr riskieren wollte, die man dazu aufgefordert hatte, in der Frankfurter Zeitung den Nekrolog auf seinen verfemten Freund Samuel Fischer geschrieben. Natürlich fehlte jeder Vertreter der Literaturwissenschaft...

Es braucht kaum mehr hinzugefügt zu werden: Kein einziger deutscher Schriftsteller hat Otto Flake die letze Ehre erwiesen.«[45]

Vergessen, das ist auch Undankbarkeit – und Dankbarkeit ist für Hochhuth eine Tugend. In seinem amüsanten »Impromptu de Madame Tussaud«, in dem er seinen Verleger Ledig-Rowohlt als Inkarnation Churchills porträtiert und sich selber dem bewundert-gefürchteten Staatsmann konfrontiert, fragte er nicht nur die Herrscherin der Wachsfiguren besorgt, »wie lange, Madame, hält ein Schriftsteller bei Ihnen?«, sondern antwortet auch auf Churchills poltrige Frage »Dann sind Sie also bestechlich?« sehr knapp: »Ja – durch Dankbarkeit.«[46] Das eine hängt mit dem anderen zusammen: Respekt vor der Leistung des Anderen ist ja nur eine Variante des Konzepts, daß eben (nur) der Einzelne etwas bewirken kann – und daß gleichzeitig so leicht und so oft dieses Werk eines Menschen – gleichgültig, ob Künstler, Politiker oder Philosoph – von der Geschichte verschlungen, zumindest von den Menschen mißkannt wird. Die Erfolglosigkeit des 1948 in der Resignation gestorbenen Karl Valentin – »I bin nimmer komisch, hams g'sagt« – treibt Hochhuth zur wutbleichen Erbitterung, hinter der wohl deutlich die Furcht vor dem gleichen Schicksal zu lesen ist:

»Einhundertfünfundzwanzig Valentin-Platten lagen damals, zur Tatzeit – denn dies ist der Bericht über eine Ermordung –, im Archiv des Funkhauses. Doch keine war gut, war interessant, war komisch genug, um noch den Ansprüchen der Funkfunktionäre zu genügen, deren jeder heute mindestens zweieinhalbtausend DM Monatspension des Funks in einem als Redakteur verdienten Häuschen am Rande Münchens verzehren kann, vergnügt bis ans Ende mit reinem, weil nie benutzten Gewissen...«[47]

»Machtlose und Machthaber« nennt Hochhuth diesen Aufsatz – und die Machtlosen sind es allemal, die ihn interessieren; es sind die, die etwas tun, und deren Taten dennoch vergeblich sind. Ob es der hingerichtete Schweizer Hitler-Attentäter Maurice Bavaud ist, von dem Hochhuth in seiner Dankrede für den Basler Kunstpreis sagt »Wer lebt, wer feiert, wer sich sogar feiern läßt, der sollte wenigstens an einen derer erinnern, denen dies alles mißlang: zu leben, zu feiern, gefeiert zu werden«[48] und den er wohl deshalb »Tell 38« nennt, weil das einzige, was ihm gelang, war, daß sein Tod das Verbot von Schillers »Tell« im Nazireich bewirkte; oder ob es die Figur des »zerbrechlichen Kämpfers« Hemingway ist, in der Hochhuth die ganze Vergeblichkeit darstellen wollte, »mit der wir alle geschlagen und ›belohnt‹ sind, eben jener ›Mut aus Angst‹, von dem nur die Angst bleibt. Hemingway war der höchstbezahlte Schriftsteller seiner Zeit, sein Ruhm glich dem eines Filmstars – und er endete in der Schwärze wie ein Clochard, allein, vis-à-vis de rien. Menschenschicksal.«[49] Das Vergessen des Einzelnen – und das Schweigen eines Papstes: es ist für Rolf Hochhuth letztlich ein und dasselbe, ist jene »unverzeihliche Feigheit«[50], von der Susan Sontag in ihrem Hochhuth-Essay sprach. Bitterkeit und Erbitterung halten sich da die Waage; jener Respekt ist gleichzeitig die Quelle, aus der Hochhuth das Recht zur Belastung des Einzelnen schöpft, zu Vorwurf und Urteilsspruch, wie sie immer wieder in der Öffentlichkeit erregten Widerspruch produzieren – weil keiner Schuld auf sich nehmen, zugeben will:

»Der CDU-Politiker Norbert Blüm hat mit seinem Satz ›Die Konzentrationslager standen schließlich nur so lange, wie die Front hielt‹ gewagt, daran zu rühren, und eine Reaktion ausgelöst, die nur zu deutlich bewies, wie sehr er die Wahrheit sagte. Tatsächlich ist die Wehrmacht an der Massakrierung Europas in einem unverhältnismäßig viel höherem Maße schuld als die NSDAP. Denn die Nazis konnten ja nicht einmal Österreich besetzen – das konnte nur die Armee. Insofern sind auch die ganzen Spruchkammerverfahren ein unverantwortlicher Quatsch gewesen, denn die wirklich Schuldigen sind mit ganz wenigen Ausnahmen dort nie erfaßt worden. Und es ist natürlich lächerlich, irgendeinen harmlosen Ortsgruppenleiter – obwohl nicht alle harmlos waren – um Brot und Arbeit zu bringen, einzusperren, während zum Beispiel ein Generaloberst, der es überhaupt erst der SS ermöglicht hat, im Rücken der Front Juden einzufangen und zu ermorden, nicht nur von diesem Verfahren verschont blieb, sondern auch noch mit einer hohen Pension in den Ruhestand geschickt wurde.«[51]

Im selben Interview aber »entschuldet« Hochhuth wieder, sagt, es habe nicht jeder emigrieren oder Widerstand leisten können, er selber hätte es vermutlich auch nicht getan. Der Widerspruch bleibt ungelöst.
Es gibt eine Auflösung des Rätsels, eine Lösung des Widerspruchs: Rolf Hochhuths Täter sind in Wahrheit Dulder. Sie *erleiden* Geschichte, und ihr Eingriff ist temporär, begrenzt auf winzige Energiepartikel. Es ist eine zutiefst christliche Anthropologie: Der Mensch ist böse. Selbst wenn er »gut« ist – integer, honorig, nobel –, kann er sich seinem Urgesetz der Niedrigkeit, des Schlechten nie ganz entziehen. Deshalb ist Leszek Kola-

kowski der Denker, dem sich Hochhuth am ehesten verwandt fühlt. Er ist ein Pessimist, der sich Utopie verbietet, aber Hoffnung erlaubt. Im politischen Vokabular heißt das Reform statt Revolution; im historischen heißt es Verschlingen statt Fortschritt; und im poetischen hat Hochhuth es an seiner Figur des Ernest Hemingway vorläufig am deutlichsten ausgedrückt: Figur und Sprache verdingen sich einer tiefen Resignation. Einer zieht Bilanz, der viel gewollt, fast alles erreicht hat an Ruhm und Geld und Erfolg, und dessen Bilanz doch heißt: Null. Hochhuths Monolog einer großen Katastrophe steht unter dem Motto Hofmannsthals »Denn hier ist eine Abwesenheit des Tröstenden, wie keine Epoche sie gekannt hat«. Geschichte verröchelt. Wer nicht träumt – so sagen die Mediziner – wird verrückt; wer aber von einem konkreten Ziel träumt, der *ist* verrückt – das ist Hochhuths Credo. Es findet sich formuliert in einer Metapher, die dem amerikanischen Revolutionär Bolivar zugeschrieben wird, auf die Hochhuth sich beruft und die beides umreißt, das »vergebens« und das »dennoch«: »Das Meer pflügen«.

Hans Magnus Enzensberger

Wohl kaum ein Autor der Nachkriegsliteratur hat so viele Haßreaktionen ausgelöst quer durch alle Lager; gewiß hatte und hat Böll seine Prozeßgegner bei Springer, hatte Grass Hohn und Spott bei der Apo – aber sie konnten sich auch auf eine ziemlich zuverlässige, »tragende« Schicht an Zustimmung verlassen. Anders bei Hans Magnus Enzensberger. Von rechts über die Mitte bis ganz nach links gibt es Traktate, Pamphlete, Widerlegungsbroschüren gegen allerlei Thesen und Theorien, gegen Fechtübungen wie Anfechtbares des Lyrikers und Essayisten. Die FAZ verschickte 1963 mit einem Karton, wie er sonst für offizielle Einladungen üblich – »überreicht Ihnen die Schrift ›Enzensberger'sche Einzelheiten‹, korrigiert von der Frankfurter Allgemeinen Zeitung« – eine 42 Seiten umfassende Entgegnung auf Enzensbergers Aufsatz »Journalismus als Eiertanz«, der in seinem Band »Einzelheiten« die »Beschreibung einer Allgemeinen Zeitung für Deutschland« unternahm. Der »Spiegel«, dessen der folgende Essay sich annahm, reagierte raffinierter (und bestätigte damit Enzensbergers Analyse): er druckte entschärfte Auszüge des ursprünglichen Radiofeatures; übrigens mit Enzensbergers Genehmigung.

Einen regelrechten »Anti-Enzensberger« publizierte der linke Pahl-Rugenstein-Verlag, und die zum selben Spektrum gehörende Zeitschrift »Aesthetik und Kommunikation« druckte eine »Antwort auf Enzensbergers Medientheorie«. Aufsätze über »Moral und Masche des Hans Magnus Enzensberger« finden sich zuhauf, und der fulminanteste Angriff füllt ein über 300 Seiten dickes Buch, das Enzensbergers Politik- und Staatsbegriff in die Nähe des faschistischen Theoretikers Carl Schmitt rückt: Hans Mathias Kepplingers »Rechte Leute von links«.

Aber nicht nur dieser Feindschaft in Medien, die er oft genug attackiert hat, kann Enzensberger sich erfreuen. (Die ihm umgekehrt einen Aufmerksamkeitsgrad eingetragen hat, den eine etwas skurrile Untersuchung tabellarisch hochrechnet auf »etwa zwei Milliarden Gesamtauflage aller Beiträge über Enzensberger«.[1]) Er ist auch in ungewöhnlichem Ausmaß Subjekt wie Objekt von Auseinandersetzungen mit seinen Kollegen Schriftstellern; zwar hat er zu früher Stunde die Bücher von Böll und Grass, Johnson und Walser gepriesen,[2] doch alsbald, in seinem »Versuch, von der deutschen Frage Urlaub zu nehmen«, verhöhnt er Grass' innenpolitischen (gegen die Polit-Touristik gerichteten) Aufruf »Es wird hier geblieben«[3]; alsbald gibt es jene grimmige Attacke in Johnsons »Jahrestagen« auf Enzensbergers in den USA von der »New York Review of Books«, in Deutschland vom Berliner Extradienst (übersetzt von Bernward Vesper) publizierten Brief: »Warum ich die USA verlasse«, mit dem Enzensberger seinen Aufenthalt an der Wesleyan-University in Connecticut beendet, um zum Erbfeind Castro zu reisen – Johnsons Heldin mag in einem Deutschland nicht leben, wo »solche guten Leute« Wortführer sind; alsbald folgt jene erbitterte Auseinandersetzung mit Peter Weiss, die ihn noch in seinen 1981 veröffentlichten Notizbüchern sich erinnern läßt:

»Ich passe nicht in seinen Rhythmus, ich bin ihm zu einförmig, meine Sprache ist nicht abwechslungsreich genug, es muß doch Spaß sein oder nenns Galgenhumor, warum hast du nicht mehr von Villon, warum bist du nicht überhaupt ein andrer, und übrigens bist du schon viel zu alt... Du kannst nicht parodieren, willst dich selbst nur immer in den Vordergrund stellen, das ists, du bist eine Art Prophet, ja, du hast was Salbungsvolles an dir, das ist es, was ich an dir nicht leiden kann, wenn du doch gelassener, leichter wärest, aber diese Brusttöne, du glaubst, du wüßtest alles, könntest dich über alles äußern, vor allem über die Politik – ich glaub an nichts.«[4]

Nun ist das aber mehr als Literatenfehde – aparterweise meist ausgetragen in Büchern desselben Suhrkamp Verlages, nimmt man noch Walsers Sätze aus dem Band »Heimatkunde« hinzu:

»Hans Magnus Enzensberger stellt die 6000,– Mark des Nürnberger Kulturpreises denen zur Verfügung, die wegen ihrer politischen Gesinnung bei uns vor Gericht gestellt werden. Oder: es steht in der Zeitung, Uwe Johnson schafft mit Hilfe seines oder eines Fahrrads ›Spandauer Volksblätter‹ auf den Kudamm, wo sie von Kollegen verkauft werden; oder: Hans Mayer und Jean-Paul Sartre lehnen angesehene Preise ab.
Diese Gesten sind von unterschiedlichem Rang, sie können sympathisch oder unsympathisch sein, geistreich, ergreifend, lächerlich oder bewundernswert. Auf jeden Fall kommt in diesen Gesten Engagement zum Ausdruck. Zum Glück haben die Gestiker des Engagements auch Bücher geschrieben, von denen die Gesten erst ihre Ladung beziehen. Ohne diese Bücher hätten die Gesten weniger Sinn als die bandzerschneidende Hand

des Verkehrsministers bei der Brückeneinweihung. Und trotz diesen Büchern sind, glaube ich, die Gesten des Engagierten in Gefahr, in die Nähe der Zeremonie zu geraten. Auch das Happening ist ja eine Zeremonie; es wirkt nur deshalb unschuldiger, weil es sich für negativ hält.«[5]

Es sind Strichätzungen zur geistigen Physiognomie Hans Magnus Enzensbergers, den Jahre vor diesen Debatten Johannes Bobrowski schon in einem Distichon lächerte:

»Heute am Nordkap und morgen auf Delos, dem russischen Bären
sink ich ans Herz – und wohin sink ich dem Lama Perus?
Dichte ich nach (aus siebzehn der unverständlichsten Sprachen)
oder dichte ich vor, – überall bin ich zuerst.«[6]

Solche Spottverse formulieren ein generelles Votum, ob das nun bei Joachim Kaiser »koboldhaft«[7] heißt oder bei Hannah Arendt »Scheinradikalismus«[8], ob Hans Egon Holthusen ihn »joculator der Sprache«[9] nennt oder Martin Walser ihn eine Mischung aus Hund und Eule heißt, mit einer Wolfskappe verhüllt, einer, der »bleckt, wo er eigentlich lachen möchte«:[10] es herrscht ein großes Unbehagen im auf Festlegungen festgelegten deutschen Parnaß angesichts einer tänzerischen Widerspruchsbegabung, die den Widerspruch mit sich, zu sich selber kein bißchen scheut; ich möchte es ein deutsches Unbehagen nennen – und es ist kein Zufall, daß es Jürgen Habermas war, der es mit einem Diktum fixierte, das leicht auch als Verdikt zu verstehen ist:

»... wenn auch nicht frei von dem hauchdünnen moralischen Narzißmus, der in Deutschland seit den Tagen Heines politische Lyrik prägt.«[11]

Womit wir beim Thema wären. Als der erste Gedichtband – »Verteidigung der Wölfe« – erschien, war Enzensberger kein junger Mann mehr: genau 30 Jahre. Ziemlich exakt in der Mitte des 90 Seiten schmalen Bandes, zwischen den »freundlichen« und den »bösen«, also bei den »traurigen« Gedichten steht die erste Selbstbestimmung, adressiert nur an sich, daher »Geburtstagsbrief« genannt: da verachtet sich ein Narziß. »Alt bist du: alt« beginnt das 16zeilige Gedicht, das aus einem Satz besteht – einem Urteil, dessen Metaphernwelt sich zusammensetzt aus verdorrt/schimmeln/Zunder/Schwamm/Pilz/Flechte/Asche/Spinnen/Mergel/Kalk. Das letzte Wort des Gedichts ist wiederum: »alt«.[12] Kein fröhlicher Geburtstagstisch, den der 30jährige sich deckt – doch geriete auf falsche Fährte, nähme Spielgeld für bare Münze, wer diese Schwarzzeichnung als Selbstporträt ansähe. Die von Enzensberger dem Buch eigenhändig beigegebene Vita verrät eine gewisse schnippische Verächtlichkeit den bisherigen Lebensstationen gegenüber:

»Geboren am 11. November 1929 in Kaufbeuren im bayerischen Allgäu (unter uns gesagt der Geburtsstadt Ganghofers...); als Kind in Nürnberg; ›Reichsparteitage‹ vor mittelalterlicher Kulisse; im Nachbarhaus wohnte Streicher, die Leute aus den Slums brachten ihm Blumen zum Geburtstag; später kamen die Luftminen. Im Winter 44/45 zum Volkssturm; Ehrenkleid in die Mülltonne, Schwarzhandel und Abitur. Studium in Erlangen, Hamburg, Freiburg im Breisgau und an der Sorbonne; Literatur, Sprachen, Philosophie. Zwei Jahre Studententheater. In den Ferien Trampreisen durch Europa. Promotion 1955.«[13]

Der letzte Satz gibt dem, der sich verirren mag in den sieben Räumen des Enzensbergerschen Fabelschlosses ein Passepartout in die Hand: sechs Jahre vor seinem ersten Gedichtband hatte der Erlanger Student ein Buch geschrieben, das erst zwei Jahre nach »Verteidigung der Wölfe« erscheinen sollte – und das bereits im zweiten Satz – gleichsam ein kicherndes Echo, bevor da überhaupt jemand gerufen hatte – verkündet, »Sein wahres Wesen kennen wir nicht!«[14] Es ist die ›Summa cum laude‹ benotete Dissertation »Brentanos Poetik«. Die für einen 24jährigen ganz und gar ungewöhnliche (Selbst)-Analyse anhand vornehmlich dreier Gedichte eines Mannes, der früh schon von einem Zeitgenossen »Halb Fisch, halb Mensch«[15] genannt wurde, hat zum Gegenstand der Untersuchung jenes »Auseinandertreten«, das Enzensberger im von ihm in der Einleitung zitierten Rimbaud-Satz »Je suis un autre« wiederfindet. Es ist die »Getheiltheit«, die Brentano in einem Brief an Philipp Otto Runge exakt beschreibt:

»Mein Selbstgefühl glich der abgelösten Farbendecke eines im Wasser versunkenen Pastellgemäldes, welche noch kurze Zeit oben schwimmt. Ich hätte es vielleicht behutsam wieder auffassen können, ... aber [ich ließ es,] mich... mutig den Wellen übergebend, an meiner Brust scheitern...«[16]

In seiner ersten Analyse, die dem Gedicht »Wiegenlied eines jammernden Herzens« gilt, sieht Enzensberger bereits das Herz des Gedichts als poetischen Vorwand zu einem Bekenntnis, das in Wahrheit keine Innenwelt preisgibt; das Herz kommt nicht selbst zur Sprache; Enzensberger interpretiert:

»Mit dieser Erörterung sind bereits zwei Wesenszüge des Gedichts ermittelt, die im folgenden nicht mehr außer acht zu lassen sind: die besondere Introversion seiner Welt und die in dieser Welt durchgängige Struktur der Identität von Subjekt und Objekt.«[17]

Im Zentrum dieses großen Essays über Brentano steht eine sehr sorgsame Beschäftigung mit dessen schrecklicher Paraphrase der Vergeblichkeit, seinem 16 mal vier Zeilen langen Gedicht »Der Traum der Wüste« und dessen Rätselzeile »Fand Liebe ein Geschiebe Fraueneis«. Ein gnadenloses Poem bis ins Detail der Wortwahl:

»O Liebe, Wüstentraumquell, bei'm Erwachen
rauscht dir kein Quell, es wirbelt glüher Sand,«

Enzensberger nennt es »ein Zustandsgedicht, das, streng genommen, weder Anfang noch Ende hat, und dessen lyrischer Vorgang einem dauernden Kreisen um ein Thema zu vergleichen ist, das variiert, glossiert und kommentiert wird«.[18] Er begreift dieses Meisterwerk Brentanos als unaufhörliches Gedicht, als Litanei zum Tode hin, das in seinem Abreißen, Kreisen, Variieren, in seinem einzigen Ausweg aus der Wüste des Herzens: dem Tod, Góngora vorwegnimmt.
Wo findet der aufmerksame Enzensberger-Leser Góngora? Als Motto vor Enzensbergers Gedicht »Schaum« – eine frappante Replik auf eben dieses Brentano-Gedicht.[19] Es ist eine der wichtigsten lyrischen Arbeiten Enzensbergers, ein metrisches »de profundis«, das die Begriffswelt der Einsamkeit aus der dorren Wüstensprache des Romantikers aus dem neunzehnten Jahrhundert in die quirlig-feuchte, unfaßbare Klebrigkeit der Sprache des zwanzigsten übersetzt. Es ist bis in den Titel hinein Antwort, im Sinne nicht der Entgegnung, sondern der Akzeptanz; hier spricht ein Nachgeborener. Das geheimnisvolle Wort »Smum« – Zusammenziehung aus Samum – bezeichnet einen sengenden Wüstenwind. Er ist so erstickend wie Schaum:

»O Wüstentraum, wo Sehnsucht Feuer trinket,
Und Liebe, angehaucht vom gift'gen Smum,
Ohn' Trost und Hoffnung todt zur Erde sinket; –
O Tod ohn' Liebe, Hoffnung, Ehr' und Ruhm!«[20]

Enzensbergers Interpretation dieses Verses wie aller übrigen liest sich wie die präziste aller denkbaren Ergründungen des eigenen großen Gedichts, das die Klage Brentanos neu ausdrückt:

»ich bin geblendet geboren, schaum in den augen,
brüllend vor wehmut, ohne den himmel zu sehen,
am schwarzen freitag, heute vor dreißig jahren.

schaum vor dem mund des jahrhunderts! schaum
in den kassenschränken! jaulender schaum
in den gebärmüttern und den luxusbunkern!
schaum in den rosa bidets!

dagegen hilft kein himmlischer blitz! das blüht,
das überzieht die erde an haupt und gliedern
mit rasendem rotz! das reutet kein feuer,
kein schwert! das endet nicht! dagegen gibt es,
ehrlich gesagt, keinen rat, kein beil, kein geheimnis.
das ist zu süß! das steigt aus dem abgrund auf
und schäumt! und schmunzelt! und schäumt!«[21]

Traum als Vision wie als Alptraum, als Fata Morgana jedoch stets, die allenfalls weggaukelt das Ende, den Tod – »die rosige Zukunft«. Mit diesen Worten schließt Enzensbergers Gedicht. Seine Brentano-Studie endet mit dem Zitat des einzigen deutschen Dichters des 19. Jahrhunderts, auf den Brentanos Poesie eine unmittelbare Wirkung hatte:

»Die Muse die uns aus den Poesien des Herren Clemens Brentano so wahnsinnig entgegenlacht, ...zerreißt... die glattesten Atlasschleppen und die glänzendsten Goldtressen, und ihre zerstörungssüchtige Liebenswürdigkeit und ihre jauchzend blühende Tollheit erfüllt unsere Seele mit unheimlichem Entzücken und lüsterner Angst. Seit funfzehn Jahr lebt aber Herr Brentano entfernt von der Welt, eingeschlossen, ja eingemauert in seinen Katholizismus. ...Gegen sich selbst und sein poetisches Talent hat er am meisten seine Zerstörungssucht geübt.«[22]

Die Rede ist von Heinrich Heine.
Ein Kreis schließt sich. Nicht nämlich ist die Rede von jenem Heine, den Alfred Andersch offenbar im Sinne hatte, als er anläßlich des Erscheinens von »Landessprache« schrieb: »Es gibt für den Auftritt Hans Magnus Enzensbergers auf der Bühne des deutschen Geistes keinen anderen Vergleich als die Erinnerung an das Erscheinen von Heinrich Heine.«[23] Damit hat Andersch offenbar den politischen Sänger der Metternich-Zeit im Auge. In unserem Zusammenhang ist aber der »unzuverlässige« Heine gemeint, der, der sich auch für imstande erklärte, bei guter Bezahlung Verse *für* Metternich zu schreiben, der sich vor plumper Politverseschmiederei der Herwegh und Freiligrath graulte, den es vor den tabakdampfenden Sansculotten-Versammlungen bei Börne graute, »über« den er sich setzte.

»loslassen! loslassen! ich bin keiner von euch
und keiner von uns: ich bin zufällig geboren
unter schäumenden wasserwerfern, zufällig brüllend,
ehrlich gesagt, allein, ohne brüder, geblendet,
am schwarzen freitag, in einem rosa bidet.«[24]

Diese Verse aus dem »Schaum«-Gedicht drehen jene Heine-Pirouette, die nicht nur von Habermas beargwöhnt, sondern Enzensberger stets und zu allen Zeiten den Vorwurf der zierlichen Wendigkeit eintrug. Eine Anthologie ließe sich zusammenstellen aus Verszeilen und Prosasätzen, die »laßt ab von uns und von euch/und von mir!«[25] rufen, die dem »Mann in der Trambahn« bescheinigen, die Welt sei »vergebens zubereitet für dich«:

»wozu? ich mag nichts wissen von dir, mann
mit dem wasseraug, mit dem scheitel
aus fett und stroh, der aktentasche voll käse.
nein. du bist mir egal, du riechst nicht gut.
dich gibts zu oft. im treppenhaus dein blick
hinter schaltern ist überall vor den kinos,
ein spiegel, mit gieriger seife verschmiert.
und auch du (ach nicht einmal haß!) drehst dich
zu den nußbaumkommoden fort, zu sophia loren,
gehst heim voller schweiß, voller alpen-
veilchen und windeln.«[26]

Da spricht der Heine der Salons und Rothschild-Diners, der Connaisseur von Pariser Passagen und Damen, der vor Revolutionskomitees zu Soireen im Faubourg Saint-Honoré flüchtete und vor Töpfen mit Hammelkeule zu den Schampanir-Déjeuners ins Grand Vefour. Nun liegt auf der Hand und vielen dünnlippigen Rezensenten im Mund das eilfertige Urteil der Charakterlosigkeit, auch das schon im Karl-Kraus-Notat »Ein Talent doch kein Charakter« vorfixiert. Ob es sich doch ein wenig anders verhält?

Man könnte dem bereits begegnen mit der Brecht zugeschriebenen Anekdote, derzufolge er zwar Oscar Wilde und dessen Dandytum nicht sonderlich mochte, angesichts der Buckower Gräue aber bereit sei, ihm täglich eine frische Chrysantheme fürs Knopfloch zu schneiden. Es geht aber nicht um den Snob und allerlei Byron-Imitationen. Vielmehr geht es um jenes »Auseinandertreten«, dem wir schon bei Brentano und Enzensbergers Arbeit über ihm begegneten; das Gegen-Wort wäre wohl »Zusammenschluß« – und, tatsächlich, der ist Enzensberger fremd, zuwider. Was er (sich) leistet, sind nervös-empfindliche Beobachtungen; das ist sein »Materialismus«. Material aber – Geschichte, Politik, Moral – ist in Widersprüchen gegliedert. Von diesen Widersprüchen berichtet ein intelligentes Subjekt. Das aber bleibt er, also selber widersprüchlich: das Wort Ich kommt nicht zufällig so oft in seinen Gedichten vor. Enzensberger ist niemandes Sprachrohr oder Lautsprecher – die ja bekanntlich keine Eigenstimme haben, sondern Fremdstimmen verstärken –, sondern er ist stets dieses Ich, das Einsichten verwirft, Erkenntnisse widerruft, Gefühlen mißtraut. Da tritt, wird sein Name aufgerufen, niemand hervor und ruft »Hier«:

»wer mag das gewesen sein?
wer immer es war,
streicht ihn aus.«[27]

Das zitiert nicht absichtslos den anderen Großen Unzuverlässigen, den armen BB, Nachfahr aus den schwarzen Wäldern, in dem wir einen hatten »auf den könnt ihr nicht bauen« – hergekommen auch er von Rimbaud und nicht angelangt bei einem Marx, der ihm Probebühne war für seine Vorschläge. Für Enzensberger sind es Fragen: die häufigste Argumentationsstruktur seiner politischen Essays; oft ein Infragestellen: »Ihr ändert die Welt nicht.«[28] Wenn mit dieser Zeile bereits sein erster Gedichtband endet, so ist das nicht als glissant mißzuverstehen, vielmehr als dialektisch zu begreifen. Wie ein Lackmuspapier Säuren und Gifte anzeigt – im Doppelsinne des Wortes –, ohne selber unversehrt zu bleiben, bergen Enzensbergers Gedichte Geröll und Dreck und Unrat neben dem Hoffnungsglimmer der Schönheit und dem flimmernden Quarz der Liebe. Ein wesentliches Detail seiner poetischen Methode führt das besonders deutlich vor: Die Verwendung und Umwendung von Sprachsplittern der Alltagswelt. Ob »die ökonomische Scheiße« (Karl Marx) oder »weil sie so lecker ist« (eine Margarinereklame), ob »call it love« (ein Schlagertitel) oder »seid nett zueinander« (eine Springer-Parole): Es macht die aufreizende Emphase von Enzensbergers Stil aus, daß er das scheinbar Unzusammengehörige in Verbindung bringt, Versatzstücke unseres Gedächtnisses zum Bewußtsein fügt. Noch in den furiosen »Gemeinplätzen, die Neueste Literatur betreffend« des »Kursbuch« 15 heißt es: »Nicht einmal das Buchgeschäft hat Grund zur Besorgnis; denn um sieben Uhr morgens, wenn die Dahingegangene sich ausschläft, ist die Welt jeweils wieder in Ordnung.«[29]

Das nun kann nur mehr der Zeitgenosse entschlüsseln, der sich erinnert, daß einer der schmalzigsten Bieder-Beststeller dieser Jahre ein Trivialroman mit dem deutschen Titel »Morgens um 7 ist die Welt noch in Ordnung« hieß; ein besonders absurder Name für einen Gebrauchsgegenstand der Jahre 1968/1969. Dieses Montageprinzip ist reizvoll – und preziös. Tatsächlich sind ganze Passagen seiner Arbeiten, vollständige Gedichte ohne aufschlüsselnde Anmerkungen nicht zu begreifen. Texte wie »Sommergedicht« oder »Himmelsmaschine« oder »Hommage à Gödel«[30] sind ohne diese Anmerkungen schlichtweg unverständlich, verkommen zum Bildungsklassiker. Lyriklektüre als Kreuzworträtsel. Diese Methode verläßt die Spielebene und wird heikel, wenn Enzensberger in seinen politischen Aufsätzen sich qua Montage Pointen zurechtverzieratet, die die als Argumentstütze herangezogenen Texte nicht hergeben. Schon von der FAZ mußte er sich in deren Entgegnung etlicher Zitatmanipulationen überführen lassen; Johannes Gross führt in seiner »Politik und Verbrechen«-Rezension ein solches Beispiel vor Augen:

»Im deutschen Strafgesetzbuch heißt es schlicht: ›Eine mit Zuchthaus oder mit Einschließung von mehr als fünf Jahren bedrohte Handlung ist ein Verbrechen.‹ (S. 9)

Im § 1 des Strafgesetzbuches heißt es aber nicht so schlicht, wie Enzensberger zitiert, sondern vielmehr:

›Abs. 1) Eine mit Zuchthaus oder mit Einschließung von mehr als fünf Jahren bedrohte Handlung ist ein Verbrechen.

Abs. 2) Eine mit Einschließung bis zu fünf Jahren, mit Gefängnis oder mit Geldstrafe von mehr als einhundertfünfzig Deutsche Mark oder mit Geldstrafe schlechthin bedrohte Handlung ist ein Vergehen.
Abs. 3) Eine mit Haft oder mit Geldstrafe bis zu einhundertfünfzig Deutsche Mark bedrohte Handlung ist eine Übertretung.‹
Man sieht, daß das Gesetz gar nicht das Verbrechen im allgemeinen Sinne definieren will, sondern bloß im technischen, zur Unterscheidung von dem Vergehen und der Übertretung. Das kann Enzensberger nicht entgangen sein; offenbar fand er seine Darlegungen nicht so eindrucksvoll, daß er auf die kleine Täuschung hätte verzichten mögen.«[31]

Enzensbergers Stilprinzip, Redensarten und Volksweisheiten, Akten und Prozeßprotokolle, Werbesprüche und Armeeverordnungen »zur Sprache zu bringen«, ist von Reinhold Grimm in seinem Aufsatz »Montierte Lyrik«[32] gründlich untersucht worden, in dem er unter anderem auf ein zu Enzensbergers Arbeitsweise verblüffend genau passendes Benn-Bekenntnis verweist:

»›Der Mensch‹, fordert Benn, ›muß neu zusammengesetzt werden aus Redensarten, Sprichwörtern, sinnlosen Bezügen; aus Spitzfindigkeiten, breit basiert –: Ein Mensch in Anführungsstrichen. Seine Darstellung wird in Schwung gehalten durch formale Tricks, Wiederholungen von Worten und Motiven – Einfälle werden eingeschlagen wie Nägel und daran Suiten aufgehängt.‹ Woher beziehen die Lyriker ihr Material, das sie bearbeiten, arrangieren, ›faszinierend montieren‹? ›Gedankengänge‹, lautet die Antwort, werden gruppiert, ›Geographie herangeholt, Träumereien eingesponnen‹. Man muß ›Nüstern‹ haben ›auf allen Start- und Sattelplätzen‹, auf dem intellektuellen, da wo die materielle und die ideelle Dialektik sich voneinander fortbewegen wie zwei Seeungeheuer, sich bespeiend mit Geist und Gift, mit Büchern und Streiks – und da, wo die neueste Schöpfung von Schiaparelli einen Kurswechsel in der Mode andeutet mit dem Modell aus aschgrauem Leinen und mit ananasgelbem Organdy. Aus allem kommen die Farben, die unwägbaren Nuancen, die Valeurs – aus allem kommt das Gedicht.«[33]

Ein anderer Interpret, Hans Egon Holthusen, sieht das Modell für diesen Stilgestus bei W. H. Auden und dessen »scharfzüngigem Highbrow-Ton, der seine eigene Virtuosität genießt, der die konventionelle Grammatik der Dinge durcheinanderschüttelt ... ein robuster und übermütiger Spielmannston«.[34]

Es scheint also viele Väter zu geben. Auf einen – den einen? – hat Enzensberger sehr früh selber aufmerksam gemacht: Als wesentliches Moment der Brentano'schen Poetik hat er »die entstellte Redensart« in seiner Analyse des Gedichts »Wenn der lahme Weber träumt« hervorgehoben.[35] Wenn Enzensberger außer in seiner Brentano-Studie je eigenes Formverhalten mitdachte, dann wohl nur noch in seinem Essay zu Neruda, auf dessen enge innere Verwandtschaft zu Brecht er extra hinwies. Dieser Satz liest sich wie eine Erläuterung des eigenen Verfahrens, Gedichte herzustellen:

»Sie sind Poesie in *statu nascendi,* will sagen: der Vorgang seiner Entstehung bildet sich fortwährend im dichterischen Produkt ab, als ein ständiges Suchen, ein Pochen, ein Wühlen in der versteinerten und ertaubten Sprache...«[36]

Hier ist also ein anderes Element des »Unzuverlässigen«: das Unfertige. So formal perfekt sich Enzensbergers Gedichte lesen, so spröde, Risse vorweisend statt zuschreibend sind sie in Wahrheit. Es sind Materialprüfungen – und damit in Gestalt der lyrischen Komposition so gut Frage wie seine Essays. Witterungen allemal. In dem Wort steckt aber »wittern« wie «Wetterumschwung«; beides, das Motorische wie das Seismographische ist Enzensbergers Arbeiten eigen. Das hat gelegentlich wahrsagerischen Charakter; sein Brief an den Bundesminister der Justiz endete so:

»Wegen seiner politischen Gesinnung, ja selbst des Versuches wegen, sich eine politische Gesinnung zu verschaffen, die man noch gar nicht hat: bei dem Versuch, herauszufinden, was bei uns auf offener Straße geschieht, kann man auf offener Straße erschossen werden. Vor zehn Jahren, Herr Minister, hießen die Stützen der Gesellschaft, der Sie dienen, Vialon und Globke, und ihre Feinde Gerns und Schabrod. Heute ruht unser Gemeinwesen auf den Schultern von Wehner und von Kurras; zu seinen Feinden hat dieses Gemeinwesen sich Tausende von namenlosen jungen Leuten gemacht; morgen werden es Zehntausende sein. Dem, den der erste Schuß getroffen hat, hilft keine Spende mehr.«[37]

Darunter steht das Datum 1. Oktober 1967. Am 2. Juni 1967 war Benno Ohnesorg bei der Berliner Anti-Schah-Demonstration erschossen, der Schütze Kurras nie auch nur in Untersuchungshaft genommen worden. »The fire next time« – das sollte der Beginn von Demonstrationen sein, die mehr als ein paar Tausend auf die Straße brachten. Bahman Nirumand, der persische Student, dessen erste Persien-Analysen Enzensberger im »Kursbuch« Nr. 2/1965 gedruckt, dessen Angaben der »Spiegel« zu widerlegen versucht hatte und dessen rororo-aktuell-Taschenbuch die Studenten bei der Demonstration bei sich trugen, hat, denkt man an den Schah heut in der Nacht, recht behalten.[38] Das Züngelnde, Ungleichzeitige, den eigenen Schrei im Echo schon Widerrufende von Enzensbergers politischen Aktivitäten – ob nun als Weichensteller des »Kursbuch«, als Redner oder Pamphletist, ist vielleicht zu erklären, wenn man seine vielfach variierte Frageform nicht lediglich als rhetorische Stilattitüde versteht, sondern als existentielles Grundmuster. Gewiß hat, auf der Ebene der platten Debatte, Johannes Gross recht, wenn er die Redefigur der Frage bei Enzensberger als höhnische Unterstellung dechiffriert;[39] seine »Fragen« an einen Bundesverteidigungsminister sind in Wahrheit kaum verhohlene Behauptungen, Anklagen gar; so gut wie im »Brief an den Bundesminister der Justiz« die Gebärde des »Sie wissen mehr als ich« Spott ist:

»Eine zweite Hypothese ginge dahin, daß einer von uns beiden ein Ignorant wäre. Was Sie betrifft, Herr Minister, so scheint mir diese Annahme gänzlich abwegig; schließlich sind Sie schon ex officio gezwungen, sich mit den Bock- und Rösselsprüngen der politischen Justiz in Deutschland zu befassen. Den Vergleich mit den Ihrigen mögen meine Sachkenntnisse freilich nicht auszuhalten: die Justiz ist nicht mein täglich Brot.«[40]

Das ist legitimer Stil parlamentarischer Debatten. Nun gibt es aber eine Meta-Ebene. Die Frage ist ja Ur-Orientierungsmittel des Menschen, des Kindes schon; Welterfahrung als Erfragung ist der Beginn von Kenntnis, also Erkenntnis. »Wie heißt du?« oder »Woher kommst du?« ist Beginn jeder Kinderfreundschaft im Sandkasten – und »cogito ergo sum« ist das Ende dieses Denkschemas. Fragen heißt zweifeln. Enzensbergers stetes »Man wird sich doch noch erkundigen dürfen« und sein »Lösungen weiß ich nicht«[41] hängen miteinander zusammen. In der Lyrik ist das die Dimension der Vergeblichkeit, die wir von Brechts »Warum seid ihr nicht im Schoß eurer Mütter geblieben«[42] kennen und von Benns

»O daß wir unsere Ururahnen wären.
Ein Klümpchen Schleim in einem warmen Moor.«[43]

Bei Enzensberger beginnt das mit dem Zweifel, ja: Verzweiflungswort: »Warum«:

»warum kann ich nicht konten und feuer löschen,
abbestellen die gäste, die milch und die zeitung,
eingehn ins zarte gespräch der harze,
der laugen, der minerale, ins endlose brüten
und jammern der stoffe dringen, verharren
im tonlosen monolog der substanzen?«[44]

In der politischen Essayistik ist es die Gebärde der Skepsis – auch der eigenen Position gegenüber. Die Nachbemerkung seines Buches »Politik und Verbrechen« endet mit den Worten:

»Dieses Buch will nicht recht behalten. Seine Antworten sind vorläufig, sie sind verkappte Fragen. Mögen andere kommen, die es besser machen.«[45]

Dem ist nun mit dem flotten Diktum von der »falschen Demut«[46] nicht mehr beizukommen. Wir sind wieder bei Heine. Wer in Deutschland eine eigene Ansicht bezweifelt, gar widerruft; wer in Deutschland einem eigenen Gefühl mißtraut, es gar belächelt; wer in Deutschland Vorstellungen und Wünsche an Erfahrungen überprüft, gar korrigiert: der ist untreu – wem oder was immer. Die deutsche Ehre ist Treue. Dann, fürwahr, ist Hans Magnus Enzensberger kein deutscher Schriftsteller; ein undeutscher zumindest – womit er in guter Gesellschaft wäre. Als Martin Walser schon 1961 in der »Zeit« seine kleine Porträtskizze mit der Bemerkung begann »... daß Enzensberger es nirgends lange aushält«,[47] hatten die Aufenthaltsorte des fliehenden Dichters noch gar nicht Norwegen und Italien, USA und Kuba gelautet; und erst eine kleine kokette Danksagung im Band »Freisprüche« verriet, daß Enzensbergers zweite Frau Sowjetrussin mit Wohnsitz in London ist – wo er nicht lebt.[48] Wir müssen die Grundhaltung »Wir nämlich wissen kaum, was das heißen soll: *wir*«[49] ernst nehmen, die nicht nur seine Büchnerpreis-Rede prägte; in toto ein Fragenkatalog. Enzensbergers Versuche der politischen Orientierung sind Erkundigungen; in dem Wort stecken viele Begriffe: Kunde; Kundgebung; sich kundig machen; kündigen. Daß Enzensberger immer wieder jede Vereinbarung kündigte, ist der Hauptvorwurf. Dem Irrtum, daß die Kunst der Wortsetzer eine eindeutige zu sein habe, daß Spiel nicht auch stetes Fahrenlassen miteinbegreift, daß Glück nicht traurig machen und Hoffnung nicht verbittern kann – diesem Irrtum scheint vor allem Hans Mathias Kepplinger in seiner umfangreichen Enzensberger-Entlarvung aufgesessen zu sein. Zur bigotten Komik gerät das dort, wo er Gedichte wörtlich nimmt wie eine Geburtsurkunde:

»Enzensberger glaubt sich ›zufällig geboren/ ... in einem rosa bidet‹. ... Über seine eigene Geburt schreibt er: ›ich bin geblendet geboren, schaum in den augen,/ brüllend vor wehmut, ohne den himmel zu sehen,/ am schwarzen freitag, heute vor dreißig jahren‹, an jenem Tag, als er ›herausfuhr, schreiend,/ aus meinem sarg, aus meiner mutter‹.«[50]

Ob Enzensberger sich wirklich in einem rosa Bidet geboren »glaubt« – wir wollen das als unwahrscheinlich dahingestellt sein lassen; auch nicht erörternswert. Erörternswert ist allerdings eine analytische Methode, die das Spielgeld des Dichters für bare Münze, den Zylinder des Zauberers für einen Zylinder und das weiße Kaninchen für ein weißes Kaninchen nimmt. Enzensbergers Ästhetizismus wird von Kepplinger genau belegt:

»Überall lauert das Mittelmaß und bedroht E. in seiner Einzigartigkeit. ›Dich gibt's zu oft›, bescheinigt er dem ›mann in der trambahn‹, ›das deutsche Proletariat und das deutsche Kleinbürgertum‹, stellt er fest, ›lebt heute, 1960, in einem Zustand, der der Idiotie näher ist denn je zuvor‹. Doch auch die Vergangenheit erinnert ihn an nichts Besseres, ›die Leute aus den Slums brachten‹ Julius Streicher, der neben E. wohnte, ›Blumen zum Geburtstag‹ – nur die Leute aus den Slums?«[51]

Nein, gewiß nicht. Nur: In den Slums wohnten viele *Wähler* Hitlers, und mit dem einen Halbsatz geht Enzensberger eine große Geschichtslegende an vom industriefinanzierten Gefreiten und seiner »Machtergreifung« über ein geknebeltes Volk. Nur, daß eben die Herren aus Grunewald und Harlaching nicht alle seine Wähler waren. Kepplingers Technik der Gedicht-Interpretation bliebe lustig – und erinnerte lediglich an die Anekdote, derzufolge Franz Marc einer entgeisterten Vernissagebesucherin auf ihre Bemerkung »Pferde sind aber nicht blau«, kurz antwortete, »Das sind auch keine Pferde, das ist ein Bild« –, wenn er sie nicht übertrüge auf seine Entlarvung des Enzensbergerschen Politikentwurfs; der sei haargenau identisch dem des berüchtigten Carl Schmitt:

»Hans Magnus Enzensberger verwendet den gleichen Politikbegriff wie der juristische Anwalt des Nationalsozialismus Carl Schmitt. Wie Carl Schmitt hält E. die Gewalt für die Ursache und Grundlage aller bisherigen Politik, die Feindschaft für die spezifisch politische Konstellation.
E. verwendet den gleichen Staatsbegriff wie Carl Schmitt. Wie Carl Schmitt erscheint ihm die absolute und positive Souveränität auch heute noch als Kriterium für die Natur des Staates. Der von allen Bindungen prinzipiell unabhängige Souverän hat die Gewalt und damit die Politik monopolisiert. Seine Herrschaft zeigt sich im Umgang mit dem äußeren Feind, in seiner Fähigkeit zur Kriegführung und im Umgang mit dem inneren Feind, im Recht zur Todesstrafe. Der Souverän herrscht zumindest potentiell absolut. Seine Freiheit ist identisch mit der Unfreiheit seiner Untertanen.
Wie Carl Schmitt hält E. diese Darstellung für eine Realitätsbeschreibung.«[52]

Ja. Nur unterschlägt Kepplinger den wesentlichen Unterschied: Der eine verteidigt, proklamiert geradezu, was er seiner »Realitätsbeschreibung« verdankt; der andere beschreibt, um das Definierte zu bekämpfen oder zumindest qua Definition als zu Bekämpfendes darzustellen.
Die Fragwürdigkeit von Enzensbergers Poetikbegriff ist weitaus präziser erfaßt in dem von ihm selber provozierten Disput mit Hannah Arendt, nachdem sie eine Rezension seines Buches »Politik und Verbrechen« mit einem Brief an den »Merkur« abgelehnt hatte, der diesen Brief abdruckte; Enzensbergers zentrale These – nämlich die Gleichsetzung aller Politik mit Verbrechen – attackiert sie bereits in diesem Brief als bei Lichte betrachtet unpolitisch:

»Dies sind Irrtümer, die sehr verständlich sind, wenn man vom Marxismus kommt, vor allem in seiner Ausprägung und Umgestaltung durch Brecht und Benjamin. Aber zum Verständnis politischer Vorgänge trägt es nichts bei. Im Gegenteil, es ist nur eine hoch kultivierte Form des Escapismus: Auschwitz hat die Wurzeln aller Politik bloßgelegt, das ist wie: das ganze Menschengeschlecht ist schuldig. Und wo alle schuldig sind, hat keiner Schuld. Gerade das Spezifische und Partikulare ist wieder in der Sauce des Allgemeinen untergegangen. ... wenn Auschwitz die Konsequenz aller Politik ist, dann müssen wir ja noch dankbar sein, daß endlich einer die Konsequenzen gezogen hat.«[53]

Mit einer für ihn seltenen Emphase verteidigt sich Enzensberger, der sonst in Debatten und Querelen sich eher bajuwarisch-amüsiert gibt; er wehrt sich so energisch gegen Hannah Arendts letzten Satz, daß er »alles, was ich geschrieben habe« dagegen einsetzt:

»Dieser Satz nimmt es weder mit der Gerechtigkeit, noch mit der Logik genau. Er ist moralisch unvereinbar mit allem, was ich geschrieben habe, und er hat keinen logischen Sinn. Die äußerste Konsequenz aus der Entwicklung der nuklearen Geräte wäre die Ausrottung des Lebens auf der Erde. Wer dies feststellt, dem sollte niemand mit der Antwort begegnen, wir müßten dankbar dafür sein, wenn endlich einer diese Konsequenz zöge.«[54]

Die Debatte war damit nicht zuende[55], aber sie hatte Licht geworfen auf eine Denklinie Enzensbergers: der Zusammenfall von Moral und Ästhetik. In Max Weber'schen Kategorien ist Enzensberger der klassische Gesinnungsethiker – der Merker –, der dem Verantwortungsethiker abgrundtief mißtraut – als dem möglichen Täter: von Gewalt. Das heißt in der Vita etwa die fluchtartige Reise von USA nach Kuba, um sehr bald Kuba zu verlassen; das heißt in der politischen Publizistik etwa jener »Abschiedsbrief« an die Wesleyan-University und nach einiger Zeit die öffentliche Denunziation des Castro-Regimes und diverser anderer Länder des »realen Sozialismus«[56]; das heißt im Lyrischen, »Schatten sind meine Werke«[57] – die letzte Zeile seines Gedichtbandes »Blindenschrift«.
Falsch angefangen – das könnte Enzensbergers lächelnd-traurige Lebensmaxime sein. Es ist aber der Titel des Textes, mit dem er das »Kursbuch« Nr. 1 eröffnet: Samuel Becketts »Faux departs«. Das war noch ein sehr literarischer Beginn, eine »normale« Literaturzeitschrift mehr, mit Arbeiten von Jürgen Becker, Uwe Johnson, Peter Weiss, mit viel Lyrik und einer Debatte zwischen Sartre und Claude Simon. Ein Kritiker konnte verblüfft fragen: »Warum nicht, aber: warum?«[58] Doch schon das zweite Heft verzichtete gänzlich auf Literatur, druckte statt dessen Frantz Fanon oder Fidel Castro. Das »Kursbuch«, seinem Namen getreu, gab Richtungen an – die sich ständig änderten; es schrieb keine vor. Das Prozeßhafte dieser Inszenierung trug wohl zu seinem Erfolg bei, der sich spätestens ab Heft 9 – Juni 1967 – also »zum« Schah-Besuch – einstellte. Das offene Ausprobieren von Modellen, oft kurz danach wieder verworfen, entsprach den vielfältigen Denkebenen und Lebensformen dieser Protestjahre. Eine Geschichte der sogenannten 68er-Bewegung könnte in ihren

vielfältigen Verästelungen und Rinnsalen nicht geschrieben werden, ohne das »Kursbuch« zu berücksichtigen, in dem von Fritz Teufel über Rudi Dutschke bis zu Christian Semler (um extrem verschiedene Repräsentanten zu erwähnen) die Wortführer der Neuen Linken publizierten. Die Zeitschrift, bald in 40 000 bis 50 000 Exemplaren in einem eigenen Verlag gedruckt, entsprach auch formal diesem Charakter der »Versuche«; sie las sich gleichsam wie eine gebundene Wandzeitung – Protokolle und Dossiers, Statements und Pamphlete, beigelegte Kursbögen bunt wie Kinderspielzeug oder ganz klassische Essays (etwa von Oskar Negt oder Peter Schneider) wechselten mit Sachberichten über probeweise Lebensformen, beispielsweise über »Kindererziehung in der Kommune« oder Luc Jochimsens Montage über die (weibliche) »Mehrheit, die sich wie eine Minderheit verhält«. Die Zeitschrift war zu einer Art Gegenuniversität geworden, deren Verfassung man etwa in diesen Sätzen Enzensbergers sehen kann:

»Die politische Alphabetisierung Deutschlands ist ein gigantisches Projekt. Sie hätte selbstverständlich, wie jedes derartige Unternehmen, mit der Alphabetisierung der Alphabetisierer zu beginnen. Schon dies ist ein langwieriger und mühseliger Prozeß. Ferner beruht jedes solche Vorhaben auf dem Prinzip der Gegenseitigkeit. Es eignet sich dafür nur, wer fortwährend von jenen lernt, die von ihm lernen.«[59]

Das steht in den »Gemeinplätzen, die Neueste Literatur betreffend« – es ist November 1968, das berühmte »Kursbuch« 15, das angeblich den Tod der Literatur ausgerufen hat. Nun findet sich aber nichts dergleichen in Enzensbergers Text oder in dem wohl programmatisch gedachten Aufsatz »Ein Kranz für die Literatur« von Karl Markus Michel. »Das Zeitalter der schönen Wissenschaften und der Literatur ist vorüber; die Naturwissenschaftler treten an die Stelle der Poeten und Romanschriftsteller; die Elektrisiermaschine ersetzt einen Theaterbesuch« – dieses Fanal steht nicht im Kursbuch, sondern bei Sébastien Mercier, Ende des 18. Jahrhunderts, kurz vor der Französischen Revolution.[60] Diese historische Erinnerung mag deshalb nützlich sein, weil sie zeigt, daß in Zeiten politischer Umbrüche sich fast gesetzmäßig ein Überdruß an Kunst manifestiert. So hat auch Gustav Landauer in der »Revue des geistigen und öffentlichen Lebens«, einer Beilage der Wochenzeitschrift der deutschen Sozialdemokratie »Die Neue Zeit«, schon 1890 in seinem Artikel »Die Zukunft und die Kunst« die Schöne Literatur in Anbetracht der sozialen und politischen Kämpfe der Zeit für funktionslos und historisch überholt erklärt.[61] »Wir begrüßen mit Freude, daß die Kugeln in Galerien und Paläste, in die Meisterwerke des Rubens sausen, statt in die Häuser der Armen in den Arbeitervierteln« hieß es dann ein paar Jahrzehnte später im »Kunstlump«-Pamphlet von John Heartfield und George Grosz; Oskar Kokoschka, weiland Professor der Dresdner Akademie, hatte sich darüber empört, daß bei den Kämpfen des Kapp-Putsches, Frühjahr 1920, eine Kugel Rubens' Bild »Bathseba« in der Galerie des Dresdner Zwingers beschädigt hatte.[62] Michels Kursbuch-Aufsatz steht in dieser Tradition und ist inhaltlich zu verstehen, nicht wörtlich zu nehmen. Sein Verdruß an den Oskar Matzeraths, Anselm Kristleins, Gantenbeins ist enzündet vom Pariser Mai, sein Luxus-Verdacht gegenüber der überkommenen Literatur nährt sich von deren Disziplinierungskraft:

»... bedingt durch humanistische Erziehung und diese überlebend, galt für ein paar Jahrhunderte das Schreiben als zwar nicht unbedenkliches, aber sozial geduldetes Mittel zur Kanalisierung von pubertären Affekten und Aggressionen. Gleich anderen Institutionen und Praktiken, etwa dem Militärdienst oder dem Onanieren, bewirkte es die Sozialisierung der Jünglinge. Für Mädchen gab es Handarbeiten.«[63]

Michels Forderung war nicht: keine Literatur; sondern: eine andere Literatur. Es war also nicht von Tod, eher von Geburt die Rede – insofern bei aller verbalen Überzogenheit eine ernst zu nehmende Radikalität. Unseriös bis zur Läppischkeit war allenfalls der Kursbogen, der dieser Ausgabe beilag und auf dessen schickem Packpapier ein Kritiker, der zeitlebens sich so anti-bürgerlicher Medien wie Suhrkamp, »Spiegel« oder »Titel, Thesen, Temperamente« bedient, in pueril-neckischem Ton ein Autodafé ausrief: »Die Kritik ist tot.« Das muß so ernst genommen werden wie jener Berliner Literaturprofessor, der noch 1973 in einer Kleistdiskussion zum »Prinz von Homburg« den inhaltsschweren Satz äußerte: »Was kümmert uns der Tod dieses Krautjunkers«;[64] also gar nicht.

Enzensbergers Aufsatz »Gemeinplätze, die Neueste Literatur betreffend«, der dieses »Kursbuch« Nr. 15 beschließt, liest sich wie eine Zurechtweisung der rigoristischen Albernheit dieses Autodafés:

»Ich fasse zusammen: Eine revolutionäre Literatur existiert nicht, es wäre denn in einem völlig phrasenhaften Sinn des Wortes. Das hat objektive Gründe, die aus der Welt zu schaffen nicht in der Macht von

Schriftstellern liegt. Für literarische Kunstwerke läßt sich eine wesentliche gesellschaftliche Funktion in unserer Lage nicht angeben. Daraus folgt, daß sich auch keine brauchbaren Kriterien zu ihrer Beurteilung finden lassen. Mithin ist eine Literaturkritik, die mehr als Geschmacksurteile ausstoßen und den Markt regulieren könnte, nicht möglich.«[65]

Seine Verwerfungsgeste gegenüber experimentellen Texten zugunsten von »Faktographien« ist eine neue Phase im steten Prozeß des Ausprobierens – von Formen, von Denkschemata, von Fühlweisen. Nicht von ungefähr gibt ein späterer Essay von ihm eine Titelreminiszenz: »Berliner Gemeinplätze«. Der beginnt mit der Paraphrase eines berühmten anderen ersten Satzes: »Ein Gespenst geht um in Europa, das Gespenst der Revolution.«[66] Dazu gibt es eine luzide Analyse von Karl Heinz Bohrer:

»Damit ist von Beginn an das literarische Zitat und das literarisierte Argument als Stilmerkmal erkenntlich. Das zeigt sich schon daran, daß Karl Marx und Friedrich Engels mit ihrem Begriff etwas genau Definiertes meinen, während Enzensberger etwas Allgemeines, Undefiniertes versucht und, da es nicht genau zu definieren ist, mit Kaskaden von Wörtern verhüllt. Die zukünftige Revolution ist hier beglaubigt durch Stil. Sie wird glaubhaft nur im geistreichen Indizienbeweis der auf- und abtanzenden Wörter, die zwar nichts anderes beweisen als das, daß das Wort ›Revolution‹ noch immer eine poetische Metapher ist, umlagert von ähnlichen Reizwörtern, aber Gefährlicheres vortäuschen kann. Enzensberger schreibt sogar offen, daß er an eine Revolution in diesem Lande nicht glaubt, aber er hält offensichtlich die Zeit reif dafür.«[67]

Das könnte man in Rückübersetzung auch anwenden auf den Literaturaufsatz, in dem die Zeiten gepriesen werden, in denen einer darauf verzichtete, Belletristik zu machen und zu kaufen: »Das sind freilich gute Zeiten. Aber sie müssen begriffen werden.«[68]
Einer hatte sie begriffen. Der machte zu eben dieser Zeit Gedichte. Eines davon hieß »Ein letzter Beitrag zu der Frage ob Literatur?« und kehrt die eigenen Wegezeichen um, erinnernd an die Max Scheler-Anekdote, wonach der Philosoph, befragt nach der Diskrepanz zwischen seiner hochmoralischen Lehre und seinem leichtfertigen Lebenswandel, zur Antwort gab: »Haben Sie schon einmal Wegweiser gesehen, die selber in die Richtung laufen, die sie weisen?« Im Gedicht dessen, der die guten Zeiten begriffen hatte, heißt das so:

»Liebe Kollegen, ich versteh euch nicht.
Warum zitiert ihr immerfort Hegels Ästhetik und Lukács?
Warum bringt ihr euch Tag für Tag
auf den historischen Stand?
Warum ärgert ihr euch über das
was im *Kursbuch* steht?
Woher diese Angst, Klassiker zu werden
oder im Gegenteil?
Und warum fürchtet ihr euch davor
Clowns zu sein?
dem Volk zu dienen?
...
›Nimm dir den Rauch von meinen Lippen,
nimm dir den Duft von meiner Brust,
laß mich an deinen Rosen nippen...‹
Mir gefällt sowas.
Wenigstens im Moment.
Euch nicht.
Macht was anderes!«[69]

5.
Vom Neo-Marxismus zum Neo-Narzißmus: die Literatur der siebziger Jahre

»O.« – »Na!« – »Nie!« - stotterte, der Anekdote zufolge, einst ein Patient in Wien, als ihn der Herr Dr. Freud nach eventuellen Selbstbefriedigungspraktiken befragte. Onanie, tatsächlich, ist die in der zeitgenössischen Literatur am häufigsten vorkommende Sexualpraxis. Spiegelmetapher für die Einsamkeit des modernen Menschen oder lediglich mondnahe Lustbezogenheit?
Die deutsche Literatur der siebziger Jahre kennt keine Liebesgeschichte. Ein Liebesgedicht existiert nicht. Druckt einer – wie Wolf Wondratschek – eines auf Einkaufstüten, 50 000mal, dann liest sich diese mögliche Verpackung von Badedas, Heringsfilet oder Camel-Filter nicht direkt als »Aufforderung zum Mitmachen«:

»Es ist vorbei mit der Liebe,
Heute muß ein Mann einer Frau
etwas bieten können.
Etwas in der Art eines Ozeans,
ein paar zersprungene Sterne
und manchmal,
zum Weiterleben,
einen Mörder.«

Ein Herrenparfum wird von der Fernsehreklame, die ja Trends macht wie mitmacht – für den Mann propagiert, der auch beim Streicheln »cool« bleibt; was immer ihn tangieren kann – zärtliche Damenhände sind es nicht. Ziemlich genau dieses Gefühl für Distanz drückt Wondratschek aus:

»Ich will,
daß du vorbeigehst
und mich liebst,
ohne dich umzudrehn
nach mir.

Erinnere dich an nichts
als die Liebe.
Vergiß mich.«[1]

Ein Autor, dessen Gedichtband »Chuck's Zimmer« in wenigen Monaten 16 Auflagen erlebte (der abschließende »Letzte Gedichte« ebenso rasch sieben), interpretiert ganz offenbar Denken und Fühlen einer Generation, »hat ihren Sound drauf«, auch wenn er sich gelegentlich bescheinigen lassen mußte: »Der süßliche Ohrwurm Wehmut ist allgegenwärtig, bonjour tristesse«[2]; bei Wondratschek – bei dem der Satz »Leben ist sinnlos wie Selbstmord« leitmotivisch wiederholt wird – ist die Bilanz negativ:

»Freunde, die wir niemals fanden
Farben, die uns verbrannten
Frauen, die wir nie verführten
Adler, die wir nie berührten
...
dein Mädchen taucht auf
und sagt, wach auf.
Du versuchst weiterzuschlafen,
aber was du auch machst,
sie will es nicht
und du erwachst.
Das Mädchen fühlst du noch, doch nur im Kopf
und dort verschwindet ihr Gesicht in einem Loch.«[3]

Ein Sonderfall? Die zeitgenössischen Gedichte von Peter Rühmkorf

»den Anspruch,
ne Kulturnation zu bleiben, werde
ICH?
aus eigener?
Tasche?
bestreiten?
Gar nichts werd ich.«[4]

haben mit nichts weniger zu tun als mit Liebe; nicht einmal mit Erotik. Es reicht allenfalls noch zum kurzen Weg mit dem kurzen Abschied: aus dem Puff. Ansonsten

»... ein ungeliebtes
Leben,
hau es auf den Kopf, das Haupt –
seinen eignen Leidenssirup saufen, doch, das gibt es,
öfter, als man glaubt.
Liebe ist kein Feuer, ist ein Vieh –«[5]

Mit der A-Logik, mit der Literatur reagiert, entsteht dieses Besinnen auf neue Individualität, auf ein gleichsam trotziges Behaupten des Ich. Peter Rühmkorf, wohl bisher nie und nirgendwo in der Literatur sich auf dem Weg nach innen begreifend, schreibt nun ein Gedicht »Einen zweiten Weg ums Gehirn rum« und zieht außerdem eine Bilanz als passé defini:

»Von einem gewissen Alter an ist die Wahrheit
doch nur noch widerwärtig.
All der Müll, der sich um deine Gestalt rankt.
Deine Vergangenheit? – Ein Kippencontainer.
Dein Tagebuch? – Ein Grab.«[6]

Die Literatur der siebziger Jahre eine soziale Transvestitenschau? Die überspitzte Formulierung findet sich in Peter Rühmkorfs Buch »Walther von der Vogelweide, Klopstock und ich«; und dessen Titel führt ins Zentrum des Problems: eine Ära der neuen Empfindsamkeit stellt Geschichte eher in Frage. Die Umkehrung des bisherigen Prozesses wird manifest – nicht mehr, was das Ich in die Gesellschaft vortrug, sondern, was Gesellschaft im Individuum anrichtete. Auch hier formuliert Rühmkorf, der sich selber Antizipationsfähigkeit für »eine Nase lang« – also drei bis fünf Jahre – bescheinigt, präzise und schlüssig:

»Solange eine Klasse unangefochten herrscht, hat das Ich überhaupt keinen Grund, sich große Gedanken über sich selbst zu machen...
Solange das Ich in ungebrochenem Einverständnis mit der Welt lebt, hat es keinen Grund, sich zu definieren?
Es denkt gar nicht daran.«[7]

Diese Zeit also des sozialen Bodenfließens, die das Ich als literarisches Subjekt auf Trab bringt, wird von den Autoren deutscher Sprache offensichtlich als bedrohlicher, feindseliger, hermetischer denn je begriffen. Ihre Kunst, in rigoroser Reaktion, wird damit ebenfalls hermetischer, sie verkunstet.

Die alten Slogans sind abgehängt, nach neuen wird kein Bedarf angemeldet: »Kunst als Waffe? – da sei Majakowskij vor!« sagt Rühmkorf. Seine Gedichte wimmeln von Vergeblichkeitsmetaphern – »Freiheit und Brüderlichkeit – alles Scheißhausparolen«.[8] In einem dialogisierenden Exkurs geht er auf den Schwebezustand erkannter (beschriebener) Hoffnungslosigkeit und gleichzeitig *be*kannter Bürgerpflicht ein. Zu einem Zeitpunkt, zu dem gewiß nicht zufällig Deutschlands begabtester Regisseur Klaus Michael Grüber den »Faust« in einer Pariser Inszenierung denk-arithmetisch zergliedert und ihn später in Berlin zu einem todessüchtigen Poem umstilisiert, einem Beckett-Minetti zum 200. Todestag Goethes, genau am 22. März 1982 ein »Requiem für eine Person«[9] spielen läßt, wie Günther Rühle es in »Theater heute« ausdrückte; zu dem einer der bedeutendsten Choreographen in Brüssel ein Faust-Ballett einstudiert; zu dem ein Filmgenie wie Werner Herzog den großen einzelnen »Kaspar Hauser« entdeckt – zu diesem Moment spricht Rühmkorf von »dem einen und dem anderen« in jedem, der produziert, vom spiegelbildlichen Widerspruch, der keineswegs zusammenfällt, den es allenfalls fruchtbar zu machen gilt. Selbst gegen den Vorwurf lediglich formaler Sittlichkeit statt des klaren Veränderungsziels nimmt er diese »vertrackte Zweitperson« nicht in Schutz:

»Es kann also durchaus sein, daß der eine von uns für politische Parteiungen oder gesellschaftliche Ordnungen votiert, vor denen der andre sich schüttelt. Daß ich Perspektive sage und der Lyriker: Gott, welcher stumpfe Winkel, welche platte Aussicht. Daß ich auf Veränderung dränge, und der Poesiemann mäkelt: da sei nur noch eine hohle Larve, hinter der sich Wankelmut und Konvertitentum und Mangel an eigener Festigkeit verbergen.«[10]

Was Rühmkorf vorführt, in seinen Gedichten wie den Kommentaren dazu, ist geschichtliche Skepsis und private Leidenserfahrung. Leben als Leidenssirup und Liebe als Vieh, »leer das Herz und deine Hose ausgedroschen« – das ist nicht schwärzliches Parlando, sondern Bitterkeit vor dem Spiegel. Ist auch striktes Negieren eindeutiger Erkenntniszusammenhänge«; diese lyrische Position ist nicht mehr die von Behauptung, sondern eine von Befragung, gar Zweifel: »Aber der Zusammenhang bleibt schwarz.«[11]

Mit dem ihm eigenen Gefühl für Witterungsumschläge – gelegentlich als wetterwendisch angekreidet – kalligraphiert Hans Magnus Enzensberger die Abkehr von Geschichtsoptimismus am unverhohlensten. Titel wie

Untertitel seiner siebenunddreißig Balladen führen uns in die Halle der Toten, die in Wahrheit nicht Geschichte als Fortschritt bewirkten: »Mausoleum – aus der Geschichte des Fortschritts«. Schon das erste Gedicht über einen Uhrentechniker des 14. Jahrhunderts endet mit dem Satz:
»In diesem Mittelalter
leben wir immer noch.«[12]
Diese nahezu höhnische Abwehr von Entwicklung ist konstituierend für alle diese Arbeiten. Seine Lebenssumme »Launen in Eiweiß« erinnert durchaus an jene bereits zitierte Benn-Zeile von den Ururahnen,[13] die eines Georg Lukács so besonders heftig attackierte als Höhepunkt eines Prozesses der Entgesellschaftung, als infamsten Ausdruck der Unveränderbarkeit, als Geburtsstunde der Dekadenz. Ohne jede Frage ist exakt dies – Erkenntniszweifel, Fortschrittsskepsis – Leitmotiv sämtlicher siebenunddreißig Balladen von Enzensberger. Wenn es, ausgerechnet im Gedicht auf den einzigen – versehentlich? – noch Lebenden, auf Molotow heißt
»Tischreden Leitartikel Aktennotizen: *die* Geschichte?
eine Geschichte? Wer das unterscheiden könnt!«[14]
dann erinnert das auf makabre Weise an die achselzuckende Resignation eines anderen politischen Schriftstellers: Kurt Tucholsky schrieb über Molotows Arbeitgeber eine Widmung in ein Buch für Walter Mehring,

»Was ist der Unterschied zwischen Mussolini,
Stalin und Hitler?
Ja, wer das wüßte...«[15]

Das Detachement Enzensbergers geht viel weiter. Die drei einzigen Gedichte, in denen sein »Ich« hervortritt, gelten Machiavelli, Piranesi, Bakunin: Lobpreisungen eines rankünevollen Staatsmann-Schufts, eines malerischen Halluzinators mit dem bösen Blick, der die Menschen als Ameisen sah, eines Anarchisten, der – zu arm für seine Tasse Tee – starb, gedemütigt, verfolgt, fast ermordet von Karl Marx und dessen Häschern; ist *er* mitgedacht?

»Vor dem Haus
tänzeln die Spitzel. Überall Wirrwarr und Schmutz. Die Zeit verrinnt.
Nach Polizei riecht Europa immer noch. Darum, und weil es nie und nirgends,
Bakunin, ein Bakunin-Denkmal gegeben hat, gibt oder geben wird,
Bakunin, bitte ich dich: kehr wieder, kehr wieder, kehr wieder.«[16]

Die Kunstintensität, Versbau und intellektuelles Voltenspiel – sie gelten nirgends dem Voran. »Du bist der Alte Mensch wie er im Buche steht, und dafür lob ich dein Buch«[17] wird Machiavelli gehuldigt. Der neue Mensch, Karl Marx, muß sich in dem Buch mit einem versteckten, nicht dechiffrierten Zitat begnügen, er ist eingeführt lediglich als Nachbar – fünfzehn Meilen – des großen Darwin (der ihn übrigens nie empfing), ein widerwilliger, kranker, unschöpferischer Invalide,

»dazu verdammt,
Bücher zu verschlingen und sie dann
in veränderter Form auf den Dunghaufen
der Geschichte zu werfen.«[18]

Genau auskalkuliert ist die Motorik des Bandes, besser gesagt: seine Antimotorik; denn das starre Drehen der vorgeführten Panoptikumsfiguren ist nicht Demonstration von Bewegung der Geschichte. Aus der »Geschichte des Fortschritts« wird hier gar nichts erzählt. Geschichten vielmehr davon, daß es diesen nicht gibt. So ist das letzte Gedicht auch folgerichtig eine Gegenikonographie. Lautlos fast wird das Bild abgehängt des zarten Versagers: »Die Banknoten, die er unterschrieb, galten nichts«: Che. Und mit ihm endet das Buch nicht direkt zukunftsfroh: »Der Text bricht ab und ruhig rotten die Antworten fort.«[19] Als Attitüde soll das nicht mißverstanden werden. Es ist ein neuerwachtes Mißtrauen gegen die »Wirklichkeit« der Realität, die das Schreiben deutscher Zunge mehr und intensiver durchzieht als irgend anderswo.
Keineswegs nur das Schreiben. Nach zehnjähriger Pause stellte Hans Werner Henze im Juli 1976 wieder eine Oper vor, »We come to the river« mit einem Libretto von Edward Bond, und charakterisierte sie als »extrem verinnerlichte Musik in der geistigen Verwandtschaft zu Mozart, Monteverdi und Mahler in filigraner Schreibweise«.[20]
»Ohne Botschaft« – ist ja Kennzeichen der Kunstszene im weiteren Sinne. Paul Wunderlich lithographiert erstmals Selbstporträts; Werner Herzogs filmische Studie über den »einzelnen« Kaspar Hauser formuliert sich bereits im Titel als »Jeder für sich ...«; das Recht auf scheinbar a-logische Entscheidungen des einsamen Individuums postuliert bis ins Detail der optischen Argumentation (die Schönheit der überirdischen Flugpassagen) der »Berlinger«-Film so deutlich wie Wim Wenders' »Falsche Bewegung«. Dieser Film ist ein künstlerisches Manifest so gut und so deutlich wie Handkes Text; seine im Titel proklamierte Ungleichzeitigkeit ist streng durchgehaltene Metapher für Widersetzlichkeit: Indivi-

duum und Gesellschaft als einander feindlich zugeordnete – nein, gegeneinanderstehende – Größen. Kein Gleichschritt mehr, sondern Ausfall im doppelten Sinne des Wortes. Handkes Goethe-Paraphrase könnte auch heißen »Die neuen Wahlverwandtschaften«. Wie ein Kommentar dazu liest sich seine Ablehnung der Antinomie Innerlichkeit–Äußerlichkeit; für ihn gilt eine Literatur, deren Urheber innerlich bis zur Schwerelosigkeit geworden ist, und dessen Beschreibungen – ob das Blatt an einem Baum oder der Rauh in einer Dachrinne – nennt der einst die Beschreibungsliteratur Attackierende »vielleicht zukunftsweisend«.
Kein Zufall, daß auch der Theatermacher Peter Stein zu dieser Vokabel greift, wenn er die individuelle Sensibilisierung als politische Aktivität deklariert, »Die Mutter« seiner Inszenierung des »Antikenprojekt« an gesellschaftlicher Bedeutung gleichsetzend:

»Wenn ich theatralisch reflektiere über das, was man immer Privatleben nennt oder private, solipsistische Empfindsamkeit, dann ist das dieselbe Bewegung: aufzuspüren, was bewahrenswert ist für einen Entwurf in die Zukunft.«[21]

Immerhin war es Peter Stein, der mit seiner »Tasso«-Inszenierung den alten Streit aufzulösen versuchte, ob das »wie ich leide« eine subjektive Vorform des späteren »was ich leide« sei. Goethes Zustimmung zu dem Urteil des französischen Kritikers Ampère, der Tasso sei ein gesteigerter Werther, läßt nicht nur Ulrich Plenzdorfs »Leiden des jungen W.« in einem modernen Licht aufscheinen, sondern ist auch Schlüssel für die geglückte Synthese, als die sich Peter Steins Inszenierung anbot – ganz im Sinne seiner eigenen Bestimmung des psychologischen, will sagen politischen Ortes.
So intensiv nämlich Handkes Bildfolge vom herausgehobenen Individuum erinnert an Plenzdorfs Szenenfolge vom Abgesonderten, so sehr lassen sich über diesen sonderbar-ähnlichen Einzelfall hinaus Gemeinsamkeiten, erstmals, feststellen zwischen beiden deutschen Literaturen. Der Berührungsangst hier gleicht ein Berührungsschock dort. Außenwelt als feindlich, Innenwelt als Residuum: hier wie dort. Bei Handke beginnt die »Stunde der wahren Empfindung« erst im Moment der Ablösung von der Realität. Seinem »überhaupt war nichts sinnvoll« kann neuer Sinn erst entgegengesetzt werden durch Untergang, Tod. »Auf einmal gehörte er nicht mehr dazu« – das ist nicht bloß der erzählerische Ausgangspunkt eines Prosatextes, es ist auch Aufbruch zu neuer Erkenntnis; und das heißt bei Handkes aus Beobachtung gewonnener Reflexion: Aufbruch

zu neuer Existenz. Das »Brüllen vor Aussichtslosigkeit« ist endgültiger Schnitt. Der trennt vom Bisherigen – und ermöglicht das Neue. Die Figuren Handkes sind beliebig, gleichgültig bis zur Austauschbarkeit. Der österreichische Presseattaché in Paris oder der junge Autor auf Reisen durch Amerika, der einen kurzen Brief zum langen Abschied schreibt – es sind unverhohlen Vexierbilder des Autors. Nicht austauschbar aber sind ihre Erfahrungen. Abschied – also: Tod – als Möglichkeit neuen Lebens ist stets Motiv. Und das ist permanentes Mißtrauensvotum gegen die Wirklichkeit. Sein Amerika-Fahrer hebt bei der Gottfried-Keller-Lektüre vor allem anderen die Szene heraus, »wie Heinrich Lee, als er zum ersten Mal jemanden umarmte, in eine eisige Kälte versank und wie er und das Mädchen sich plötzlich als Feinde fühlten«.[22]
Das findet sich nahezu wörtlich in einem Interview, in dem Handke sagt, er kann wohl Gefühl für eine ihm fremde Menschengruppe – Nordafrikaner im Nachbarblock – erst entwickeln, hätte er sich verfeindet, geprügelt, wäre er ihnen körperlich unangenehm nahe gekommen; Freundlichkeit – also: Leben – entstünde wohl erst danach. »Sonst bleibt alles so gratis.« Das reicht bis in intimste Stilfiguren. Der an Gesellschaft und sich bis zu Langeweile und Ekel Überdrüssige (im »Kurzen Brief«) sagt, »an mir auch nur leicht anzukommen, war mir sofort unangenehm...«[23] Dieser sprachliche Manierismus ist so kenntnis- wie aufschlußreich: sich Berühren und »an mir ankommen« als identisches Gefühlsbild.
Es ist die Sinnlichkeit der Entäußerung und damit – im Paradoxon formuliert – das Hineinnehmen des Äußerlichen, auch in seiner Abwehr, ins Innere. Das ist gemeint mit Handkes Credo, sich auf Goethe beziehend, die Literatur müsse ohne Ausreden innerlich sein, um herzhaft äußerlich sein zu können; »solidarisch ohne Vorverständigung«. Solidarisch aber ist kein intransitiver Begriff, ohne Bezugsfeld. Solidarisch mit wem?
Mit dem Humanum, der Sorge um dessen »aufrechten Gang«, offenbar; nicht, offenbar, mit irgendeiner weltlichen Ordnung. Der Entzingelungsvorgang ist deutlich auch bei der ernstzunehmenden DDR-Literatur. Erich Arendt, Rhapsode eines radikalen Geschichtspessimismus und von größtem Einfluß auf die zeitgenössischen Lyriker der DDR, wehrt den Vorwurf des Hermetischen gelassen ab: »Schnelles Verstehen, leichte Zugänglichkeit sind keine Kriterien für oder gegen ein Kunstwerk.«[24]
Einer seiner jüngeren Kollegen, Heinz Czechowski, verkündet mit Lakonie: »Ich weiß nicht, ob ich zeitgenössisch bin. Ganz sicher bin ich, daß ich auf meine Zeitgenossen *nicht* wirke.«[25] Eine Anthologie solcher

Äußerungen junger DDR-Schriftsteller ließe sich zusammenstellen; und wenn, wiederum von Rühmkorf, in Hamburg 1975 gesagt wird, das Gedicht – jenseits aller Meinungskundgaben – dränge auf »magische Partizipation« – dann findet sich genau dieser heraufgeholte Begriff in einem ziemlich gleichzeitigen Interview, das in Ost-Berlin geführt wurde: Dichten sei für sie jenseits aller Belehrungsabsichten ein magischer Vorgang, sagt die DDR-Lyrikerin Eva Strittmatter.[26]
Eine Symbiose all dessen bietet nun eine Prosa-Etüde von intellektueller wie artistischer Brisanz, Volker Brauns »Unvollendete Geschichte«; exakte Kartographie der hier skizzierten literarischen Landschaft: die – nach Ole Bienkopp oder Christa T. oder Edgar Wibeau – abermalige Paraphrase des gesellschaftlichen Selbstmords. Zwei junge Liebende, durch (übrigens haltlose) politische Verdächtigungen an die Grenzen des Wahnsinns, jedenfalls in die Verzweiflung getrieben. Romeo und Julia im volkseigenen Betrieb. Es ist eine Prosa von nahezu lüsterner Debattier-Wut, ob Volker Braun nun den Vorwurf Erich Honeckers gegen seinen Kollegen Ulrich Plenzdorf »aufhebt«, der Verfasser versuche, seine eigenen Leiden der Gesellschaft zu oktroyieren, und klarmacht, daß es genau umgekehrt sei; oder ob er aus einem orangefarbenen Büchlein (also des Suhrkamp-Verlages, also keines DDR-Verlages) den zermahlenen Satz zitiert:

»Denn Griechen warten auf den Stein im Salz
Mich so Verwundeten in ihrem Dienst
Und nicht mehr dienlichen mit solcher Wunde
Und Griechen sahn's und rührten keine Hand.«[27]

Der »Philoktet« des Heiner Müller also.
Die Geschichte nämlich von der Tochter des Genossen Kreisratsvorsitzenden, der einen Dienstwagen fährt, am Heiligabend den Christbaum schmückt und seiner Tochter den Umgang mit ihrem nicht »standesgemäßen« Freund untersagt, ist die Geschichte eines Erstickungstodes, zu dem die Gesellschaft das Individuum verurteilt. »Warum geht ihr so mit ihm um«, das ist ja Variation jenes großen Gedichts vom gemetzelten Pferd, das anklagt, auch dessen Fleh-Wort »Kälte« wird eingesetzt; »Was für eine Kälte muß über die Leute gekommen sein! So helfet ihnen doch!«[28], hieß es bei Brecht. Volker Braun macht den Täter dingfest:

»Den Staat, in dem fast alles gut ist oder gutgeht. In dem man auf die andern hören kann, nur hören muß! Das hatten sie ihr erklärt. Es war ein schönes Märchen, das fast wissenschaftlich klang. Das konnte sie glauben, bis zur Gedankenlosigkeit.«[29]

Nun ist aber diese Abwehr von Realität gleichzeitiges Sich-Einlassen auf Realität; denn Volker Brauns Erzählung zitiert gleichsam das Schicksal seines Kollegen Wolf Biermann. Seiner Freundin hatte ihr Bonzenvater den Umgang mit dem »Menschen« verboten. Biermanns wohl stärkstes Gedicht, die »Bibel-Ballade«, hadert damit.
Die beiden Hauptstücke, Vers 2 und 4, sind wörtliche Übernahmen aus dem Alten Testament. Entscheidender aber als der schneidende Wortlaut – »und die Gerechten sind nicht mehr unter den Leuten« – ist, *woher* der Wortlaut stammt. Die erste Bibelstelle hat Biermann entnommen dem Propheten Micha, bekannt unter dem Namen der »Unheilsprophet«. Den Namen hatte er, weil dieser Zeitgenosse Jesajahs, Bewohner der einen Hälfte eines geteilten Landes, den Untergang Judas verkündete wegen der Herrschaftswillkür der Mächtigen, der ständigen Verletzung der »eigentlichen Ordnung« durch sie. Droh- und Strafreden sind wesentlicher Bestandteil des Buches Micha, nicht nur über die Sünden der beiden Hauptstädte Jerusalem und Sameris – sondern gegen die herrschende Ungerechtigkeit, die Großen im Lande, die Mächtigen, die wähnten, sich alles erlauben zu dürfen. Mich. VII, Vers 3 ist bei Biermann wörtlich übernommen – und die »Gewaltigen, die's mutwillig drehen wie sie wollen«, sind so kenntlich gemacht wie der Warnruf »niemand verlaß sich auf Fürsten« transskribierbar ist: Biermann hat eine höchst kunstvolle Collage hergestellt: gegeben wird Anklage gegen soziales Unrecht des achten Jahrhunderts, gemeint ist anderes.
Gravierender noch ist Biermanns zweite Montage, sein 4. Vers. Sie ist entnommen dem 4. Kapitel des »Predigers«, eines nicht identifizierbaren Weisheitslehrers um die Mitte des 3. Jahrhunderts – zu verstehen als Vermächtnis Salomos. Die Schrift hat die Gestalt eines Königstestaments, ihre Grundstimmung ist so tief pessimistisch, so ohne Hoffnung, daß sie als die »modernste« des Alten Testaments gilt. Die Sentenzen des Buches sind durchweg skeptisch-polemisch, ein heutiger Bibelkommentar nennt seine Skepsis »mehr als intellektuelle Kritik, sie führt ihn oft an die Grenzen der Verzweiflung ... er erfährt die Welt, die ihn umgibt, als ein abweisendes, ja feindliches Etwas«. Die Satzungen seiner Welt sind dem Prediger Salomo Mühsal. Doch wer spricht, wenn es heißt:

»Ich wandte mich und sah alles Unrecht
Das geschah unter der Sonne. Und siehe
Da waren Tränen deren, so Unrecht litten
Und hatten keinen Tröster.
Und die ihnen Unrecht taten – waren zu mächtig
So daß sie keinen Tröster haben konnten!«[30]

Wessen Stimme das ist, das wird deutlich vor allem, wenn Biermann diesen Text singt. Die Gebärde von Drohung und Trostlosigkeit wird von ihm auf unnachahmlich-präzise Weise moduliert. Bezeichnend, daß er nur zwei Zeilen der ganzen Ballade wiederholt: »Und meinen, sie tun wohl daran – wenn sie Böses tun« und »Bewahre die Tür deines Mundes – vor der, die in deinen Armen schläft«.[31]
Dies eingefressene Mißtrauen des Individuums bis in intimste Bereiche hinein muß ihn, das »weggeworfene Brot« im Land der Satten besonders betroffen haben. Daher das Gefühl, das unter allen neuen Gedichten liegt: Angst.
Nicht nur die four-letter words, die die Literatur der sechziger Jahre aufbrachen, sind Material der Trivialliteratur à la Erica Jong geworden; verschwunden aus den seriösen Texten. Auch Ironie und Spiel finden sich nicht, die muntere Keckheit der jungen Dame Elsner, die sieben Geschwister sich ein achtes machen läßt, wäre jetzt unvorstellbar – es wären nur noch sieben.

»›Es ist das gleiche wie bei Hunden‹, sagten sie.
Sie lösten den Vater von seinem Ehebett. Sie ließen ihm Hände und Füße gebunden. Sie rollten ihn auf die Mutter, und banden beide in der Weise aneinander, daß ein Spielraum zwischen ihnen blieb von wenigen Zentimetern, eben jene Bewegungsfreiheit, die der Vater für das Vor und Zurück nötig hatte, das die Kinder von ihm forderten... Auf dem blanken, auf dem weißen Gesäß des Vaters lagen die schrammigen, die sieben rechten Hände seiner Söhne und Töchter, drückten es hinab, sobald es die Grenze des Spielraums, die zugestandene Höhe erreicht hatte, lockerten den Druck, damit es sich erheben konnte, drückten es hinab. Atemloser wurden die Flüche, die Verwünschungen des Vaters. Und nach einem halben, nach einem mittendrin abgebrochenen Fluch gab er her, was er herzugeben hatte.
›Er ist fertig‹, sagte der Älteste. Er hob die Hand vom Gesäß des Vaters.«[32]

Was in Grass' »Hundejahren« noch so prall und stark war, daß man zwar nicht nen ausgewachsenen Pfeffersack, aber doch ein Zehnkilogewicht dranhängen konnte, hängt jetzt traurig und faltig und schlapp. Bereits dieses Buch von Grass endete »Beide sind wir nackt. Jeder badet für sich.«[33]

Erotik und Sexualität in der modernen deutschen Literatur, das ist immer: allein sein. Die Menschen haben nicht mehr miteinander zu tun, sie kämpfen gegeneinander, ziehen sich vorsichtig und verletzbar voneinander zurück. »Aus dem Tagebuch einer Schnecke« nennt Grass also sein nächstes Buch, und im Zentrum der Erzählung steht eine – Umklammerung. Es ist eine große Paraphrase für Vergeblichkeit, Mißtrauen gegen politischen Fortschritt so gut wie Vorbehalt gegen die Möglichkeit vom Glück. Das Buch ist durchzogen von Bedenken, ob je und irgendwo Menschen statt gegeneinander miteinander sein werden, ob von den Grass-Söhnen Franz und Raoul die Rede geht, »die auf alles ›I love peace!‹ pinseln und streiten sich, während sie pinseln, bis kurz vorm Brudermord«.[34] Oder ob Melancholie und Utopie einander Ursache genannt werden. Oder ob die Hauptfigur »Dr. Zweifel« heißt. Der ist es, der im Keller versteckte Jude, der vergeblich versucht, eine menschliche Beziehung zu den Resten der Umwelt herzustellen, die er wahrnehmen darf. Aber genau das, was Menschen üblicherweise zueinander führt, macht Fremdheit und Alleinsein auf schneidende Weise deutlich:

»Wenn Lisbeth Stomma zu Zweifel in den Keller stieg, knöpfte sie schon auf der Treppe ihre Mantelschürze auf. Sie stellte sich, ohne daß Zweifel den Willen fand, nein zu sagen, zwischen Tisch und Matratze und legte in trauriger Folgerichtigkeit Stück um Stück langsam ab. Meistens sagte sie: ›Vaddä mecht so.‹ Manchmal sagte sie auch: ›Vaddä is middem Rad unterwejens. Ech mecht miä kimmern, häddä jesacht.‹ Nur einmal soll Lisbeth Stomma vorher gefragt haben, ob sie sich kümmern solle. ... Er gab sich Mühe (ließ seiner Trauer nur wenig Auslauf), kam immer wieder, wollte sie heiß haben und zum Überfließen bringen: Glück als Programm. Er wollte, daß sie ›Ja‹ sagte und ›Jetzt‹. Er wollte ihr Liebe, den kurzen, langnachzitternden Jubel eingeben; aber sie blieb auf dem Friedhof und bemerkte ihn nicht.«[35]

Dies ist nicht eine Koitusszene, es ist ein Entfernungsritual. Es ist das Thema des gesamten Buches. Das besteht aus 30 Teilen. Genau die Mittelachse, Teil 15, gibt den Schlüssel: er endet mit jenem schon erwähnten Abschied von einem Vladimir, »dem Anna nachhing... weil

er, ist Anna, bin ich«.[36] In der Untersuchung zum Werk von Grass wurde gesprochen von Tod ohne Lösung, Geschichte als Erfahrung, die nicht vermittelt werden kann, steigender Einsamkeit – das bereitet sich vor und durchzieht das ganze Buch. Seine Summe heißt »Ich schreibe auf regennasse Schieferdächer, in Bierpfützen, auf ein Förderband: Ich Ich Ich.«[37] Und sein Schlußkapitel ist eine Rede auf Dürers Melencolia I, zu der es eine Studienzeichnung gibt, und auf der steht eine handschriftliche Anweisung für den Arzt: »Do der gelb fleck ist und mit dem finger drwaff dewt so ist mir we.«[38]
Krankheit, Alter und Tod – das ist es, wovon die Liebesgeschichten der Literatur dieser Jahre handeln. Tod ist »in«. Ein großer Verlag hat 1977 einen Sonderprospekt »Bücher zum Thema Tod« herausgegeben, Jean Amérys Studie über den Freitod[39] macht Furore und Günter Steffens' grausamer Bericht, wie er quasi den eigenen Tod überlebt hat, nach Alkoholismus, Drogen und schwärzester Einsamkeit, heißt »Die Annäherung an das Glück«. Die große Pariser Kunstausstellung 1975 war – wohl erstmals in der Geschichte der bildenden Kunst – beherrscht vom Motiv der Onanie, des partnerlosen Glücks. Die Huldigung an den Selbstmord ist der geistige Ausdruck dafür. Der Selbstmord – also Extremvariante von Selbsthaß – ist das existentielle »Endspiel« der Selbstbefriedigung. Die Literatur dieser Jahre ist Psychogramm der Kommunikationslosigkeit. Amérys Studie über den Selbstmord, seine schreckliche Antwort auf die unappetitliche Reporterfrage, wann er sich denn umbrächte, »So haben Sie doch ein wenig Geduld«, und sein schließlich präzise arrangierter Freitod im Salzburger Hotel, bei dessen Personal er sich schriftlich entschuldigte: äußerste Konsequenz einer geistigen Haltung.
Daß Fritz Zorns »Mars«, das Tagebuch eines Sterbenden, eines Vom-Krebs-gefressen-Werdens, ein literarischer wie ein Publikumserfolg wurde, steht in diesem Zusammenhang.
Max Frischs Bestseller »Montauk«, die Geschichte einer jähen Verliebtheit in eine junge Frau, ist in Wahrheit ein Abschied von Beginn an. Gegenwart bis Dienstag. »Der alte Mann und das Mädchen« war eine Kritik überschrieben,[40] Übersetzung des Leitmotivs »my life as a man«. Es ist die Story vom zunehmenden Versagen, der Impotenz, von der Angst vor sich selber, vor der Realität. Der zentrale Satz klingt nicht wie die Liebeserklärung an einen realen Menschen: »Leben ist langweilig, ich mache Erfahrungen nur noch, wenn ich schreibe.«[41]
Das wiederum ist genau der Erfahrenshorizont von Jürgen Becker, der ausführlicher bereits erörtert wurde. Sein Gedichtband »Das Ende der

Landschaftsmalerei« verkündet ein anderes Ende. Bei ihm gibt es nur noch Seen, wenn sie fotografiert werden: »...was ich höre, ist spätestens beim Wiedererkennen, ein vermitteltes Geräusch, und was ich fühle, ist die Kruste der Gewohnheiten...«[42] Jürgen Beckers hochartifizielle Erzählgedichte verstehen sich als Versuche, nicht mehr Realität zu vermitteln, sondern die Vermittlungskategorien zu beschreiben. Das Gedicht als materiales Cogniszivum: Wirklichkeit wird nicht hereingeholt, sondern weggeschoben. Lyrik, die er im »Kölner Fernseh-Gedicht« ein Selbstgespräch nennt, das »gegen die Stummheit der Einzelnen und das Vergessen der Mehrheit«[43] ankämpft, setzt sich von der Realität ab, statt in ihr fort. Wirklichkeit als das Fremde.

Beckers Grundhaltung ist ein gesteigertes Zögern; Mißtrauen. Geräusch der Brandung ist Radiogeräusch. Wo das Titelwort »Landschaftsbeschreibung« fällt, geht die Rede von Bombentrichtern, Profit und Kühlschrankruine. Von Produkten unserer Gesellschaft also. Sprache ist ihm Teil dieses Produktionsprozesses, Geschöpf wie Schöpfung. Diesen hergestellten Gegenstand Sprache untersucht Becker – und damit mehr: Das Vorführen von Versatzstücken ist Vorzeigen von Ersatzteilen zugleich. Daher die Intensität der Texte.

Max Frischs Novelle ist die Geschichte nicht einer Nähe, sondern einer Annäherung – nein, eher steten Ferne, ständiger Entfernung. Leise, spröde; ein Sehnen ohne Hoffen, Zeichen der Liebe »wie mit Kreide auf Glas geschrieben«[44], dünn, abwischbar; sie weiß nicht, was er denkt; er weiß nicht, was sie denkt.

Im Mittelpunkt dieses Buches steht aber dann doch eine große Liebeserklärung – an Ingeborg Bachmann, die bedeutende Poetin, deren Verbrennungstod in ihrer römischen Wohnung bis heute nicht geklärt ist.[45] Frischs Liebe zu dieser Schriftstellerin durchschlägt alle Distanz, straft alle Deklarationen Lüge. Der Mann, der im selben Buch von sich selber sagt, »er hat reichlich über Eifersucht geschrieben. Schon deswegen hat er sich in den letzten Jahren jede Eifersucht versagt«;[46] der Mann, der unentwegt den eigenen Ehebruch schildert wie den des Partners voraussetzt; der Mann, der mit distanziertem Erstaunen von den blutig gekratzten Nägeln einer betrogenen Frau erzählt oder eher amüsiert von der nächtlichen Gefährtin berichtet, die aus seinem Bett mit ihrem Mann telefoniert – »aus einer Kabine«[47] – und eine Abendessenverabredung zu dritt trifft: dieser Mann muß nun, in der Qual um die geliebte, oft katzenhaft entgleitende Ingeborg Bachmann zugeben: »Die Eifersucht ist der Preis von meiner Seite; ich bezahle ihn voll.«[48]

Frischs Stück »Triptychon« dann ist ein Spiel vom Tode. In einem

Interview sagte er auf die Frage nach dem Abbröckeln von Realität bei diesem Rückzug ins Schattenreich: »Das Tödliche beginnt, wenn jemand nicht umdenken kann«;[49] und benutzt dann, als das ihm liebere, ein Wort von noch stärkerer Hoffnungslosigkeit: Erwartungsverlust.
Mir scheint, hier liegt ein zentrales Problem, und das Milchglashafte, Zögernde, letztlich Schmerzhaft-Melancholische aller Texte dieser Zeit mag darin seine Ursache haben. Die Libertinage hat die Menschen nicht zueinander, sondern von einander weg geführt. Ob Handke oder Born, Frisch, Grass oder Fichte – es summt in dieser Prosa ein Ton, der immer dünner hinwegschwindet, wie im Kurzwellenradio; manchmal SOS-Rufen gleich. Es werden Figuren gezeigt, die auf einer immer schneller sich drehenden Scheibe an den Rand rutschen, kleiner, konturenloser werden – haltloser im doppelten Sinne des Wortes.
Von daher argumentiert auch ein Kritiker wie Peter Wapnewski, wenn er Handkes Tagebuch in einer großangelegten essayistischen Schmährede als Girlande impotenter Eitelkeit verwirft; er sieht eine sprachlich nur oberflächlich fixierte, dünnlippige Arroganz etwa in dem Satz: »Plötzlich dachte ich: Ich möchte wirklich nicht mehr meinen edlen Schwanz in so eine Frau hineinstecken!, und lächelte sie versonnen an, und sie lächelte zurück.«[50]
Wapnewski widert das eher an:

»›Sexualität als letztmögliche Feindseligkeit‹: Da ist eine Seelenschicht aufgeblättert, die sich in der Analyse preisgeben mag, ich indes empfinde das altmodische Gefühl einer gewissen Scham, wenn ich Zeuge dieser Aufblätterung werde, und so geht es mir bei fast allen Äußerungen, die hier getan werden zum Komplex sexueller Phantasien, zum Geschlechtsakt, zum Thema Onanie.«[51]

Es hängt damit zusammen, daß Borns »Die erdabgewandte Seite der Geschichte« und Handkes »Die linkshändige Frau« sich im stilistischen Gestus wie identische, ja austauschbare Texte lesen. Tatsächlich könnte man mühelos ganze Passagen des einen Buches in das andere hineinmontieren – niemand bemerkte es. Dasselbe Simplizitätsstakkato, dieselbe künstlich-härene Distanziertheit, derselbe dünne Ton cooler Trauer. Dem liegt zugrunde eine Gleichgültigkeitsattitüde, wie sie sich bis hin zum schlürfenden Gang, der lässig-langsamen Körpersprache der Jeansgeneration ablesen läßt; deren Tänze keine Tänze *mit*einander sind, sondern Solonummern, eingewoben in rhythmische Zeremoniösität, im Tran des Alleinseins. Die Absurdität geht so weit, daß man nach einem Schlager tanzt, der heißt »Mann ich kann die Sprüche nicht mehr hören« und der eine Art gesungene Anthologie eben dieser toten Worte und Sprüche ist. Wenn Marlene noch frivol seufzte »Heut' abend such' ich mir was aus – einen Mann, einen richtigen Mann«, dann stöhnt heute auf einer Erfolgsplatte jemand »Kerls Kerls Kerls«. Das umlaufende Kleingeld der Umgangssprache führt eben diesen Zustand vor.

Es kursieren Begriffe der Irratio. Vornweg das Wort »unheimlich« – unheimlich schwach ist etwas, das äußerst mißfällt, beispielsweise. Ein »Typ« – also kein konkretes Individuum; bislang Begriff der Autobranche – ist »unheimlich toll« oder, verblüffende Variante dieser Zerstörung, »unheimlich kaputt«. Das ist die höchste Steigerung des – Positiven! Nähme man beide Worte beim Worte, müßte man die Polizei rufen, oder wenigstens den Krankenwagen. Und »phantastisch« ist Ausdruck besonderen Wohlgefallens. Oder »außerordentlich irre«, gelegentlich auch »außergewöhnlich«. Bei einem besonders genußreichen Film – sagen wir: »Clockwork Orange« – heißt das »nicht zu glauben«. Womit nicht ungläubige Abwehr, sondern Beifall und Zustimmung formuliert sind. »Geil« können Nordseewellen sein, eine Pizza oder Baumwollblusen; Menschen nicht.

Je leerer, beziehungsloser, Entfernung zwischen zwei Menschen noch präziser bannend eine Filmszene ist, desto heftigeren Applaus erhält sie. Als der jegliche Beziehung zu seiner Umwelt aufkündigende jugendliche Held in »Moritz lieber Moritz« eine Katze an den Baum knallt, daß es spritzt, jubelte und lachte das Kinopublikum – wie bei allen ähnlichen kruden Szenen des Films. Ein Publikum, das sich zu großem Teil aus Studenten zusammensetzt; nach einer Erhebung leiden 40% aller Anrufer einer von der Hamburger Universität eingerichteten und bis an die Grenze des Möglichen benutzten »Telefonberatung« unter »Kontaktstörungen«. Derweil liegen in mondänen Einrichtungsgeschäften, wo Bücher sonst nur auffotografierte Kulisse sind – etwa in Hamburgs Pöseldorf – Transvestiten-Bildbände aus; mindestens fünf erschienen im Jahr 1977.

Genau so, wie die Begrüßungsformel unserer Väter »Na, wie stehen die Aktien« oder die Wohlverhaltensempfehlung »Überzieh dein Konto nicht« Soziogramm in nuce war, so sind die Lieblingsvokabeln der Jeansgeneration offenbar Ausdruck innerer Unsicherheit. »Alles klar«, sagt der junge Mann etwa, wenn er einem zwei Kinokarten verkauft und das Wechselgeld herausgegeben hat. Es klingt wie ein hoffnungsvoller Seufzer, die sieben Welträtsel somit gelöst zu haben, ebenso wie das unerträgliche »Ich gehe davon aus« der Politiker, das eine wählerbetrügerische

Sicherheitsplattform vorspiegelt. Die »in Wahrheit« immer undurchsichtigere Welt wird damit scheinbar klar gemacht; wie dieses »in Wahrheit« ja eine Pseudokenntnis vorgibt, die Kenntnislosigkeit kaum verbirgt – die frappanteste Variation, eine Art »Gegendarstellungsdeutsch« lautet: »Wahr ist«. Der so formuliert, ob im Interview oder im Leitartikel, suggeriert vor allem sich selber, er wüßte...; er gibt etwas vor, was nicht existiert, ähnlich der falschen Demutshaltung, die sich mit dem zeremoniösen »ich bedanke mich« eingeschlichen hat. Das murmelt nun der Klo-Mann auf dem Rhein-Main-Flughafen, hat man 10 Pfennig mehr hingelegt – als verabschiede sich ein geheilter Patient nach einer schweren Operation vom Chirurgen.

Und sogar auf diese Wort gewordenen Pseudo-Verhaltensweisen reagiert Sprache: »echt« ist das häufigste Neu-Wort. Offenbar, weil nichts mehr echt ist; von der echten Holzimitation am Schrank bis zum »echten Kunstfleisch«; befragt nach einem bestimmten Anschluß sagte die junge Dame im Reisebüro: »Also das weiß ich echt nicht.«

Irritation – Erkenntnislosigkeit – Sprachlosigkeit: das waren schon vor Jahren die »besonderen Kennzeichen« der amerikanischen Kulturszene; und mit einem gewissen Zeitabstand landet derlei bei uns. Ein Topos, durchaus als bildliche Übersetzung einer sich immer rabiater isolierenden Gesellschaft zu verstehen, ist das Gitter. Ob in Bernard Malamuds preisgekröntem Bestseller »The Fixer«, in Andy Warhols betörend giftigem Pop-Film »Chelsea Girls« oder den Flirr-Sieben Vasarelys; ob in John Herberts Zuchthausspiel »Fortune and men's eyes«, in Norman Mailers Off-Broadway-Adaption des »Deer Park« oder Rinald Tavels Masturbationsorgie »Gorille Queen« – Gitter und Gefängnis (und sei es das der vereinzelten, partnerlosen Sexräusche) sind beherrschende Metaphern. Wie die starren, hölzernen Panoptikumsfiguren der Marisol, Kienholz' von den Dingen überwältigte, gleichsam abgekaufte Humanität, oder die Cocktailpartituren des LaMaMa-Theaters – die Gebärde des Flehens, des Hilfesuchens, der ausgestreckten Hände findet sich allenthalben. Selbst noch die eher rührend hilflose Mode auf dem Campus, junge Hunde bei sich zu haben, die – sprachlos – gestreichelt werden oder das lautlose Stricken beim Anhören eines Vortrags zeigt einen »streetcar named desire« in der Einbahnstraße.

Sprache hat damit eine monologische Struktur erhalten, ist also kaum partnerorientiert. Eine der häufigsten Floskeln aus der Subkultur zeigt das frappant: »anmachen«. »Mach mich nicht an« heißt ein beliebter Schlager, ich möchte dich anmachen, sagt der junge Mann in der Bar, und eine Gasheizungsreklame in der Hamburger S-Bahn zeigt eine mäßig vulgäre Kleinbürgerin mit dem Spruch: »Mach den Ofen an, sag ich immer zu meinem Jonny, bevor du mich anmachst.« Das Wort heißt also nicht nur »flirten«, wie es scheint. Jedoch: das Gegenteil von anmachen ist – ausmachen. Es ist also ein Begriff aus der Dingwelt. Man macht eine Lampe an oder eine Heizung aus. Es zeigt eine »unheimliche« Beliebigkeit, Verfügbarkeit.

Genau die offenbart jeder der modernen Autoren. Auf Dinge ist man allenfalls neidisch; eifersüchtig nicht. So selbstverständlich es für Borns Ich-Erzähler ist, daß er mit anderen Frauen schläft, und seine Partnerin mit anderen Männern, so unbewegt Handkes Ehemann von seiner linkshändigen Frau zu einer Kollegin geschubst wird, so selbstverständlich Max Frisch während der Montauk-Versponnenheit an seine Frau Marianne denkt oder Grass den Freund mit dessen Frau betrügt, so nonchalant schreibt etwa Peter Rühmkorf Illustriertenartikel aus Fernost, in denen er detailliert seine Pufferfahrungen in Bangkok berichtet – nette Postkarte an die Frau Gemahlin. Nun mag gefragt werden, was das mit Literatur zu tun hat. Es hat. Eben diese Verdinglichung – »Entfremdung«? – ist Stigma der Literatur dieses Jahrzehnts. Der Akt wird zur Akrobatik, das Glied zum Gegenstand; bei Born beispielsweise zum Messer:

»Sie machte meine Hose auf und versuchte, sie mir herunterzuziehen. Sie griff hinein und schob sich das Glied in den Mund. Ich hatte Angst und war deshalb schneller erregt. Dann zogen wir uns aus, und ich stieß ihn ihr, die sich mit nassen, geröteten Augen umdrehte, ins Loch, so heftig, daß sie über ihre aufgestützten Arme nach vorn kippte und der Kopf auf den Boden schlug. Mach, schimpfte sie, mach, geh ganz durch mich. Als ob ein Messer in sie hineingetrieben würde, an dessen Klinge entlang sie schon in ihr Jenseits blicken könnte, während ich ihr, auf ihr knieend, langsam das Leben herauspreßte.«[52]

Ein Messer ist gemeinhin kein Gegenstand, der Menschen verbindet; ist überhaupt keiner, mit dem man Menschen »behandelt« – vielmehr Sachen. Die notorische Versachlichung bis ins Detail des Muffeltons und der Gleichgültigkeitsklischees – »mach rasch, in einer Stunde kommt mein Freund« – hat zerschnitten, was Menschen verbinden könnte. Oder leiden machen könnte.

Alfred Kolleritsch betitelt seinen Petrarca-preisgekrönten Gedichtband überdeutlich »Einübung in das Vermeidbare«, und der Kernsatz des Bandes heißt, »Er übte das Alleinsein, den Kreisgang hinter der eigenen

Haut«;[53] Hände, die streicheln, sind bei Kolleritsch zersprungenes Glas:

»Ja,
deine Hand zerschneidet
mein zähes Gesicht,
manchmal hüpft sie vor Freude.«[54]

Selbst Aufschrei und Klage haben den moderaten Ton des Verständnisses, Einverständnisses. In Uve Schmidts schmerzlichem Bericht vom »Ende einer Ehe« wird einer zwar nicht fertig mit dem Verlassenwerden. Aber die Umwertung, daß man verlassen muß, wenn man liebt, daß es ein Zusammen, Gemeinsamkeit nicht gibt, ist unbestrittene Voraussetzung dafür, wie man miteinander umgeht:

»Barbara ist seit 1 Jahr getrennt von ihrem Mann, den sie liebt, der der Einzige, Richtige ist für sie, obwohl sie aussieht, als würde sie Männer verschlingen. Antje ist seit 5 Jahren mit Jens zusammen, auch sie liebt Jens und will sich jetzt von ihm trennen.«[55]

Diese Literatur führt beides zugleich auf gelungene Weise vor: Öde, und das Leiden an ihr. Christoph Meckels Erzählung »Licht« ist Bericht einer Verfinsterung, ist Nachdenken über Untreue und Trauer um den Menschen, den man liebt und der entgleitet. Es ist keine Eifersuchtsnovelle im klassischen Sinne, vielmehr kalligraphiertes Erstaunen, daß soviel Entfernung eingebaut ist in das, was man Nähe wähnte:

»Und am wenigsten hätte ich mir vorstellen können, daß der erste unaufrichtige Augenblick so beiläufig vorübergehn würde, ohne Irritation, zu flüchtig für eine Empfindung.«[56]

So muß man als das Grundmotiv der Kunst dieser Zeit die Aus-Einzelung des Individuums, die Absonderung des Menschen bis ins Absonderliche konstatieren. Der Kunst – denn das geht durch alle Disziplinen. Von der Eisesstarre der Figurinen Delvaux' ist eine direkte Entwicklung zu Paul Wunderlichs Homosexualitätsetüden. Wer die als Pornographie mißverstehen will, kann nicht lesen. Mit dem bösen Blick seiner malerischen Intelligenz hat Wunderlich hier in sich selbst versunkene, teilnahmeunfähige Egomanen gezeichnet. Narcissus redivivus: die sich gefällig im Spiegel der Selbstbewunderung vergarnenden Silhouetten zeitgenössi-

scher Kunst wandern stets auf dem Grat der Selbstvernichtung. Daß eine Romanfigur Alberto Moravias Desideria heißt, ist dem Spott ihres Schöpfers zu danken; vereinen tut sie beides: die Selbstbezogenheit wie die Gewalttätigkeit. Die ist ja die andere Seite dieser Psychostruktur. Moravia erklärte in einem Interview, daß Desideria für den Liebesakt nur sich selbst brauche. Der sexuelle Akt sei heute die einzige Kommunikation und Ersatz für Gespräch. Wie die sexuelle Orgie als Pendant zur revolutionären Gruppe zu begreifen ist, so entspricht jede sexuelle Variante einer psychologischen oder sozialen Kategorie. Solche Elemente der Selbstzerstörung, des Zerfleischens einer Figur finden sich ebenso in Dieter Kriegs Bildern auf der Biennale in Venedig, wie sich eine aus Traurigkeit und Selbstgenügsamkeit eingesponnene Einsamkeit auf Zeichnungen und Ölbildern des Kölner Malers Josta Stapper zeigt, der im Spätsommer 1978 im Museum von Stade ausstellte. Das Resümee der »Ersten Jugendbiennale der Zeichnung« lautete: »...ein erhebliches Defizit an direkter Auseinandersetzung mit der erlebten Gegenwart... zurückgezogen auf sich selbst.«[57]
Die sehr komplizierte Dialektik zwischen Beziehungslosigkeit und Gewalt, zwischen Menscheneinsamkeit und Menschenverachtung, zwischen Gehorsam und Verweigerung (als Auswechseln einer sozialen gegen eine antisoziale Haltung) versinnbildlicht nicht nur Moravias Terroristendame aus Roms vornehmer Gesellschaft; sie prägte die Handschrift fast aller wichtigen Theaterinszenierungen der Zeit: Ob Karge-Langhoffs »Prinz von Homburg«-Inszenierung, die als Summe eines politischen Diskurses über Gehorsam und Verweigerung einen nackten Prinzen vorführt, der selbstversunken sich streichelt, oder Klaus Michael Grübers »Winterreise«.[58] Das war perfektes Theater der Einsamkeit und des Frosts: In winterlicher Kälte werden achthundert Zuschauer im mehrere tausend Personen fassenden Berliner Olympiastadion zu einem Häuflein der Verlorenen gebündelt, in dem endlos weit scheinenden Oval der für Massenjubel und frenetische Gemeinsamkeit angelegten Sportstätte zerlegte Grüber seine Hölderlin-Etüde in lauter Einzelaktionen. Ein Läufer, ein Turner, ein Monologsprecher: diese unvergeßliche Nacht der Sterne und Melancholie war Kristall aus Angst und Verlorenheit. Leben als Jagd.
Gewiß kein Zufall, daß Gerhard Roth, dessen Arbeiten im letzten Kapitel dieses Buches analysiert werden, seinen Roman desselben Jahres ebenfalls »Winterreise« nennt. Er verschränkt zwei Motivfelder: Kälte und mißlungene Annäherung. Das Aussteigen zweier Menschen aus der Hängeakten-Realität, Reise ins winterliche Italien führt zu Höhepunkten der

Zärtlichkeit immer – wenn der Treubruch des anderen phantasiert wird: »Die Liebe war für ihn jetzt ein Betrügen und ein Betrogenwerden, und wenn er liebte, mußte er sich dazu bekennen, auch wenn er es sich niemals zugeben würde.«[59] Ausnahmslos jede Szene dieser Italienfahrt aus Liebesnot, in der erotische Intensität sich zu Raserei und vollkommener sexueller Erfüllung steigert, denkt einen dritten Partner mit:

»Und Nagl erzählte ihr, wie er mit einer Frau in einem Auto geschlafen hatte, wie er seinen Schwanz in sie gesteckt, ihn wieder herausgezogen und geleckt hatte. In diesem Augenblick stöhnte Anna so laut, daß er ihr den Mund zuhalten mußte.«[60]

Auf, man möchte sagen, nervöseste Weise hat Peter Schneider in seiner meisterhaften Erzählung »Lenz« dieses Greifen ins Nichts, diese entstehende Beziehungslosigkeit literarisch fixiert. Schon die Tatsache, daß er Büchners »Lenz« paraphrasiert, ist Indiz in sich. »So lebte er hin...« – damit endet bekanntlich die Novelle. »Dableiben, erwiderte Lenz« ist Schneiders kontrapunktisches Erzählungsende; dableiben – das tut, ohne zu wissen, wozu und mit wem, der durch die Apo-Wirren mit wachsendem Unbehagen schlingernde Lenz, nachdem er aus Italien nach Berlin zurückgekehrt ist. Seine Wanderjahre aber, durch Berlin, Freiburg, Rom und nach Berlin zurück, sind wie Fahrten durch Irrgärten: leben neben Menschen, die unerreichbar sind. Ob es die sogenannte »arbeitende Bevölkerung« ist – »sie gehen zur Arbeit, dachte Lenz. Er verband mit dem Satz keine Vorstellung« –;[61] ob es die Beobachtung von Freunden ist – »er saß dort mit seiner Frau, mit der er seit drei Jahren in dauernder Trennung zusammenlebte« –;[62] ob es unangenehme Bekannte sind – »ihr habt schnelle Autos, große Wohnungen, schöne Frauen, solange sie euch betrügen«:[63] Schneiders so kurzer wie kunstvoller Text ist eine Studie in Fremdheit. Niemand erreicht hier niemanden, und wann immer ein normaler Impuls, eine spontane Reaktion sich regt, wird sie von Worten, vom Müll linker Konvention zugeschüttet.

»Er schaute auf die Hosen der Männer und fand heraus, auf welcher Seite ihr Schwanz lag. Er stellte sich ihre Schwänze in Erregung vor und dann die Folge der Veränderungen der Körper, die stattgefunden haben mußten, bis alle wieder so sitzen und sprechen konnten... Wenn ich mit jemand eine Sache anfasse, dann möchte ich verdammt noch mal wissen, ob ich den auch anfassen kann.«[64]

Mit erstaunlicher Virtuosität hat Schneider es geschafft, die ständige Kluft zwischen Begehren und Erfüllung zu zeigen, die rasche Banalität nach der rasch-beliebigen Gemeinsamkeit, die eben keine war und keine ist:

»Sie wehrte sich erst, dann nicht mehr. Es störte Lenz, daß jetzt alles so schnell ging. Sie rissen sich die Kleider vom Leib, ohne recht hinzuschauen. Es war dann sehr schön, es gibt nichts weiter dazu zu sagen. Später, als sie nebeneinander lagen, tat Lenz ihre Zärtlichkeit körperlich weh. ›Erzähl mir, was du machst‹, sagte er.«[65]

Schneiders schmales Buch ist eine Elegie über das Thema, daß – wenn's gut geht – nur mehr zweierlei Lust erlebt wird, nicht eine. Geschlechtsverkehr als umständliche Variante der Onanie. Der Mensch als lästiges, weil mitzuverantwortendes, Anhängsel seines Geschlechts. Gleich zu Beginn, wie ein Leitmotiv, klingt ein Song an, »people are strange, when you're a stranger, faces look ugly, when you're alone«; er stimmt das Buch ein. Es ist getragen von einer unendlich behutsamen Trauer über das beziehungslose Nebeneinander, ja: Auseinanderbersten von Menschen, die sich nicht mehr sagen können, was sie schön finden. Und die, sagen sie es, nicht empfinden. Es hat genau den Schnittpunkt getroffen einer falschen Politisierung und einer oberflächlichen Emotionalisierung:

»Kannst du deiner Frau sagen, was dich an ihr abstößt, und kannst du es dann noch empfinden, während du es beschreibst? Kannst du ihr sagen, daß du ihren Geruch nicht mehr ausstehen kannst, ohne dem Kapitalismus dafür die Schuld zu geben? Ich weiß, daß ihr es nicht könnt. Ihr könnt nur allgemein, in Begriffen sagen, was ihr haßt oder liebt, ihr habt Angst davor, daß euch irgendetwas gefällt, weil ihr Angst habt, daß ihr dann nicht mehr kämpfen könnt. Ihr könnt dann nicht mehr kämpfen.«[66]

Deswegen leiden die Helden dieser Literatur vornehmlich an sich, ein müder déja-vu-Kampf um den Anderen gerät allenfalls zum Stellungs»krieg«. Übergroße Eigenliebe, Narzißmus – das weiß man spätestens seit Freud – mündet in Selbstmitleid. »Narziß, Gott der siebziger Jahre« lautete ein Aufsatz der »Frankfurter Rundschau« – vorher schon war in den USA Christopher Laschs Buch »The Culture of Narcissism« mit dem bezeichnenden Untertitel »American Life in An Age of Diminishing

Expectations« ein Bestseller wie die deutsche Ausgabe von Shirley Sugerman »Narzißmus als Selbstzerstörung«. In der »Frankfurter Rundschau« hieß es:

»Es vergeht keine Psychologen-Konferenz ohne einen Narzißmus-Workshop. Psychologische und soziologische Narzißmus-Aufsätze und Bücher überschlagen sich. Der Titel zu Tom Wolfes ›The Me-Decade‹ (Die Ich-Dekade) wurde praktisch über Nacht zum Schlagwort.«[67]

Das ist aber eine Ich-Bezogenheit, die einem Mangel an Ich entspringt. Wer kein Ich ist, kann keinen Weg zu einem Ich finden. Dieser Weg wird in der Literatur dieser Jahre nicht gesucht, also nicht gestaltet. Überhaupt kein Weg, sondern Kreiselbewegung. Daher das Gläserne, Balletthafte. Schon die epische Struktur der »Hundejahre« – in denen es keine Liebesszene gibt – ist die des Balletts. Das aber ist die Kunst, die am dialog-ärmsten ist, die einen Partner nur braucht zur perfekten Selbstdarstellung, als Hebe- und Schwebebalken. Es ist auch, nicht zufällig, die Kunst, deren eisig-artistische Solitüde besonderen Anklang bei Homosexuellen hat.
Sie, zumindest ihre Elemente, überwiegt in den künstlerischen Darstellungen der Moderne. Eifersucht beispielsweise als Choreographie – das war das Konzept von Zadeks »Othello«; aufgelöst also in schöne Form, weg von jeglicher Emotion. Der Mord an Desdemona war im Hamburger Schauspielhaus ein rauschender Lacherfolg. Man amüsierte sich köstlich.
Auf fast sensationelle Weise hat – von der Kritik meist unter ratloser Zirkuskuppel begrüßt – Robert Wilsons Theater das vorgeführt. Seine mit Philip Glass ausgearbeitete Oper »Einstein on the Beach« ist exakteste Kalligraphie dieser a-Kausalität. Die von ihm postulierte äußerste Subjektivität schlägt, angerichtet als kalter Schaum, ins total Objekthafte um. Seine Menschen sind mechanische Puppen. Die einzige Liebesszene ist ein Mord. Die einzige erotische Szene ist eine Masturbation. Handlung findet nicht statt. Sprache auch nicht – die beiden Elemente also, die Menschen zu Menschen machen. Sie sind statt dessen in Kästen aus Licht gefangen, die Lichteffekte streichen die Menschen gleichsam durch – sie werden »ausgemacht«, nun tatsächlich. Wenn man sich an das expressive »Living Theatre« erinnert, ist hier eine konsequente Entwicklung ablesbar – nämlich keine. Das Element des Statischen überwiegt, Zeit wird zur Zeitlupe, Landschaft wird bewußt als Kulisse gesehen. Die gesamte Bildersprache dieser Inszenierung zitiert bestimmte Tendenzen der mo-

dernen Kunst – von Magritte bis Duane Hanson, von Christo bis Kienholz. Es ist eine Kunst der Bewegungslosigkeit, ihrerseits bereits Zitat. Und was sie mitteilt, ist die Lakonie: Menschen haben nichts miteinander zu tun. Da das Stück den Namen Einstein im Titel führt, wurde Wilson natürlich nach seinem Zeitbegriff befragt und seine Antwort war aufschlußreich: Zeit ist lediglich Repetition. Folgerichtig hatte eine Uhr auf der Bühne weder Zifferblatt noch Zeiger. Ein zweites Beispiel war noch typischer für Wilsons Konzept der artistischen Verriegeltheit des einzelnen Menschen; auch dieses gibt sich ganz im Gewande einer neuen Empfindsamkeit und ist doch, genau betrachtet, nur die Theorie von der totalen Vereinzelung. Ein Kollege habe zwei Experimente gemacht. Einmal habe er eine endlose Tonbandschlaufe laufen lassen, auf der nur das Wort »cogitate« unentwegt wiederholt wurde. Jeder Zuhörer habe – von »agitate« bis »tragedy« – ein anderes Wort gehört. Und ein anderes Mal habe er einen Film vorgeführt, dessen Bilder nur aus leeren weißen und schwarzen Quadraten aneinandergefügt waren. Schließlich habe nach einigen Stunden eine Zuschauerin gesagt, am besten habe ihr die Sequenz mit den galoppierenden Pferden gefallen...

Wilson, der seine Theaterarbeit aus der Arbeit mit autistischen Kindern entwickelt hat, sieht darin ein starkes Positivum – jedes Menschen Subjektivität produziere also Unkontrollierbares, münze äußere Reize um in inneres Erleben, das im »Angebot« gar nicht gegeben war; denn weder war auf dem Tonband von »tragedy« die Rede noch galoppierte durch die leeren Quadrate irgendein Pferd. Das hört sich nach individueller Produktivität an – und ist tatsächlich ein nachgerade hochmütiges Verstoßen des einzelnen Menschen aus jeder Kommunikationsmöglichkeit. Wenn jeder jedem jeden Inhalt streitig machen kann, dann gibt es keinen mehr; also keine Verständigung. Was bleibt, ist eine emotionale Leere. Leben ist eigentlich nur eine zellenbewegte Vorform von Tod. Ohne Zeit, ohne Prozeß, ohne Entwicklung. Zum chromblitzenden Boutiquen-Chic hat Wilson das verkommen lassen in seinem auf pure Ein-Personen-Gestik reduzierten Stück »I was sitting on my patio this guy appeared I thought I was hallucinating«, das 1978 beim Berliner Theatertreffen aufgeführt wurde. Das Hauptwort der sprachlosen Darbietung war NO, es leuchtete von einer Schautafel oder wurde gebrüllt. Die Hauptsätze waren Fetzen im Disko-Stakkato: »I'm alright, you must trust me, I'm fine« – Beschwörungen, die in ein Telefon ohne Verbindung zu irgend jemandem gesprochen wurden. Wilsons Theaterpersonal ist »wie echt«, hat die Gelenkigkeit von zu graziöser Sinnlosigkeit arrangier-

ten Schaufensterpuppen, mit Menschenhaar. Das Kabinett des Dr. Tussaud.
In einem seiner monatlichen Kommentare in »Theater heute« sah der Theaterkritiker Michael Skasa hier eine deutliche Tendenz der modernen Bühnenkunst überhaupt:

»Es gibt Gruppen, die vor kurzem noch handgreifliches Theater gemacht haben – jetzt entwerfen sie Bilder, irgendwas Reizendes: zwei Monster auf Riesenstelzen, durch die Menge schreitend; oder: Leute in weißen Flatterhemden gehen zu Trommelschlägen und Weihrauchgewalle herum; vermummte Gestalten auf weißen Pferdegerüsten werden ganz langsam durch die Gaffenden gezogen. Und weiter? Nichts weiter, wenn sie hinten angekommen sind, folgt das nächste Bild; die Show ist das Theater, so etwa bei der jüngsten Produktion des Freien Theaters München, so aber auch, durchaus ähnlich, bloß viel teurer, beim vergangenen Schaubühnen-Rummel ›Shakespeares Memory‹, wo es, zeigefingernd und abscheulich belesen, Kästchenwissen in diversen Bühnenkästchen zu bestaunen gab.«[68]

Sehr typisch, daß bis ins bühnentechnische Detail Botho Strauß in seiner Szenenfolge »Groß und Klein«, deren erster Satz – »Lotte, Mitte Dreißig, allein« – nicht bloße Szenenanweisung, sondern Programm ist, sich solcher Mittel bedient: Die entsetzlichste Szene (die dem Stück den Titel gibt), ist ein Dialog mit der – Sprechanlage eines Appartementhochhauses, aus der Junggesellenfrivolität, Rentnermürrischkeit und der schräge Irrsinn grüner Witwen gleichsam wie Spülicht herausduschen. Es ist die grausamste Neufassung von »Menschen im Hotel«, die denkbar ist. Die Lotte dieser zehn untereinander durch Fabel oder Handlung nicht verbundenen Szenen, eine Art »Sandwich-Lady« beziehungsloser Freundlichkeit, wird schließlich entlassen aus dem Wartezimmer des über Mikrophon seine Patienten abrufenden Arztes: »Gehen Sie bitte.« »Ja.«
Botho Strauß' Frauenfiguren, auch und besonders in seinen Erzählungen (»Widmung«, »Marlenes Schwester«), sind immer von einer Aura des Verlorenen umgeben; die »Widmung«, Abgesang an eine Geliebte, die den Erzähler verließ, ist zusammengefaßt in dem Satz: »Die Kraft, die eine Liebesbeziehung bewegt hat, kommt erst im Bruch zur größten Wirkung.«[69] Sein Stück liest sich wie die ingeniöse, hochartifizielle Umsetzung der wissenschaftlichen Laudatio, wie Jürgen Habermas sie 1978 für Alexander Mitscherlich versuchte:

»Eine Gesellschaft nimmt pathologische Züge an, wenn sie ihren Mitgliedern kommunikative Lebensformen verwehrt, in denen diese eine den gesellschaftlichen Imperativen angemessene Ich-Identifikation ausbilden könnten: ›Soziale Krankheit entsteht, wenn die soziale Matrix zu schwach geworden ist, um die Sozialisierung des einzelnen in verbindlicher Weise zu fordern, den einzelnen also ohne Anleitung in vielen Lebenslagen sich selbst überläßt und damit unbewußte mehr als bewußte Angst erweckt. Soziale Krankheit entsteht am anderen Ende des Spektrums, wenn der Anspruch der Gesellschaft so terroristisch in das Individuum hinein vorgetragen wird, daß Abweichungen von den Geboten und Verhaltensnormen permanente, intensive Angst erwecken und damit die spontane Rückäußerung des Individuums auf die gesellschaftlichen Zustände gelähmt erscheint. Beide Zustände gefährden die Gesellschaft in jedem einzelnen ihrer Mitglieder und veranlassen pathologische Verhaltensweisen.‹«[70]

Und zwei so ganz anders strukturierte, so sehr unterschiedliche Dramatiker schreiben dennoch auf demselben Linienpapier. In Franz Xaver Kroetz' Stück »Mensch Meier« fragt Martha bei der Liebe: »An was denkst denn?« Otto: »Nix.«[71] Sexuelle Not als soziale Not. Vielleicht stärker, gräßlicher und in der Erbarmungslosigkeit doch freundlicher, ganz kunstvoll die Schlüsselworte »allein«, »fremd« und »Geheimnis« einsetzend, liest sich das in Peter Greiners »Kiez«:

»Morgens, Anne wacht auf und sieht, wie Knut sich einen greift, einen runterholt.
Anne: Mach mir doch eher wach, wenn du das nötig hast.
Knut: Ik tu det lieber alleene.
Anne: Dann wach mich wenigstens auf, daß ich kann zuschaun dabei.
Knut: Gut, fortan schubst ik dich an, wenn ik morgens einen wichse.
Anne: Ich versteh nicht dein Geheimnis. Was ist los in dir? Irgendwie bist du ein fremder Mann für mich, bist weit weg.«[72]

Selbst die Namen von Theaterfiguren setzen sich aus Müll zusammen. Thomas Braschs ausgeprägte Witterung für Unterströme, aus denen Gefühl und Bewußtsein sich nähren, tauft den »Helden« seines wichtigsten Stücks »Rotter« – und leitet den Namen so ab:

Rotte: »Abteilung, Schar, Haufen, Horde«
rotten, zusammenrotten: »eine Rotte bilden«
rott: »Moder«
rotten, rötten, verrotten: »zum Mürbewerden bringen«
rotter: (amerik.) »Schweinekerl«
roter: (frz.) »rülpsen«
rotter (mittelhochdeutsch) »Harfenspieler«[73]

In der einschneidendsten Szene des Stücks sagt Rotter: »Ich kann mit keinem sprechen. Und wills nicht.«[74]

Diese Monologsituation hat sogar zu einer besonderen literarischen Mode – gar Marotte? – geführt; der Wiederentdeckung des in sich selbst verfangenen Individuums entspricht auf verquere Weise ein neuer »Personenkult« bei den Konsumenten: die Stimme des Dichters ist »in«. Schallplatten mit Texten von Mon oder Heißenbüttel, Celan oder Benn, Eich, Jandl, Handke, Canetti oder Bobrowski[75] finden mehr und mehr Hörer.

Was hören sie? Wir haben es zu tun mit dem Phänomen eines genießerischen Eskapismus. Es handelt sich um eine (pseudo-) literarische Freizeitgestaltung – um Beschäftigung mit Literatur handelt es sich nicht.

Es zeigt sich nämlich, daß ein literarischer Text, der nicht intentionell zum Hören geschrieben ist – als Drama oder Hörspiel –, so nicht begriffen werden kann; der Verabreichungsgestus, mit dem der schwarze Teller die Worte austeilt, ist a-literarisch per se: Literatur ist keine passiv aufzunehmende Grammatikdusche, sie braucht Aktivität, Mitarbeit, Mitdenken. Die zum Hören bestimmten Texte brauchen die Interpretation durch Stimme (und allerlei Geräusch) – Hohn oder Angst, Bedrohung oder Lauern, spitze Hinterhältigkeit oder falsche Banalität *entstehen* überhaupt erst durch Ton und Modulation (Jürgen Beckers »Häuser« sind eklatantes Beispiel für diese Möglichkeit des Audio-Recorders). Ein Satz wie »Er wird schön singen« bekommt erst durch die je verschieden mögliche Betonung eines jeden Wortes seine vielfache Dimension – er kann bedeuten Mitteilung oder Warnung, ästhetisches Urteil oder Zukunftsversprechen. Solche Sätze – ein anderes Beispiel: »es kann nichts geschehen« – sind auf die Notwendigkeit der akustischen Interpretation *zu*-geschrieben.

Hermann Brochs »Versucher« ist das, beispielsweise, nicht. Schon ein Titel wie Canettis »Der Namenlecker« huscht auf der Schallplatte vorbei wie ein unbegriffener Schatten, bedeutungslos. Das eben ist es: be-deutet das Wort mehr als sich selber, ist es nicht mehr einholbar, plattenverteilt. Das Netz bleibt gleichsam leer – die metaphorische Prosa Brochs zerrinnt in Wortadditionen, die nichts transportieren. Auf ganz eigene Weise wird plötzlich Zeit zur literarischen Kategorie: nicht die Proust'sche Zeit, die ein Text einfängt und bricht, sondern die Zeit, die er für sich selber benötigt, will er »einhaken«. Bleibt die Prosa eines Autors beim Angebot der Eigenerfahrung – und deren Beschreibung –, so ist diese mitgeteilte Erfahrung allenfalls nachvollziehbar. Handkes »ich sehe, ich rieche, ich schmecke«, da un-metaphorisch, ist beim Hören zu verstehen; es ist eine Sinnlichkeit, die sich verhältnismäßig leicht überträgt, ein Nach-hören (als physische Voraussetzung des Nachdenkens) nicht unmittelbar erfordert. Referiert Handke etwa bei seiner Lesung aus der »Innenwelt der Außenwelt der Innenwelt« auf disziplinierte Weise die Lakonie seines Textes, dann ist das »plattenfähig«. In dem Augenblick, in dem es ein reflektorischer Text ist, eine Paraphrase etwa über Begriffe – Person, Zeit –, entflieht der Text, spritzt und zerstäubt vom Plattenrand wie Wasser vom Mühlrad, selbst Wortspiele bräuchten eine Bremse: »Gott ist kein Unmensch, er gab den Geist auf, manche erachteten ihn für besser als gar nicht« – unmöglich kann das in Bruchteilen von Sekunden begriffen werden.

Gar erst Bloch. Seine Rede etwa über »Widerstand und Friede« bleibt sozusagen ein Kantzitat. Der Text greift darüber nicht hinaus, wird er so konsumiert. Jede Assoziation, jeder eigene Gedanke ist vollkommen unmöglich, weil ein Innehalten nicht möglich ist. Fast erbarmungslos dreht der flachgepreßte Spinnrocken sich weiter, dreht Bedenken und Nachdenken und intellektuelles Innehalten durch und flach. »Hegel« etwa darf man nicht denken, das Ding ist ja schon weiter.

Wird ein Text durch seinen Vortrag also verlarvt oder entlarvt; kenntlich oder unkenntlich? Beides. Kempowskis one-man-show zeigt zum Beispiel, daß das künstliche Aufmöbeln durch angebliche Gags literarischer Prosa allenfalls schadet. Zumindest, wenn ein Nicht-Schauspieler wie Kempowski ihn über das, was der Kontext selber will und leisten kann, hinauszutreiben versucht. Der Text rutscht prompt ins Spießige, statt Spießiges zu bezeichnen. Er wird märchen-raunend im Tantenton statt realistisch. Das Pausenlose zerlegt ihn in Details, statt die Details zusammenschießen zu lassen. Es entstehen überhaupt keine Bilder, in denen sich Phantasie einnisten könnte, sondern Schemen. Wie der Film die zahllosen kleinen Bildwiederholungen braucht, um ein Bild-Ganzes zu werden, so braucht das literarische Wort ein Wichtiges: Pausen. »Veredeln Sie Ihr Foto durch Vergrößern« heißt eines der Ironie-Versatzstücke bei Kempowski. Aber sein aufgegagter Vortrag weckt den Ruf »Veredeln Sie Ihren Text durch Verkleinern« – die stärkste Kritik an einem Kempowski-Text ist diese seine Lesung; die Ironisierung durch bestimmte Intonierung trägt Mißtrauen gegen die eigene Prosa vor.

Nun bietet sich der Einwand an: »Das alles trifft für jeden Vortrag zu.« Wohl doch nicht. Tatsächlich gibt es ja nicht nur die akustische Dimension, sondern auch die optische. Das heißt aber auch, optische Irritation oder Konzentration. Wer auf dem Sofa sitzt – oder meinetwegen auf der Erde liegt – und eine Platte hört, wird durch zweite Eindrücke abgezogen. Das Auge erfaßt vielerlei im Raum, das die Phantasie ihrerseits gleichsam »automatisch« auffüllt – Vase oder Lampe, Graphik oder Möbelstück. Es ist ja nicht so, als leckte der Blick an einem Hundertwasser-Blatt, einer Jugendstil-Vase, einer Benin-Plastik nur entlang; jedes Teil eines Interieurs weckt Assoziationen – ob an Menschen, Begebnisse oder Geschichte. Brechts Totenmaske im Blick und Gottfried Benns Lyrik im Ohr, eine Max-Ernst-Graphik im Visier und Celans Stimme; es ergänzt sich nicht, sondern widerläuft einander; bestenfalls ergibt sich eine »Doppelbelichtung«. Konzentration, jene Arbeit im Sinne aktiver Lektüre, ergibt sich nicht. Hier liegt der Unterschied zum Anhören eines Vortrags – Ernst Bloch auf dem Podium stellt sozusagen ein eigenes Kraftfeld her, einen Magnetismus, er fügt dem Verstehen etwas hinzu; die Platte fügt seinem Text etwas zu.

Am starksten bei Lyrik. Es bleibt, hort man Paul Celan seine Gedichte vortragen, doch die Frage: ist dieses intensive Element des Beschwörens, das von seinen Interpretationen ausgeht, wirklich den Texten immanent? Seinen Worten wird durch die (scheinbare) Authentizität etwas auferlegt, was ihr strenger Bau nicht meint. Authentisch letztlich ist der Text – nicht die unmerkliche Autorenanalyse, die durch den Vortrag beigegeben wird; eine Art »Nach-Wort« durch Ton. Und umgekehrt zugleich – der Sinn sinkt weg unter seiner Vokalisierung. Eklatantes Beispiel für diese Paradoxie ist Celans berühmtes Gedicht »Sprachgitter«. Schon die Vielschichtigkeit des Titels verweht. An das Gitter in Nonnenklöstern vor dem kleinen Fenster im Parlatorium zu denken ist da so wenig Zeit, wie an die durch zahlreiche Literaturbeispiele belegte *gegenteilige* Bedeutung: Gitter nicht als Trennendes, sondern als »Vergitterung«. Doch wenn sich dieser Akkord bereits verflüchtigt, ist ja das ganze Gedicht nicht zu verstehen, das von nichts »handelt« als eben jener Balance aus Trennung und Bindung. Trotz der wunderbaren Sprachkultur Celans verkommt die kühle Wortarchitektur zum Melancholie-Parlando. Das erste Wort, »Augenrund«, ist nicht zu erfassen, könnte auch beschrei-

bend heißen »Augen rund«, und das letzte, Bilanz des ganzen Gedichts, heißt »Schweigen«; es sollte nicht *gesprochen* werden. Es wird unkeusch dadurch.
Es ist ein Mißverständnis, das diese Mode erklärt: ein falscher Begriff von Authentizität; nicht die des Textes. Damit verkommt aber Literatur zur Hintergrundmusik; zum konsumierbaren Accessoire. Wie in den »Programmkinos«, die statt Reyno-Reklame vorweg alte Wochenschauen zeigen, das jugendliche Publikum beim Anblick einer »Super-Constellation« jubelt, klatscht und lacht – nicht, weil sie während der Berlin-Blockade Brot und Kartoffeln einflog, sondern weil sie noch Propeller hat: so wird Literatur hier als *Styling* verstanden. Also: nicht. Becketts »letztes Band« spielt nicht Pink Floyd.

Drehgeschwindigkeit, nun in einem anderen Sinne, zeigt die Prosa des Österreichers Ingomar von Kieseritzky: Wirklichkeit wird zu parodistischer Verzerrung. Sein Buch mit dem bigott-enthüllenden Titel »Trägheit oder Szenen aus der Vita activa« verläuft in immer enger werdenden Kreiselbewegungen, in deren hochkomischen Schlund der Mensch eher verschwindet; die Komik erstarrt alsbald zur Grimasse des nun endgültig autistischen Hypochonders. Ein Narziß, der aber weiß, daß er einer ist, spielt mit einem perfekten Gittersystem der Berührungsverbote und Selbstbeobachtungen:

»Zu Transpirationen neige ich nur an den Füßen, unter den Achseln und auf der Stirn. Bei bestimmtem Seitenlicht habe ich einen schönen Kopf. Ich halte die Haare auf eine Länge, die meine Ohren (die abstehen) bedeckt. Die Farbe der Haare richtet sich stets nach der Beleuchtung. Bei Kerzenlicht sind sie rötlich-braun, bei elektrischem Licht haben sie eine metallische Färbung und man kann meine ziemlich weiße Kopfhaut sehen. Manchmal wäre es zu wünschen, kahl zu sein, ohne Kompromisse und vollständig.«[76]

Leben als Szene – aber auf einer Bühne, die nur eine Stimme, eine Figur gestattet. Die Sprechprobe ist Studie zum Monolog, die Bewegungsprobe ist Choreographie von Entfernung.

»Es ist bedauerlich, daß eine Verliebtheit beinahe immer mit dem Austausch von Speichel verbunden ist, mit Küssen und wenn Küsse, mit weiteren Zärtlichkeiten. Meinetwegen hätte Vera ihr Gesicht mit einer Seidenmaske bedecken können – (früher schlug sie mir diese Möglichkeit vor); aber ich nahm auf unser Zartgefühl Rücksicht und verlangte nichts von ihr. Leider würde es, das war mir immer klar, nicht immer bei Küssen mit Mund oder/und Zunge bleiben.«[77]

Kieseritzky läßt jegliche Handlungen seines »Helden« mit erbarmungslos sezierendem Auge zusammenschnurren zur peinlich-akkuraten Vorbereitung, wie alles Tun vermieden werden könnte. Auf den Satz »Ich glaubte fest daran, daß Vera diesmal versuchen würde... mit mir zu schlafen«[78] folgen groteske Verrichtungen einer Gliederpuppe, die in den Drähten des entsetzlich-clownesken Humors Becketts hängt, in einem Spinnweb des Erstickens. Ihr Tun ist Zappeln. Die Robert Walsersche Sanftheit von Kieseritzkys Sprache möge niemanden zum Lachen verführen – denn die Rede geht hier von der Unfähigkeit, zu verführen.
Ludwig Harig nannte dieses Buch sehr zu Recht die Geschichte der Einbildungskraft als Geschichte einer Verlarvung. Kieseritzkys grandiose Kraft des Formalisierens läßt ihn mit der erbarmungslosen Grandezza eines Zirkusdirektors arbeiten: Wo der Zuschauer ein Gesicht erwartet – flugs eine Maske; wo die Pailletten eines Trapezkostüms zu flimmern scheinen – ist es Haut, magisch beleuchtet; wo ein Mensch auftritt, vermeintlich – ist es ein Foto; die Ersatzwelt als Kunstwelt:

»Betrachte ich die Zeitschriftenbilder Veras (Vogue und Harper's Bazaar), dann ergreift mich eine gewisse, nicht unangenehme Erregung, die bis zu einer schwächlichen Erektion führen kann... Fotografien von Frauen waren mir lieber als Frauen; mit Fleisch und Blut konnte ich von jeher wenig anfangen.«[79]

Der Monolog als rationale Kommunikationsbarriere hat seine Entsprechung gefunden in einer Auto-Erotik als Zeichen des vollständigen emotionalen Verbindungsbruchs. Wie bei Allen Jones' Möbeln aus Frauenkörpern nicht etwa Verachtung die Gebärde dirigiert, so ist die Selbstverständlichkeit, mit der der andere Mensch hier zur Gliederpuppe wird, nicht einmal mehr Verwerfung, sondern gemächliches Notat.
»Das intime Papier notiert höher als das öffentlich-kritische«, summierte Adolf Muschg in einem Aufsatz, der die neue Verkrochenheit analysiert: »Die Vollendung schöner Undeutlichkeit, erkauft um den Preis des definitiven Pessimismus; Kopfweh als Kosmogonie.«[80] Dieser Essay ist eine großangelegte Interpretation des Narzißmus, der die Nach-68er-Literatur prägt, die »Ablösung der Utopie durch die Stunde der wahren Empfindung«; womit der Name Handke gefallen wäre. Muschg nennt

ihn den neuen Malte Laurids Brigge, bestimmt den Aktionsraum seiner Literatur:

»Zum Teufel mit der Revolution, ich habe Schwierigkeiten mit meinem Orgasmus – diese inmitten des Aufstands kühn gewesene Parole nimmt sich auf einmal wie krude Volkskunst aus. Handke hat etwas Demoralisierendes für die zwischen Engagement und schuldbewußtem Reiz eingeklemmte Literatur der sechziger und siebziger Jahre. Er entwertet literarische Lebensleistungen à la Anselm Kristlein durch unerbittliche Radikalisierung des Privaten. Handke hat lange nur als formalistisches Buchstabiertalent gegolten. Jetzt zeigt sich, daß er damit die Schreib-, Lese- und Empfindungsgewohnheiten einer Generation neu aufgerollt und sie zum Eingeständnis ihrer Verlorenheit verführt hat. Diese Generation wird keine Barrikaden mehr bauen.«[81]

Das ist nun insofern von literarhistorischem Interesse – wenn man dieses Wort einmal auf seinem zweiten Teil betont –, als genau in diesem Jahr, 1976, eine nahezu wütende Debatte in der literarischen Öffentlichkeit darüber entbrannte, ob nun die neuen Begriffe »Tendenzwende« und »Innerlichkeit« lediglich vom Feuilleton erfundene Schlagworte seien oder nicht doch als Befund taugten. »Die befragten Schriftsteller waren nicht der Meinung«, referierte Ulrich Greiner in der FAZ eine Fernsehsendung zu diesem Thema:

»Peter Schneider erklärte die literarische Tendenzwende für eine Erfindung der Auguren und meinte, diejenigen, die heute ›Ich‹ sagten wie Delius und Theobaldy, hätten dies schon immer getan. Handke wurde schärfer: es handele sich um eine hysterische Abhängigkeit von Moden, die man zuerst deklariere, um sie dann kritisieren zu können.
Dennoch: allen Beteuerungen zum Trotz konnten auch die Autoren nicht bestreiten, daß sich etwas geändert hat. Ihre Allergie gegen den Versuch, dieses ›etwas‹ zu definieren, resultiert aber nicht nur aus eitlem Solipsismus, sondern mehr noch aus Furcht vor der sich überall ausbreitenden Häme, vor der Schadenfreude über die zerrissenen Fahnen und verblaßten Spruchbänder.«[82]

Eben diese Häme gab es aber nirgendwo; auch Muschgs Bitterkeit führt ihn ja nicht von der Analyse fort, sein Satz »Der Konfliktstoff, der auf der Straße und im Betrieb nicht zünden wollte, explodiert in Küchen und Schlafzimmern«[83] ist allemal gedeckt durch die literarische Produktion.

Die ist gekennzeichnet nicht durchweg von Rücknahme, aber doch von einer Wende. Fast gleichzeitig mit Greiners FAZ-Referat veröffentlichte Rolf Michaelis in der »Zeit« eine ganzseitige Kritik der neuesten Lyrikpublikationen von Karin Kiwus, Klaus Konjetzky, Johannes Schenk und Jürgen Theobaldy, die in dem Satz »Liebesgedichte von verzweifelter Ratlosigkeit« gipfelt und die neue Befindlichkeit namens Empfindsamkeit mit eindringlichen Beispielen belegt:

»Nichts nimmt Konjetzky zurück von seiner politischen Überzeugung (»Die Wahrheit in diesem Lande / lügt aus mächtigem Mund«), aber er zeigt die Brüche in der linken Einheitsfront, weil ihm statt geheuchelter Solidarität die einsame Wahrheit wichtiger ist: ›Doch wenn die frohen Freunde dann / sich einhängen zu fünft und sechst / und hundertreihig losmarschiern / und vorwärts! / Lieder singen, / fehlt mir der Text.«[84]

Zu diesem Gedichtband hatte Martin Walser ein Nachwort geschrieben, in dem er von den Modevorstellungen des Jahrzehnts, einer Literatur des Innenlebens gesprochen hatte, in der es immer brutaler feinsinnig zuginge. Und Hans Magnus Enzensberger antwortete dem Feuilletonchef der »Zeit«, Dieter E. Zimmer, in einem Brief auf die Frage, ob die Kunst sich aus der Politik ins Private zurückgezogen habe: »Rückzug aus der Politik? Schön wär's. Ich hätte mich nie auf sie eingelassen aus Lust, aus freien Stücken, es war immer nur Notwehr und ist es heute noch.«[85] Das klingt nicht nach herbeigeredeten Feuilletonschlagworten, und Dieter E. Zimmer leitete die von ihm produzierte Debatte auch entsprechend behutsam ein:

»Die Feststellung, sie hätten sich nach der Rückkehr aus der Revolution auf das Private zurückgezogen, plagt (ob als Vorwurf oder als Glückwunsch ausgesprochen) heute viele Schriftsteller, viele Künstler, viele Kulturteilnehmer. In den verhaltenen Polemiken der mittleren siebziger Jahre steht ›das Öffentliche‹ gegen ›das Private‹, ›das Gesellschaftliche‹ gegen ›das Subjektive‹, ›das Politische‹ gegen ›das Innerliche‹, als kämpften sie gegeneinander um die Seele der Künstler. Jeder scheint mit diesen Begriffspaaren abzustempeln zu sein.«[86]

Von dieser gedruckten Forumsdiskussion, an der unter anderen Mauricio Kagel, Peter Stein und Bernhard Sinkel teilnahmen – die sich also sehr zu Recht nicht lediglich auf die Literatur eingrenzte –, war am markantesten Peter Handkes Abwehr. Es war das Jahr, in dem Wim Wenders sein Buch

»Falsche Bewegung« verfilmt hatte, in dem die Hauptfigur sagt: »Ich wollte politisch schreiben und merkte dabei, daß mir die Worte dafür fehlten. Das heißt, es gab schon Worte, aber die hatten wieder nichts mit mir zu tun ... Wenn nur beide, das Poetische und das Politische, eins sein könnten.«[87]

Im selben Jahr also publiziert Handke sein Einbekenntnis, als sehr junger Mann Mitleidsstürme und Gerechtigkeitswutanfälle gehabt zu haben angesichts der sozial Unterdrückten; schildert dann jene Reaktion auf das Geschrei und die evident scheußlichen Lebensumstände nordafrikanischer Bauarbeiter, mit denen er sich geprügelt haben mußte, um wiederum Freundliches fühlen zu können.[88] Das ist ein überraschend quer zu seinen anderen Äußerungen stehendes Dekret, heißt es doch Nähe aus Kampf. Das Fremdwort dafür hieße Solidarität – und eben dies, ein Fremdwort in seinem Wörterbuch, lehnt Handke als Zutat stumpfer Literatursurrogate ab:

»Bei allem, was aus der sogenannten linken Bewegung neuerlich an ›subjektiver Literatur‹ kommt, habe ich das Gefühl, als hätte gerade die Bewegung, die als Fortschritt ausgegeben wird, das Ich als bloße Behauptung, als Angeberei zurückgelassen: das Ergebnis ist ein feiger, sklavischer Literaturersatz im Windschatten einer Scheinsolidarität.«[89]

Das Sonderbare an dieser Debatte zu Ende der siebziger Jahre ist, daß sie zwar vehement geführt – aber gleichzeitig geleugnet wird; gleichgültig, ob die Kontrahenten nun Autoren oder Kritiker sind; mehr noch: daß sie auf ein Thema konzentriert ist, das zugleich als Nicht-Thema denunziert wird. Das Literatursymposion des »Steirischen Herbstes« in Graz 1976 stand unter dem Motto »Selbsterfahrung des Autors«, und einer der Autoren, Hans Christoph Buch, charakterisierte diese ihm verdächtig werdende Selbsterfahrung:

»Ich habe den Verdacht, daß unsere sensiblen Schriftsteller ihre Sensibilität ausschließlich auf die eigene Person anwenden und gleichzeitig immer unempfindlicher werden für die Probleme anderer.«[90]

Nach verschiedenen Diskussionsbeiträgen in Graz veröffentlichte dann Jörg Drews einen – an Muschgs Analyse erinnernden – größeren Aufsatz zum verleugneten Thema, in dem er die Gedichte von Theobaldy oder Born oder Herburger als die Sprechweisen »melancholischer Vereinzelter« begreift, »ein sanfter Narzißmus, ein sanftes Selbstmitleid zeichnet diese Gedichte aus... Fast ist man versucht, Hofmannsthal zu zitieren: ›Frühgereift und zart und traurig.‹«[91] Das klingt fast wörtlich wie die Lyrik-Bestandsaufnahme von Hans Dieter Schäfer »Stimmungen wie in Sammetherzen«[92] oder Peter Demetz' Diktum von der »neuen Ich-Seuche«.[93] Die Idee, derlei sei in Redaktionsstuben aus Verlegenheit um neue Moden und deren allfällige Bemäkelung entstanden, verrät Literatur an ein mechanistisches Denken und verwechselt die Kausalitäten. So man allerdings Gedichte oder Prosa oder Stücke als Reagens begreift, als Gebilde nicht jenseits von Zeit und Raum, sondern als empfindliche Anzeigen von gesellschaftlichen Verschüben und Verwerfungen, dann ist dieser Zersiebungsvorgang keine bloße Stilvariante zu verbrauchten Literaturmodellen, sondern Teil eines historischen Prozesses. Peter Rühmkorf, der sich von seiner dialektischen Begabung immer zu beidem verführen ließ, zum Gedicht wie zur essayistischen Prosa, sah das ziemlich genau:

»Nimmt man die ungemütliche Zugluft als Chiffre und die ständig sich verfolgenden Bilder sinnlosen Rotierens als Symbol für einen bestimmten Bewußtseinszustand, dann erscheint einem diese neue Empfindsamkeit bald gar nicht mehr als narzißtisches Privatvergnügen, sondern als eine nervöse Verstörung von gesellschaftlichem Anzeigewert.«[94]

Wie eine Zusammenfassung nicht von Texten, sondern solcher literarischer Stimmungen wirkt eine Anthologie »Keine Zeit für Tränen« mit »13 Liebesgeschichten«. Ein Schreckenskabinett zwischen Buchdeckeln. Liebe, die der Titel verspricht, kommt – mit allenfalls eineinhalb Ausnahmen – in dem Band nicht vor. Tod, Krankheit, Elend, Einsamkeit, Verzweiflung: das sind die Themen des Buches. Man steigt viel ins Bett im Verlauf der 250 Seiten zwischen mittelmeerblauem Leinen. Man übt fleißig Akrobatik. Im Heu und im Auto, zwischen klammen Hotellaken oder in der Kellerwohnung der Arbeiterin, die nach dem ersten Verkehr mit ihrem »Freund« sofort feststellt, »Ich krieg ein Kind« und auf dessen erstauntes, »Wie willst denn du das schon nach den paar Minuten wissen«, den klassischen Satz spricht: »Ich bekomm das Kind schon seit zwei Monaten.«[95]

Der prominenteste Autor dieses Bandes, Heißenbüttel, hat zugleich den krudesten Text geschrieben, und er hat mit seiner Erzählung haarscharf jenen zersägenden Ton eingefangen, der das Zusammenleben von Menschen in der Literatur dieser Epoche deutlich macht; hechelnde Gier statt schwingendes Begehren, Zungenfertigkeit, aber Sprachlosigkeit.

6.
Nach der Gruppe 47

Hubert Fichte

Eros als Sucht und als Urteil; Tod als Versuchung und als Verurteilung; Leben als Ritual versuchter Balance zwischen beiden: Wie keines anderen zeitgenössischen deutschen Schriftstellers ist das Werk Hubert Fichtes eingebannt zwischen diese beiden Abgründe. Sein Œuvre ist Wort-Messe, Beschwörung, Magie. Die Schönheit seiner Literatur entspringt ihrer Wahrheit – gemünzt und geschlagen aus der Wirklichkeit, die lügt. Ihr gehört der Schriftsteller an; »Ich kann nur lügen«, sagte Jean Genet im Gespräch mit Hubert Fichte, der ihm antwortete: »Lüge drückt eine doppelte Wahrheit aus.«[1] Die Entschlüsselung dieser Dialektik von Wahrheit und Lüge ist der Mechanismus von Fichtes »Recherche«; denn neben Genet ist es Proust, der den stärksten Einfluß auf ihn hatte und dessen zwanghaftes Überführen des eigenen Lebens in Literatur dem panischen Ritual der Fichteschen Wortverkettungen vergleichbar ist. Es ist eine Literatur, die dem Leben entgegengesetzt wird; einzige Überlebensmöglichkeit. »Könnte ich nicht mehr schreiben, wäre ich tot«,[2] hat Fichte einmal gesagt. Zu einem ähnlich komplizierten Geständnis hat der Interviewer Fichte Genet in seinem Gespräch gebracht; eigene Biographie entsteht erst, wird sie erzählt, eigenes Leben als Identifikationsmöglichkeit erwächst aus seinem Bannen im Wort:

»Ich wurde im Massif Central groß. Ich habe es auf eine dumme, lächerliche Weise erfahren, so: Der Lehrer hatte uns aufgegeben, einen kleinen Aufsatz zu schreiben. Jeder Schüler sollte sein Elternhaus beschreiben. Der Lehrer fand, daß meine Beschreibung die hübscheste sei, und er hat sie vorgelesen und alle machten sich lustig über mich. Sie sagten: ›Aber das ist nicht sein Elternhaus! Er ist ein Findling.‹ Und da entstand eine solche Leere. Ich fühlte mich sofort derart als Fremder. Oh, das Wort ›Frankreich hassen‹ ist nicht stark genug, es ist gar nichts, es müßte mehr geben als ›hassen‹, ›Frankreich auskotzen‹ ...«[3]

Es ist die sonderbare Kunst von Fichtes Interviews, daß er seine Partner Dinge sagen läßt, die mit *ihm* und *seiner*, des Gesprächsführers, Arbeit zusammenhängen.

Schon sein erster Roman, dessen perfekte Kunstfertigkeit bei der Arbeit eines 30jährigen verblüfft, ist Etüde und Recherche in diesem Sinne. »Detlev steht abseits von den anderen auf dem Balkon«[4] ist mehr als lediglich ein erster Satz – ist Leitmotiv und Programm. Abseits von den anderen – das ist auch, in welchem Teil von Fichtes Œuvre immer, jene Distanz, aus der Beobachtung und Analyse entsteht. Wie Fichtes Held auch heißt, es ist immer er, und es ist niemals er; in dem einzigen Interview, dem er sich selber stellte, sagte er:

»Es ging nicht um Maskierung. Es ging um die literarische Darstellung der verschiedenen Häute einer Existenz, die einmal ›Jäcki‹ genannt wurde, einmal ›Detlev‹. Diese Teile einer Existenz bewegten sich in den drei vorhergehenden Büchern aufeinander zu (eigentlich sind auch die ›Interviews aus dem Palais d'Amour‹ eine wichtige Phase in diesem Vorgang). In ›Detlevs Imitationen 'Grünspan'‹ führen beide eine Art poetischen Dialog miteinander vor. In meinem neuen Buch fallen beide in dem Ich-Erzähler zusammen. Pubertät als Auseinandersetzung mit dem Begriff ›Ich‹. Meine Bücher sind keine Maskierung. Sie beschreiben ein Experiment: zu leben, um eine Form der Darstellung zu erreichen.
Diese Vivisektion einer Pubertät, dies Auseinanderfallen kleinbürgerlicher Erlebnisse – wenn ich das der Kürze halber mal so konventionell bezeichnen soll –, dies Auseinanderfallen in Zeremonien, Riten, Formeln, Gesten wurde ausgelöst durch die Autopsie in der *Morgue* von Bahia. Ich habe nicht zufällig schamanistische Praktiken und Mischreligionen studiert. Mir kam es so vor, als sei ein Teil der Existenz des Lokstedter Konfirmanden nicht so fern von Yoruba, Ewe und Fon. Geruchszeremonien, Litaneien, Bildergefängnisse bestimmen den bürgerlichen Pubertierenden ähnlich wie den Novizen in einem Übergangsritus.«[5]

Dieses Problem bewältigt Fichte aber nicht deklamatorisch, sondern artistisch. Im »Waisenhaus« durch die sich anfangs eher verschlüsselnde Konstruktion, daß alle Erlebnisinhalte Denkspiele sind, daß alle Leiderfahrungen Phantasievorstellungen sind – die Realität dieses Buches ist eine gewähnte Wirklichkeit, ihr scheinbarer Zeitablauf währt tatsächlich nur eine Stunde. Detlevs Wahrnehmungen sind Falschnehmungen – und es ist Fichtes Kunstverstand, der ihm erlaubt, in dieses Spiegelkabinett von Phantasmagorien unentwegt Teilchen konkreter Realität einzusplittern. Nichts stimmt – alles stimmt. Fichtes Technik bewirkt, das scheinbar Unvereinbarte ineinanderzuschieben, Raum und Zeit übereinanderzulagern, so daß Hamburg im selben Moment New York sein kann, so daß ein Vorgang im gerichtsmedizinischen Institut von Bahia Teil eines Prozesses der eigenen Kindheitserfahrung ist; das heißt dann »Versuch über die Pubertät«:

»Plötzlich – aber vielleicht vorbereitet durch langsam zur Oberfläche geschwemmtes Material – entdeckte ich, daß alle meine Versuche bisher nur eine Bewegung verrieten: zurückzufinden in frühere Schichten.
Ich beschloß, von nun an die Handlungen einzuteilen in magische und vom Magischen abgelöste.
(Wobei ich den Begriff des Magischen für meinen Gebrauch etwas umwandelte.)
Ich überlegte, ob nicht auch meine Vorstellungen in der Pubertät Ritualisierungen wären, wie die Zeichensprache der Aderflügler, Schwurgifte und wie das Schminken von Novizen.«[6]

Erfahrung ist für Fichte immer Selbsterfahrung; »ich interessiere mich... für das Auseinanderfallen des Bildes, das mich ausmacht«,[7] heißt es einmal. Schon im »Waisenhaus« gibt es zwei kurze Szenen, die ein Identifikationsangebot enthalten: Das Formen von Buchstaben und Worten aus dem Setzkasten, aus dem dann Sätze wie »Alfred ist ein Teufel« oder »Der liebe Gott« gebildet werden – Welt wird gebannt. Und es ist der Fliegeralarm, der zu hastigem An- und Auskleiden zwingt, unter dessen Alarmglocke erste Sexualität brütet – Gefahr und Lockung:

»Siegfried stand nackt zwischen den Halbangezogenen. Er hatte nicht einmal ein Leinentuch um. Detlev sah Siegfrieds Haut von oben bis unten an. Er sah die Haare in Siegfrieds Achselhöhlen und die Haare in der Mitte, wo das Unkeusche anfing. Sepp in Steingriff wuchsen dort keine Haare. Das Unkeusche hing bei Siegfried länger herunter als bei Sepp. Siegfried drehte sich um. Er bückte sich. Detlev sah hinten, zwischen dem Spalt über den Beinen, einen dicken schwarzen Punkt.«[8]

Erste Ahnung von Tod bringt erstes Ahnen von Eros. Es ist die Klammer, die Fichtes gesamtes Werk umspannt. Und die einzige Möglichkeit, beidem zu entgehen, die Spannung auszuhalten statt sich von ihr verzehren zu lassen, ist: Form. Fichtes extreme Formalisierung ist seine lettristische Variante der Magie. Seine Literatur ist eine einzige Auszirkelung von: Angst. Seine Gestaltung ist Beschwörung. Wie der junge Genet eine Überlebenschance nur fand, indem er »sich« schrieb, so ist Fichtes Leben nur lebbar, indem er es gleichsam noch einmal herstellt, in neuer

Zusammensetzung. Der einzige Maler, über den er je ausführlich publizierte, schon 1962 – zu dessen Arbeit also Affinitäten vorhanden sein müssen –, heißt Paul Wunderlich. Viele Strukturelemente sind beiden Künstlern gemeinsam: Paul Wunderlichs Ritus des Ästhetisierens entspringt nicht einer Attitüde, ist Haltung. Grundgestus seines Œuvre ist das Entsetzen. Aus ihm hat er jene »Entfernung« entwickelt, die alle figürliche Komposition seiner Bilder prägt; und die zur zeremoniösen Artistik seines Stils geführt hat.
Distanz also und Perfektion. Je formenreicher, phantasievoller, farbnuancierter ein Blatt von Wunderlich ist – also: je vollendeter –, desto stärker offenbart es: Entfernung. Die berühmt-berüchtigte Serie »Qui s'explique«, mißbegriffen als obszöne, gar pornographische Kunst, zeigt ein starres Ballett von Abwehrmechanismen: Vereinigung, auch und gerade im Geschlechtsakt, findet nicht statt. Der intime Moment ist Zeitpunkt des Alleinseins. Kampf statt Annäherung, Einsamkeit statt Innigkeit, Waffengang und Flucht. Wunderlichs Malweise ist Urteilsweise. Daß eine andere Serie, »20. Juli 1944«, dieser so nahe ist, hat nicht mit dem gleichen Entstehungsdatum zu tun; beides sind Figurationen von Hinrichtungsstätten. Wesen und Verwesung liegen nahe beieinander. Zeugung und Tod sind zentrale Motive Wunderlichs, bestimmen sein gesamtes Metaphernmaterial. Der krakenhaft gebogene Galgen, an dem die Leiber der Hingerichteten hängen, verkrümmt auf zahlreichen anderen Bildern und Lithographien zum Hexenfinger der Lockung, die erschreckt.
Wunderlich bewältigt Leben nur, indem er formalisiert: Freundschaft, Liebe, Feindschaft. Er vernichtet so auch. Sein »Aufheben« vorgegebener Formen – seien es Naturformen, Kunstformen, Sozialformen – ist eines im strengsten Sinne des hegelschen Begriffes: vernichten und bewahren. Nennt man die Elementarstruktur seines Œuvre Entsetzen, so muß man den Grundimpuls Angst nennen. Es ist jene Angst, von der Thomas Mann oft schrieb, die den Senator Buddenbrook zweimal am Tag die Hemden wechseln und Kölnisch Wasser verbrauchen ließ – die Angst vor der inneren Liederlichkeit. Diese Disposition zu einer »Unordnung«, soll sie nicht im frühen Leid enden, muß kanalisiert; also: formalisiert werden. Wunderlichs förmlicher Zwang zum Formalisieren ist seine Möglichkeit, Abgrund und Furcht zu bezwingen. Es geht ums Leben. Und das heißt: um Form.
Das Halluzinatorische seiner Arbeit hängt damit zusammen, die merkwürdige Dialektik von Schönem und Hassenswertem. Es ist eine Steigerung von Abwehr, sich erwehren, beschwören. Seine Phantasie wuchert

zwischen Schönheit und Deformation. Beides konstatierend malt Wunderlich; in seinem Bilde Böses und Gutes voneinander abhängig machend wie Dostojewskijs Stawrogin in seiner Beichte, den der deutsche Philosoph Walter Benjamin einen Surrealisten »avant la lettre« nannte und der bei Lautréamont eine wichtige Rolle spielt: Dostojewskijs Gott hat nicht nur Himmel und Hölle geschaffen, Erde und Mensch und Tier, sondern auch die Gemeinheit, die Rache, die Grausamkeit.
Es sind organisierte Strukturen des Pessimismus, und sie geben die Frage auf: Ist hier einer nur Zeuge oder findet ein Versuch zum Dialog, zum Überzeugen gar statt, Ansprache, Zwiesprache oder Monolog? Wenn Literatur sich nämlich vorgegebener Formen bedient, in Tradition gleichsam einschlüpft, erhofft sie sich eine erleichterte Verständigungsmöglichkeit mit dem Leser. Thomas Mann schrieb seine »Lotte in Weimar« und seinen »Faustus«-Roman in der Emigration – Versuch zur Verständigungsbasis, als es keinen Dialog, kein Publikum für ihn gab; Sartre »Die Fliegen« in der Illegalität; Aragon »La Semaine Sainte« mit dem Protagonisten Géricault, als er sein während der Stalin-Ära verlorenes Publikum wiedergewinnen wollte; und die amerikanischen Negerschriftsteller benutzen für die Titel ihrer Bücher Psalmen und Blues als Hohlformen. Und wenn das Bild, das Picasso Franco-Spanien zur Eröffnung des Picasso-Museums in Barcelona schenkte, eine Paraphrase auf Velázquez' berühmtes »Las Meninas« ist, erübrigt sich jeder Kommentar. Diese optischen wie verbalen Rufformen sind Umzingelungsversuche. Paul Wunderlich ent-zingelt sich – er ist weder Ankläger noch Verteidiger, er ist Zeuge. Das Spektakuläre dieses Vorgangs wie des Ergebnisses hat Max Bense in einem knappen Satz zusammengefaßt: »Das Verfahren ist artistisch, das Resultat ästhetisch.«[9]
Das ist die literarische Methode Fichtes. Dieses Herstellen einer eigenen Welt *durch* Sprache – nicht das bloße Abschildern von Welt *vermittels* Sprache – verleiht seiner Kunst ihr Geheimnis jenseits aller »Logik«, läßt sie entstehen aus Bild statt Argument. Das »*Präparieren von Erfahrungstrophäen* lehnt Fichte ab«,[10] hat Hans Jürgen Heinrichs in einer Untersuchung konstatiert, die den ethnopoetischen Aspekt dieses Werks analysierte und vor dem banalen Mißverständnis warnt, Fichtes »Ausflüge« seien Exotikum; vielmehr ist sein Einholen fremder Denk- und Fühlweisen unmittelbar integraler Bestandteil eigenen Denkens und Fühlens, das unsere zu klären:

»Fichtes Programm: Ethnographie und Poesie nicht nur zu verbinden, sondern beide Produktionen im Sinne eines ›concettos‹ entstehen zu lassen, beide Formen menschlicher Kreativität situativ neu zu entwickeln – von den Anfängen an, beziehungsweise den Situationen und Sensationen aus, soweit man sie zu fassen bekommt. Dieses Programm setzt gegen das Spezialistentum und versucht, interdisziplinäres Denken hinter sich zu lassen, denn es zielt nicht auf Wissenschaft und Theoriebildung, sondern auf Bewußtseins-, Erfahrungs- und Erkenntnisprozesse. Der Vorgang des Erfassens von Fremdphänomenen ist dabei ebenso wichtig wie das Resultat. Der Vorgang der Selbstbeobachtung ist für dieses Erfassen konstitutiv.«[11]

Die Methode ist ganz genuin. Es ist eine Prosa, die gänzlich ohne Kommentar, ohne Vergleich, ohne Bindemittel auskommt. Sie schiebt Bilder ineinander, fügt so neue zusammen; meist ist es Grauen. Doch aus dieser Frottage des Grauens erwächst eine Gebärde des Bittens. Zu Beginn der »Palette« heißt es:

»Einige Schafe werden in einer heilen Fruchtblase geboren. Sie reißt bei dem engen Durchgang nicht immer kaputt. Der Kopf des Lammes hängt in dem Beutel. Der Beutel ist prall vom Fruchtwasser.
Jäcki denkt:
– Ich war nie in den Katakomben,
als er die Tür öffnet.«[12]
Das ist der Einstieg. Die Welt einer Generation, von der es heißt: »Die hier wurden im letzten Zipfel des Krieges, beim Fronturlaub, zwischen Dauerwelle und Voralarm, bei Erika und Seemann nicht erschüttern – bei Erika werden sie heute ja schon wieder, denkt Jäcki.«[13]

Aber das zentrale Kapitel, die Achse des Buches, das Hamburgs erste Gammlerkneipe als Ort hat und durch dessen Zeit Gestalten huschen, wie der sich vom Hungern beim Tanzen vergessende Transvestit Cartacalo/la mit dem KZ-Zeichen auf dem Unterarm oder auch der mit dem Strohhalm aufgeblasene »Fiffi«-Embryo im Glas: Das Zentrum dieses Pandämonismus der Schwulen und Fixer, der Stricher und Kiffer, ist ein Kapitel über – Güte. Kurz zuvor heißt es: »Er stand nie auf SA-Mützen und Lederonkels. Hinter all dem Tuntengepokere wünschte ers im Grunde friendly und Soyez aimable puisque vous êtes aimé, möglichst gewaschen, warum nicht auf platt: – Ik hev di lev.«[14]
Doch lieben heißt, sich öffnen, heißt eine Gefährdung nicht abwehren, ihr vielmehr sich anheimgeben. Wie Geburt Beginn von Sünde und Vergehen ist – »Eineinhalb Jahre nachdem Jäcki von einer unehelichen

Mutter als Sohn eines Juden geboren wurde, wird Dankwart Drewes in Hamburg von einer unehelichen Mutter als Sohn eines Juden geboren«[15] – so ist Zärtlichkeit stets der Anfang einer Verletzung:

»– Wenn ich mit dir in die Federn steige, werde ich der vollkommene Mensch.
– Ja, sagt Jäcki und meint es auch so.
Talstraße verabschieden sie sich voneinander, der möglicherweise vollkommene Mensch Klaus Martin mit der Pfeife und Jäcki, der ganz Kaputte. Jäcki fragt, wann er ihn mal besuchen kann, weiterglöken.
Klaus Martin sagt:
– Ich heiße nicht Klaus Martin und meine Adresse ist falsch. Der Feigenbaum ist morsch. Der Weizen ersäuft. Der Delphin stinkt auf der Hofstelle.«[16]

Bilder vom Sterben, wenn das Bett aufgeschlagen ist und die Hitze in Erschöpfung sich kühlt; ein Bild des Sterbens als Metapher für die Leere, wenn das Buch – Wehr gegen das Leben – sich erschöpft. »Oder Selbstmord begehen, nun nicht mehr direkt wegen des Buches, sondern weil das Leben aufhört, wenn ich mit dem Buch Schluß mache.«[17] Suggestion und Autosuggestion, Ritual und Magie: Fichtes Literatur ist der große Anruf der Welt, deren Verkrümmungen und Verwerfungen ihm die Luft abdrücken. Wie sehr das, nein: nicht seine Sprache prägt, sondern wie sehr seine Sprache einziges Mittel für ihn ist, den Erstickungsanfall aufzuhalten, hat Brigitte Kronauer in einer Studie nachgewiesen:

»Die Realität, die Detlev vor der Abreise aus dem Waisenhaus durch den Kopf geht, ist nicht eine, die ihm widerfährt, sondern eine, die ihm widerfahren ist, und die er jetzt in Form, in Fassung zu bringen versucht. Was entsteht, ist sein Werk, seine Leistung. Was sich offenbart, ist eine kindliche und traumwandlerische sichere Energie der Anverwandlung. Das ›Gebäude‹, um das die Figur des Detlev oder Jäcki oder schließlich Hubert genannten Erzählers errichtet wird, hebt Fichte im Laufe seiner Arbeiten immer prägnanter hervor als das Ergebnis eines *Machens,* der Anstrengung dieser Spracharchitekturen erzeugenden Person. Aus ihr heraus ordnen sich die Geschehnisse, bis in ›Xango‹ Erzähler und Autor ganz zusammenfallen (und hier geht es dann auch um die Anverwandlungskraft des auftretenden Volkes, die der Roman literarisch konkretisiert). Zuschauer wird man also gewissermaßen eines athletischen Ringkampfes, den der Held mittels Sprache, Sprachritual zu seinem Überleben in der Wirklichkeit ausführt. Dabei ist das Ergebnis so unideologisch, so wenig harmonisierend oder auf eine sogleich zu erfassende Schlüssigkeit gebracht, daß es fast wie sein Gegenteil erscheint: eine Konfrontation, ein ununterbrochenes Sich-Stören der Realitätsbruchstücke, ein unbesänftigtes Aufeinanderprallen der Widersprüche. Und es ist Fichtes ausdrückliche Absicht, die Wirklichkeit so ungeglättet auftreten zu lassen. Immer aber ist es die zentrale Person, die diese Unvereinbarkeiten beschwört, als Provokation, als Gegner, der seine Überwindungsleistung bei der Einspeichelung zu einem Ganzen, ihm dennoch auf den Leib geschneiderten, bezeugen wird.«[18]

Fichtes Qual ist nicht nur jene Mischung aus Hybris und Selbsthaß, Finsternis und Luzidität, die keinem Schriftsteller fremd ist; es ist da auch eine tiefe Verzagtheit, ein Wissen, daß Nähe Ferne produziert und alle Kunst nur dünnen Schleier vor das Ende bläht. »Wir Juden sind wie die Olive, wir geben unser Bestes, wenn wir zermalmt werden, wenn wir unter der Last unserer Fronden zusammenbrechen«, heißt es im Talmud; und es war James Joyce, der das zustimmend auf den Künstler übertrug (und Gottfried Benn, der es auf Goethe übertrug, der zwar seine Zusammenbrüche gut verschleiern könne, aber sie kannte und von ihnen lebte). Der Künstler ist Jude – wie der Homosexuelle oder der Neger oder der Verbrecher; das ist der Entwurf Jean Genets oder James Baldwins oder Ezra Pounds. Diesen Schmerz hat auf grandiose Weise Fichtes Roman »Versuch über die Pubertät« eingefangen.

Nicht ist dieses Buch: Fickfibel, Schwulentratsch, Fleckenpapier; es sei denn, man ließe Proust und Genet dafür gelten. Dieser Roman ist »erbrechenartige Erinnerung«, perfektes Beschreibungsritual, unerbittlich bis zur Gnadenlosigkeit – eine artistische Glanzleistung. Es hat die scheinbare Mühelosigkeit hauchfein geäderter Blätter, deren lyrische Zartheit und fremde Arithmetik. Der Zuruf des Beginns: »Setz doch dein Ich in Anführungsstrich! – Nenn dich ›Roman‹«,[19] schafft jene analytische Distanz, die verrät, was konstatiert wurde: Grundgestus von Fichtes Prosa ist Angst. Der entspringt diese nur bei oberflächlicher Betrachtung manieriert wirkende Additionstechnik seines Stils, jene steife, raschelnde vokabuläre Zeremonie, die Welt durch ein Haarsieb von Neugier und Entsetzen wahrnimmt – nein, »falsch« nimmt – und das heißt, sich ihrer erwehrt, indem sie formalisiert: »Ich okuliere durch meine Erzählung Realität.«[20] Fichte benutzt die »Litanei«, um eine Vergiftung durch Wörter zu erreichen; dieser Vorgang ist einer sowohl des Bewußtwerdens wie der Bewußtlosigkeit:

»Der Sinn sackt zurück, und die Wörter selbst fliegen hoch und winken Nebenwörter herbei, saugen sich voll und fallen wieder herab, nicht weit entfernt von dem Ort, wo sie hochgestiegen sind ... Wenn die Litanei in der Nähe von körperlichen Abbildungen gewählt wird, verwandelt sie sich selbst in Zärtlichkeit, Begierde, in mehrgeschlechtliche Körper, und Hermaphroditen bewegen sich aus dem Mund heraus und zu den Augen wieder herein. Schlimmer: Mund und Ohren fallen ab und ich werde blind.«[21]

Das ist, auch, eine der Fichteschen Verkleidungen; im »Hamlet« heißt es: »My words fly up, my thoughts remain below. Words without thoughts never to heaven go.«

Fichtes Begabung ist – Nervosität. Ihr verdankt sich der vibrierende Tanz von Annäherung und Entfernung, der Wortkult von Pinzettenpräzision und Pincenez-bewehrtem Bösen Blick, der bis ins stilistische Detail die Spannung dieser epischen Kunst produziert: »So imitieren, daß ich bin, was ich imitiere.«[22] Das könnte noch intelligente Kokettiergirlande sein, käme als nächster Satz nicht ein Wort: Liebe.

Fichtes nahezu zwanghafte Recherche de l'innocence perdue, Suche nach der verlorenen Unschuld, ist die Suche nach einem Glück, das er als nicht einlösbar gleichzeitig denunziert. Wann immer dieses befremdliche Schneckensystem – von dem man nicht weiß, schleicht sich einer an oder davon – Emotion einläßt, wird sie in der Lauge der Fragwürdigkeit geätzt: »Empfinde ich gar nichts? Sind meine Riten, mein Fußpilz, mein Individuum, mein Gluck und Glück nur ein Modell aus sehr feinem Schnee und Quarz – mechanisch? Empfindlichkeit eine quasisyntaktische Aussage?«[23] Daher der zitternde Bogen, der Gewalt und Zärtlichkeit des Buches überspannt, der Liebe zum Gallert und Tod zu Auffahrt und Erektion macht: »Das einzellerartige Darmhafte, die verdauungsnahe Meuchelmordparaphrase.«[24]

Es ist Fichtes weitester Aufbruch, sein am besten gelungenes Buch. Was in der »Palette« noch gelegentlich glitzernd blenden mochte, was im »Grünspan« wie Etüden klang, das wird hier sehr ernsthaft, sehr bitter, grandios vorgeführt. Einübungen zur »Vorzeit« des Menschen, Nachschleifen eines Prägestempels, der eines Tages sagbar macht: »Ich habe sehr früh gewußt, daß meine Mutter eine Abtreibung vorgenommen hatte, weil sie mich nicht haben wollte, und das ging schief, dann kam ich dennoch.«[25]

»Vorgeschichte« aber auch im ethnologischen Sinne: die Erfahrung mit lateinamerikanischen Initiationsriten, die gar nicht exotische, vielmehr –

so Mythisches Wirklichkeit ist – sehr reale Mischung aus Blut und Sperma, aus Betörung, Bezauberung und Flucht: das hat Fichte hier eingebracht in eine Phantasmagorie von surrealer Vielfalt. Das ist nicht Touropa-Scharnow-Voudou, nicht Nachwippen der Rolling Stones, die 1968 an einer Candomblé-Zeremonie in Rio teilnahmen; es ist novellistisches Zu-Ende-Denken des Satzes aus einer früheren Eindrucksbeschreibung: »Im Voudou heißen die höchsten Einweihungsgrade ›La Prise des Oreilles‹ und ›La Prise des Yeux‹ – man gibt den Eingeweihten neue ›Ohren‹ und neue ›Augen‹.«[26] Der weiße Neger und Schriftsteller Pozzi aus Hamburg, der südamerikanische Seziergehilfe und der alternde Schauspieler Alex, der Mörder aus der schwulen Lederbar und der uneheliche homosexuelle Mischling ersten Grades – lauter Ichs? Ein Ich? »Und diese meine Ichs nudeln mein Ich gelegentlich so dünn, daß man kaum noch Christbaumsternchen aus mir stechen könnte ... Die Welt ist ich.«[27] Lebensläufe also? Wegläufe, um zu überleben, eher.
Fichtes Technik des unvermittelten Nebeneinander von Zeiten, Orten, Personen produziert nicht etwa bloße Virtuosität; schafft vielmehr eine Austauschbarkeit, die die Dimension des Porträts verläßt und den Archetyp einholt. »Der Mensch ist nichts«,[28] so spricht nicht nur einer, der seziert, so heißt plötzlich einer – und so heißt es. Figuren, Bewegungen, Satzstücke gehen ineinander über, Fuß und Wimper, Glied und Lippe gehören nie einem Menschen. Diese Erzählhaltung ermöglicht es, ständig Partikel der Realität ab- und aufzulösen durch Unwirkliches. Scheinbar »brave« Erzählpassagen, ein Essen im Wartesaal, eine Theaterprobe, ein Besuch im Leichenschauhaus werden sehr allmählich, kaum merkbar, ver-rückt. Es ist ein analytischer Realismus.
Gewiß, immer wieder der neue Beginn: »Eine andere Pubertät«; immer wieder Auftritt neuer Personen in züchtigender Wortregie. Aber sind es Personen, sind es nicht eher »Möglichkeiten«, sinnlich erfahrbar gemachte Variationen der einen großen Motivik, der Klage, die sich durch Fichtes Schreibexekutionen – seinen roman-fleuve? – zieht: Die Entwicklung des Menschen ist eine Entwicklung weg vom humanum. Prüft man Fichtes Arbeitsmaterial, so bemerkt man, daß eine Tätigkeit sich häufig wiederholt: sezieren. Es ist die Negativform von berühren, letzte – vergebliche – Erreichbarkeit.
Fichte geht auf vorgegebene Formen ein, auf das, was er als Tradition verarbeitet, einschmilzt. Er hat das selber einmal erläutert:

»Ich will Dinge aufschreiben, die mir erzählt worden sind oder die ich erlebt habe, und dabei will ich mit der Sprache so kärglich wie möglich umgehen. Thematisch beschäftigen mich die Schwachen und Schwächlichen, um so mehr, als die Zeit einer allgemeinen Kraftmeierei anheimfällt. Ich will der künstlichen und zerstörerischen Stärke von Folter und Bodybuilding eine Welt von Scheiternden gegenüberstellen, die sich der schädlichen Normierung entziehen. Und noch etwas: die Tatsache des Todes vermag niemand zu verdünnen. Begräbnisse sind ein rührender und zugleich alberner Versuch, diese Tatsache zu beschönigen. Voller Ungewißheit und ängstlich zeichne ich die Gesten von Menschen auf, die an Gräbern stehen.«[29]

So sind die scheinbar erkennbaren Abbilder auch keine Porträts. Hinter dem Herrn Pozzi wird Hans Henny Jahnn (den der vierzehnjährige Fichte kennenlernte und dessen Werk zwischen Scham und Nicht-Dezenz ihn beeinflußte), hinter dem mörderischen (und sehr zaghaft-zerbrechlichen) Lederfetischisten ein Mann mit Namen, Adresse und Telephonnummer sichtbar; doch sosehr das Leben des Hans Eppendorfer in diese erschrekkend intensive Passage eingegangen sein mag, die in vorgeblicher Reportage-Nüchternheit Räusche von Blut, Exkrement und Sexualität in der Haltung des Opfers kalligraphiert – es ist eine Figur des Autors, ein Artefakt. Genau diese Kunstdimension macht das Unerhörte der Schilderungen erträglich; kein Kitzel bei der Orgie der Ledermänner.
»Leder ist wie eine atmende Haut.«[30] Ist dies das Begriffsmuster des Romans – analytischer Realismus; Berührungsverbot; ziselierte Silhouette statt faßbarem Bildnis –, dann gibt das Buch eine Nachdenklichkeit auf, die über es hinausreicht: Gibt es homosexuelle Literatur? Gibt es etwas Spezifisch-Besonderes in den Texten, die dieses Thema greifen wollen – ob bei Proust oder Gombrowicz, Baldwin oder Fichte?
Zumindest ein Element, das oft sogar die epische Struktur gefährdet, ist deutlich: das Überwiegen des Reflektorischen (bei Gombrowicz und Baldwin gar das überwuchernde Essayistische). Der »Versuch über die Pubertät« führt eben das vor – die Anstrengung einer übersensibilisierten Intelligenz; Form geworden. Für Fichte ist Liebe Entäußerung, Bedrohung, Gefahr; Suche, dem zu entrinnen, aber hoffnungslos. In einer Passage heißt es:

»Gehört es sich nicht eigentlich für einen Gebildeten, daß er sich fürchte? Daß die feinen Verdrängungen, welche die sich feiner und feiner verästelnde Sinnlichkeit bedingt, spiegelbildlich dazu feiner und feinere Kanäle voller Furcht stopft? Zärtlichkeit also in der Folter eine Entsprechung hat?«[31]

Seinen Mörder läßt er beim Bericht vom phallusorgiastischen Lederfest Begriffe wie Tempel und Ei wählen – aber die Sehnsucht gilt dem »sich selbst Ausradieren«.[32] Bei einem der Pubertätsversuche – »aber es ist kein angenehmes Gefühl... Er ist nicht fertig geworden«[33] – stehen die beiden schließlich im Eingang eines Hauses zwischen zwei einander gegenüberliegenden Spiegeln (jene Spiegel, in denen Gombrowicz' »Duelle« stattfinden): Chiffre für die dialoglose Einsamkeit. Gemeint ist die Welt-, Erfüllungs- und Sinnengier, von der Horkheimer spricht, wenn er die Versuchung zu definieren sucht, die in der Umarmung zweier Menschen liegt – ob nicht in ihr die Welt sich verwandelt und bei der Vereinigung sich das völlig Neue ereignet; Sakrileg.
Fichtes Intensität und stilistische Kunst sind immer dort am dichtesten, wo er sich diesem Bereich der Hoffnung nähert – den er zugleich verleugnet. »Ich begehe meine Sympathie zu Gerd Werner wie eine Biene, die ihren Bericht vortanzt«[34] – das formuliert den unbegehbaren Pfad; »Ich sehe das Negativ von Mozarts Zähnen«[35] – das meint den »Eindruck« eines begehrten Menschen in ein Brot, also flüchtig. Der Mensch als Petrefakt – der Mensch ist nichts. Das kleidet sich gelegentlich in die Schärfe des Pamphlets, mit dem etwa der Päderast als jemand charakterisiert wird, der weder seinesgleichen noch überhaupt jemanden liebt, einen Zustand lediglich, den er aufs ridikülste herstellen will, und – hat er das Unfertige »erkannt« – auch die Enttäuschung erreicht hat, da es nicht gänzlich unfertig ist; Erfüllung in der Enttäuschung.
Gedanken eines furiosen Essays. Man kennt derlei aus eben der Literatur, die hiermit erinnert wird. Nicht gemeint sind die Dicta des Oscar Wilde – aber gemeint ist der Unterschied etwa zwischen Fontanes »Effi Briest« und Prousts »Les Plaisirs et les Jours«, beide im Abstand weniger Monate erschienen. Diese Gestik des Hirns, mißtrauend dem Sentiment, ist zugleich Motor einer Prosa, deren Schwingen und Musikalität immer wieder die Hoffnung und Erwartung einzufangen sucht:

»Dieser Augenblick soll ganz da sein.
Wir wollen uns handeln sehen und wissen es.
Wer hebt als erster den Arm und fühlt mit Haut Haut und Haar?
Von einem gefälschten Zittern hängt das Leben ab. In den Augen häufen sich die aufgerissenen Linien der Augen.«[36]

Es ist diese Gebärde des Flehentlichen, die Hubert Fichtes Versuch Ernst, Würde und Gelingen gibt.
Fichtes Begriff von Literatur – der eigenen und der aus fremder Feder –

bewahrt ein Bildnis von Menschen, das skeptisch ist und zugleich voller Erbarmen. Mit seiner Arbeit über Daniel Casper von Lohenstein gibt Fichte, wie stets, auch Auskunft über sich: »Lohensteins Blick ist skeptisch. Im Gegensatz zu Freud zeigt er die Überlegenheit des Thanatos über den Eros. Ehrgeiz, Machttrieb, Folter, Mord stehen über der Liebe.«[37] Das aber ist kein Statement, sondern Klage; darüber, daß Liebe meist zu Kampf sich zuspitzt, daß Zärtlichkeit zu toter Akrobatik gerinnt. Eine Zeile zuvor heißt es in seiner Lohenstein-Studie:

»Von den Sikh an den Hängen des Himalaya wird berichtet, daß sie unterlegene Gegner in den Arsch ficken. Junge Männer in der Oase Gabes sagen, um ihre Bereitschaft zur Hingabe an einen Freund anzuzeigen: Tu es le couteau, je suis la viande. Und Jean Genet spricht im ›Enfant Criminel‹ von der Identität des Messers mit dem Phallos.«[38]

Das Gegeneinandermontieren angeblich unvereinbarer Kulturen und Strukturen hat diesen Sinn – zu zeigen, daß die ritualisierte Ungeschlechtlichkeit, Übergeschlechtlichkeit des Voudou durchaus etwas zu tun hat mit der prunkhaften Brunst des Barock, und mit dem gestenlosen Elend des Jetzt:

»Ich wollte zeigen, daß es keine ganz exotische, ganz abwegige, ganz primitive, ganz durchgedrehte Kultur gibt – die der Afroamerikaner – und nicht einen ganz verwerflichen, ganz schwülstigen, ganz perversen, ganz elitären Literaten – Lohenstein.
Beide stellen unsere Entwicklung dar.
In die Ästhetik des regelhaft Unregelmäßigen gehört der Voudou mit hinein. Die Gesten der Magie gleichen den Gesten der Manie und des Manierismus.«[39]

Fichte weiß die Unbarmherzigkeit, die zu unserem Gesetz geworden ist, aber er akzeptiert sie nicht. Er ist arrogant, aber nicht menschenverachtend; es gibt keine Zeile in seinem Werk, die den Menschen verriete. Immer wieder dagegen finden sich winzige Einschübe, die in der puren Abschilderung einer Verhaltensweise nahezu Erleichterung verraten, daß ein Mensch sich unfeindlich verhält:

»Ein dunkler Mulatte kommt zwischen den Kreideinschriften hervor. Er ist vielleicht dreißig. Er trägt ein seideglänzendes Omatuch. Von weitem sehen die Fransen wie unzählige feine Haarzöpfe aus. Er ist freundlich.

Er wirkt schamanenhaft tuntig. Er spricht viel. Aber nicht so krampfhaft ungehemmt wie der Hamburger Cartacalo/la oder der Bahianer Campos. Er sagt sogar: – Ich will Sie mit meinem Gespräch nicht länger aufhalten.«[40]

Der Satz aus einem Essay des Jahres 1980 über Cartagena ist von eben derselben Mischung aus Trotz und Hoffnung getragen: »Ästhetik als Menschenfreundlichkeit, Würde.«[41] Deshalb ist ein gelegentlicher Vergleich seiner Arbeiten mit den faschistoiden Haßgesängen von Rolf Dieter Brinkmann ganz und gar abwegig, zeigt ein Mißkennen literarischer Struktur wie menschlicher Verhaltensweisen. Eben den Umgang, den Brinkmann mit seinen Zeitgenossen als »Haltung« empfahl, etwa in dem postum herausgegebenen Buch »Rom. Blicke« weist Fichte mit trauriger Empörung zurück:

»In keinem Land wird der Schreiber, der Schriftsteller, der Literat, der Dichter so verachtet wie in Deutschland – in der Bundesrepublik wenigstens. In keinem Land rechnen Literaten so unbarmherzig miteinander ab, so unritualisiert, so ungeschützt durch Traditionen, Konventionen, Spielformen, Sitte, so kleinbürgerlich – und oft gerade die fortschrittlich Genannten.«[42]

Es ist diese Menschensucht, die Fichte in komplizierter Bewegung sich annähern und entfernen macht; nicht nur als Person mit Paß und Adresse meist »unbekannt verzogen«, nicht nur als Individuum sich in der scheinbaren Enthüllung tatsächlich versteckend, sondern auch als Schriftsteller stets equilibrierend diese heikle Dialektik von Nähe und Ferne – bis hin zur Collage-Technik des Ineinanderwirbelns von Zeit, Raum und Identität. Das wirkt verwirrend (wenn oft nicht klar ist, ob eine Figur am Gänsemarkt oder in Bahia, Mann oder Frau ist, heute oder vor 200 Jahren lebt). Und es wirkt mühelos – ist aber Produkt äußerster künstlerisch-technischer Disziplin. So baut Fichte zu allen seinen Büchern »Aufrißpläne«, architektonische Grundrisse gleichsam, die in verschiedenen Farben, Schriften, Bezugslinien den streng artistischen Entwurf seiner Arbeit im vorhinein fixieren. Diese Skizzen sind nicht nur – kleine Graphiken – in sich bereits von mathematischer Schönheit, sondern das logisch-arithmetische »Unterfutter« zur schließlichen A-Logik seiner Ethnopoesie. Es sind diese Grundrisse, die ihm das Abheben in Traum, Rausch und Phantasie erlauben.
Wobei zum schwer Erklärbaren seiner Arbeit gehört, daß ihr scheinbares

Verwirrspiel in Wahrheit ein Ent-Wirrspiel ist, daß vieles »nur« Aufspießen von winzigsten Wirklichkeitsdetails ist und doch auf unwirkliche Weise zum Dämonischen zusammenschießt – zu Kunst. Es ist wieder nahe den Arbeiten Wunderlichs: Ein Messer, eine Gabel, ein Fisch – warum bekommt dieser Bronzeguß eine Dimension des Unheimlichen, warum bekommen drei »simple Gegenstände« eine Aura? Als Wunderlich seine Joyce-Suite lithographierte und verzweifelt war über die – ihm nicht mehr mögliche – Unbefangenheit, mit der Joyce von »schöner Jüdin« und »Basiliskenblick durch die Brille« sprechen konnte, sagte er: »Meine Hand denkt: viele Brillen«; nach Auschwitz kann man zwar noch Lithographien machen – aber andere. So entstand ein hochverschlüsseltes Blatt, ein Schuh, mehrere Schuhe, Liniengeflecht, ein verwuchertes Stück Schuh – Ende. Denn in Joyce' Liebespoem ging die Rede von den hochhackigen Schuhen, die über das Pflaster klapperten. Wunderlichs Hand »dachte« viele Schuhe, Zimmer voller Schuhe, Berge von Schuhen, die mit den Schuhbändern zusammengebunden wurden, weil man sie ja wieder, aus den Totensälen der Lager aufgesammelt, »einer Verwendung zuführen« wollte. Es entstand schließlich eine schockierend verrätselte Plastik: Der Schuh, der Totenkopf ist.
Diese Verrätselung der Wirklichkeit ist Fichtes Methode. Sein Kopf, seine Nerven, seine Empfindungen sind nie eindimensional. Wenn er sich mit einer Karte für ein Abendessen bedankt, schreibt er zum Beispiel: »Es war ein freundschaftlicher Abend. Eine lila Azalee und eine Glockenblume im Vorgarten.« Eigentlich ist das ein Gedicht. Es ist Lüge – ersehnte Wahrheit; gelogen, wie Genet log, als er zu seinem Hamburger (Luxus-) Hotel fuhr, irregeleitet durch Bauarbeiten und Einbahnstraßen um den häßlichen Hamburger Hauptbahnhof kreiste und er in immer emphatischer werdende Rufe ausbrach: »Mein Gott, wie schön, welche Schönheit, das ist ja herrlich«; denn nicht das Bürgerhotel war »sein Ort«, sondern der Hauptbahnhof. Wahrheit aus Lüge. Es ist jene Produktion von Verstellung und Phantasie, mit der etwa Hubert Fichtes sehr frühe Erzählung »Im Tiefstall« beginnt:

»Ich liege in dem schmalen Bett. Ich habe meine Hände rechts und links vom Körper. Die Zehen meines rechten Fußes sind vom Federbett bedeckt. Der linke Fuß liegt im Freien. Das Federbett rutscht an der Seite hinunter. Aber ich will nichts tun, um es aufzuhalten, sonst entgleiten mir meine Gedanken wieder... Wenn ich mich nicht ablenken lasse, schaffe ich heute vor dem Einschlafen noch ein gutes Stück von den Überlegungen über den Tiefstall... Mein Anliegen ist es, den Tiefstall auch bei den stroharmen Betrieben einzuführen. Aber während ich das Wort ›einzuführen‹ in Gedanken ausspreche, spaltet sich meine Aufmerksamkeit und wendet sich zur größeren Hälfte der Umgebung zu, inmitten derer ich regungslos – um meine Konzentrationsfähigkeit nicht zu beeinträchtigen – liege. Es wird besser sein, ich folge für den Augenblick noch meinen Sinneseindrücken, erledige einfürallemal den Raum, der mich umgibt, denn sonst brechen in meine landwirtschaftlichen Überlegungen doch immer wieder Stühle, Puppen, Geigen, Hamster, Konstrukteure, Kellner, Großväter, Dichter, das Schumanntheater, Drogen, Bibeln, Leder ein.«[43]

Da taucht es schon auf, das Wort. Leder. Es spielt eine große Rolle in Fichtes Suche nach Fetischen, es ist mehr als eine Metapher auf seiner Suche nach dem Animalischen im Menschen. Er hat seine große, in drei Gesprächen entwickelte Studie über den jugendlichen Mörder und späteren »Ledermann« Hans Eppendorfer, als Bühnenstück in Paris ein Dauererfolg wie Ionescus »Kahle Sängerin«, selber charakterisiert:

»Hans Eppendorfer folgt den Anweisungen Genets und Jean-Paul Sartres à la lettre. Er entwirft ein neues Kapitel des ›Mordes als schöner Kunst‹ – mit Kristallsplittern und Zungenfetzen. Er schreibt nicht aus dem Café Flore, sondern aus dem Kieler Jugendgefängnis. Kassiber. Er ist kein Poète Maudit. Er verruft.«[44]

Er verruft – und er beruft; wieder die große Anrufung, zu der Fichte hier den anderen »verführt«, herauslockt. Emphase und Ekstase liegen eng beieinander, Morast und Religiosität, Märtyrer, Mörder und Opfer. Sartre nannte sein Buch »Saint Genet – Comédien et Martyr«. Die krude Offenheit, mit der Fichtes Gesprächspartner Einblick in eine Horror- und Suchtwelt gewährt, ist aber nicht als Erotiksafari mißzuverstehen; ist Credo und Klage:

»Die sogenannten Voyeure ließen ihre Hemmungen einfach fahren und in der Dunkelheit der Räumlichkeiten, das Licht war schon in den ersten 15 Minuten ausgeschaltet, beziehungsweise die Glühbirnen waren rausgedreht worden, und dann geschah eigentlich etwas, daß in der Anonymität der Nacht, der Dunkelheit, die Körper ihre Gesichter, ihre Stimmen verloren und einfach nur noch Körper waren, Gesäß, Genital, Hand, Fuß, Atem, Pulsschlag. Sonst nichts. Man wußte nicht mehr, wer berührt dich, wen berühre ich. Man gab sich einfach nur noch hin, man lieferte sich nur noch aus, die Konventionsschranken waren einfach zerbrochen. Man war nur noch Körper unter Körpern, eine brünstige, dampfende Masse. Einfach aus einer imaginären Hoffnung, Fleisch zu erleben, Gier zu erleben, Hemmungslosigkeit zu erleben. Wir sind ja gewissermaßen im Alltag genormt, programmiert, viele Leute aus irgendwelchen Büros, Kanzleien und aus irgendwelchen Verkäuferschichten, Beamtenschichten. Und da war möglicherweise dies Ledertreffen die Chance zu einem Ausbruch auf Zeit... Für diese Leute war diese Sache eine Art von, nennen wir es mal, Tempel.

Fichte: Du glaubst also, daß dies Religiöse das ausgelöst hat?

Eppendorfer: Ja, möglicherweise, ich glaube, wir waren in diesem Augenblick, als wir eine mit Boys und mit Ketten gesicherte Tür hatten, waren wir plötzlich eine Art Arche Noah aus dem Alltag heraus. Man trat durch die Tür und war in einer andren Welt. Man konnte plötzlich Wünsche des Unterbewußten, verdrängte Wünsche, Hoffnungen, Assoziationen, die man irgendwo aufgefangen hatte, konnte man plötzlich frei artikulieren, in dieser Abgeschlossenheit des Raumes. Man war geschützt. Man war wie in einem Ei.«[45]

In viele Bücher Fichtes ist diese Lederstudie – als Vorform, variiert, gekürzt, als Einsprengsel – aufgenommen. Es ist offenbar eine zentrale Kategorie, und Fichtes kühl registrierendes Entsetzen hält einer leidenschaftlich beteiligten Neugier die Waage. Es ist eines der Meisterstücke des Autors Hubert Fichte – als Interview.

Larve und Libelle zugleich, bösartig und zart, zudringlich und zurückhaltend, ein indiskreter Voyeur, der nie schamlos ist: das ist Hubert Fichte, Schriftsteller und Interviewer. Eine Zecke, die den Schmerz der anderen wahrnimmt. Fichtes Interviews sind Literatur. Was er mit ihnen leistet, darf nicht mißverstanden werden als Vorform zum Werk, als Abweg gar. Es ist Teil des Werkes; denn moralische Archäologie ist es immer. In seinen paraphrasierenden Romanen wird das zur Spiegelschrift des »inneren Dialogs«, also der steten, unerbittlichen Sonde ins eigene Ich. Er legt Hand an sich in des Wortes vielfältiger Bedeutung. Fichtes Prosa hat nie etwas Strotzendes, Weltsüchtiges; sie ist eigensüchtig – auf der Suche nach vergangener Verletzung. Leben nämlich ist bei ihm unendliche Kette von Verletzungen.

Verzwirnt er diese Selbsterfahrung in seinen Romanen, so dröselt er sie auf in seinen Interviews. Sie sind bezeichnenderweise nie Gespräch, keine Diskurse. Es sind Fragebohrungen in fremde Leben hinein, gierig und den anderen aussaugend, entblößend, aber nicht bloßstellend. Eher

umgekehrt: offensichtlich ist die Interview-Situation für die »Opfer« Gelegenheit, über sich selber nachzudenken, in Antworten zu bislang verschütteten Klarheiten zu kommen. Das war schon deutlich in den »Interviews aus dem Palais d'Amour«, die eine Welt von Ehrlichkeit vorführten, wie sie in der VIP-Lounge des Frankfurter Flughafens wohl nicht vorstellbar ist.
Auf schlichtweg grandiose Weise ist das in den Gesprächen mit Wolli, dem sächselnden Puff-Besitzer von der Reeperbahn, gelungen, der unter Dali- oder Janssen-Blättern auf einem Modearzt-Sofa hockend ebenso gelassen den Karton voller Geldscheine darunter hervorzieht, wie an der Haschpfeife ziehend über Gide, Marx oder Gandhi spricht. Für Fichte ist dieser Wolli und seine Puff-Etage, die er am liebsten betreiben möchte wie »das Modell von Zeiss, Jena«, ein Glücksfall.
Zum einen wird die schamlose Heuchelei der bürgerlichen Welt auf fast unbeteiligte Weise denunziert; die Ärzte, Rechtsanwälte und honorigen hanseatischen Kaufleute, denen mit Genehmigung des Senats (der Kuppelei unter Strafe stellt) die Etagen solcher Häuser gehören; denn Leute wie Wolli mieten nur und vermieten ihrerseits an die Mädchen. Der Abschnitt über diese Groteske, wer von wem wann welche Prozente wofür bekommt, gehörte in den Wirtschaftsteil der Zeitung – wer Obszönitäten vom Kiez erwartet, der findet sie *hier*. In der lusttollen Sexbesessenheit, mit der der »Reeperbahnkönig« Wolli ohne Umschweife erklärt, das wichtigste in seinem Leben waren immer Frauen, kann man Obszönes nicht sehen – nicht einmal in der »uns Bürgern« fremden Gewohnheit, die eigene Frau anschaffen zu schicken. Es ist eine eigene – vielleicht sehr freie?, vielleicht sehr eingegitterte? – Moral jenseits des Herkömmlichen.
Aber eben diese Konfrontation mit der Gegenwelt, die so gern und rasch Unterwelt genannt wird, rückt das sogenannte Normale in ein sehr düsteres Licht. Aktentaschenträgern mag das alles sehr unheimlich sein, dieses merkwürdige Geflecht von Hilfe für Ausgeflippte und Ablehnen jeglicher Brutalität, von Sexualität jenseits jeder Schranke und einem strengen Ehrenkodex, der es etwa verbietet, mit der Frau eines Freundes zu schlafen: Unserer Gesellschaft wird kein Zerr-, sondern ein Brennspiegel vorgehalten. Ob sehr viele Mittvierziger ihr erstes Liebeserlebnis so wie dieser »Zuhälter« erinnern und beschreiben können?

»Heute weiß ich, daß ich der Junge war, der verführt worden ist, aber auf eine sehr schöne Weise verführt worden ist, das hat mir so viel Freude gemacht, daß das auch heute noch irgendwie das ist, was ich am tollsten finde. Ich glaube, wenn man Gott am ähnlichsten ist, das klingt wieder alles ein bißchen theatralisch, aber daß wir der Ewigkeit in dem Moment des Orgasmus nahe sind und in dem Moment, wo wir wirklich lieben und wo wir einen anderen Körper umklammern, dann sind wir da.«[46]

Die Lektüre dieses Buches ist ein Schock – ganz anders, als das »schokkierende« Thema es vielleicht erwarten läßt. Daß es Bordelle und homosexuellen Bahnhofsstrich, schlimme Filme und schlimmere Bühnen, Freier, Zuhälter und Kunden gibt, die Spezielles mögen, davon hatte man schon einmal gehört. Da haben diese Interviews überhaupt keinen Enthüllungscharakter. Aber sie entkleiden unsere Welt. Weil hier so gar nicht gelogen wird, ist das Lügnerische der bürgerlichen Normalität schmerzhaft spürbar. Wie im Labor eines geschickten Photographen bringt Fichte Licht und Säure ein; die Herren im Nadelstreifenflanell haben plötzlich grobgestreifte Anzüge an, Sträflingskleidung.
Der Impetus von Hubert Fichtes Werk war von Beginn an, sich zu Angst zu bekennen. Aber auch zu benennen, wie Angst entsteht, wer sie produziert, was sie vergiftet. Angst als Opium fürs Volk. Der Umschlag von Angst in Kälte, in Inhumanität und das Suchen nach einer Welt ohne sie – und sei es in Spuren, Splittern, Resten – treibt Fichte um; in Gegenwelten vom Kiez nach Haiti und von Indien zurück in jene Straße, deren Berechtigung zu ihrem Namen »Große Freiheit« man bei dieser Lektüre das erste Mal annäherungsweise begreift. In ihr wohnt Wolli, der Indienfahrer, der auf sonderbare Weise von seiner Kälte als Schutz zu berichten weiß:

»Das ist eine Eiseskälte, um nicht zu brennen. Wenn ich mal jemanden sehr geliebt hab oder sehr bewundert hab und das hört dann mal auf, dann – das klingt ein bißchen theatralisch – dann reiß ich mir das aus dem Herzen, um ... das ist vielleicht irgendwo ein Selbstschutz, weil ich auch nicht sehr fest steh in mir selber. Es kommt der Moment – ich leide da irrsinnig darunter am Anfang, aber ich leide mich aus und ich leide mich dann so aus, daß ich dann absolut ausgelitten bin. Also ich kotz das dann aus. Bei mir passiert dann das, was der Genet gesagt hat: Frankreich auskotzen.«[47]

Es gibt, ob nun in Seminaren oder Redaktionsstuben, so viele Etiketten und Wimpelchen – Experiment und politische Literatur und realistisch und episch und wie das alles heißen mag. Hier ist es alles zusammen, wild und zuchtvoll zugleich.

Hohnvoll sich über alle Genre-Schranken hinwegsetzend hat Fichte dieses Buch »Roman« genannt. Ein Interview fehlt darin, eines, in dem Fichte überhaupt nicht auftaucht, in dem keine Frage mehr formuliert ist, das auf diese Weise ein großer Monolog über Vergeblichkeit wurde. Es ist das »Protokoll« eines alternden Homosexuellen, dessen zermülltes Leben ihn vor Gesten der Freundlichkeit erschrocken sich wehren läßt: »Aber zuletzt, als wir denn uns angezogen hatten und das Zimmer verlassen wollten, da schlug mir der junge Mann, so 25, sehr gut angezogen, kurzes, blondes Haar, mit der Hand gegen die Brust aus Spaß und auch aus Zärtlichkeit, und ich riß meine beiden Hände, Arme hoch, um mein Gesicht zu schützen.«[48] Fichte hat diesen Text zu einem Hörspiel montiert und, was er selten tut, sein Vorhaben erläutert:

»Ich habe das Hörspiel ›Also...‹ als eine Anmerkung zu ›Flesh‹ von Andy Warhol geschrieben, dem schönen UFA-Film starring Willy Fritsch und Lilian Harvey; in diesem Film tritt ein alternder Homosexueller auf, dessen Liebesversuche – wie es sich in einem UFA-Film gehört – lächerlich, erbärmlich und widerlich wirken; er erntet auch – wie es sich gehört – von dem jugendlichen Helden einen verachtungsvollen Blick.
Wie liebt ein Angestellter in der Bundesrepublik heute – ein sechzigjähriger Angestellter, ein sechzigjähriger homosexueller Angestellter? Der Jungmännlichkeitswahn unsrer Gesellschaft weist ihm kaum etwas anderes zu als Glücksmöglichkeiten gegen Entlohnung.
Nach der Aufhebung des Paragraphen 175 werden auch unter der ehemals klassenlosen Schicht der Unterdrückten die Klassengegensätze schärfer. Ich bitte für den sechzigjährigen homosexuellen Angestellten weder um Mitleid noch um Freud oder Mao. Ich wünschte mir, daß seine sexuellen Bedürfnisse als etwas Selbstverständliches betrachtet werden und wir ihm dadurch ein verändertes Selbstverständnis ermöglichen.«[49]

Wenn Fichte 1977 in einem Vortrag gesagt hat, »Worte sind Verhaltensweisen«, so ist das nicht Morallettrismus, sondern indirekte Antwort auf Hans Eppendorfers Vorwurf des Vampirismus; nichts weniger als das – seine Interviews stellen den Gesprächspartner nicht bloß, sondern legen Strukturen von Fühlen und Denken frei. Es ist nicht die onanistische Verlassenheit einer alternden Frau, die etwa in dem Gespräch mit der New Yorker Pop-Queen Lil Picard entblößt wird, sondern eine Verzweiflung, die unsere Gesellschaft als Angebot für die nicht mehr »Marktgängigen« freihält. Nicht peep show, sondern Mikroskop. Was darunter sich bewegt, sind die Zuckungen von Angst und Einsamkeit:

»*Fichte:* Hast du Angst?

Picard: Ja, furchtbare Angst. Todesangst. Denn ich hab keinen Menschen hier. Ich hab einen Freund, aber der ist auch nicht immer da.

Fichte: Alle deine Marys kannst du nicht anrufen?

Picard: Die würden nicht von hier bis hier hin gehen, sind so mit sich selbst in Unsicherheit.

Fichte: Und die Künstler?

Picard: Die tun nichts.

Fichte: Und Andy Warhol?

Picard: Der würde sich nicht –, Andy Warhol hat ja selber genug zu tun mit seiner verrückten Mutter. Der hat 'ne alte Mutter, die ist geistesgestört, um die er sich kümmern muß.

Fichte: Ja – und, ich weiß nicht, Schulkameraden von dir und von Dell?

Picard: Der Dell hat keine Schulkameraden mehr. Der ist übriggeblieben. Die sind alle schon tot.

Fichte: Also wenn euch etwas zustößt, einem von euch, was machst du dann?

Picard: Ich ruf die Polizei an.

Fichte: Und die kommt?

Picard: Ja.

Fichte: Und transportiert dich –

Picard: in a hospital. Das ist genauso als wenn man tot ist…

Picard: Ich habe nur noch onaniert. Ich habe Orgien gefeiert in meinem weißen Zimmer, die waren happenings. Ungeheuerster, wunderbarster Art mit Blumen und Früchten und Parfüm, und ich habe mich dazu geschminkt. Und so einen großen Spiegel hatte ich, so einen weißen Spiegel und einen weißen Schreibtischsessel, und da saß ich und habe immer nachgemacht so, wie es da gezeichnet war auf diesen – mit dem Mittelfinger und so gespreizt, und ich habe mich dabei angeguckt.

Fichte: Wie oft onanieren Mädchen?

Picard: Na, ich hab eigentlich jeden Tag zweimal onaniert.

Fichte: Und hast du dann dein ganzes Leben lang onaniert?

Picard: Ja, ich onaniere mein ganzes Leben.«[50]

»Schreiben heißt, das Glück suchen«, sagt ein Schriftsteller, dessen Werk Jahrzehnte hindurch als Pornographie mißdeutet, als Onaniervorlage mißbraucht wurde – und dessen großer Ernst im Versuch radikaler Grenzüberschreitung erst allmählich verstanden wird: Georges Bataille. Die Nähe zu Fichtes Literatur, nicht nur Glückssuche, sondern auch Glücksverheißung, ist verblüffend.

»Meine Angst ist endlich absolut und souverän«,[51] heißt das Motto zu Batailles Text »Madame Edwarda«, der Hans Bellmer zu einer seiner bedeutendsten graphischen Suiten inspirierte. Hier ist zweifellos ein gemeinsamer Resonanzboden, *ein* Nervenklima. »Wir erreichen die Ekstase nicht, wenn wir nicht – und sei es nur in der Ferne – den Tod, die Vernichtung vor uns sehen«[52]; dieser Satz könnte von Hubert Fichte sein, er steht aber bei Bataille, und es schließt sich diese Passage an:

»Die Lust wäre verächtlich, wenn es nicht ein überwältigendes Überschreiten wäre, das nicht nur der sexuellen Ekstase vorbehalten ist. Die Mystiker haben es in der gleichen Weise erfahren. Das Sein wird uns gegeben in einem *unerträglichen* Überschreiten des Seins, das nicht weniger unerträglicher ist als der Tod. Und da das Sein uns im Tod zur gleichen Zeit, da es uns geschenkt, auch wieder genommen wird, müssen wir es im *Erleben* des Todes suchen, in jenen unerträglichen Momenten, in denen wir zu sterben glauben, weil das Sein in uns nur noch Exzeß ist, wenn die Fülle des Schreckens und die der Freude zusammenfallen.
Selbst das Denken (die Reflexion) vollendet sich in uns nur im Exzeß.«[53]

Tatsächlich gibt es ganze Motivfelder, die an Fichtes Prosa erinnern, die Bedeutungscollage der Worte Ei, Auge, Kot, Hoden: »Damals gehörten die Hoden für mich noch nicht zu der Assoziation Auge und Ei. Mein Freund wies mich auf meinen Irrtum hin. Wir schlugen in einem Lehrbuch der Anatomie nach, wo ich sehen konnte, daß die Hoden von Tieren und Menschen eiförmig sind und Aussehen und Farbe des Augapfels haben.«[54] Es ließe sich eine Zitatcollage aus Fichte-Sätzen herstellen, in denen dieses, bei Freud in »Das Unheimliche« bereits 1920 angedeutete Bild sich findet: »die Augen im Sack«, »die glasaugenförmigen Eier«, »mit den Eiern gucken gehen«, »Detlevs Eier gucken aus dem Spiegel auf seine Eier; die gucken zurück«.[55]
Eros als Auszehrung und tödliche Gefahr, Liebe als Vorstufe des Sterbens – »da war nichts, das nicht beitrug zu diesem blinden Hinabgleiten in den Tod«,[56] so endet eine Liebesszene bei Bataille: Es ist diese existentielle Grundhaltung, die sein Werk prägt; und nur das Wort ist magisches Mittel, das zuckende Warten auf den Tod zu verlängern. Die Sprache als Zauber. Bei Fichte heißt das, »was den Menschen – wenn man vom Feuermachen absieht – vom Tier unterscheidet: die poetisch komponierte Aussage ... poetisch freilegen, meine ich – nicht zupoetisieren«.[57]
Ein Weltenbuch wie »Xango« oder der nachfolgende Band »Petersilie«

verdanken sich diesem Prinzip ebenso wie seine Rimbaud-Studie. Fichtes Faszination (also auch: Widerstand) ist deutlich – er zitiert ausführlich jenen Brief Rimbauds aus dem Jahre 1871, der als »Seher«-Brief bekannt wurde, in dem es heißt, »Es geht darum, das Unbekannte zu erreichen durch die *Entregelung* aller Sinne« und in dem die berühmt gewordene Formulierung fällt »*Ich* ist ein *anderes*«.[58]

Und Fichte, der die Texte Rimbauds als Beschreibungen nimmt, als »Aufzeichnungen aus Einweihungsreisen, Geistreisen«,[59] geht mit der bohrenden Kühle eines Quasi-Interviewers der Frage nach, woher diese Idee des Sehers, des Voyant, kommt, dessen Blick mehr erfaßt als andere, die nicht »Ichlose Abbewußte«[60] sind. Die vom Tragischen zur Posse umkippende Liebesbeziehung zu Verlaine interessiert Fichte weniger als das langsame Abnehmen der Kraft von Rimbauds Magie – seiner Sprache. Noch das »Trunkene Schiff« zieht Fichte zu sich herüber, erklärt es als Loslösung von der Realität, als Form, die ihren Urheber aufgezehrt hat:

»Panthères à peaux. D'hommes!
Leopardenmänner, Panthermänner, magische Verbrechergilden, Assasine sind alt wie die Menschheit.
Schon vor etwa 20 000 Jahren gibt es in der Grotte Les Trois Frères einen Zauberer als Ledermann in der Haut eines Tieres. Rimbaud kehrt dieses Unbild um:
Panthères à Peaux d'Hommes – Panther in Menschenhäuten.«[61]

Aber den in die Kolonien Geflüchteten nennt Fichte einen »Dichter a. D.«, dessen Sprache pervers und trocken geworden ist, Schulbuchprosa, und verurteilt ihn gänzlich mit einer einzigen Frage: »Müßte ein Avantgardist nicht danach beurteilt werden, wie er sich mit den Grundbedingungen seiner Gesellschaft sprachlich auseinandersetzt?«[62]

Hier zeigt sich ein Element, das in der Literaturkritik vom Klischee »Formalist – Manierist« verdrängt wurde: Fichte ist Aufklärer. Die Angst, die ihn umtreibt, hat nicht die Marschrichtung Zynismus, sondern ein Aufscheinen von Mitleid; Hoffnung kaum, aber Begehren; nicht »nicht schuld daran zu sein«, sondern Schuld auf sich zu nehmen – zu entschuldigen; ob in Dahomé oder St. Georg oder Haiti. Der Kernsatz eines »Seher«-Briefes von Hubert Fichte, des bisexuellen Halbjuden ohne Vater, der nicht rechtzeitig abgetrieben wurde, das Leitmotiv von Jäckidetlevhubert, würde dessen Entsetzen und Verletzung in einem Satz zusammengefaßt, hieße: Die *anderen* sind *Ich*.

Thomas Brasch

Thomas Brasch gehört zu den irritierenden Begabungen der jüngeren deutschen Literatur; zwei Begriffe in diesem Satz sind mit Bedacht gewählt: »irritierend« und »deutsche Literatur«. Damit ist in *nuce* umrissen, was die Beschäftigung mit den Arbeiten von Brasch so schwierig macht – während nämlich die humane und damit literarische Qualität seiner Texte sich fraglos seiner Existenz in der DDR verdankt, leugnet er gleichzeitig emphatisch, ein dissidierender DDR-Autor zu sein. Er wehrt Zuspruch und Anspruch gleichermaßen ab, will sich keinen anderen als literarischen Kriterien unterwerfen.
In einem ausführlichen Gespräch[1] hat er seine Position präzisiert:

Frage: Wenn ich Sie recht verstehe, vor allem Ihre letzten öffentlichen Äußerungen, dann lehnen Sie gleichsam ab, ein DDR-Autor, jetzt DDR-Autor im Exil zu sein. Mir scheint das, gerade beim Überprüfen Ihrer Arbeiten, ehrlich gesagt, falsch. Die Intensität Ihrer Texte verdankt sich doch ganz eindeutig Ihrer Realitätserfahrung in der DDR.
Thomas Brasch: Was ich in verschiedenen Gesprächen abgelehnt habe, ist eine Kategorisierung. Ich kann weder mit dem Begriff des Exilschriftstellers für mich etwas anfangen, noch etwa mit denen eines Vertreters der Rock-Generation, des jüdischen Autors, des DDR-Schriftstellers, des Dissidenten oder was immer es sonst noch gab.
Natürlich hat jeder Text, wie Sie richtig sagen, mit der Realitätserfahrung seines Autors zu tun, aber diese Realität ist für mich etwas anderes als sich oberflächlich mit den Buchstaben fassen läßt, die auf meinem Paß stehen. Deutlicher: Die Wirklichkeit, die eine fünfzigjährige Schriftstellerin beschreibt, die ihr ganzes Leben in einem Dorf an der Ostseeküste verbracht hat, ist eine völlig andere als die, über die ein zwanzigjähriger Berliner Germanistikstudent Gedichte verfaßt. Beide nun einfach unter den Begriff DDR-Literatur zu verallgemeinern, heißt sie auf den kleinsten gemeinsamen Nenner bringen, den politisch-geographischen nämlich. Beide haben soviel und sowenig gemeinsam wie eine Bäuerin aus Reutlingen und ein Zuhälter aus Hamburg, oder, ein besserer Vergleich, Hans Habe und Arno Schmidt.

Frage: Stimmt das wirklich? Es gibt doch gesamtgesellschaftliche Phänomene oder Erfahrungen, die mit der Spezifik einer gesellschaftlichen Struktur des Landes zusammenhängen. Und die ist natürlich, ob in der Provinz der DDR oder auch in ihrer Hauptstadt Ostberlin, in vielen Dingen gleich. Natürlich dekliniert sich das in kleinen Dingen anders. Es gibt aber ganz bestimmte gemeinsame, lassen Sie es mich ruhig sagen, Bedrohungen, oder – ein anderes Beispiel – Strukturen der menschlichen Kommunikation, die wohl spezifisch für die DDR sind. Ganz radikal anders als mögliche Erfahrungen in der Bundesrepublik. Das heißt, der Wechsel von der DDR in die Bundesrepublik ist eben dadurch ein sehr viel schärferer, abrupterer als der Wechsel von der DDR-Provinz in die DDR-Hauptstadt.
Thomas Brasch: Meine Erfahrung ist anders. Für mich war der Wechsel aus dem Leipziger Hörsaal in eine Berliner Werkhalle zum Beispiel ein wesentlich schärferer Bruch als die Übersiedlung aus der intellektuellen Szene der einen Hälfte Berlins in die der anderen Hälfte der Stadt. Das soziale Problem scheint mir dabei wichtiger als das geographische. Und noch etwas: Vielleicht gibt es, was Sie gesamtgesellschaftliche Erfahrungen nennen, aber ich kann damit während meiner Arbeit nichts anfangen, ein solcher Begriff sagt mir nichts, wenn ich meine eigenen subjektiven Erfahrungen in eine bestimmte Form bringen will. Dazu kommt, daß die gesellschaftliche Erfahrung eines durch Reisegenehmigungen privilegierten Schriftstellers in der DDR eine völlig andere ist als die eines nicht privilegierten, die eines gedruckten wieder eine andere ist als die des ungedruckten und die eines Schriftstellers überhaupt sich total unterscheidet von der einer Verkäuferin zum Beispiel, die unter einem ganz anderen Erfahrungsdruck steht. Beim Schreiben ist der Schreiber die Welt, nicht die Landkarte.
Ich glaube heute, daß die These eines von mir sehr geschätzten DDR-Philosophen richtig ist, die ich früher für arrogant hielt: Das Alltagsbewußtsein in industrialisierten europäischen Leistungsgesellschaften unterscheidet sich bei 90 Prozent der Bevölkerung überhaupt nicht voneinander.
Frage: Ich würde das bestreiten. Gerade diese These, daß sich das Alltagsleben überhaupt nicht unterscheidet vom Alltagsleben des Postbeamten in Paris oder des Fiat-Arbeiters in Turin. Hartmut Lange hat einmal einen ganz schönen Begriff geprägt: die künstliche Archaik des Lebens in der DDR. DDR heißt Binnensee, heißt dadurch vielleicht mehr Disposition zu Hilfe, zu Solidarität, auch zu Freundschaft.
Die Bundesrepublik ist kein Binnensee, sondern offenes Meer, hohe

Wellen – jeder schwimmt für sich so gut er kann, ohne Hilfe. Das ist doch ein ganz wesentlicher Unterschied, der auch Literatur prägt bis ins Detail, sogar bis in die Schreibweise.

Thomas Brasch: Ich verstehe nicht ganz, woher dieses romantische Weltbild kommt: Solidarität, Freundschaft, künstliche Archaik dort und rauhes offenes Meer hier. Es klingt, entschuldigen Sie, ein bißchen nach Walter Ulbrichts trutzigem Wort von der Menschengemeinschaft in der DDR. Mit dem Alltag, den ich kenne, hat das nichts zu tun, nur mit dem Bedürfnis nach Exotik. Vielleicht brauchen Leute auf beiden Seiten der deutschen Grenze die Illusion, daß es im anderen Teil ganz anders hergeht. Verstehen Sie mich richtig: Ich will die Unterschiede nicht nivellieren, die zwei verschiedene Staatsformen mit sich bringen, ich will nur sagen: die Realität ist komplizierter.

Ich kann in diesem Gespräch nicht abtragen, was sich hier offensichtlich über Jahre angehäuft hat, den Irrtum nämlich, die DDR sei ein Land, das sich im Gegensatz zu anderen Ländern, mit einem Wort wie ›Binnensee‹ simpel umschreiben läßt, das durch die Mauer und ihre Folgen soweit definiert ist, daß sich alle Details darauf zurückführen lassen. Ich wüßte, um ehrlich zu sein, wirklich nicht, worin sich die Arbeits- und Freizeit eines Schlossers in Eisenhüttenstadt grundsätzlich von der seines Kollegen in einer westdeutschen Provinzstadt unterscheiden sollte.

Frage: Ist das wirklich richtig? Auch der Schlosser in Eisenhüttenstadt würde vielleicht gern Westfernsehen sehen, seine Tochter, zwölf Jahre, sieht das auch, kriegt in der Schule Schwierigkeiten. Das ist bereits eine bedrohliche Situation. Oder er kriegt das falsche Paket, in dem nicht nur Kaffee oder Zigaretten drin sind, sondern ein Buch oder ein altes Kleidungsstück ist eingewickelt in eine Zeitung. Tägliche Lebensdetails, die auch den von mir aus unpolitischen Schlosser in Bedrohungssituationen bringen, die etwa in der Bundesrepublik nicht vorhanden sind.

Thomas Brasch: Ich glaube, Sie überschätzen die Rolle von Paketen im Leben eines Menschen. Für Sie und für mich wäre es vielleicht schön, wenn Bücher oder Zeitungen tatsächlich die von Ihnen beschriebenen großen Wirkungen hätten. Aber es ist nun einmal leider nicht so.

Frage: Das hieße ja, daß die DDR-Literatur etwas artikuliert, was tatsächlich dort gar nicht empfunden wird.

Thomas Brasch: Ich weiß nicht, was allgemein ›dort tatsächlich empfunden wird‹, ich weiß nur, was ich in einer konkreten Situation an einem konkreten Ort mit konkreten Leuten empfinde und was mir wichtig genug erscheint, es aufzuschreiben. Ich könnte Ihnen auch kein Buch aus irgendeiner Zeit oder irgendeinem Land nennen, das eine Art allgemeiner

Befindlichkeit einer Gesellschaft artikuliert. Ich kenne nur Leute, die auf mehr oder weniger eindringliche Weise von ihren subjektiven Erfahrungen, Gedanken und Gefühlen erzählen.
Natürlich werden sich um so mehr gesellschaftliche Wahrheiten in den Texten finden, je stärker ihr Autor in die Probleme seiner Zeit verwickelt ist, sein Talent vorausgesetzt. Mit vordergründig politischen Erkenntnissen aber hat das nichts zu tun. Das ist natürlich eine Binsenweisheit, aber sie scheint mir nötig. Denn seit ich in diesem Teil Deutschlands lebe, stelle ich immer häufiger fest, daß die Bücher von einem Teil der Kritik – ich meine jetzt nicht Sie – auf eine merkwürdige Weise rezipiert werden, als eine Art Eingeborenenliteratur, die in einem fremdartigen Dschungel spielt und ihre Besonderheit darin hat, daß sie die Häuptlinge des Stammes anbellt, vergöttert oder ihnen listig ans Schienbein tritt.
Das hat eine unglückliche Auffassung von Arbeitsteilung zur Folge; nach der in der DDR die literarischen Urschreie produziert werden, deren Qualität sich in erster Linie nach ihrem Grad an Mut bemessen läßt, und in Westdeutschland die Schreiber mit der Herstellung formaler Experimente oder differenzierter Empfindungen beschäftigt sind. Auf einen Punkt gebracht hieße das: hier Kopf und technisches Raffinement, dort Herz und tiefes 19. Jahrhundert in der Form.
Ich glaube, daß sich kein Schriftsteller besonders wohl fühlen kann in einer auf diese Weise, zugegeben von mir vereinfachten, literarischen Geographie. Bei amerikanischen, franzosischen oder jugoslawischen Autoren könnte man sich die Sache auch nicht so einfach machen.
Frage: Ich weiß nicht, ob das ganz richtig ist. Sehr interessant, daß Sie bei amerikanischer, französischer oder jugoslawischer Literatur diese Begriffe akzeptieren, bei deutscher nicht. Natürlich muß man von solchen Begriffen erstmal ausgehen können. So gut, wie es eine amerikanische Literatur gibt, in der es auch ganz divergierende Temperamente oder künstlerische Fähigkeiten gab und gibt – oder in der französischen –, so gut gibt es eben gleichzeitig ein Ensemble, das man dann amerikanische, französische oder jugoslawische Literatur nennt, und nennen darf. Und so gut muß es eben auch das, was man westdeutsche oder DDR-Literatur nennt, als Begriff geben können, reiche das nun von Böll bis Schmidt oder von Grass bis Celan. Wogegen Sie anrennen, das ist ein Makel oder Defizit der westdeutschen Literaturkritik. Dies geschieht ja nicht immer. Man nimmt Literatur auch als Literatur. Daß Heiner Müller der wichtigste dramatische Schriftsteller deutscher Sprache nach dem Krieg ist, darüber gibt es unter ernst zu nehmenden Literaturkritikern, Literaturwissenschaftlern keinen Disput.

Thomas Brasch: Eine nennenswerte Wirkung hat er trotzdem noch lange nicht, und zwar, wie ich glaube, weil er als DDR-Schreiber exotisch gemacht wird, weil der große Ansatz im »Philoktet« zum Beispiel auf eine kleine DDR-Parabel reduziert wird, die hier ohne ein politisches Wörterbuch in der Hand sowieso nicht verstanden werden kann.
Frage: Das stimmt nicht. Der »Philoktet« ist ein Stück von Lüge und Gewalt, über Lüge und Gewalt. Und ist nicht zufällig, nicht nur weil Heiner Müller der begabte oder begabteste Dramatiker ist, dort entstanden, wo Lüge, Gewalt – exekutiert durch Staat – bedrohender, vernichtender für das Individuum ist als in einem Land wie der Bundesrepublik, wo nicht etwa Lüge und Gewalt nicht existieren, aber offener ausgetragen werden. Hier gibt es eine diskursive Öffentlichkeit, hier gibt es den Markt in beiderlei Begriff, den Markt als Tauschplatz, aber auch den Markt als Austauschplatz der Meinungen, sehr viel offener. Öffentlichkeit hat in der DDR eine völlig andere Konsistenz, führt zu viel verzwirnteren, schwierigeren Äußerungen.
Thomas Brasch: Was Sie jetzt sagen, ist für mich eine mechanische Auffassung von Literatur. Bleiben wir beim »Philoktet«. Das ist für mich das Stück eines Mannes, der einen scharfen Begriff hat von historischen, psychologischen und theatralischen Mechanismen und der den Archetyp eines politischen Vorgangs beschrieben hat, nicht weil er sich um aktuelle Bezüge drücken wollte, sondern weil der Archetyp kräftiger hervorbringt, was er empfindet. Das hat mit spezifischer DDR-Literatur soviel zu tun wie Handkes »Wunschloses Unglück« mit spezifischer österreichischer Literatur. Wenn man, was Sie sagen, zu Ende denkt, müßte man Goethes »Iphigenie« als eine Art Schlüsselliteratur in antiker Verkleidung interpretieren, die eigentlich ganz aktuell gemeint ist und auch zu verstehen wäre, wenn sich der Geheimrat nur nicht so umständlich ausgedrückt hätte.
Um auf unseren Ausgangspunkt zurückzukommen: die Spezifik der literarischen Produkte in dem Land, aus dem ich komme. Ich mache hier für mich die enorm wichtige Erfahrung, daß viele der Erscheinungen, die ich in der DDR für DDR-typisch gehalten habe oder für spezifisch sozialistisch, mir jetzt wiederbegegnen: der Drang zur Perfektion etwa, der Mangel an Humor, die Abwehr gegen vieles, was den allgemeinen Normen nicht entspricht. Das hat offensichtlich mit deutscher Geschichte zu tun und mit Verdrängungen. Dieses Land ist nun einmal nicht der Mittelpunkt der Welt, und nun kann man das schwer verkraften und jeder Teil verdrängt diesen Sachverhalt, indem er sich dem anderen gegenüber als etwas ganz besonderes, ganz anderes aufspielt. Das erhält

das Selbstwertgefühl. Die Teilung Deutschlands wird zu einem Epochenproblem heraufstilisiert, und die anderen Völker stehen daneben und lächeln.
Im Fall der Schreiber, die aus der DDR hierher kommen, wirkt sich das auf eine besondere Weise aus: Sie werden mit der wohlwollenden Herablassung von neuen Schülern in der Klasse behandelt, die sich erst einmal umsehen müssen in der völlig neuen Umgebung. Ich werde auf Lesungen oft gefragt mit besorgter Stimme: Ja, um Himmels willen, was wollen Sie denn jetzt schreiben, Ihr Thema war doch die DDR, und jetzt stehen Sie ganz nackt da.
Es mag sein, daß einige Schreiber in der DDR stärker mit Traditionslinien deutscher Literatur zu tun haben, die zur Zeit hier nicht in Mode sind. Aber das sagt etwas über diese Schreiber aus, nicht über die DDR-Literatur, wie man die westdeutschen Schreiber insgesamt auch nicht auf das Privatisieren reduzieren kann. Eine solche Trennung hat eben doch mehr mit literarischen Moden zu tun, die behaupten, eine Art Realismus wäre ein alter Hut, und eine Art schwülstiger Bedeutsamkeit sei jetzt up to date. Hugo von Hofmannsthal als Urvater hier, Brecht als Urvater dort etwa. Das hat doch mit dem Beruf des Schriftstellers alles nichts zu tun und auch nichts mit Ost-West.
Frage: Ich meine, daß die Sinnlichkeit eine andere ist, die unmittelbare Wahrnehmung. Das geht bis ins literarische Detail, scheint mir übrigens auch die Stärke Ihrer Prosa. Ein kleines Beispiel: Einmal geht ein Ausweis an einem Seeufer verloren. Das bekommt seinen Stellenwert, das frißt sich ein in das Fleisch eines Textes. Das baut gleichzeitig eine Szene, eine Szene, die in der hiesigen Literatur undenkbar wäre. Kein Mensch, der vorher mit einem Mädchen am Seeufer geschlafen hat und dabei seinen Ausweis verlor, würde deswegen nachts noch mal mit der Taschenlampe am Ufer suchen, sondern er würde zum Polizeirevier gehen und sagen: »Tut mir leid, ich habe meinen Ausweis verloren, geben Sie mir einen neuen.« Das mag anekdotisch klingen, es ist aber nicht anekdotisch. Es ist das Spezifische von Literatur. Oder denken Sie an eine andere Ihrer Geschichten, in der es zu einem politischen Problem wird, daß drei Leute miteinander ins Bett gehen – gar zu einem polizeilichen Vorwurf. Das wäre hier kein Gegenstand irgendeines Verhörs, daß die zu dritt geschlafen haben.
Thomas Brasch: In dieser Erzählung ist der Gruppensex nicht der Gegenstand des Verhörs, sondern der Polizist will beweisen, wieviel er weiß, indem er aufdeckt, daß er sogar über die intimsten Details des Verhörten informiert ist. Was Ihr Beispiel mit dem Ausweis angeht,

glaube ich Ihnen einfach nicht, daß einer, der nicht viel Geld hat und genau weiß, wo er seinen Ausweis verloren hat, sich den Luxus leistet, ihn nicht zu suchen und sich statt dessen einen neuen zu kaufen, denn bezahlen muß er ihn hier wie dort.
Sehen Sie, ich will gar nicht bestreiten, daß ein Autor von den ihn umgebenden Details geprägt ist, im Gegenteil. Was ich sagen will, ist, daß diese Details in erster Linie soziale, psychologische und sexuelle sind, aber nicht gesamtgesellschaftlich-ideologische. Ein Schreiber kreist von Anfang an um einen Punkt, der für ihn existentieller ist als die politische Provinz, in der er lebt und die ihn natürlich auch prägt.
Frage: Nämlich welcher.
Thomas Brasch: Das ist sicherlich für jeden Schriftsteller verschieden. Für den einen ist es der Verlust der Einrichtung Familie, für den anderen der Niedergang oder Aufstieg einer sozialen Klasse. Für Brecht zum Beispiel war es der ›Einzug der Menschheit in die großen Städte zu Beginn des dritten Jahrtausends‹. Das ist ein großer Gegenstand, an dem er viele andere austragen und den ihm auch keiner nehmen konnte, als er von Bayern nach Preußen und später von Deutschland in die USA gegangen ist.
Ich kann und will einen solchen Gegenstand für mich weder öffentlich noch theoretisch formulieren, aber sicher hat das Problem, das mich beschäftigt, mit dem Zerfall einer Kultur in diesen Städten und mit dem Aufkommen einer neuen, synthetischen zu schaffen, mit der großen Auseinandersetzung zwischen hartnäckig auf ihrer Individualität bestehenden Kreaturen und einer zunehmend versteinernden Warenwelt.
Frage: Sie sehen den kreativen Schriftsteller ein bißchen wie den Bernstein, der die Mücke umschlossen hat – als jemand, der sein Thema unberührt von Veränderungen durch gesellschaftliche Realität umschließt. Ich sähe das tatsächlich nicht so.
Thomas Brasch: Ich sehe das auch nicht so. Kein Autor kann unberührt sein von gesellschaftlichen Verhältnissen, aber ich glaube, daß diese Veränderungen für jeden etwas anderes sind, nicht nur sich anders darstellen. Für den einen ist es der Zerfall des Dorfes, für den zweiten die Vermarktung der Sexualität von mir aus, für einen dritten die Zerstörung des Planeten Erde durch die Zivilisation und für einen vierten die kleinen und großen Tragödien, die sich aus der Teilung seines Landes als Folge des größten historischen Blutbades ergeben haben. Für jeden dieser Autoren ist die Welt eine andere, nämlich seine sehr subjektive. Das unterscheidet Schriftsteller von Computern, die Daten speichern und in

der möglichst genauesten Weise wiedergeben, und das unterscheidet gleichzeitig Literatur von Geschichtsschreibung.

Nach dem strikten Erzählungsband »Vor den Vätern sterben die Söhne« legte Brasch mit seiner zweiten Buchpublikation in der Bundesrepublik »Kargo – 32. Versuch, auf einem untergehenden Schiff aus der eigenen Haut zu kommen« etwas vor, was der Folge eines literarischen Erstikkungsanfalls gleicht, ein scheinbares Sammelsurium lyrischer, epischer, dramatischer Skizzen, dazwischengeblendet selbstphotographierte Momentaufnahmen aus Berlin, die dem Betrachter eine Art Quiz aufgeben: Ost oder West? Aber es ist eben nur scheinbar ein Sammelsurium, ein Befreiungsakt des lange zwar nicht zum Schreiben, aber zum Nichtpublizieren verurteilten Autors; vielmehr hat das Ganze – eingeklammert in zwei hochartifizielle Ödipus-Variationen – eine streng ästhetische Stringenz, auch wenn Brasch sich mit dieser Darbietung bewußt kritisierbar macht, bewußt Genregrenzen außer acht läßt und sich damit dem Vorwurf aussetzt, eilig Unhomogenes zusammengerafft zu haben.
Man muß den schmalen Band wohl mehrmals lesen, um auf Motivwiederholungen, auf immer wieder offenbar werdende Verletzungen aufmerksam zu werden, die er einmal in einem seiner Eulenspiegel-Notate sehr genau benennt:

»Die Beschreibung der Ohnmacht ist der Beginn ihrer Überwindung. Dabei wird mir bewußt, wie stark nach meinem Wechsel von einem deutschen Land in das andere an mich die Erwartung herangebracht wird, aus einer hermetischen Kunstwelt herauszukommen und die Aufforderung formuliert wird, mich feuilletonistisch zu verhalten. ›Dein asketischer Kunstbegriff hat vielleicht dort funktioniert, wo du herkommst, hier ist er lächerlich‹, sagte mir einer, der sich als engagierter Kritiker der hier herrschenden Zustände versteht, ›auf die Dauer wirst du um eine klare Stellungnahme nicht herumkommen‹. Das deutsch-deutsche Mißverständnis einer Stellungnahme, Ideologie als Ersatz für Wirbelsäule. ... Kunst war nie ein Mittel, die Welt zu ändern, aber immer ein Versuch, sie zu überleben.«[2]

So eindeutig lesen sich seine Texte nicht immer. Sie sind vielmehr eine hauchdünne Variante des Naturalismus. Der Vergleich zu den Arbeiten von Jürgen Becker drängt sich ganz unmittelbar auf: ein Auf-die-Welt-Zugehen und das Beobachten des eigenen Schrecks, der eigenen Verkrümmung. Alle Stilmittel von Jürgen Becker tauchen auch hier auf, werden eingesetzt: das lyrische Stenogramm, die ganz kurz gegriffene dramatische Szene, die im wesentlichen von Haltungen, Gesten und Abläufen getragen wird, das trockene Prosaprotokoll, das collageähnliche Einmontieren vorgefundener Texte und schließlich die Photographie statt eigener Skizzen. Braschs Kunst ist im wesentlichen ein hochnervöses Auswahlverfahren, und dieses Prinzip erlaubt dann auch, statt eines eigenen Textes einen existierenden vorzuführen,[3] dessen Schock und Intensität auf jede »Gestaltung« verzichten kann. Braschs Hohn, mit dem er an ihn herangetragene Klischees und Erwartungshaltungen abwehrt, bezieht hieraus seine Berechtigung:

»Ich gebe alles zu. Ich bleibe nicht beim Thema. Ich beziehe nicht Stellung. Ich kratze mir nur den Dreck weg zwischen den Zehen. Ich habe mich noch immer nicht engagiert.«[4]

Das ist nicht Allüre, sondern Haltung, und diese Haltung erlaubt ihm, etwa im Stück »Lovely Rita«, das Grausen in Komik umkippen zu lassen und umgekehrt. Eine nachgestellte Vergewaltigungsszene, die durch eben dieses Mittel einer nachträglichen Einübung, einer scherzhaften Distanz grausiger wird als ein Dokumentarfilm. Hier versucht jemand, seinen Schock zu bewältigen, zu alphabetisieren.
Schock – das kann zum Beispiel sein das heftiger werdende Gefühl, im bunten Karussellgeglitzer des Westens vollkommen allein zu sein und vor sich nur bestehen zu können, indem man Welt formalisiert.
Schock – das kann sein das Betrachten der billigsten Familienklamotte im DDR-Fernsehen, deren Vulgarität und Schenkelklatschheiterkeit einem die Tränen in die Augen treibt, so gut wie die Literaturcocktail-Plapperei irgendwelcher Kulturfunktionäre, die hier bloß nicht so heißen:

»Das interessiert keinen, sagte der kleine Herr und lehnte sich auf der Couch zurück. Das ist auch nicht das, was von einem DDR-Autor erwartet wird. Ich dachte viel eher an eine Gegenwartsgeschichte. Gegenwart, sagte ich, wann war das?«[5]

Schock – das kann heißen, daß einer Furcht davor hat, »ich« zu sagen; das Wort kommt auf den knapp 200 Seiten von »Kargo« nicht vor, außer von Masken und Rollen gesprochen. Die makabre Gelenkigkeit von Gliederpuppen führt dieser Band vor, wie sie uns einst Andy Warhols starre Kamera deutlich machte – dieses hier literarisch eingesetzte Mittel signalisiert den Gegenbegriff zu Einsamkeit, nämlich Entfernung. Der knappe Zweizeiler, der den Band beendet und nicht ohne Grund »Danton« heißt, bannt dieses Gefühl eindringlich:

»Der Held auf der Bettkante. Was
er seinen Feinden entriß, haben seine Freunde
schon unterm Nagel; ihn.
So ist es, bleibt auch so. Bis
sie mich holen und reißen mir den Kopf vom Hals.
Für weniger als nichts: Für ihre neue Welt.«[6]

Genau dieser Begriff »Schock« taucht auf in Heiner Müllers Aufsatz über »Kargo«, als zentrale Kategorie für Braschs Schreibweise: »Die Ungeduld zu warten, bis der Schock Erfahrung wird.«[7] Für Müller dokumentiert Braschs Buch nicht den *Prozeß* einer Desillusionierung, sondern er sieht die Enttäuschung *vor* der Niederschrift; »der Text ist ihre Folge«. Dieses Prinzip des Destillierens hat Braschs ganz eigenen Stil geprägt. Seine Sprache ist Membran; ist jene erwähnte starre Kamera der Andy-Warhol-Filme: Sie hält auf empfindlichem Film scheinbar zusammenhanglose Partikel der Wirklichkeit fest – »was da so läuft«. Aus dieser vorgeblichen Beliebigkeit entsteht eigene Form. Thomas Braschs Literatur schafft den Umschlag des »Unreinen« in Kunst. »Der Schädel ist ein keimfreies Schlachthaus«,[8] hieß es in »Kargo«. Dieses System einer entzündeten, aber anteilslosen Phantasie ist das Bauprinzip der Gedichte des Bandes »Der schöne 27. September«. Das Titelgedicht verkündet ein Glück des »Noli me tangere«. Verkündet ist vielleicht schon ein zu missionarisches Wort für Braschs Kunstverständnis und -praxis; er sieht die Arbeit des Schriftstellers als eine wesentlich monologische oder, genauer gesagt, als ein Gespräch nicht mit anderen, sondern mit sich selber.

Diese Versperrung gegen außen (gar alles Autobiographische) ist nicht mißzuverstehen als weltlos. Daß Brasch so viele literarische Techniken – Stück, Prosa, Film, Gedicht – benutzt, zeigt ja seine immer neuen Angänge, Welt einzufangen; die als optische Signale, nicht als Illustration zu begreifenden Photos in »Kargo«, der komplizierte Bau seiner Stücke, die alle klassische Dramaturgie außer acht lassen, die spröde Tristezza der Gedichte (die oft zu kleinen Erzählungen ineinanderlaufen) zeugen: literarische Arbeit ist für Brasch Arbeit an sich. Er hat einmal auf die Frage »Literatur als Errichtung einer Gegenwelt?« geantwortet: »Gegenwelt finde ich schon ein sehr gutes Wort: eigene Maße, eigene Geographie, die sicher immer die Bestandteile der Welt, die dich umgibt, auch enthält. Auch wenn sie sie in einer Weise fremd macht, in der gleichzeitig Utopie möglich wird. ... Schreiben ist im besten Fall auch immer lernen, lernen, was man für Bedürfnisse hat. Das ist kein psychoanalytischer Vorgang, sondern eine Reise durch die eigenen Bedürfnisse und Wünsche. Die lernt man während des Schreibens kennen. Oder sie liegen wie ungehobene Steine in einem herum.«[9]

In einem der kürzesten, einprägsamsten Gedichte dieses Bandes heißt das:

»Das Unvereinbare in ein Gedicht:
Die Ordnung. Und der Riß, der sie zerbricht.«[10]

Diese Dialektik zwischen Chaos (des Einzelnen) und Gesetz (der Allgemeinheit) versucht Brasch mit seinen Gedichten nicht etwa zu entspannen, gar zu glätten; er will und kann sich ihr auch nicht entziehen. Er will sie – einzige Überlebenschance? – zu Form zwingen. Innerhalb seines Kunstentwurfs ist *das* übrigens auch die eigentliche politische Möglichkeit von Kunst:

»Eine bestimmte Art von politischer Kunst hat mich eigentlich nie interessiert. Für mich ist Joyce politischer als Erich Weinert. Die Revolutionierung von Formen zum Beispiel halte ich für wesentlich politischer als die Mitteilung, daß es den Armen doch besser gehen sollte.«[11]

Deswegen sucht man vergebens Sänftigendes in seinen Texten – aber ebensowenig »Aufrührerisches« im Sinne des Revoluzzerhaften. Die innere Verfassung der Gedichte ist: Trauer. Sie wird nicht beklagt noch gepriesen. Sie ist – »Leben ist Fahren: Im Kreis«[12] – Maß und Wert unserer Existenz. Der sich aufbäumt, ist schon in Gefahr, sich anzupassen. Braschs dem Vorbild Brechts gewidmetes Gedicht endet wie ein Dictum des Meisters:

»Er wollte doch nur eins: nicht anders sein,
trug ihre dunklen Hüte, trank ihren sauren Wein
und wechselte, wie sie es taten, jeden Tag sein Hemd,
doch blieb, was sie in seinen Paß gestempelt hatten: fremd.

So lernte er die Kalifornische Lektion:
Sie hatten nur ihn selbst vor ihm geschützt,
als sie (jetzt war er ihnen dankbar schon)
Brecht lehrten, daß er ihnen garnichts nützt.«[13]

Resignation? Vielleicht das falsche, noch immer zu »scharfe« Wort, Substrat einer davorliegenden Hoffnung. »Von der Liebe bleibt der Haß« – das ist so. Braschs Kunst ist eine konstatierende. Seine Gedichte sind statisch: sie sind also nicht nur Brecht nah, sondern auch Benn verwandt. Unter ihrer formalen Perfektion liegt etwas Ungezügeltes; Brasch hat das zur lyrischen Figura gezwungen – stets der Ausweis gelungener Lyrik. Je öfter man sie liest, um so verstörender werden diese Gedichte; verstörend deshalb, weil Braschs Mitteilungslosigkeit keine Teilnahmslosigkeit ist – vielmehr auf so zarte wie spröde Weise zeigt: Von uns allen geht hier die Rede – etwa in einem Gedicht, das sich »Hoffnungslose Empfehlung« nennt:

»Für dich, Magdalena, wird da geläutet, sagt Thomas Brasch, denn
ich weiß daß ich der Hafer bin,
den du kaust.
Ich weiß, daß ich weniger werde,
wenn ich der Hafer bin, den du kaust.
Häng dich auf, Magdalena, ich werde nicht
zur Telefonzelle gehen und das Urban-Krankenhaus anrufen,
wenn ich dich finde. Ich werde in der Tür stehen und
dich ansehen. Und dieses Gedicht oder ein anderes
lege ich dir unter
deine weißen Fuße.«[11]

Diese Lyrik hat Atem, doch sie plappert nicht. Ihre Bitterkeit ist nicht kokett, ihre Präzision ist nicht manieriert, ihre Einsamkeit ist nicht fern: Thomas Braschs Gedichte sind kühl, nicht kalt.
Peter Schneider spricht im selben Zusammenhang – in seiner Rezension des Gedichtbandes[15] – von »Vocal man« und entdeckt nicht nur das in die Prosa hinüberspielende Balladenhafte dieser Gedichte, sondern auch ihre an den Song erinnernde Liedform. Während Brasch diesen Gedichtband abschloß, arbeitete er bereits an seinem ersten Spielfilm. Jener Vierzeiler – »Das Unvereinbare in ein Gedicht: / Die Ordnung. Und der Riß, der sie zerbricht«[16] – gibt nicht nur die Konstruktionsweise seiner Prosa und Gedichte wieder, sondern ist gültig für sein gesamtes Œuvre, ob Stücke oder die beiden Filme; der erste, »Engel aus Eisen«, wird besonders stark von diesem Gedanken getragen – und ist gleichzeitig eine Bildballade. In einem Gespräch leugnete Brasch diese Nähe des Films zu seiner Lyrik.

Frage: Für mich schien es das Erobern oder Erkämpfen einer neuen lyrischen Dimension, was Sie mit dem Film versucht haben. Ich hatte schon bei dem letzten Gedichtband, übrigens auch schon bei ›Kargo‹ das Gefühl, das will sich auch optisch äußern. Vielleicht kein Zufall, daß bei ›Kargo‹ Photos dabei sind, die nie illustrierende Bilder, sondern widerläufige Bilder sind, jedenfalls eine optische Irritation versuchen. Das Sparsame des Dialogs in diesem Film, ganz stark auf Bild, nicht auf Sprache Gebaute scheint mir etwas mit Lyrik zu tun zu haben.
Thomas Brasch: Ich glaube, daß es zuerst mal ein Film ist, nicht, daß es etwas mit Lyrik zu tun hat. Filme sind zuerst mal Bilder und nicht Sprache, Sprache ist nur da, wo Bilder nicht mehr ausreichen und wo sie unbedingt nötig ist. Das Problem war für mich, daß ich die Geschichte nur in Bildern erzählen wollte, und daß die Leute, die da gezeigt werden, eigentlich welche sind, die sich kaum sprachlich artikulieren.
Frage: Aber sowohl in Ihren Gedichten wie auch in anderen Arbeiten verweigern Sie konsequent, was man so schön ›Botschaft‹ nennt. Sie wollen nicht belehren, Sie wollen nur einen Zustand mitteilen oder verdeutlichen. Das meine ich, wenn ich hier eine Verbindung zwischen Ihrer lyrischen Arbeit oder lyrik-ähnlichen Prosa-Arbeit und dem Film sehe.
Thomas Brasch: Da würde ich Ihnen recht geben. Ich glaub' auch, daß dieser Film mehr mit Gedichten zu tun hat als zum Beispiel mit meiner Arbeit fürs Theater. Was ich versucht habe, ist eine Ballade über den Tod; einer, der den Tod bringt – also der Scharfrichter – und einer, der Junge, der den Tod sucht. ›Botschaft‹ – ich kann nicht über den Film hinaus etwas mitteilen wollen. Artikel oder Reden oder Flugblätter sind da geeignetere Mittel. Vielleicht ist das ein sehr konservativer Kunstbegriff, aber ich glaube, daß über das hinaus, was man herstellt, eigentlich nichts zu etwas anderem weist.
Frage: Kunst war nie ein Mittel, die Welt zu ändern, aber immer ein Versuch, sie zu überleben, formulierten Sie mal. Das ist eine Position konträr etwa der von Brecht.
Thomas Brasch: Brecht war in einer Not. In seiner Situation mußte er sich tatsächlich einreden – sonst hätte er nicht überleben können –, daß seine Kunst zu etwas anderem taugt. Das war eine Existenzfrage für ihn. Der Satz von Brecht, die Welt als eine veränderbare darzustellen, ist ja erst mal eine Platitüde. Natürlich ist die Welt eine änderbare, das weiß jedes Kind. Was ich beschreibe, ist immer etwas, was sich ändern wird.
Frage: ›Leben ist Fahren: Im Kreis‹ heißt es in einem Gedicht von Ihnen. Darauf will ich hinaus; nicht darauf, daß Sie sagen, meine Literatur ist

dazu da, um zu ... – die Um-zu-Vorstellung ist natürlich immer albern, falsch und banal. Ich frage: sickert dieses Grundsätzliche, dieses Welt-Begreifen, Leben-Begreifen nicht ein ins Detail der Schreibweise, Bildersetzweise, Erzählweise? Nicht nur Ihre Gedichte – Ihre ganze Schreibweise, jetzt auch der Film, haben etwas Statisches.

Thomas Brasch: Ich muß wirklich sagen, daß Sie mehr über die Dinge denken, die ich mache, als ich selber, und daß ich – und das ist jetzt keine Koketterie – mir auch eine bestimmte Portion Dummheit erhalten will und erhalten muß, um mich nicht selbst anzusehen wie der Psychiater den Patienten. Wenn ich mehr über das, was ich über ein Gedicht weiß, als in dem Gedicht steht, oder über einen Film weiß, als in dem Film zu sehen ist: Dann ist es ein schlechtes Gedicht und ein schlechter Film. Ich glaube, es muß alles darin sein, was ich über den Gegenstand weiß.

Also das Gedicht ›Die Motorradfahrer‹ zum Beispiel, das Sie ja meinen: ›Leben ist Fahren: im Kreis‹: ich weiß tatsächlich in dem Augenblick, wo ich es schreibe, und sicher auch noch zwei Jahre später nicht mehr als das, was da steht. Wenn mich jemand fragt, was genau haben Sie gemeint oder warum haben Sie es so und nicht anders formuliert, werde ich hilflos wie ein Klippschüler dastehen und nichts eigentlich dazu hervorbringen können außer Stottern, weil mein Bedürfnis in dem Gedicht erschöpft ist, mein Bedürfnis zur Äußerung, mein Bedürfnis zu der Geschichte oder zu dem Film ist tatsächlich mit dem Film erschöpft.

Frage: Ich meine, daß ein Weltgefühl, das da jeder von uns hat, einsickert in eine Art von Literatur, in das Fügen von Metaphern oder Verweigern von Metaphern, in das Ineinanderfügen von Bildern.

Thomas Brasch: Ich arbeite doch, um mich in Krisen zu *bringen,* um nicht zu vergessen, um die Wunde nicht zuwachsen zu lassen.

Frage: Kunst, um zu überleben?

Thomas Brasch: Um nicht abzusterben. Ich habe das Privileg, mich ständig an den Rand zu treiben. Wenn ich das nicht mehr tue, wenn ich belehren oder mit Kunst mein Leben finanzieren will, ist alles vorbei. Wenn ich auf einem mittleren Niveau lebe, das heißt, es geht mir nicht schlecht und nicht gut, merke ich einfach nicht mehr, daß ich vorhanden bin.

Frage: Ein sehr monologisches System. Ich muß mich leider selber zitieren, es ist eine Frage, die ich neulich auch in einem Gespräch mit Max Frisch erörtert habe: Ist das eine Voraussetzung zur Produktion von Kunst für Sie?

Thomas Brasch: Für mich ist das die wichtigste.

Frage: Sind Sie deshalb einer der Autoren, die sich außerhalb irgendeiner gesellschaftlichen Erwartung stellen, die sich entziehen?
Thomas Brasch: Das Wort vom Entziehen habe ich schon oft gehört; ich habe nicht das Gefühl, daß es auf mich zutrifft. Ich entziehe mich nicht. Es gibt sicher eine Menge politischer Aktivitäten, die ich für sehr naiv halte. Ich kann dieses erschrockene Augenaufreißen von Leuten: o Gott, was ist denn nun passiert, die Welt ist ja gar nicht so, wie sie mir in den Märchenbüchern versprochen wurde – das finde ich allerdings wirklich naiv. Ich finde diese gestelzte Weinerlichkeit ein bißchen lächerlich.
Frage: Manchmal durchbrechen Sie das Prinzip. Gegen Springer unterschreiben Sie nicht, es scheint Ihnen naiv und nachgeholte 68er Phase; eine Deklaration oder wie man das immer nennen will an Helmut Schmidt machen Sie gemeinsam mit drei anderen Autoren.[17] Wann ja, wann nein?
Thomas Brasch: Es war wirklich naiv, den Brief zu schreiben. Die regierenden Herren haben uns eine richtige Lektion erteilt: Wir sind an einem offenen Gespräch nicht interessiert oder nur zu unseren Bedingungen. Sie hatten recht: Es gibt keinen Dialog mit der Macht. Sie spricht eine andere Sprache als ich. Sie will, daß die Dinge bleiben wie sie sind, bis auf ein paar kosmetische Schönungen vielleicht. Ich glaube einfach, daß man sich entscheiden muß, nimmt man an den Geschäften des Staates teil und wird damit ein Komplize der Macht, wenn auch ein kritischer oder tut man es nicht. Mir scheint der Staat etwas zu sein, das nichts, aber auch überhaupt nichts fördert, sondern tatsächlich nur noch einengen, unproduktiv machen, vereinsamen kann.
Frage: Gleich welche Staatsform?
Thomas Brasch: Ja. Es ist nur die Frage, ob der Überlebenskampf, den diese Organisationsform Staat jetzt führt, alles mit in seinen Untergang reißt. Ich will es gar nicht dramatisieren, aber ich habe das Gefühl, daß in diesen Jahren ein Punkt erreicht wird, an dem sich entscheidet, ob diese Form zusammenzuleben zerfällt oder explodiert, ob eine neue Form entsteht oder ob mit der alten unsere Gattung am Ende ist.
Frage: Wenn es so ist und Sie gleichzeitig die Aktivitäten anderer Kollegen, Grenzen zu versetzen oder die Ränder, die Sie vorhin beschrieben haben, etwas ausgefranster zu machen, mit Lächerlichkeit oder Distanz belegen: was denn dann? Sie sagen jetzt einerseits, Kunst ist gar nicht anders möglich, als die Widersprüche anzugehen oder sich an Widersprüchen zu reiben, eigentlich produziert sie sich dadurch, durch das sensitiv gewordene Individuum. Wenn gleichzeitig dieses Individuum sagt: eigentlich geht mich das gar nichts an, ich will mich damit auch gar

nicht auseinandersetzen – ist das nicht ziemlich kompliziert für einen Autor?
Thomas Brasch: Ich meine nur, daß meine Arbeit kein Angebot für einen Dialog mit der Verwaltung ist, daß ich keine Vorschläge machen will. Ich betreibe keine Dienstleistungsunternehmen.
Frage: Ihr Film ist ja in gewisser Weise eine Antwort oder Umdrehung vom ›Puntila‹, diese merkwürdige Oben-Unten-, Herr-und-Knecht-Beziehung, die in der Mitte des Films sich umdrehende Beziehung von Gewalt, Unterwerfung. Also ein Bild für: Staat als Bedrohung. Also unter der Glocke der großen globalen Auseinandersetzung kann jemand... ja, was nun? Sein kleines Leben ein bißchen kriminell, ein bißchen weniger kriminell leben – oder ist es nicht andersrum, daß man diese Glocke aufsprengt?
Thomas Brasch: Sicher ist es höchste Zeit dafür.
Frage: Wenn Sie eben gesagt haben, eigentlich muß die Glocke weg – das ist ja eine sehr starke Emotion. Mischung aus Bitterkeit und Anarcho?
Thomas Brasch: Ich bin nicht bitter, ich habe nur das Gefühl, daß ständig über Dinge geredet wird, die mich eigentlich überhaupt nichts angehen. Ich verstehe im Augenblick am ehesten jemanden, der an der Hauswand steht, sich den Straßenverkehr ansieht und sich mit einer gewissen Heiterkeit fragt: Wie lange kann das eigentlich noch so weitergehen? Das stimmt doch alles nicht mehr.
Frage: Wenn das so ist, wie Sie eben gesagt haben, das Beobachten, das Notathafte, warum es dann eigentlich Menschen zugänglich machen? Es muß doch noch einen Impetus darüber hinaus geben. Sie sind doch kein George in Jeans?
Thomas Brasch: Vielleicht den Ehrgeiz, von anderen gehört zu werden.[18]

Den Begriff des Anarchischen – »anarchischer Anspruch auf eigene Geschichte« – als Selbstgefühl und Wertemodell des Individuums wandte Brasch kurz darauf in einer Rede an; für seinen Film »Engel aus Eisen« wurde ihm der Bayerische Filmpreis 1982 verliehen, was zwar die Entscheidung einer unabhängigen Jury war, was ihn aber in die Verlegenheit brachte, einen Scheck aus der Hand von Franz Josef Strauß entgegenzunehmen. Den Vorwürfen der literarischen Öffentlichkeit begegnete Thomas Brasch mit einer Rede, in der er seine Position definierte – und die Arbeit an diesem wie am kommenden Film charakterisierte:

»Unter den Widersprüchen, die unsere Zeit taumeln läßt zwischen Waffenstillstand und Krieg, zwischen dem Zerfall der Ordnung, die Staat heißt und ihrem wütenden Überlebenskampf, zwischen dem Alten, das tot ist, aber mächtig, und dem Neuen, das lebensnotwendig ist, aber nicht in Aussicht, scheint der Widerspruch, in dem ich arbeite, ein geringer: gleichzeitig ein Denkmal zu setzen dem anarchischen Anspruch auf eigene Geschichte und dies zu tun mit dem Wohlwollen derer, die eben diesen Versuch unmöglich machen wollen und müssen, der Herrschenden nämlich. Obwohl, wie gesagt, nicht der wichtigste Widerspruch, ist er doch für den, der ihm ausgesetzt ist, der mit dem Geld des Staates arbeitet und den Staat angreift, der den subversiven Außenseiter zum Gegenstand seiner Arbeit macht und sich selbst zur gleichen Zeit zu einem Komplizen der Macht, ein entscheidender.
Er ist der Widerspruch der Künstler im Zeitalter des Geldes schlechthin, und er ist nur scheinbar zu lösen: mit dem Rückzug in eine privatisierende Kunstproduktion oder mit der Übernahme der Ideologie der Macht. Beides sind keine wirklichen Lösungen, denn sie gehen dem Widerspruch aus dem Weg und die Widersprüche sind die Hoffnungen. Erst sie ermöglichen den Bruch, der durch die Gesellschaft der Leistungen und der staatlichen Macht geht und durch jedes einzelne ihrer Glieder, in seiner ganzen Größe zu erkennen. Diese Gesellschaft hat sie geschaffen, hat die Künste in die Zerreißprobe zwischen Korruption und Talent geschleift, und nicht die Künste werden diesen Widerspruch abschaffen, sie können sich ihm nur aussetzen, um ihn besser zu beschreiben, sondern alle Kräfte, die zur Abschaffung der gegenwärtigen Zustände beitragen, die keine menschenwürdigen sind.
Davon handelt mein Film, auch wenn er von Kriminellen handelt, aber die Kriminalität ist die urwüchsige Form der Auflehnung. Ich nehme diesen Preis als Ausdruck des Widerspruchs entgegen, den ich am Anfang erwähnte. Meine Arbeit wird weiter darauf gerichtet sein, den Widerspruch auszuhalten und zu verschärfen, auch mit dem Film, an dem ich zur Zeit arbeite und für dessen Finanzierung ich die 50 000 Mark, die ich hier bekomme, brauche.«[19]

Dieser zweite Film ist nur scheinbar eine einfache Bilderzählung; tatsächlich ist er noch stärker verrätselt als »Engel aus Eisen«. Es sind Bilder einer Entfernung – mit der Selbständigkeit, die René Clair meinte, als er sagte: »Die einzige Sache, die im Film zählt, ist der Wert des Bildes an sich, und nicht die Handlung, die bloß eine Vorlage ist.« »Domino« hat die lapidare A-Logik der Gedichte, seine Bilder geben Innenräume frei, aber kaum Handlungsstränge preis. Es ist der Film eines Voyeurs für Voyeure.

Eine junge arrivierte Schauspielerin, deren Mann nicht existiert, deren Kind im Internat ist und deren Beruf ihr dubios wird, soll unter einem als verrückt berüchtigten Regisseur »Stella« spielen. Es sind die kauflüstern glitzernden Vorweihnachtstage in Berlin. Vor dem Hebbeltheater trifft sie den Mann, den man mit seinem Manuskript vor jeder Dramaturgen- oder Redaktionsstube trifft: den wütend unerkannten Dichter, der alles besser weiß und kann und der vom grausam-hochmütigen Chef abgetan wird. Der hat schon mal »Stella« inszeniert, kurz bevor die Schauspielerin Lisa geboren wurde – mit ihrer Mutter in der Hauptrolle:

»Lisa Wann hatten Sien was mit meiner Mutter?
Lehrter Wieso?
Woher wissen Sie, daß ich was mit Ihrer Mutter hatte?
Lisa So. Ich dachte mir.
Lehrter *lacht* Sie sind gut.
heiter Ich weiß es nicht
Das war damals so ... das war nicht so wichtig wie heute ... man war mal zusammen, dann nicht mehr, dann wieder ... wir haben das alles nicht so ernstgenommen.
Lisa Hmmm, jaja.
Aber wann ungefähr.
Lehrter *heiter* 54 ... 55 ... weiß nicht so genau.
Lisa Ich könnte doch Ihre Tochter sein.
Lehrter Natürlich könnten Sie meine Tochter sein.
Lisa So mein ich das nicht.
Ich meine, Sie könnten doch wirklich mein Vater sein.
Lehrter Dann hätts mir Ihre Mutter bestimmt gesagt.
Hat Sie Ihnen nicht erzählt, wer Ihr Vater ist.
Lisa Doch ... aber den hab ich mal gefragt, als meine Mutter tot war, und der hat gesagt, er ist es nicht ... Für mich war das auch nicht so wichtig, aber ...
lacht plötzlich Das ist ja 'n Witz.
Lehrter Ja und?
Was ist daran so witzig?
Lisa Nur so.
Heute vormittag sagt mir einer, daß er vielleicht mein Vater ist, und übermorgen nachmittag geh ich wie jedes Jahr am ersten Feiertag zu meinen Pflegeeltern.

	Vielleicht erzählt mir meine Tochter nächste Woche noch am Telefon, daß sie geheiratet hat.
Lehrter	Ich hab Ihnen nicht gesagt, daß ich Ihr Vater bin.
Lisa	Aber Sie wissen auch nicht, daß Sie es nicht sind. Und ich auch nicht.«[20]

Bereits dieser Dialog zeigt: Mit einer Inhaltserzählung läßt sich dieser Film nicht dingfest machen. Seine Struktur läßt bewußt Löcher des Begreifens, Risse, Sprünge. Alain Resnais hat einmal während der Dreharbeiten zu »Letztes Jahr in Marienbad« gesagt, er könne auf die Frage nach Inhalt und Handlung erst in einigen Monaten Auskunft geben, weil der Film für alle daran Mitarbeitenden »eine Reihe von Rätseln darstellt, die wir dadurch lösen, daß wir den Film drehen«. So nutzt auch das Referat über Braschs Film wenig, in dem der Regisseur, ein ehemaliger KZ-Häftling, sich nach dem zitierten Dialog umbringt, in dem Lisa den Freund ihrer Freundin verführt und in dem die Arbeitslosen Berlins schließlich in einer Mischung aus Abtransport und Neckermann-Reise auf eine Südseeinsel geschafft werden. Man kann es sich allenfalls so leicht machen wie der Verleih und diese spröde, komplizierte Assoziationsreihe von einander nicht bedingenden Bildern so anbiedern: »Eine Momentaufnahme der verzweifelt-komischen Tagesläufe einer Gesellschaft zwischen Wohlstand und Arbeitslosigkeit, zwischen Kriegsangst und Friedensfest.« Dieser so bare wie glatte Unsinn verglitscht bestenfalls den Zugang zu Braschs gemächlichen Monstern.
Der Film hat drei höchst kunstvoll ineinander verschränkte Ebenen, jede in ihrer eigenen, nahezu autonomen künstlerischen Dimension: die des Essays, der Confessio und die der Bilder.
Von Robert Musil, den Thomas Brasch genau kennt, dessen »Zögling Törless« er eine wichtige Studie gewidmet hat, stammt die Erkenntnis, daß in unserem Jahrhundert das wahre Kunstwerk der Essay sei; von Robert Musil also stammt auch das Motto des Films: »Es gibt im Leben eine Zeit, / wo es sich auffallend verlangsamt, / als zögerte es weiterzugehen / oder wollte seine Richtung ändern. / Es mag sein, daß einem in dieser Zeit / leichter ein Unglück zustößt.«[21]
Das paraphrasiert die von Brasch oft vorgetragene These, daß die sanfte Friedfertigkeit unserer Welt so trügerisch ist wie ein gierig schmatzendes Moor. Das Gedankenspiel seines Filmessays entlarvt Gedanken als Spiel, das den Trug birgt: Mit Dominosteinen liefern wir uns nicht nur dem Zufall aus, sondern auch der (Selbst-)Täuschung. Auf dieser Ebene ist der Film ein Essay über die Unwirklichkeit der Realität, die Unzuverlässig-

keit der Logik. Von der ersten Einstellung an – Lisa kann die verschlossene Wohnung, die sie ihrer Erinnerung nach nicht verschlossen hat, nicht aufschließen – ist der Film auch Bildnis einer Reise in den Wahnsinn. Wahnsinn ist Verlust des »normalen« Bezugssystems – zu den anderen, und zu sich. Hoffnungs- und Lösungsangebote hat Brasch stets für obsolet erklärt; bestenfalls enden sie im mörderischen Fortschritt der Revolution. Thomas Brasch glaubt nicht an die Belastbarkeit herkömmlicher Vereinbarungen, nicht an ihre Haltbarkeit, nicht einmal mehr an ihre Nützlichkeit, sei es im staatlich-politischen, sei es im privat-intimen Bereich. Unser einstudiertes Rollenverhalten ist rissig; das allein zu konstatieren wäre eine Banalität. Es hindert uns aber auch, wesentlich neue Existenzformen überhaupt zu denken, gar auszuprobieren.

Geprobt wird ja »Stella«. Also Goethes früh-freches Dreiecksspiel. Das hat erst in der zweiten, ängstlichen Fassung von 1805 den »versöhnlichen« Schluß mit Stellas Tod; ursprünglich hatte der 25jährige Goethe kühn Fernando sich mit Frau Cezilie *und* der Geliebten Stella einigen lassen – eine dem Majakowski-Herausgeber Brasch vertraute Verabredung. Im Film wird die letzte Zeile von Goethes zweiter Fassung geprobt und, hört man genau hin, durch Interpretation verworfen:

»Lisa	Das war auch Weihnachten übrigens.
	versucht den Zigarettenanzünder herauszuziehen
Lehrter	Ist schon zwei Jahre kaputt.
	Und sie ist glücklich, allein zu sterben.
Lisa	Wer?
Lehrter	Alles andere ist nur saurer Kitsch.
Lisa	Ach, Stella.
Lehrter	Und ich sterbe allein.
	Da hat Goethe den Punkt eben nicht nach sterben,
	sondern nach allein gemacht...«[22]

Thomas Braschs Film »Domino« ist eine große Bildvariation dieses Wortes »allein«.

Auf grandiose Weise hat Brasch eingelöst, was der französische Regisseur Alexandre Astruc einmal forderte: Film solle »Bekenntnis und Schöpfung eines einzelnen sein«. Dieses Prinzip der »Camerastylo« hat der Poet Brasch mit seinem zweiten Film noch weiter entwickelt. Er gibt nicht nur verbal, sondern auch optisch eine Kette aneinander vorbeigleitender Monologe. Selbst die – einzige, ganz leise-behutsame – Koitus-Szene lebt vom Stillstand, vom Einhalten. Jeder für sich:

»*Beischlaf auf dem Bett. Lisa und Zöllner sitzend:*
er will sich bewegen, sie hält ihn fest; Lisa an seinem Ohr.
Lisa *flüstert* Nicht bewegen hab ich gesagt... erzähl weiter...
Zöllner *flüstert* Mir fällt aber nichts mehr ein...
Beide sitzen ineinander verschlungen auf dem Bett, das Telefon klingelt, sie bleiben sitzen, ohne sich zu bewegen.
Lisa Still. Still.«[23]

Am Ende, in einer so schönen wie schrecklichen Einstellung, liegen Lisa und der Freund ihrer Freundin weit weg beieinander: abwesend, abweisend, fortblickend, einsam und fremd.
Das ist die Kunst dieses Films, dessen in oft diffusen Grautönen arbeitende Schwarz-Weiß-Technik das Unversöhnliche unterstreicht, die Leinwand zu einem Leichentuch falscher Gefühle macht; Farben schönen. Die These »Mißtraue dem Wirklichen« wird nicht proklamiert, sondern rein bildnerisch deutlich: Der feiertäglich gleißnerische Ku-Damm der Weihnachtstage lächelt wie Falschgeld, das festlich erleuchtete Schillertheater ist eine »Titanic«, die auf den Eisberg zugleitet. »Das Alte geht nicht und das Neue auch nicht.« Braschs Bilderfolgen verweigern jeden planen Ablauf, werden den Schiefgesicht-Konsumenten jeder »Columbo«-Serie ungenießbar gemacht. Die Freizeithuren, die sich das Lanzarote-Geld zusammenstrichen, freundliche Wesen, die nur ein bißchen klauen, sind so wenig Teil einer »Erzählung« wie der Briefbote, der bei Lisa einen Kaffee trinkt – und geht. Es sind Cartier-Bresson-Fotos, die sich bewegen. »Die Welt ist eine Bühne« heißt eine Sequenz. Das ist jenes Mißtrauen gegen Wirklichkeit, von Brasch gelegentlich – wenn er seinen Star Katharina Thalbach in einer Szene Lisa und zugleich ihre eigene Mutter spielen läßt – in die Überperfektion getrieben. Das Spiel im Spiel verleugnet dann seinen Ernst, die Mittel verselbständigen sich, Regie und Bildführung werden preziös. Mag sein, daß sogar diese Selbstverliebtheit zum Thema des Films gehört, gar eine Art »Selbstkritik« sich dahinter verbirgt – störend ist dennoch die Allen-Jones-Symbolik glänzender Motorradhelme oder die verhangene Sonne, in die der absurde Zug der zur Südsee verurteilten Arbeitslosen trottet, auch noch von einem Apfelschimmelreiter begleitet. Da verrutscht der Bildschock zum Mätzchen. Um ein Haar hätte diese Schönheitsschunkelei aus einem verqueren Märchen einen Weihnachtskalender gemacht, das Rätsel zur Überraschung verkommen lassen, die beklemmende Entfernung der Menschen zum Figurenwerfen.
Die letze Sequenz – diesmal, seinem Hitchcock-Tick folgend, in seinen

Filmen selber aufzutauchen, bringt Thomas Brasch nur noch seine Stimme ein – fängt das auf, ist Summe dieses »Stumm«-Films: Das Spiel ist aus. Findet wer je etwas von uns, wird niemand je etwas von uns finden; keiner kennt sich – und den anderen schon gar nicht:

»*Frühjahr: Zwei Spaziergänger gehen durch den Wald. Die Frau bückt sich nach einem Dominostein und hebt ihn auf.*

Frau Spielen die jetzt schon im Wald Domino.

Mann Komisch. Genau hier haben Sie doch diese... was war das... ne Tänzerin oder ne Schauspielerin gefunden... Stand doch in der Zeitung

Frau Und was war mit der...

Mann Warte mal... erfroren oder verrückt geworden... ich weiß nicht mehr... als der Schnee lag... Neujahr...

Frau Neujahr lag überhaupt kein Schnee mehr... Der war schon am 2. Feiertag weg...

Mann Ist doch nicht wahr... Wir haben doch das Feuerwerk nicht mehr angekriegt, weil alles naß war im Garten...

Frau Wir haben dieses Jahr im Garten überhaupt kein Feuerwerk gemacht, sondern im Zimmer... das weiß ich doch genau...

Mann Was weißt du denn genau... im Garten wars... und das weiß ich genau... von wegen kein Schnee...«[24]

Botho Strauß

Das Motto seines Stückes aus dem Jahre 1981 kann man als Schlüssel zum Werk benutzen; es ist eine aufschlußreiche Variation jenes Goyaschen »Capricho«, das ursprünglich Deckblatt dieses Graphikzyklus sein sollte und jetzt als Nr. 43 den Titel trägt »Der Schlaf der Vernunft gebiert Ungeheuer«. Vor Botho Strauß' Kalldewey Farce (im Buch-Inneren mit Komma: »Kalldewey, Farce« genannt), einem Stück, das mit einer traurigabschiednehmenden Liebesszene beginnt und mit den Sätzen »Ich danke dir. Ich liebe dich«[1] endet, heißt der Satz »Der Schlaf der Liebe gebiert Ungeheuer«.

Das Personal von Strauß' Stücken sind diese Ungeheuer, die Situationen seiner Prosa zeigen diesen Schlaf – und seine Arbeiten insgesamt sind Verlustanzeige und Elegie zugleich; nur, daß seine spezifische Form der Klage eine sich kühl-diagnostizierend gebende Bestandsaufnahme ist. Die Kälte – die Kritiker engagierter Linkspositionen dem Autor Botho Strauß gelegentlich als »radical chique« vorwarfen[2] – ist nicht die seine, sondern die einer Welt, die er festschreibt. Diese sehr simple Verwechslung, will sagen: Identifikation eines Autors mit seinen Texten ist der Literatur äußerlich.

Ein Satz etwa wie dieser aus der »Theorie der Drohung« »An einem wirklichen Menschen erlahmt auch das geduldigste Interesse auf die Dauer. Er ist einfach ein zu großes Wissensgebiet.«[3] klingt gewiß wegwerfend; einsehbar ist er nur als Teil eines Dialogs – also nicht als Sprechblase aus dem Munde des Schriftstellers. Der gesamte Text ist ja aufgebaut um den motivstiftenden Satz »Um S. herum hatte sich in meiner Biografie eine bösartige Geschwulst von Lächerlichkeit und Beschämung gebildet«[4], der die Bedrohung durch einen Betrug fixiert, »mit jenem dänischen Zahnarzt, mit dem S. mich, fast seit Beginn unserer Beziehungen, hintergangen hatte und zu dem sie, nachdem ich eines Tages den lebensverfälschenden Schwindel entdeckt hatte, schließlich auch übergelaufen war«.[5]

Auch dieses Buch trägt ein Motto, ein Versuch, sich der Verwüstungen durch Verrat zu erwehren: »Ich wünschte, Sie liebten mich nur mit dem Teil Ihres Innern, der unempfindlich und fühllos ist.«[6]

Die beiden kurzen Erzählungen des Bandes sind Liebesgeschichten im Sinne des letzten Satzes von »Marlenes Schwester«: »Sie versuchte es noch einmal«;[7] also Geschichten der Suche nach Liebe und Geliebtwerden, *während* die jeweilige Figur *weiß,* sie wird darin scheitern. Die ziemlich komplizierte Dialektik aller Texte von Strauß – die sie bei erster Lektüre oft unverständlich sein läßt – besteht darin, daß er nicht nur Gefühle gegen den Verstand prallen läßt, sondern Gefühle gegen Gefühle; zumeist die in ein und derselben Person. Dadurch entsteht eine Welt der Absurdität, die zwar wie fahles Licht die Konturen der unseren, realen, durchscheinen läßt, die aber zugleich eigenen, a-logischen Regeln folgt. Seine Prosa ist deshalb zu Recht von der Kritik in die Nähe von Camus gerückt,[8] die ziemlich grauenhafte Zersetzung zweier Figuren im Roman »Rumor« aber auch als Prosa-Variante von Michel Foucaults Denken begriffen worden; dessen Buch »Die Ordnung der Dinge« endet mit den Sätzen:

»Der Mensch ist eine Erfindung, deren junges Datum die Archäologie unseres Denkens ganz offen zeigt. Vielleicht auch das baldige Ende. Wenn diese Dispositionen verschwänden, so wie sie erschienen sind, wenn durch irgendein Ereignis, dessen Möglichkeit wir höchstens vorausahnen können, aber dessen Form oder Verheißung wir im Augenblick noch nicht kennen, diese Dispositionen ins Wanken gerieten, wie an der Grenze des achtzehnten Jahrhunderts die Grundlage des klassischen Denkens es tat, dann kann man sehr wohl wetten, daß der Mensch verschwindet wie am Meeresufer ein Gesicht im Sand.«[9]

Ganz konsequent sieht der Kritiker Peter Laemmle hier bei Botho Strauß eine nahezu wörtliche Entsprechung, aus der er aber »Trauer und Verletzung« heraushört:

»Wenn wir nicht mehr sind, weht noch lang der Wind. Und die Codes gehen ihren unermeßlichen Gang. Wir aber versanden, wir werden zugeweht wie ein Scheißhaufen am Strand.«[10]

In »Rumor« ist es die allmählich ins Sinnlose verrutschende bösartig-inzestuöse Beziehung eines Vaters zu seiner Tochter: er, Mitte Vierzig, hat aufgehört zu »funktionieren«, Beruf, Karriere, Accessoires des bürgerlich Arrivierten aufgegeben; sie, Anfang Zwanzig, hört auf zu leben, weil eine Krankheit sie zerfrißt. Das ist »die Ordnung der Dinge«, in der der Mensch nur als Tippfehler der genetischen Übertragung entstanden ist und durch eine Veränderung des genetischen Codesystems ebenso rasch wieder verschwinden kann. Strauß kennt Beziehungen nurmehr als »vermauschelte, dreckige Lügenwelt der Beziehungen«[11]. Das Gebrabbel – das ja der Titel des Buches meint –, ob nun produziert vom »dicken weißen Löschkalk« des Fernsehens, »der in den Kindern jeden Brand von Gier und Ach erstickt«[12] oder ob in ihre Seelen als Palaver eingedrungen oder ob ihre Sexualität davon ausgelöscht (»Nach anderthalb Jahren erfüllter Beziehung schleichen sich die ersten Augenblicke, da sie sich erkennen, ein. ... Und stochert lustlos in den schönsten Speisen, in den schönsten Hüften«[13]): es ist immer wieder Bibelsprache, die Botho Strauß' große Verwerfung prägt. Das eben gar nicht Neckische eines sensibilissimus elegantiarium, vielmehr das zutiefst Erschreckende, Aufschreckende, Erschrockene auch dieser Texte liegt in ihrer Radikalität, die uns alle mit einbezieht; und ihn, Botho Strauß, mit:

»So wie die Leute reden, in diesem endlosen Einerlei, genauso empfinden sie auch, keinen Deut darüber hinaus. In einem zähen Strudel der Wiederholungen dreht sich das ganze Seelenleben und mehr als nur eine Handvoll tiefere Regungen haben wir nicht. Denn wir sind rundum bloß mit einem Würfelwurf hingewürfelt...«[14]

Both Strauß' Weltengemälde ist ein riesiges nature morte; darin ist seine Literatur durchaus nahe der Lyrik von Günter Kunert und Jürgen Becker, der Prosa von Hubert Fichte und den Stücken von Heiner Müller. Reinhard Baumgart fand das ein »ungeheuer zungenfertiges Entsetzen«[15], und Sibylle Wirsing konstatierte einen »Sensibilisierungsluxus«.[16] Es ist eigenartig, daß in Deutschland so oft der Kunst die Kunst vorgeworfen, dem Perfekten die Perfektion vorgehalten wird. Joachim Kaiser[17] ging seinerzeit auf diese Vorwürfe ein und brachte mit seinem Vergleich des Strauß'schen Romans mit der frühen Prosa Martin Walsers eine wichtige Dimension in die Debatte ein: die Arbeiten von Botho Strauß sind ja nicht lediglich zirpende Seelenzergliederungen, sondern bis ins winzigste beobachtete Detail »Welthaltung«:

»Im Nachbarhaus hat ein Alter seinen Briefschlitz zugeklebt mit viel breitem Tesafilm, und ein Zettel hängt dran, auf dem steht: Hans Wöllner. Post, Zeitungen, Wurfsendungen: Nichts mehr!...«[18]

Das klingt nicht nur wie eine exakte Bühnenanweisung – sondern es könnte wörtlich dem Lokalteil einer Boulevardzeitung entnommen sein.

Es mag nicht »lebensprall« sein, weil im Tone der Lakonie vorgetragen – aber es ist eine sprachliche Fotografie unserer Welt. Weegee in Worten. Dessen Menschlichkeit kam auch nur zur Geltung, indem er Unmenschlichkeit scheinbar unbeteiligt – also: lakonisch – auf der Platte festhielt.
Nun hat Sprache auch noch andere Dimensionen. Wären Botho Strauß' Stücke und Prosaarbeiten lediglich lakonische Momentaufnahmen – die es bei ihm gibt –, dann erfröre seine Literatur im Wunderkerzenlicht des Trivialen. Es ist aber jenes Element des Dialektischen, das ihn davor bewahrt, eine Kraft, Abgründiges aufzudecken und zu sagen: das sind wir. Das Umkippen der Beziehung Vater–Tochter im Rumor-Roman, in dem anfangs eine Hilfesuchende zum stabilen Älteren floh, der sich allmählich als ein Baum aus Asche zeigt, vermittelt ein Grauen, nicht weit weg vom King Lear:

»Allein mit dem eigenen Kind... verbannt und verfallen, ausgeschlossen in einem Himmlischen Kerker, machtlos, vollkommen machtlos, um nur von der reinen Gewalt des einen Muskels uns aufbäumen zu lassen, denn es ist Ein Muskel zwischen ihr und mir und nichts sonst. Hier, am Ende der unendlichen Begebenheit, am Ende von Zeugung und Art, nur noch Wachstum und Steigerung, Übersteigerung und Selbstfraß. Vollkommenes Verschwinden. Höchste Weihe der Liebe ohne Zweck und die Feier ihrer gesellschaftswidrigen Natur, Blutschande. Und kein Spiel ist dabei, keine Träume mehr, keine Ironie, auch wenn das bekannte Grinsen der Wollust bis zum Ende nicht von unseren Lippen weicht...«[19]

Strauß' stilistische Perfektion verführte manche Kritiker, hier die »Tragödie als Cocktailparty«[20] zu sehen; dennoch ist der Riß, von dem die Geschichte handelt, ein sozialer Riß. Der Müll, zu dem seine Menschen zermahlen werden, ist ein Produkt. Botho Strauß beschreibt nicht soziale Mechanismen – also die Produktionsweise unserer Gesellschaft –, sondern er weist die Resultate vor. Das führt zu einem Abstraktionsgrad, der eine Figur wie den sabbernd absterbenden hosennässenden Bekker als literarische Gestalt unerbittlicher macht als etwa den Walserschen Chauffeur Xaver.
In einer anderen Prosaarbeit benutzt Strauß das Wort »Bruch«:

»Die Kraft, die eine Liebesbeziehung bewegt hat, kommt erst im Bruch zur größten Wirkung.«[21]

Diese schmale Erzählung »Die Widmung« gewinnt ihre Spannung aus einem ganz anderen, doppelten Scheitern: eine zerbrochene Liebesbeziehung soll eingefangen, bewältigt werden durch ihre Darstellung – schreiben als Therapie im unmittelbarsten Sinne: »In der Schrift bin ich nackter als ausgezogen.«[22] Diese Mischung aus Flaschenpost – das Ganze ist Tagebuch einer Versteinerung, aber wiederum geschrieben, um es der verlorenen Frau zu übergeben – und Dialog mit sich selbst verleiht dem Text Authentizität. Schreiben, um nicht ganz durch sich selbst verschluckt zu werden, heißt es an anderer Stelle des Buches,[23] schreiben aber auch als Schrei, Notruf, Signal, Bitte. Das Herbeirufen von Erinnerung, die Autosuggestion, sich gleichsam mit einer Abwesenden zu vermählen, schafft Bilder von geradezu neurotischer Intensität:

»Ich habe Hannahs Föhn benutzt, auf Kaltstufe, um mir etwas frische Luft auf die Stirn zu blasen. In der Düse hatte sich ein Haar von ihr verfangen, das nun schon zur Hälfte versengt war. Der Geruch zog Todesbilder an, Hannah auf dem Scheiterhaufen, Hexenverbrennung, dann ein Gedanke an Michelets Buch über die Hexe, die progressive Frauengestalt des späten Mittelalters, von dort zurück zu H., die nun zur großen Vernünftigen wurde, dem Geist des Fortschritts folgend, als sie mich verließ. Und so weiter. Längst war der kleine Reiz vorbei, ich roch nichts mehr, das Gedächtnis aber hatte wieder eine Logik, in der es hin und her rasen konnte.«[24]

Nur: es funktioniert nicht. Irgendwann muß der Erzähler eingestehen, daß der Akt des Schreibens Leben weder ersetzen noch herbeizaubern kann: »Ich laß mich einfach leben, und das genügt wohl nicht«[25] hieß es eben noch, und kurz darauf schon »Warum ist sie weggegangen? Er war der Antwort um keinen Schritt nähergekommen.«[26] Die Kreiselbewegung dieser Prosa – Kreisel durchaus auch im Sinne von Strudel; also Sog und Vernichtung – hat etwas von einer Litanei; die aber singt einer, der an die Magie der eigenen Rituale nicht (mehr) glaubt. Die Einsicht der Vergeblichkeit macht diese Erzählung nahezu erbarmungslos. Das Aufschreiben des Unglücks hat schließlich zu nichts geführt als zu einem aufgeschriebenen Unglück. Es hatte nicht die Kraft des Zauberspruchs, ein Glück zu bannen – und es machte eine Leidenschaft flach. Die Erzählung zerstört nicht nur jede Hoffnung auf Liebe, sondern sie nimmt sich als Versuch, diesen Verlust brennen zu lassen, zurück:

»Merke wohl, wie meine kühne und festliche Trauer zu Ende geht und eine kleinbürgerliche Schrumpfmelancholie übrigbleibt.
Vielleicht sollte ich zugeben, daß ich meine Leidensfähigkeit überschätzt habe.«[27]

So schmal das bisherige Œuvre von Botho Strauß ist – so genau hat es doch die Linien eines eigenen Kosmos gezogen. Sein Stück »Trilogie des Wiedersehens« etwa wirkt wie eine szenische Enträtselung des wunderbaren Mottos von Georges Bataille:

»Wenn ich im Herzen der Angst eine befremdliche Absurdität leise wachrufe, so öffnet sich ganz oben in der Mitte meines Schädels ein Auge.«[28]

Batailles erotischen Entwurf haben wir schon bei den Überlegungen zur Arbeit von Hubert Fichte skizziert. Typisch aber in diesem Zusammenhang ist, daß ein Autor – Botho Strauß – sich leistet, das scheinbar abseitige, privatistische Thema Liebe zu retten als tragendes Motiv seiner gesamten Literatur. Den törichten Privatheitsverdacht hat schon Peter von Becker in seinem Botho Strauß-Aufsatz abgetan:

»Aber die großen Themen solcher Lust, die epochalen Sujets? Ein Schriftsteller, der nicht Beckett heißt, hat einige ganz handlungsarme Stücke geschrieben, fast nichts geschieht darin dem äußeren Anschein nach. Keine besonderen Vorkommnisse – nur ein Gut mit einem Obstgarten muß aus Geldmangel verkauft werden, drei junge Frauen warten auf anregendere Gesellschaft und einen baldigen Umzug in die Hauptstadt... – Könnte freilich sein, in den Ausschnitten der Prosa und der Stücke von Strauß wird man später einmal das Tableau einer Zeit, die besonderen Valeurs einer allgemeinen, größeren gesellschaftlichen Stimmung erkennen. Könnte sein, es trifft da ähnliches zu wie auf die Rezeption der Stücke Tschechows: Wo sich einst Szenen in ihrem Ernst ein wenig melodramatisch und in der Komik recht skurril ausnahmen, wäre das grelle scharfe Psychogramm einer dem Ende entgegenlebenden Gesellschaft zu erkennen.«[29]

Und es war auch Becker, der auf einen Textabschnitt in Adornos »Minima moralia« hinwies, der für die künftige Literatur prognostiziert »Die großen Themen werden dabei auch vorkommen, aber kaum im traditionellen Sinne ›thematisch‹, sondern gebrochen und exzentrisch.«[30]

Dieser Abschnitt bei Adorno heißt »Groß und klein«. Das ist der Titel jener »Szenen« von Botho Strauß, die »Lotte, Mitte Dreißig, allein«[31] durch unsere zersiebte und zerplärrte Welt führen und die in Balance gehalten werden durch die Worte »Bleib« – »geht«.[32] »Gehen Sie bitte« – »Ja« ist der letzte Dialogfetzen des Stückes. Lotte hat durchaus zu tun mit der Susanne aus der »Trilogie des Widersehens«, die das Stückchen Sterben genau erkennt im Moment des – vermeintlichen? – Glücks:

»Nun will ich dir auch sagen: du bist mir nicht nur lieb, du bist mir auch verhaßt in meiner Liebe.
Du gibst mir kein Gefühl für mich. Du hast mich weit entfernt von mir. Vor dir stehen heißt, im Rücken gegen eine leere rohe Wand gestoßen. Dahinter verfällt das eigene Schicksal wie ein nie bewohntes Haus. ...
Nein, Moritz, du gibst mir kein Gefühl für mich –«[33]

Das nämlich ist die Kraft der Texte von Botho Strauß, die sich einer gemächlichen Abbilderei verweigern, stattdessen eigene Bilder entwerfen. Der frühe Bewunderer von Peter Steins Bremer »Tasso«-Inszenierung hat das damals in einer Rezension formuliert:

»Indem hier das Theater das ihm angetragene bürgerliche Schönheitsbedürfnis gleichsam zynisch in aristokratischer Übersteigerung erfüllt, vermag es dann wiederum auch, den Bürger an seinem Pläsir irre zu machen.«[34]

Rückübertragen auf seine eigene Arbeit heißt das: ein ständiges Irresein am eigenen Pläsir, an der Lust, an Erotik, an Vertrauen und Liebe. Sie ausrufend zersetzt Botho Strauß sie, gibt ihr ihr Recht auf Wahn und Grenzenloses, auf Absturz und Haß, auf Mißtrauen, Lauern und auf das Ende im Anfang. Wie die Frau, die nur befürchtet, im Schlaf ausgehorcht zu werden, als sie entdeckt, ihr Mann sitzt nachts zärtlich neben ihr,[35] so Nelly in »Die Hypochonder«:

Vladimir	Das Ausziehen der Jacke paßt jetzt nicht in meine Stimmung.
Nelly	Was für eine Stimmung?
Vladimir	Eine Liebesstimmung.
Nelly	*vorsichtig* Etwas zum Anfassen?
Vladimir	*zuckt mit den Achseln.* Kalt, ruhig und unaufhörlich. Wie ein Naturgesetz, so fühlt es sich an.
Nelly	Als käme nichts Neues mehr. Als sei ein Ende erreicht.«[36]

Lieben, das heißt immer auch, ein wenig sterben. In der Wollust nistet Mordlust – das ist die Dialektik der Bilder, die Botho Strauß setzt. Von der Dialektik des Denkens hat er sich in seinem merkwürdigen Notatbuch »Paare Passanten« auf verquere Weise verabschiedet. Es ist seine radikalste Absage an »diese gottverdammte Fick- und Ex-Gesellschaft«,[37] wo die Angst den Atomkraftwerken gehört – »Keiner ist mehr gezwungen, sie an ihren geschlechtlichen Quellen selbst zu ertragen.«[38] Das Buch ist eine einzige Momentaufnahme von Entfernungen. Es sind eher Szenen als Erzähleinheiten – Beobachtungen, Segmente, Reflektionen der totalen Vereinsamung, die durch stürmisches Begehren eher zunimmt. Nähe als Angstzustand:

»Sie aber, inmitten der Umarmung, sagt sie plötzlich: ›Ich bekomm Angst vor dir!‹ Weil ich ihr zu begeistert bin.«[39]

Botho Strauß nennt die Liebe eine Schwester des formlosen Grauens[40] – und weiß natürlich, daß der Mensch auch von Grauen fasziniert ist; seine Suche nach Vollendung kann nicht gelingen alleine, im Kettenpanzer des Narziß, und soll nicht gelingen im Gemeinsamen – das Aufeinanderzu ist stets auch ein Aneinandervorbei. Glück als trompe d'âme; darunter lauert immer das Nichts:

»Alle wirklich großen Anmutungen scheinen Emanationen jenes zentralen Gefühls für den Tod zu sein. Selbst das Glück ist nur dann etwas wert, wenn wir spüren: es kommt nicht von oben; es erhebt uns zwei Fußbreit über die zitternde Leere.«[41]

Und der Autor? Sah er sich im Tasso? Meint er sich mit dem letzten Kapitel des Buches, das »Der Gegenwartsnarr« heißt? Das ist er, wenn man die Bezeichnung nicht als einen Begriff der Geschichtslosigkeit mißversteht. Der zweite Teil dieses Buches nämlich ist Botho Strauß' Auseinandersetzung mit den Möglichkeiten und Grenzen der Dialektik, über das, was Kunst leisten kann und nicht leisten soll. Das rutscht passagenweise zu einem Feuilletongalopp über Hitchcock, Arnulf Rainer, Gottfried Benn oder Gombrowicz aus. Es ist aber im wesentlichen eine Hommage auf jenen Mann der Kunsttheorie, den er in einem schönen Bilde in Venedig zu sehen wähnt, während der gerade in Sils Maria starb – auf Adorno und dessen »Reflektionen aus dem beschädigten Leben«, wie ja der Untertitel der »Minima moralia« lautet. Da steht bei Botho Strauß einander widersprechend Richtiges:

»Heimat kommt auf (die doch keine Bleibe war), wenn ich in den ›Minima moralia‹ wieder lese. Wie gewissenhaft und prunkend gedacht wurde, noch zu meiner Zeit! Es ist, als seien seither mehrere Generationen vergangen.
(Ohne Dialektik denken wir auf Anhieb dümmer; aber es muß sein: ohne sie!)«[42]

Es hat aber Botho Strauß mit dem ersten Wort dieses Absatzes, mit seinem Programm der Märchennaivität hinübergespielt auf einen anderen Denker und Schriftsteller, hat ihn schon berührt mit dem früheren Satz »Jede Liebe bildet in ihrem Rücken Utopie«[43]: »Heimat« ist das letzte Wort von Ernst Blochs »Das Prinzip Hoffnung«, und sie wird definiert als »etwas, das allen in die Kindheit scheint und worin noch niemand war«.[44] Botho Strauß' Begriff von Liebe ist identisch diesem so begriffenen Bild von Heimat – utopisch und verzweifelt. Es ist die Absage ans Glück, das dennoch herbeigesehnt, erwartet, im Wort gebannt wird.

7.
Von Brecht zu Benn – Die Literatur der achtziger Jahre ist Angstliteratur

Vor der Sprechanlage des Hochhauses eine Frau, deren Satzfetzen von der Stimme aus dem Nirosta-Raster geschnitten, aber nicht beantwortet werden – das Hauptwort dieser Lotte aus Botho Strauß' »Groß und Klein« ist »Wahnsinn«. Vor den Texten ein Frontispiz aus der Prinzhorn-Sammlung von Zeichnungen Geisteskranker – das Gedicht zu diesem Blatt, mit dem sich Peter Hamm in seinem Lyrikband »Der Balken« darauf einläßt, wird getragen von den Zeilen:

»*Will versuchen.* Jedes Wort zieht
tiefer hinein in den klebrigen
wirbelnden Wald der Angst.

Es endet mit den Zeilen:
Gelächter in der Höhle
der ewigen Nacht.«[1]

Bösartig blitzende Eisberge auf dem schwarzen Pappband, der ausschließlich Gesänge vom Ende enthält – Hans Magnus Enzensbergers Ballade vom »Untergang der Titanic« hält ziemlich in der Mitte des Buches diesen Vers als Schwebebalken im Angebot:

»Ein panischer Pudding
der nach Angst riecht
scharf und rattenhaft
quellen wir und versinken
sackig und sanft.«[2]

Und Wolf Wondratschek nennt den vierten Band seiner Lyrik »Letzte Gedichte«; da heißt es:

»Einer schreit Hilfe,
doch niemand hört.

Ich sage, angenehm diese Wohnung,
wo einer schreien kann
und nicht stört.«[3]

Die deutschsprachige Literatur der achtziger Jahre führt vor: Verletzungen. Und das Zurückweichen davor. Nun weiß man – Literatur hat keine Funktion; weder der Lebenshilfe noch die des Ausrufens munterer Aktivitäten. Auch hat Max Frischs schon in ähnlichem Zusammenhang zitierte Verkrochenheit »Leben ist langweilig, ich mache Erfahrungen nur noch, wenn ich schreibe«[4] ihr fast wortgetreues Vorleben schon in Kafkas Tagebucheintragung: »Alles, was sich nicht auf Literatur bezieht, hasse ich, es langweilt mich, Gespräche zu führen (selbst wenn sie sich auf Literatur beziehen)...«[5]. Doch was Literatur »leisten« kann, das ist: dem Nicht-Artikulierten Sprache zu geben. Wenn also Gedichte oder Prosa oder neuere Stücke begriffen werden dürfen als Geigerzähler, als Seismographen, die Verwerfungen annoncieren: dann ist deutlich – signalisiert wird Entfernung, Verwüstung, Eis, Angst. Wo selbst die Leitartikler sich um dieses Wort nicht mehr herummogeln können – im Abstand nur einer Woche tauchte der Begriff auf den ersten Seiten der »Frankfurter Allgemeinen Zeitung« und der »Zeit« auf und in den Hauptartikeln von »Spiegel« und »Frankfurter Rundschau« –, da darf es nicht wundern, daß das Verabschieden von Hoffnung den Gestus der zeitgenössischen Literatur prägt: »Ich denke gern an die Zukunft zurück«[6] nennt Enzensberger es in seinem Gedichtbuch, das »Die Furie des Verschwindens« lobt. Ob Thomas Braschs todessüchtiger Jugendganster Gladow in seinem Film »Engel aus Eisen«, dessen stärkste Szene das fast erotisch verfallene Ausprobieren der Fallbeilapparatur ist, oder die durch melodiöse Tangos nur gräßlicher rhythmisierten Berührungsverbote von Pina Bauschs Ballettfiguren: die Menschen bewegen sich in einem Raum des Verlorenseins. Die Titel der Gedichte von Jürgen Becker summieren Schwärze: Winter, Schatten, Abend, Angst, Krieg, Ferne, November, Nacht. Das Gedicht, das »Geschichte« heißt, endet:

»...zu zweit auf dem Fahrrad
in der Mitte, der Leere der Straßen.«[7]

Geschichte ist eine Negativchiffre. Selbst Rolf Hochhuth, gemeinhin als ein Literatur-Aktivist mißverstanden, sagt, »Ich glaube nicht an den Fortschritt der Geschichte«.[8] Und wir erinnern uns: ein frühes Gedicht endete mit der Zeile »Fortschritt, Endziel gibt es nicht; ein Kreis«[9]; noch nicht »Verspätete Monologe«, wie Günter Kunerts Band der emphatischen Abkehr von der Aufklärung sich nennt – aber Hochhuths Hemingway-Stück »Der Tod des Jägers« ist die große Paraphrase eines einzigen »Vergebens«.

Festzuhalten ist eine durchgängige Motivation: Dem Handeln des Menschen wird mißtraut. Die Hinwendung zu – gar Neuentdeckung von – zwei literarischen Vorbildfiguren erhellt das. Der eine heißt Erich Arendt, Doyen der DDR-Literatur. Arendts Lyrik kommt mehr und mehr ohne Verbalkonstruktionen aus; das Tun des Menschen wird gleichsam herausgefiltert. Stärker kann ein Dichter seinen Geschichts(=Tätigkeits)pessimismus nicht in Form zwingen. Der andere heißt Gottfried Benn, namentlich erwähnt in Veröffentlichungen dieser Zeit von Enzensberger wie Wondratschek wie Kunert; selbst Braschs Gedichtzeile »Leben ist Fahren: Im Kreis«[10] klingt eher nach Benn als nach dem veränderungsgläubigen Brecht. Benns ganz undeklamatorisches Ausrufen des Statischen wird nicht etwa als neue Ideologie übernommen – was ein vordergründiger Vorgang wäre –, sondern geht bis in die Stilfiguren. »Amphibien; das hätten wir bleiben sollen«[11] – dieses Kunert-Notat ist fast wörtlich Benn. In Heiner Müllers Stück »Quartett« heißt das: »Mein Leben Mein Tod Mein Geliebter.«[12]

Leben als Monade? Existenz als eine ohne Augen, Ohren? Empfindung als Verletzung? Wahrnehmung als Falschmeldung? Das Menschenbild der Gegenwartsliteratur führt einen versehrten Menschen vor. Der Kern etwa des Grass'schen Geschichtsentwurfs – vom »Tagebuch einer Schnecke« über den »Butt« bis zum historischen Pastiche »Telgte« – war und blieb seine Rede auf Dürers »Melencolia«, die er zu Recht als Fixieren von gesellschaftlichem Verhalten entziffert; jene bereits erwähnte handschriftliche Hinzufügung zu einer Federzeichnung um die Zeit des Kupferstichs meint im Grass'schen Kontext mehr als die kranke Galle, Milz und Leber des Malers. Die Gesellschaft als Krankheit, Krankheitserreger zumindest. Politik als Verbrechen. Angst als Opium fürs Volk. Der Umschlag von Angst in Kälte, Inhumanität. Die Suche nach einer anderen Welt treibt Schriftsteller um. Was sie finden: Spuren, Splitter, Reste. Suche erinnert an das Titelwort eines großen Werks der Weltliteratur – Recherche. Damals galt sie verlorener Zeit; Vergangenheit. Heute und hier gilt sie gestohlener Gegenwart.

Das läßt sich festmachen durch eine Spurensicherung der literarischen Publizistik und ihrer Themen; so man sie als seriös gelten läßt. Eine großangelegte Zustandsschilderung der zeitgenössischen deutschen Literatur, ganzseitig von »Le Monde«[13] präsentiert, steht unter dem Hölder-

lin-Motto »Des poètes en un temps de disette« (Dichter in einer Zeit der Not) und endet – unter Anspielung auf Thomas Bernhards vierten Band seiner Autobiographie »Die Kälte. Eine Isolation« – in der Summe »Eine eisige Isolation«. Der Autor dieses Aufsatzes: Hans Mayer.
Der »Spiegel« – der schon seine Nummer vom 18. Januar 1982 unter den Titel »Die Angst der Deutschen – Bericht über die Stimmungslage der Nation« gestellt hatte, berichtet in einer späteren Nummer des Jahres,[14] daß der amerikanische Buchmarkt von 130 »Fear Books« (Angstbüchern) überschwemmt werde. Der alljährliche Hamburger Büchermarkt »Literatrubel« eröffnete sein Programm für 1982 mit dieser Feststellung:

»Die Nation ist gemütskrank. Die deutsche Niedergeschlagenheit füllt Fortsetzungsgeschichten. Der Befund spricht von Zukunftsangst, Untergangsstimmung, vom Mangel an Traditionen wie an glaubwürdigen Zielen. Die Gegenwart in diesem Land erscheint merkwürdig verfahren. Krisen und Bedrohungen, Sprachlosigkeit und das Schwinden von Verständigung überhaupt lassen die Verhältnisse erstarren. So jedenfalls bewerten weite Teile der veröffentlichten Meinung die Lage.«[15]

Ein Bericht über den Klagenfurter Literaturwettbewerb 1982 summiert: »Die politischen Anliegen der jungen Generation hinterließen in Klagenfurt kaum eine Spur. ... Kaputte Liebesbeziehungen, Krankheit und Tod beherrschen nach wie vor die literarischen Interessen der jüngeren Generation.« Noch zwei Monate zuvor hatte dasselbe FAZ-Feuilleton unter der Überschrift »Wider den Angstkult« das Prinzip Zuversicht ausrufen wollen: »Eine kulturpessimistische Stimmung hat sich so allgemein und widerspruchslos verbreitet unter älteren wie unter jungen Menschen, daß es Zeit wird, ihr zu widersprechen.«[16] Nur: Widerspruch des Feuilletons schafft Tatsachen nicht ab.
Eine Umfrage des »Stern« – 14 Tage, nachdem die »Frankfurter Rundschau« auf der ersten Seite meldete: »In Mitteleuropa sind nach den Angaben der Fachleute bereits 100 Prozent der Tannen erkrankt, knapp die Hälfte aller Fichtenbestände zeigt Absterbeerscheinungen, und 65 Prozent aller Kiefern sind nahezu entnadelt.«[17] – läßt Schüler ihre Vorstellungen vom Jahr 2000 formulieren; das Resultat ist durchweg Bild einer Horrorwelt, wie sie eine 15jährige aus Wien ausmalt:

»Die Sonne kann nicht mehr durch die ›Smogwolken‹ dringen, kein Baum lebt. Jeder muß eine Gasmaske mit sich tragen. Es gibt Autos, die

mit ungiftigen Treibstoffen betrieben werden. Alle Fabriken sind steril. Sogar ›Schmutzpolizisten‹ ziehen durch das Land und verpassen den ›Luftsündern‹ strengste Strafen. Doch zu spät. Die Luftverschmutzung hätte schon viel früher bekämpft werden müssen.
In den Museen des Jahres 2000 sind einige tolle Funde ausgestellt: die letzten Veilchen, Primeln, Gräser... Sie werden bewacht wie kostbare Schätze. Viele Besucher kommen, um diese Raritäten zu bewundern, und denken wehmütig an die Zeit zurück, als man Blumen noch auf den Wiesen pflücken konnte.«[18]

Eine gleichaltrige Französin zieht die Summe: ein Alptraum. Der Pädagoge Hartmut von Hentig gliedert einen großen Aufsatz zum Thema »Wo stehen wir?«[19] in Betrachtungen über die »vier Hauptwörter der Zeit« – Angst, Aussteigen, Sinnverlust, Zerfall der Werte. Die Zeitschrift »Akzente« – obwohl anthologisch konzipiert und nicht jeweils auf ein Thema konzentriert wie etwa das »Kursbuch« – rückt die Titelzeile eines einzigen von vielen abgedruckten Gedichten als Leitmotiv auf den Umschlag: »Als einzigen Gefährten Angst.«[20] Der Hörspielpreis der Kriegsblinden – stets ein Trendbarometer – wird 1981 an Peter Steinbachs »Hell genug – und trotzdem stockfinster« verliehen, eine große Katastrophenparaphrase, in deren Mittelpunkt ein Deserteur – also ein »Aussteiger« – steht; ein Bericht über alle zur Wahl stehenden Hörspiele faßte zusammen:

»Das Interesse der Autoren scheint sich auf die Opfer, auf die Objekte von Vorgängen zu konzentrieren. Bevorzugte Situation: das Ende, die Endzeit, der Moment vor der Katastrophe, der Nullpunkt.«[21]

Damit sind wir bei einer anderen Spurensicherung: nämlich der eigentlichen literarischen Produktion – nicht mehr nur der Publizistik, die gern mit dem eigenartigen Vorwurf »Feuilleton« abgetan wird. Wenn »Der Beginn des Zeitalters der Angst«[22] in einem Aufsatz der »Frankfurter Rundschau« mit dem Datum des Untergangs der Titanic fixiert wird, dann gilt es sich zu erinnern, daß es der stets frühe Enzensberger war, der 1978 seinen im Untertitel höhnisch »Eine Komödie« getauften Gedichtband eben dieses Titels publizierte, in dem es heißt:

»Etwas bleibt immer zurück –
Flaschen, Planken, Deckstühle, Krücken,
zersplitterte Masten:

Es ist das Treibholz, was da zurückbleibt,
ein Strudel von Wörtern.
Gesänge, Lügen, Relikte: Bruch ist das,
was da tanzt, was da nach uns
auf dem Wasser torkelt wie Kork.«[23]

George Taboris szenische Einstudierung dieser 33 Gesänge setzte die Metaphernwelt ins Augenfällige um – die Personen agierten ausschließlich auf Eis oder im Wasser, Gespenster des Todes, die Enzensbergers Verszeile »Wir sind tot. Wir wußten von nichts« zur Gebärde werden ließen; die Endszene choreographierte die letzte Konsequenz der Entäußerung: die Menschen nehmen sich die eigenen Totenmasken ab, die Schauspieler reichen sie dem Publikum. Nun kennt man nicht nur Genets Satz über die Funktion der Maske, durch die man sich – »Nacht, um zu entschlüpfen« – so entblößt wie durch nichts anderes, sondern weiß auch, daß ein anderer Dramatiker des radikalen Geschichtspessimismus, Heiner Müller, sich oft dieses Mittels bedient, um Hoffnungslosigkeit zum Bild zu zwingen. »Die Revolution ist die Maske des Todes, der Tod ist die Maske der Revolution« stand auf einer schwarzen Schrifttafel der eigenen Inszenierung seines Stücks »Der Auftrag« (nach Motiven von Anna Seghers' »Der Aufstand der Fischer von St. Barbara«). Haut als Maske, die nur im Tode abgeht, Lächeln als Grinsen, Weinen als Greinen. Der erfrorene Narziß.

Der Beginn dieser Literatur, in ihrer bis zum Autismus getriebenen Verweigerung der Gesellschaft eine sehr gesellschaftliche Literatur, ist sogar datierbar: mit der Steigerung des Begriffs Angst. Der heißt Zorn. So nannte sich jemand, der mit bürgerlichem Namen tatsächlich Angst hieß, dessen Taschenbuch mit dem schwarzen Raben als Motiv bald – die Auflage betrug in wenigen Monaten einige Hunderttausend – so häufig in den Hörsälen zu sehen war wie einst die Marcuse-Bändchen, und das Adolf Muschg ein »autistisches Dokument« nannte, eine »Vivisektion« der Gesellschaft, der der eigene Tod als erste wahre Lebenserfahrung als Sünde vorgehalten wird:

»Denn der Anfang des akuten Sterbens bezeichnet in dieser Biografie ja den erstmaligen, schmerzhaften Einbruch wirklichen Lebens. ... In einer unheilbaren Gesellschaft ist sein Tod keine Ausnahme, sondern der Normalfall. Wir werden weiter so sterben, solange wir weiter so leben. Das ist das wirklich Erschütternde an diesem Buch.«[24]

Des am Krebs sterbenden Fritz Zorn »Mars« – am Tage seines Todes traf Helmut Kindlers Brief im Spital ein, aus dem er die Annahme des Manuskripts noch erfahren konnte – nennt Muschg in seinen Frankfurter Vorlesungen über »Literatur als Therapie?« Zürichberg-Prosa, in der zur Zertrümmerung des Zürichbergs aufgerufen werde.[25] Ein Aufruf ist das Buch in seinem »lebemännischen Immoralismus« wohl nicht – ein Aufschrei eher; der kündet von Beziehungslosigkeit und Kälte, der eigenen sogar, produziert von einer Welt, die den Kranken ausspeit als Irritation des Gesetzes der Gemächlichkeit, in der befangen man zum Abgrund taumelt. Eine (um Jahre spätere) Äußerung Herbert Achternbuschs zu Werner Schroeters Filmklage über die Behandlung Schwachsinniger »Tag der Idioten« liest sich wie ein Echo auf den Ruf des Sterbenden von Zürichs »Goldküste«:

»Kein Einzelner hat die Scheiße eingebracht, in der wir jetzt sind, sondern die Politik, der Umgang mit der Allgemeinheit, der betrügerische Umgang mit Gutgläubigen, die man mit scheinrationalen Begründungen in ihrer Gutgläubigkeit, ihrer politischen Verantwortungslosigkeit belassen hat. Man hat sie wie Idioten behandelt. Und wehe, einer spürte die Flamme des Lebens und schrie in die unendlich gelangweilte Zeit, die zu ihrer tieferen Betäubung immer Aufreißerisches erfindet.«[26]

»Wehe« – das ist eine andere Steigerung: nach unten. In der literarischen Rezeption wird sie deutlich durch die Wegwendung von Zorns Aufbegehr und die Hinwendung zu Sylvia Plaths Aufgeben. Die Geschichte und die Gedichte der Selbstmörderin aus London finden jetzt eine fast todessüchtige Interpretation.

»›Der Tod ist eine Kunst wie jede andere.‹ Sie tauchte in den Ozean, durchquerte Kontinente, stürzte in den Schnee des Steilhangs, führte das Flugzeug wie ein virtuoser Pilot. Gestorben im Gas vor einem Küchenherd.«[27]

Diese hymnische Aneignung von Leben, Werk und Tod der Sylvia Plath steht im Essayband »Die Fröste der Freiheit«, der noch eine weitere Studie über eine Selbstmörderin – Unica Zürn – enthält, und dessen gesamter Worthaushalt von Begriffen wie Angst, Chaos, Kälte, Nacktheit, Krieg und Tod bestimmt wird. Gisela von Wysockis Essay assoziiert das emotionale Klima einer anderen Selbstmörderstudie – Christa Wolfs Erzählung »Kein Ort. Nirgends«, in der es heißt, »Es ist nicht gut, daß der Mensch zu tief in sich hineinblickt«.[28] Allein die kunstvoll konstruierte Situation, daß Kleist und die Günderrode miteinander in Beziehung gebracht werden, ist gesellschaftliches Indiz – wie der Titel des Buches, der im vollen Wortlaut noch deutlicher, schrecklicher heißt: »Unlebbares Leben. Kein Ort, nirgends.« Christa Wolf hat selber sehr genau definiert, daß es sich hier nicht um ein artistisches Spiel, sondern um den eigenen Erstickungsanfall handelte:

»›Kein Ort. Nirgends‹ habe ich 1977 geschrieben. Das war in einer Zeit, da ich mich selbst veranlaßt sah, die Voraussetzungen von Scheitern zu untersuchen, den Zusammenhang von gesellschaftlicher Verzweiflung und Scheitern in der Literatur. Ich hab damals stark mit dem Gefühl gelebt, mit dem Rücken an der Wand zu stehn und keinen richtigen Schritt tun zu können. Ich mußte über eine gewisse Zeit hinwegkommen, in der es absolut keine Wirkungsmöglichkeiten mehr zu geben schien. ... Es war eine Selbstverständigung, es war auch eine Art von Selbstrettung, als mir der Boden unter den Füßen weggezogen war; das genau war die Situation.«[29]

Selbst Klaus Michael Grübers bereits erwähnte Faust-Inszenierung des Jahres 1982 ist in diesem Zusammenhang zu begreifen; ist es doch gar kein »Faust« Goethe'schen Korpus, sondern eine selektierte Szenenfolge von Schattenmotiven und Altersphantasien, ein einziger Gang zum Scheitern. Faust – ein Greis von Beginn an, verkörpert vom Beckett- und Thomas Bernhard-Schauspieler Minetti – als Endspiel, als die große Elegie eines Vergeblich. In dieser so kühnen wie fragwürdig-rigoristischen Interpretation lag das Zeitgenössische von Grübers Destillat.
Und Tod oder Todessucht oder Aufgeben finden sich als Motiv in Lyrik und Prosa dieser Zeit allenthalben. Die Gedichtbände von Günter Kunert und Hans Magnus Enzensberger, die 1980 erschienen, sind Landvermessungen dieses Kontinents aus Eis. Günter Kunerts poetisches Verfahren war seit je ein strikt realistisches; vielleicht deswegen waren seine lyrischen Ausdünnungen der DDR-Realität den Siegelbewahrern eines »realen Sozialismus« so unheimlich, daß sie ihn schließlich vertrieben. Von Johannes R. Becher zwar entdeckt, im literarischen Gestus aber eher Brecht verpflichtet, hat Kunert umständliche Metaphorik immer vermieden. Er schreibt auf, was ist. Allerdings mit einer Art Röntgenblick – es ist immer die Wahrheit *hinter* einer sich verstellenden Wirklichkeit, die er sieht, das Karzinom unter schöner oder geschminkter Haut. Lakonisch ist das nie – therapeutisch aber auch nicht. Heilen will Kunert die

diagnostizierte Krankheit nicht; kann er nicht. So halten auch die Gedichte des Bandes »Abtötungsverfahren« bereits im Titel einen Negativbefund fest. Es sind Notate einer abgrundtiefen Bitterkeit.

Vielleicht ist Melancholie ein zu aufdringliches Wort für diese sehr leisen Wortgebilde, zu ausruferisch. Kunert will offenbar kein »Leiden« ausstellen. Was er ausdrückt, ist viel endgültiger: Endzeit. Wenn der Titel sogar noch einen Prozeß – dem wir alle unterliegen – suggeriert, so benennen die Gedichte doch schon das Ende dieses Prozesses:

»Gebeine bilden unsern Lebensgrund
und geben keinen Anlaß mehr zur Klage:
Da hoffe Du. Du hoffst Dich wund.«[30]

Dieses Gedicht heißt »Programm« – und das ist Kunerts Programm: Es gibt keine Hoffnung mehr. Utopie ist zur Illusion zerronnen. Der Lauf der Welt ist für Kunert zu einem Rasen auf die Katastrophe zu geworden, Geschichte ist nicht Fortschritt, sondern allenfalls »Evolution«; also Entwicklung ohne Weiterentwicklung, zum Besseren gar.

Der Brecht-Schüler ist in jenem schwärzesten Geschichtspessimismus Erich Arendts gelandet:

»Erde und Steine
Sand und Geröll
Ziegel und Quader
Zement und Beton
und immer wieder
wir.«[31]

Dieses »Evolution«-Gedicht beginnt mit verb-losen Natur-Zitaten, klammert durch den Verzicht auf Verbum – »Tätigkeitswort« – den Menschen, das einzige Tier, das arbeitet, gleichsam aus; es endet mit sehr bezeichnendem Wortmaterial: blind, Finsternis, Leere:

»Aus blinden Augen
fällt Finsternis
bevor die Hand
ins Leere greift.«[32]

Der Mensch, wenn schon nicht Echse, dann Monade. So nennt Kunert auch seine Gedichte nicht nur »Stille«, »Regloser Augenblick« oder »Befund«, ruft damit Stillstand zum Thema aus, sondern benutzt auch durchweg Worte des Schwarzen: Leiche, Aussterben, Todesschrei, schleichendes Verhängnis, wortlos, Schweigen. Das einzelne Wort hat im Gedicht ein »schwereres« Gewicht als etwa in der Prosa, es bildet einen stärkeren Sinn-Hof. Kunerts Wortwahl ist Zeichen einer existentiellen Befindlichkeit, sie ist mitleidlos, unsentimental und endgültig; ist Mittel, um unsere Lebenssituation zu bezeichnen als »Vor der Sintflut«. Das Gedicht dieses Titels endet:

»Denn die Erde versinkt
hinter ihrem Horizont
nichts geht mehr auf
das ist klar
und es bleibt
ein fahriger Widerschein
von uns allen
noch eine Weile
bestehen.«[33]

Der Mensch als Lurch, zu dürftiger Diesseitigkeit verdammt; Geschichte als das Rad, auf das wir geflochten werden, das wir nicht bewegen: Gottfried Benn. Kunerts pessimistischer Realismus ist zutiefst Gottfried Benn verpflichtet.
Von Brecht zu Benn – ein Abschied? Immerhin läßt Kunert beide auftauchen – kein Zufall, gewiß. Das Gedicht über seinen »Belagerungszustand« durch die Staatssicherheitslimousinen birgt eine Brecht-Korrektur – und die zwei Strophen, die er Benn widmet, ent-bergen ein Autoporträt:

»Viel Haß. Zuviel für einen
der doch das Wort erhalten hat:
Die Selbstzerstörung findet im Geheimen
und trotzdem vor dem Leser statt.«[34]

Auch Kunerts Aufsätze »Diesseits des Erinnerns« verdanken sich diesem intellektuell-moralischen Konzept: dem Prinzip Hoffnungslosigkeit.
Diese Ummünzung von Ernst Blochs Grundgedanken prägt Kunert in seinem Essay über Jean Améry, der nicht nur negative Aperçus aufblitzen

läßt (»Die Menschheit hat eine große Zukunft hinter sich«[35]), sondern sich auch eine sehr nüchterne Radikalität leistet:

»Von der Absage an das Leben her (was immer man darunter verstehen mag) ist Suizid *eigentlich* vernünftig – ja, die einzig mögliche Tat wahrer Vernunft in einer Welt, deren eigene Selbsttäuschung gerade ihre vielberufene Rationalität ist.«[36]

Damit ist gesagt, was Kunert eben auch in seiner Lyrik seit geraumer Zeit vorträgt und was im Lenau-Porträt wie in einem Spiegelbild als Auskunft über sich selbst gelten darf: Eine generelle Absage an die Aufklärung; es ist wohl keine illegitime Überinterpretation, wenn man diese Zeilen über Lenau als Sätze über Günter Kunert liest:

»In diesen balladesken Versen erschafft die Grundstimmung aller Gedichte dieses Lyrikers, also Abschied und Verzicht, das bittere Nimmermehr und Niewieder, sogar noch ein tautologisches Bild: eine weitere Steigerung scheint kaum möglich. Nikolaus Niembsch Edler von Strehlenau, der aus seinem Namen ein erkennbares Pseudonym herauskürzte, ist sein ganzes Leben hindurch bewußt gestorben... Lenaus ›Krankheit zum Tode‹, diagnostizierbar an seinen Gedichten, ist die Krankheit der Epoche, ihr Name ist Resignation. Symptom ist jene Melancholie, deren Latenz auf Lenaus Verse reagiert und zum Ausbruch drängt.«[37]
Nun ist das Buch aber nicht lediglich Spiegelkabinett der geistigen Verfaßtheit von Günter Kunert; es ist vielmehr eine große Studie in Vergeblichkeit, eine Klage über die Fehlentwicklung der Menschheit, ein Pamphlet gegen den Rationalismus, der alle Horizonte ausgeschritten und zur Kulisse hat werden lassen; mehr noch: die Kunst des Menschen, bei und während aller Aufklärung über sich selber im unklaren zu bleiben, hat ihn zugleich hoffnungsloser und mythenarm gemacht: »Unser Jenseits ist inzwischen zur Zukunft verweltlicht worden, ohne uns damit aber einen Meter näher gerückt zu sein.«[38]

In seinem Aufsatz »Deutsche Angst«, der gar nicht mehr literarisch oder anhand literarischer Paradigmata argumentiert, sondern eine strikte Ideologie-Analyse ist, nennt Kunert als Korrelat der heutigen Angst nicht etwa die Hoffnung auf Erlösung von ihr, sondern das Fehlen von Vertrauen.
Damit gibt er ein wichtiges Stichwort für den Befund der modernen Gesellschaft; Kunert singt ja nicht die Litanei vom »Verlust der Mitte«,

er versucht vielmehr herauszufinden, warum Beziehungslosigkeit – auch Lüge – das Zusammenleben der modernen Menschen perforiert hat. Er argumentiert weniger metaphysisch als hochaktuell – eigentlich ein Soziologe, der sich nicht scheut, das Wort von der »verlorenen inneren Balance« auszusprechen. Es ist ein aufregender – und natürlich zum Widerspruch reizender – Gedanke, daß der Mensch durch die Aufklärung keineswegs aus der »selbstverschuldeten Unmündigkeit« sich befreit habe, wie die berühmte Chiffre heißt, sondern daß er im Gegenteil sich in eine neue, fast schlimmere Sklaverei begeben hat: die der verkümmerten Psyche, die ihn bindungslos und partnerunfähig gemacht hat. Der Mensch ist noch nicht dicht, hieß es bei Bloch. Kunert sagt das Gegenteil: Die Hybris, an die Allmacht seines Verstandes zu glauben, hat den Menschen dicht gemacht; abgeschottet. Erfahrung und Erinnern – also: Tun und Geschichte – sind keine dialektische Einheit mehr, bedingen einander nicht, sind hermetisch abgegrenzt. Weswegen – in seinem Montaigne-Essay – Kunert den intellektuellen Appellanten verhöhnt, den Versuch, Geist und Macht ins Gleichgewicht zu bringen, eine gespenstische Einbildung nennt:

»Goethe wiederum, der berühmte Meister der Verkennung und genialen Begriffsstutzigkeit, lobte an den ›Essais‹ die ›unschätzbar heiteren Wendungen‹, als handle es sich bei Montaigne um einen Humoristen. Ein anderer von Illusionen mit Blindheit geschlagener Intellektueller, Heinrich Mann, ernannte Montaigne in seinem Roman ›Henri Quatre‹ zum Berater des Königs von Navarra, eine respektvolle Übertreibung, die aus der Fehleinschätzung der eigenen Rolle des Intellektuellen resultierte: der Intelligenzler als Eizesgeber von Herrschern, Geist und Macht Hand in Hand, und was der gespenstischen Einbildungen mehr sein mögen, die da, von jedem geschichtlichen Augenblick widerlegt, fruchtlose geistige Blüten getrieben haben.«[39]

Kunert endet bei dem Kleist der Christa Wolf: Nach dem Selbstmord des Antragstellers schrieb der große Reformer Hardenberg an den Rand eines ihm noch vorgelegten Darlehensgesuchs: »Zu den Akten.«
Von Brecht zu Benn. Wenn ein deutscher Poet je seine Affinität, in Paraphrasen und Variationen, zu Brecht deutlich gemacht hat, dann war es Hans Magnus Enzensberger. Und was ruft er uns nun zu? »Laßt mir Herrn Dr. Benn in Ruhe!« So steht es im wichtigsten, längsten, zentralen Gedicht seines Bandes »Die Furie des Verschwindens«. Das Gedicht ist ein Psalm, und Enzensberger selber kommentiert es:

»Dieses Gedicht bildet das Rückgrat der Sammlung. Man kann es als den Versuch einer Abrechnung lesen. Der Text ist unruhig, brüchig, voller Abschweifungen. Rücksicht auf das literarisch und ideologisch Abgemachte wird ebensowenig genommen wie auf das schreibende Ich. Heftige Gefühle und ausschweifende Gedanken – aber die Vermittlung zwischen Geschichte, Natur und Subjekt kann nicht mehr gelingen. Vielleicht ist mit solchen Auskünften schon zuviel gesagt. Um das Gedicht zu verstehen, braucht niemand seine theoretischen Implikationen zu entziffern.«[40]

»Ich bin skrupellos«, sagte Enzensberger, »ich bin ein Spieler. Aber ich mache nur Risiko-Spiele. Alles andere ist langweilig.«[41] Derlei ist ja nicht schicke Wortläufigkeit oder eine arg gelenkte Moral(losigkeit), es ist auch eine Trauer darin. Enzensbergers Fabulier- und Formulierkunst täuscht oft über eine Haltung hinweg: Wenn einer mit den Schultern zuckt, ist nicht immer zu erkennen, ob er schnippisch ist, ob er lacht oder weint:

»Das Glück –
er wage es kaum, das Wort
in den Mund zu nehmen –, das Glück,
selten, plötzlich, unzweifelhaft...
sei vielleicht das letzte Verbrechen.«[42]

Diese Zeilen geben preis nicht nur eine Spannung zwischen Wünschen und Aufgeben, zwischen Hoffen und Resignation; sie geben auch Enzensbergers Problem auf: durch das Fixieren im Wort einen Zustand herstellen oder abschaffen zu könne. Er denunziert das Glück, das er will und das er braucht; mit eingedacht ist da nicht nur Leszek Kolakowskis grandioser philosophisch-anthropologischer Entwurf, mit dem er dem Menschen jeglichen Anspruch auf Glück verweigert. Mit eingedacht ist eben auch des Dr. med. Gottfried Benn einsame Weltskepsis; der schrieb an Freund Oelze:

»Ein bißchen Leben, mehr haben wir nicht, seien Sie doch nicht so anspruchsvoll, so ambitieux. Wollen Sie vielleicht Glück? Darauf haben Sie natürlich gar keinen Anspruch.«[43]

Und auch Benn durchbrach diese Erkenntnis, die er sich fast zum Gesetz erhöhte – nicht zuletzt, indem er schrieb. »Den rettenden Gedanken, falls

es so etwas geben sollte, müssen wir selber fassen«,[44] damit endete 1980 ein Essay von Enzensberger, Position und Negation in einem Satz zusammenfassend. Seine Position, das ist auch bei ihm: schreiben.
Das Titelgedicht – ein einziger Satz von fünfundzwanzig Zeilen – zeigt, was für ein Meister der Begriffsbändigung und des Sprachbannens am Werk ist, dessen Worte eindringen und schweben zugleich, ohne sich leichtfertig zu verflüchtigen, wenn er von der – unser aller? – Furie spricht:

»ihr, die nicht auf uns hört,
gehört alles; und sie erscheint
nicht fürchterlich; sie erscheint nicht;
ausdruckslos; sie ist gekommen;
ist immer schon da; vor uns
denkt sie; bleibt;
ohne die Hand auszustrecken
nach dem oder jenem,
fällt ihr, was zunächst unmerklich,
dann schnell, rasend schnell fällt, zu;
sie allein bleibt, ruhig,
die Furie des Verschwindens.«[45]

Das hat den Atem der Elegie, das ist die legitime poetische Setzung von Walter Benjamins entsetzlich-düsterem Geschichtsbild: Katastrophe, unabwendbar. Ein Schriftsteller kann sie künden; aufhalten kann er sie nicht.
Das sind aber nicht Ermüdungserscheinungen literarischer Altgedienter, eine lyrische late-life-crisis, sozusagen. Es sind durchaus verbindliche Auskünfte; die werden bestätigt durch Romane oder Erzählungen jüngerer Autoren. Hanns-Josef Ortheils Buch »Fermer« ist solch eine Prosaetüde dessen, was man eine unaggressive Angst nennen möchte: Lethargie. Ortheil läßt seinen modernen Taugenichts in einer totalen Indolenz durch die Welt treiben; es ist ein Lebensgefühl, das gleichsam aus dem Satz »Wir mit unserer unbeschreiblichen Angst«[46] in Guntram Vespers Roman »Nördlich der Liebe und südlich des Hasses« die Konsequenz zieht. Sie ist so vertraut, so selbstverständlich, so wenig jäh, daß man sich an ihr nicht mehr reibt.
Die Prosa von Ortheils Buch ist wie eine Studie des totalen Reibungsverlusts. Es ließe sich ein Glossar von Begriffen wie »fremd«, »kalt«, »schweigend«, »still«, »einsam«, »entfernt« anlegen. Sprache teilt ja

nicht nur Handlungen mit, sondern stellt ein eigenes Kraftfeld her. In diesem Buch entsteht auf so sanfte wie eindringliche Weise eine Atmosphäre der Lähmung, Monotonie, Gleichgültigkeit. Die Menschen bewegen sich wie Schwebewesen, gleiten aneinander vorbei, Fische in einem Aquarium der Beziehungslosigkeit. Sehr selten gerät das deklamatorisch, ein Satz wie »Das ist mein Leben, und die Gesetze des öffentlichen Lebens sind nicht die Gesetze meiner Existenz«[47] knallt bereits als Peitschenhieb, hallt in der Leere.
Hier wird gar nicht mehr protestiert, hier wird auch nicht geklagt, gar angeklagt – hier spricht eine Generation, die es alles nichts mehr angeht; und davon keineswegs aufgeregt ist. Schon Resignation wäre ein zu heftiges Wort. Der zentrale Begriff des Buches – weit über den Handlungsansatz hinaus – ist »Desertion«. Ortheil hat ihn schon in einem Aufsatz benutzt, den er kurz vor Erscheinen publizierte und der, wie die »Frankfurter Allgemeine Zeitung« im Vorspann schrieb, der Versuch war, jene Generation zu definieren, die nicht mehr Marx liest und noch nicht »Capital«: »Gezwungen waren wir«, schrieb Ortheil da, »von innen zu leben, die Hülsen der Außenwelt ließen sich nicht mehr zurechtbiegen. ... Damals waren wir Deserteure geworden in einem ungeliebten Land.«[48]
Ein Buch der Flucht. Der innere Rhythmus von Ortheils Stil ist der einer gemächlichen Vergeblichkeit, einer Selbstverständlichkeit der Entfernung; nicht nur »von der Truppe«, sondern auch zu anderen Menschen (die Fermer mit eben derselben Selbstverständlichkeit Unterschlupf gewähren; darüber wird nicht einmal mehr gesprochen). Das Motiv der Entfernung läßt Liebe nicht zu, nicht einmal Sexualität:

»Das spielte eben merkwürdig aneinander vorbei; meine Erleichterung und ihre Enttäuschung. ... Von da an entfernten wir uns immer weiter voneinander, und während wir noch mit den Köpfen starr zur Decke lagen und es draußen hell wurde, habe ich nichts mehr begriffen.«[49]

Zeitgenössische Romane führen Individuen im Sinne des Wortes vor: Einzelwesen. Sie heißen »Hubert« oder »Fermer« oder »Schlatt«, und wenn sie einen »richtigen« Titel haben, dann heißt der »Kein Ort. Nirgends«; Filme heißen »Hammett«, »Stroszek« oder »Fitzcarraldo« – es sind Menschen ohne Bindung, sie stehen vor ihrer Gesellschaft wie Botho Strauß' Lotte vor der Sprechanlage des Hochhauses, aus der zerhackter Sperrmüll quillt statt Antworten. Antworten werden nicht gegeben, Fragen nicht gestellt. Das Einzelwesen als Einzeller, sich selber

fremd – »und es war ihm, als habe er begonnen, sich von sich zu trennen«.[50]
Christa Wolfs Erzählung des Jahres 1983, auch sie nur einen Namen im Titel: »Kassandra« (und der essayistische Begleitband »Voraussetzungen einer Erzählung: Kassandra«) variieren eben dieses Thema.
Christa Wolfs Prosa ist makellos. Es gibt keinen bemühten, »stilistischen« Satz in diesen Büchern. Jedes Wort, jeder Ton ist gesetzt mit einer inneren Selbstverständlichkeit, ruht in einer Balance, die Mühelosigkeit vortäuschen mag, sich aber wohl großer Sicherheit verdankt, und zwar einer sicheren *Haltung*. Wer so offen Skrupel und Bedenken, gedankliche Widerläufe und emotionale Fragwürdigkeiten eingesteht, ja, sie als Thema mitvariiert: dem kann sich die Sprache nicht mehr artistisch vertänzeln noch lautsprechen. Wenn es das gibt: literarische Würde – dann haben wir sie hier. Die beiden Bücher sind kleine Wunder; und sie sind nicht auszulesen. Immer wieder findet man sich in einer Nische, die man bei erster Lektüre übersah, an einem ganz winzigen, strahlend-hellen Fleck, über den man hinweggehastet war, in einem finsteren Stollen, dem man auswich: ein Märchen.
Was nun aber, *comme genre,* die Erzählung »Kassandra« gar nicht ist. Sie ist auch keine Erzählung. Vielmehr ein großer, historisch-moralischer Essay, was man im Französischen pensées oder réflexions nennen würde. Ist es peinlich, wenn man das rückübersetzt in »Nachdenken über Kassandra«? Christa Wolf selber sagt, sie habe aus der Betroffenheit über unser aller Bedrohung ein Modell zu schaffen versucht, das aus unmittelbarer Alltagserfahrung, aus Mythos und Utopie gespeist ist. Wie geht das? Ist es ein »Ödipus in Jeans« oder »Hamlet im Frack«? Oder ist es eine gültige Paraphrase von (fragwürdig) überliefertem antiken Schicksal, um das unsere, heutige, fragwürdige besser zu verstehen – was man in der Malerei eine Replik nennt?
Das erste Buch erörtert das Schicksal jener trojanischen Königstochter Kassandra, die selbst von ihrem Vater Priamos angeherrscht wurde »Red' keinen Unsinn«. Das ist die Sprache der vermeintlichen Machthaber, die »Gesichtsverlust« befürchten und dafür Köpfe opfern. »Ein Krieg, um ein Phantom geführt, kann nur verlorengehn«[51], war der anstößige Satz Kassandras im belagerten Troja, in dem die Griechen die geraubte Helena wähnten. Wie wenig das Kostümstück ist, nicht Holzpferd- noch Pappschwert- noch Blechschild-Scheherazade, mag so eine Szene beweisen:

»Ich bestand darauf, als Zeugin für den Tod des Troilos im Rat gehört zu werden. Verlangte, diesen Krieg zu endigen, sofort. Und wie? fragten sie mich fassungslos, die Männer. Ich sagte: Durch die Wahrheit über Helena. Durch Opfer. Gold und Waren, und was sie wollen. Nur daß sie abziehn. Daß sich der Pesthauch ihrer Gegenwart entfernt. Zugeben, was sie fordern werden: Daß Paris, als er Helena entführte, schwer verletzte, was uns allen heilig ist, das Gastrecht. Als schweren Raub und schweren Treubruch müssen die Griechen die Aktion betrachten. So erzählen sie, was Paris tat, ihren Frauen, Kindern, Sklaven. Und sie haben recht. Beendigt diesen Krieg.
Gestandne Männer wurden totenbleich. Sie ist verrückt, hört ich es flüstern. Jetzt ist sie verrückt. Und König Priamos der Vater erhob sich langsam, furchterregend und brüllte dann, wie ihn nie einer brüllen hörte. Seine Tochter! Sie, von allen sie mußte es sein, die hier im Rat von Troia für die Feinde sprach. Anstatt eindeutig, öffentlich und laut hier und im Tempel so wie auf dem Markt für Troia zu sprechen. Ich sprach für Troia, Vater, sagte ich noch leise. Ein Zittern konnte ich nicht unterdrücken. Der König schüttelte die Fäuste, schrie: Hätt ich denn Troilos' des Bruders Tod so schnell vergessen! Hinaus mit der Person. Sie ist mein Kind nicht mehr. Die Hände wieder, der Geruch nach Angst. Ich wurde weggeführt.«[52]

Was also wird hier verhandelt? Wir sind – was sonst nur große Bühneninszenierungen leisten können; Grübers »Winterreise« etwa – in allen Zeiten und Räumen zugleich: bei SALT in Genf und bei Stephan Hermlin in Ostberlin, auf dem Bonner Marktplatz und in der bayerischen Staatskanzlei:

»Wann Krieg beginnt, das kann man wissen, aber wann beginnt der Vorkrieg. Falls es da Regeln gäbe, müßte man sie weitersagen. In Ton, in Stein eingraben, überliefern. Was stünde da. Da stünde, unter anderen Sätzen: Laßt euch nicht von den Eignen täuschen.«[53]

Und sind doch in Troia, vor dessen Untergang die eine warnte – und später vor dem Blutbad im Hause Klytämnestras –, die als wahnsinnig denunziert, entehrt und schließlich eingesperrt wurde. Was Christa Wolf anbietet, ist eine Parabel, atemberaubend, weil so einfach, zwingend, weil historische Wahrheit bergend wie aktuell ausmünzend: Sinn hatte die Unvernunft, Recht lag im Wahn. »Seher« nannte man sie damals – Spinner heute.

Da beginnt eine andere Dimension von Christa Wolfs Prosa, die Erzählung; ihr wird im ersten Buch, das diesen Untertitel trägt, noch wenig Raum gegeben, ein Schicksal eher reflektiert als berichtet. Nur an den knappen Stellen, wo Christa Wolf die Kassandra *Frau* sein läßt: Da klingt ein anderer Ton – der von Behutsamkeit, Nähe, Trauer um ein Schicksal. Da ist Kassandra eine epische Gestalt der Dichterin Christa Wolf, keine historische Figur:

»Bei Neumond kam Aineias. Merkwürdig, daß Marpessa nicht, wie es ihre Pflicht gewesen wäre, im Vorraum schlief. Nur einen Augenblick lang sah ich sein Gesicht, als er das Licht ausblies, das neben der Tür in einem Ölbad schwamm. Unser Erkennungszeichen war und blieb seine Hand an meiner Wange, meine Wange in seiner Hand. Wir sagten uns kaum mehr als unsre Namen, ein schöneres Liebesgedicht hatte ich nie gehört. Aineias Kassandra. Kassandra Aineias. Als meine Keuschheit seiner Scheu begegnete, wurden unsre Körper toll. Was meinen Gliedern einfiel auf die Fragen seiner Lippen, welch unbekannte Sinne sein Geruch mir schenken würde, hatte ich nicht ahnen können. Und welcher Stimme meine Kehle fähig war.«[54]

Es wird nicht währen, es hat ein Zittern, diese Szene, wie jener unauslöschliche Satz: »Willst du schon gehn? Der Tag ist ja noch fern.«
Und da geschieht etwas Seltsames: Diese Dimension der erzählenden Prosa findet sich in dem Band »Voraussetzungen einer Erzählung: Kassandra«, der sich im Untertitel als das Gegenteil, nämlich als »Poetik-Vorlesungen« erklärt. Ein ganz ungewöhnlicher literarischer Fall; denn es handelt sich bei diesem »zweiten Band« eben nicht um ein »Tagebuch zum Dr. Faustus« oder um Uwe Johnsons »Begleitumstände«; und es handelt sich auch um keine Poetik. Die Erzählung endet mit dem Satz: »Gegen eine Zeit, die Helden braucht, richten wir nichts aus«[55]; deutliche Anspielung auf Brecht (»Unglücklich das Land, das Helden nötig hat«)[56]. Der Begriff »Poetik« wiederum ist einer der wichtigsten im Brechtschen Kategoriensystem. Und prompt beginnt Christa Wolfs Buch mit einer Abwehr dagegen, gegen ihn:

»›Poetikvorlesungen‹ heißt dieses Unternehmen, aber ich sage Ihnen gleich: Eine Poetik kann ich Ihnen nicht bieten. Meinen Verdacht, daß ich selber keine besitze, konnte ich mir durch einen einzigen Blick ins ›Lexikon der Antike‹ bestätigen: ›Poetik‹: Lehre von der Dichtkunst, die, im fortgeschrittenen Stadium – Aristoteles, Horaz – eine systematische

Form annimmt, und deren Normen seit dem Humanismus in zahlreichen Ländern ›weithin Gültigkeit‹ erlangen. Der Weg zu neuen ästhetischen Positionen, lese ich, führe über die Auseinandersetzung mit diesen Normen, in Klammern: Brecht. Ich spotte ja nicht, und ich leugne selbstverständlich den Einfluß nicht, den herrschende ästhetische Normen auf jeden haben, der schreibt (auch auf jeden, der liest und der die verinnerlichten Normen seinen persönlichen Geschmack nennt). Aber den wütenden Wunsch, mich mit der Poetik oder dem Vorbild eines großen Schreibers auseinanderzusetzen, in Klammern: Brecht, habe ich nie verspürt. Dies ist mir erst in den letzten Jahren merkwürdig geworden, und so kann es sein, daß diese Vorlesungen nebenbei auch die gar nicht gestellte Frage mit behandeln, warum ich *keine* Poetik habe.«[57]

Das ist ein nahezu wütendes Sich-Erwehren – und ist der Auftakt des ganz furios erzählten Gegenbuches zum Moralessay »Kassandra«. »Erzählen ist Sinngeben« heißt der zentrale Satz dieses Bandes, der eben nicht die Voraussetzungen« gibt – sondern die ganz persönliche, sinnliche, fast erotisch-zärtliche Annäherung an eine Gestalt und ihren historischen Ort (was auch heißt: moralischen Platz). War das erste Buch ein diskursives Aufspüren von Lüge und Wahrheit im Prozeß der Geschichte, so ist das zweite die – erzählte – Geschichte, die den Prozeß eines Menschen schildert, der sich gegen Lüge wehrt, dessen Wahrheitsfindung gleichzeitig seine Menschwerdung bedeutet: in diesem Fall das Bewußtwerden einer Frau.
Das nämlich ist die dritte Dimension: Christa Wolf hat anfangs Objektives vorgeführt, eine Gestalt zur Debatte gestellt; jetzt geht es um subjektive Inanspruchnahme, sogar um Identifikation mit einer Figur. Christa Wolfs Reise nach Griechenland, im Gepäck kaum Kenntnisse, aber einen großen Neugierhunger und einen inneren Zwang zur Begegnung mit Typ, Wesen und Charakter der Kassandra, ist keine Reise weg von sich. Zu Beginn der Lektüre denkt man – was, das hat sie tatsächlich den Studenten erzählt, dieses Staunen über Gurkenschmoren und Joghurtrühren und Hammelbraten? Diese touristisch wirkende freundliche Verwunderung, die immer wieder eigene kleine Erzähleinheiten bilden?

»*Wir* aßen am nächsten Mittag an großer Tafel die besten Stücke der Lämmer. Es regnete über ganz Griechenland – eine Herausforderung an den Erfindungsreichtum eines Volkes, das am Ostersonntag im Freien sein Lamm am Spieß braten muß. Unseren Gastgebern schlug es zum

Glück aus, daß sie eines jener Häuser bewohnten, dessen obere Etagen noch Betonskelette sind: Dort konnte man, auf dem nackten Boden, das Feuer anzünden und in Gang halten, dort die Spieße mit ihrer Halterung aufstellen, dort konnten die Spießdreher Platz nehmen und Stunde um Stunde drehen, drehen, drehen. Auch jener Schwager, der Zeuge Jehovas war, beteiligte sich gegen seine Überzeugung aus Familiensolidarität an der Arbeit im Dienste der Abgötterei. Die Männer begossen das Lamm mit Olivenöl und Bier und tranken selber Wein. Die Frauen legten Bretter auf Holzblöcke, breiteten Tischtücher über die Bretter, mischten den Salat und deckten die Tische. Ein Nachbar kam und wurde mit dem ersten durchgebratenen Fleisch bewirtet. Er sei Jude und müsse zu seinen Leuten. Ohne sich überwinden zu müssen, kostete er vom christlichen Opferlamm, ohne einen Anflug des alten Christenhasses gegen die Juden wurde es ihm gereicht. Aus hundert offenen Etagen, aus Garagen, aus schnell von Zeltplanen oder Brettern errichteten Unterständen kräuselte sich der Rauch, vermischte sich gegen Mittag mit Bratenduft. Um drei Uhr konnte gegessen werden, genug Fleisch für drei Großfamilien wie die unsere. Gesegnete Ostern. Auch die Frauen, die in bäuerlichen Familien oft stehen, bedienend hin- und hergehn, sitzen am Tisch. Den Kindern, besonders den kleinen Jungen, ist alles erlaubt, sie gewöhnen sich daran, ihre Mütter, ihre Schwestern zu drangsalieren. Bring mir Wasser! sagt der kleinste Knirps, und noch die älteste Großmutter wird ächzend aufstehn und den kleinen Mann bedienen. Wo bleibt all die Wut, die sich da aufstauen muß? Oder, schlimmer fast, staut sich nichts mehr auf?«[58]

Doch mit dem letzten Satz ist Christa Wolf wieder bei ihrem Thema, das sie auf verblüffend einfache Weise reduziert: Zu Zeiten Trojas (und Kretas) war »Seherin« – Priesterin – der einzige Beruf, der einer Frau (aus königlichem Hause) möglich und erlaubt war. Dieses dritte Motiv der beiden Bücher trägt den gesamten erzählerischen Apparat des »Poetik«-Bandes: – ob eine Erinnerung an die Königreiche der Minoer:

»Aber die Frauen. Merkwürdig war es schon, da mußte ich Sue und Helen recht geben, die mir entsprechende Stellen in unseren verschiedenen ›Führern‹ zeigten: merkwürdig ist es schon, daß sie alle sich scheuten, Schlüsse aus der Tatsache zu ziehn, daß Frauen in der Malerei der minoischen Künstler einen derart beherrschenden Platz einnahmen; wenn Menschen der westlichen Zivilisation ganz allgemein Kreta zum Gelobten Land rückwärtsgewandter Sehnsüchte machten: Feministinnen, in der Frauenbewegung engagierte Frauen sahen in den Königreichen der Minoer *die* Gemeinwesen, an die ihr sehnsüchtiges utopisches Denken, durch Gegenwartserfahrung und Zukunftsangst in die Enge getrieben, als an ein Konkretum anknüpfen konnte. Es *gab* es doch einmal, das Land, in dem die Frauen frei und den Männern gleichgestellt waren. In dem sie die Göttinnen stellten (merkwürdig schwer fällt es vielen männlichen Archäologen und Altertumswissenschaftlern, zu erkennen, dann anzuerkennen, daß alle früheren Gottheiten weiblich sind: Oft, denke ich, ziehen sie es vor, weder Engels noch Bachofen noch Thomson und Ranke-Graves zu lesen); in dem sie bei allen öffentlichen Vorführungen auf den bevorzugten Plätzen sitzen, in festlich-freier Aufmachung; in dem sie bei den rituellen Übungen mitwirken, sogar die Masse der Priesterinnen stellen. Ein Land, in dem sie, wie man inzwischen zu wissen glaubt, Kunstausübende und Kunstanregende sind.«[59]

– Ob durch ein Nachfühlen von Ingeborg Bachmanns bedeutendem Gedicht »Erklär mir, Liebe« oder – ob durch das trotzige Gegenbekenntnis:

»›Madame Bovary bin ich‹, das hat bekanntlich Flaubert gesagt, und wir bewundern dieses Wort seit mehr als hundert Jahren, und wir bewundern Flauberts Tränen, als er die Bovary sterben lassen muß, und seinen wunderbaren glasklar kalkulierten Roman, den er trotz der Tränen schreiben konnte, und sollen und werden ja auch nicht aufhören mit der Bewunderung. Aber Flaubert *war* ja eben nicht Madame Bovary, das ist doch letzten Endes auch bei all unserm guten Willen und Wissen um die geheime Verwandtschaft zwischen Autor und Kunstfigur nicht vollständig zu übersehen.«[60]

Wenn Christa Wolf an anderer Stelle sagt »Schreiben ist auch ein Versuch gegen die Kälte«, dann ist damit auch die Kälte, das Absterben, das Müdewerden in *uns* gemeint: »Wie viele Jahre ich es überhaupt noch will. Ein Altersruck, plötzlich.«[61]
Da zieht sich allmählich etwas zusammen wie Schnürfäden aus beiden Büchern. Obwohl vermutlich keineswegs artistisch equilibriert gebaut, fügen sich die Elemente der beiden schmalen Bände ineinander, sich wiederholend, widerlegend, variierend – eine epische Kunst der Fuge, Paraphrase des Themas Vergänglichkeit. Selbst da, wo es mit einer scheinbar simplen Beschreibung beginnt:

»Ich stelle mir vor, daß diese Taverne in dem Athener Haus mit den dicken Kellermauern sehr alt ist. Daß Generationen griechischer Männer hier schon gesessen haben, um dicke Bohnensuppe zu essen und vom ›Haus ihrer Väter‹ zu erzählen, denn das ist ihr Thema von alters her. Homers ›Ilias‹, ein Gesang von den Schicksalen der großen, griechischen Familien, mag aus den unendlich vielen Erzählrinnsalen in Häfen, auf Marktplätzen, in Tavernen durch Jahrhunderte hin zu dem Erzählstrom zusammengeflossen sein: ›Singe den Zorn, o Göttin, des Peliaden Achilleus...‹ (Achill, Sohn des Peleus). Erzählen ist human und bewirkt Humanes, Gedächtnis, Anteilnahme, Verständnis – auch dann, wenn die Erzählung teilweise eine Klage ist über die Zerstörung des Vaterhauses, den Verlust des Gedächtnisses, das Abreißen von Anteilnahme, das Fehlen von Verständnis.«[62]

Das Gedächtnis ist eine andere Form von »Sehen«; und es ist besser – auch reiner? – bewahrt bei einer Kassandra, wenn sie Christa Wolf heißt. Es ist ein ziemlich kühnes Okkupieren nicht nur einer Person, sondern auch einer Funktion – nämlich des Wachens über die Worte, deren Sinn und deren Wert an Voraussetzungen gebunden ist, die außerhalb der Literatur liegen. »Denn die Ästhetik hat doch ihren Ursprung auch in der Frage, was dem Menschen zumutbar ist.«[63]
Diese Frage – vom Troja der Tochter Priamos' bis zum Berlin der Christa Wolf – versuchen beide Bücher in immer neuen Läufen zu beantworten. Das ist gelungen in großer Eindringlichkeit, weil sehr leise, gelegentlich in einer Prosa, die nahe der Lyrik wohnt:

»Wozu die Kochplatte? Wenn es keinen Strom, nichts zu kochen, keinen Menschen geben sollte, der ißt. Wozu noch Schönheit, wenn sie schon aufgegeben ist? Wozu noch mehr Bücher zu den vielen, die ich noch nicht gelesen habe?«[64]

Da kippt aber auch etwas um. Gerade die große Freundlichkeit des zweiten Buches, die sympathische Neugier, einem Werben gleich um das literarische Sujet wie um die Menschen, denen Christa Wolf auf dieser Reise begegnet – wird unterspült. Nicht nur Troja ging unter und Kreta und das große Karthago;[65] wie denn steht es mit uns? Wie sieht der Wahnsinn – oder die Hellsichtigkeit? – unserer Zeit aus, unserer Welt »unter dieser glühenden Vernunft-Sonne«, in diesem rigoros bewirtschafteten, vermessenen und enträtselten Gelände, »unserer Güter beraubt, darunter auch unserer Worte, die bannen könnten?«

Dieses zweite Buch, das geradezu trotzig begann, hell, voller Lust auf das Fremde, Neue und voller Gier, es sich einzuverleiben, den Atem dieser anderen Person in sich einzusaugen – »Schwester Kassandra« –; es endet in Atemnot. Die Gnadenfrist der Politiker mit ihrem Megatonnen- und Megatotenspiel, das sehr wohl jenen mit dem Holzpferd vor den Toren des uneinnehmbaren Troja gleicht, macht eine heutige Kassandra schrill und stumm zugleich:

»Europa habe, wenn es nicht damit beginne, eine vollkommen andere Politik zu betreiben, noch eine Gnadenfrist von drei, vier Jahren.
Eine Meldung, die meinen Blick verändert. Das Einschmelzen aller Gegenstände um mich herum innerhalb einer Sekunde: die Natur, die zu Asche zerfällt, im gleichen Moment wie ich selbst zerfalle. Dann weiß ich schon, daß wir uns auch auf diese drei, vier Jahre einrichten würden. Schon hasse ich mich für die Absurdität der inneren Rechnung, was ich bis dahin noch ›fertigmachen‹ könnte: hasse jeden, der mit dieser Meldung weiterleben, weiterarbeiten würde, und weiß zugleich: Auch dieser Selbsthaß ist es, den die Herrschenden dringend brauchen.«[66]

Worte wie »verfallende Schreibmotivation« oder »Der Wahnsinn geht mir nachts an die Kehle«[67] schweißen das Ende der beiden Bücher zu. Das große Gefühl ihrer Titelfigur, deren Liebesfähigkeit wie Opferbereitschaft, politischer Wagemut und Risikolust – es hat sie vor Demütigung und Vergewaltigung und Gefangenschaft nicht bewahrt, so wenig wie die Ihren vor schmählichem Ende.
Und wir? Ist Christa Wolfs Troja nun rückgewandte Beschreibung, Modell für eine Utopie – oder Menetekel? Was für ein Bild gibt die Zärtlichkeit ihres Umgangs mit der von den Zeitgenossen verächtlich gemachten trojanischen Königstochter frei? Sicherlich das der Würde, der moralischen Freiheit, der Integrität – das Bild wurde zu einem *portrait imaginaire,* auf dem die Konturen beider Frauen ineinanderübergehen. Beider Ton ist leise, doch präzise. Bei Christa Wolf, niemandes König Tochter, für wahnsinnig noch nicht erklärt und, europäische Schriftstellerin von Rang, noch in keinem Verlies verschwunden, heißt die Summe: »Hitler hat uns eingeholt.«[68]

Diese neue Fühlweise der Schriftsteller, dieser neue Umgang mit historischer – also auch: aktueller politischer – Erfahrung hat in der Literatur verschiedene Konsequenzen.
Die eine, der vollkommene Rückzug, begreift als Tod, was bislang Erfüllung war; noch einmal Ortheils »Fermer«:

»Wenn einige jetzt früh am Morgen in einem Wagen vorfuhren, mit einer Tasche, die sorgfältig gegen Stöße und Schrammen geschont wurde, den Hof überquerten, so ahnte Fermer schon, daß mit ihnen kein Widerstand zu proben sei, ja daß sie ihren Lebenswillen bereits aufgegeben und ihr Leben mit dem Blick auf Automarken und gut eingerichtete Häuser beschlossen hatten.«[69]

Die zweite verlängert die gesellschaftliche Schizophrenie der luxuriösen Erbarmungslosigkeit ins Privat-Schizoide:

»Er hatte sich daran gewöhnt, alles, was er haßte, nicht mehr ernst zu nehmen... Manchmal war er verliebt in seine Einsamkeit und machte sich vor, das Leben der anderen bereits zu kennen. Ihm fehlte das dauernde Interesse an ihrem Leben, wie ihm oft das Interesse an den eigenen Handlungen abkam.«[70]

Man kann das alles abtun. Man kann die langen, sehr genau ins Trübpassive versetzten Landschaftspassagen als Kulisse mißverstehen. Man kann die leise Andeutung auf einen Selbstmord-Bestseller des Jahres 1774 (hier heißen die beiden Fermer und Lotta) als geschmäcklerisches Literaturspielchen denunzieren. Man sollte nicht übersehen: was vorliegt, ist ein EKG; es zeichnet den Erstickungstod als normale Folge des Atmens. Man sollte nicht mißdeuten; was Hanns-Josef Ortheil entworfen hat, ist ein Bild des Frosts: Gesellschaft als Packeis.
Wie der Bernstein die Mücke, so bewahre die Literatur Fetzen ihrer Welt, hat Brecht einmal gesagt; ein schönes Bild aus vortechnischer Zeit, das eher Ostseestrände aufscheinen läßt als computergesteuerte Labors vors Auge rückt. Die Prosa eines Autors, der erst im hier beschriebenen Zeitraum debütierte, bewahrt Welt vielleicht – um das Bild zu variieren – auf wie zubetonierte Edelstahltonnen den Atomabfall; die Augen dieses Schriftstellers blicken durch Instrumente.
Haut unter dem Mikroskop, das weiß man, sieht gräßlich aus: Schründe, Krater, Riffe, Borsten; und bleibt doch ein Stück vom Menschen. Nahe gebracht, wirkt er fern gerückt. Der Mensch im Detail ist scheinbar unmenschlich, seine Handlungen – oder Handlungsverweigerungen – sind Äußerungen eines Zustands. Insofern hat das winzige Partikel einer Aktion die Kraft der Verdeutlichung. Von dieser Deutlichkeit lebt Literatur – lebt Bodo Kirchhoffs Buch »Die Einsamkeit der Haut«.
Es ist ein erschreckender Prosaessay, eine Studie von Kälte: Gänge durch Main-hattan, wie Frankfurt genannt wird, durch Puffs und Peepshows

und Tineff-Bars. Wie bei Hubert Fichtes sehr zögernden Annäherungen an die Wirklichkeit oder bei Botho Strauß' Momentaufnahmen, so erinnert auch bei Bodo Kirchhoff vieles an jene französische Literatur, die essayistischen und erzählerischen Gestus verbindet: Bataille, Lacan, Leiris.

Das Nicht-Vorhandensein von Tabus darf dabei nicht mit Schamlosigkeit, die sezierende Präzision nicht mit Lakonie verwechselt werden – Bodo Kirchhoff kann die unerhörten Szenen so ohne Larmoyanz einfangen, daß vielleicht ein Schock bleibt; aber nichts Schockierendes. Die Selbstbesichtigung wird nie Selbstbezichtigung – der intime Vorgang ist stets auch Reaktion einer Steuerung von außen, eines Ausgeliefertseins. So heißt ein Prosastück »Im Mittelpunkt des Universums«, das mit einer Onanie-Szene endet, deren perfekte Balance zwischen Versunkenheit und Verlorenheit beweist, was der Schriftsteller Bodo Kirchhoff kann.

Weil es (viele) Leute geben mag, die »sowas« der Literatur fernhalten wollen, die das Krude – damit dem Menschen Innewohnende – mit billigen Witzchen abtun, naserümpfend wie weiland die »braven« Literaturkenner der SPD, als sie in Gotha 1896 den Roman »Mutter Berthe« schmähten, oder kennerisch wie Joyce-Verbieter, sei denen zum Trotz der Schlußabsatz zitiert:

»Ich habe es wieder zu mir genommen. Es mit Hilfe eines halbsteifen Fotos, welches mich und meine Mutter zeigt, aufgelesen, mit dem kleinen Finger zusammengeschoben, es abgeleckt und verschluckt. Ich dachte dabei unentwegt an dieses Wrack, das meinen Milchshake aus dem Abfall holte, und das Gefühl von Bestürzung verschob sich; ich fühlte mich endlich wieder erfüllt, von Ekel zunächst, und etwas später dann auch von Erinnerungsempfindungen. Säuberte mir den Mund, erhob mich und begann zu posen, was ich jetzt immer noch mache.

Ich schaue mich an, diesen unglaublichen Körper mit seinen sagenhaften Einzelheiten, und weiß inzwischen mit Bestimmtheit: Jene Angst, die alles begleitet, stammt überhaupt nicht von mir.«[71]

Hier drängt sich unweigerlich die Erinnerung an Fritz Zorn noch einmal auf, an dessen Einfrieren jeder Erinnerung körperlichen Glücks zu einem großen Angstblock. Muschg, der ja die Frankfurter Vorlesungen überhaupt mit der Erinnerung an Zorn und einer Art Widerruf seines ersten Essays über ihn begann, stellte zu Anfang dieser Überlegungen sehr bewußt die schockierende Aufforderung an seine verblüfften Hörer: Sie sollten sich doch einmal selber nackt im Spiegel betrachten, sie würden

dabei feststellen, wie unfrei sie dem eigenen Körper gegenüber seien, wie gezwungen jede Bewegung, jede Stellung wäre. Das mag wie ein seltsamer Angang zum Verstehen von Literatur scheinen – und zwingt doch die große gesellschaftliche Diskrepanz zurück zu ihrem Ursprung: der Entfernung von sich selber. Das mag sogar unappetitlich sein – wie der Inzest des Oedipus, wie die Körperlichkeit des King Lear oder das Sputum des Hans Castorp.
Appetitlich ist nicht, was Bodo Kirchhoff aufschreibt. Literatur ist nicht appetitlich. Es ist das Eingeständnis von Lüge, Verrat und Einsamkeit. Dadurch ehrlich; denn nicht der verrät, der seine Vereisungen zugibt, sondern der sie schleckrig macht – zum Soft-Eis; der Süchte, Verlangen, Verfrierungen feilbietet wie eine Beate-Uhse-Auslage. Was Bodo Kirchhoff hier auf wenigen Seiten Prosa leistet, ist nicht süffig noch süffisant, nicht obszön noch gar pornographisch: ist der Versuch, mit Erfahrungen umzugehen in neuen Räumen; ohne seelische Löckchen und ohne irgendeinen verschmockten Lockversuch, ihm zu folgen. Er macht Abgründe denkbar, vorstellbar – ohne Lüsternheit; vielleicht mit einem Gran Traurigkeit, die in solch einem Satz sich birgt:

»In letzter Zeit habe ich nur zwei längere Gespräche geführt, wovon eines ein Telefongespräch war, mit einem Teilnehmer, der sich verwählt hatte.«[72]

Da wird mit der Akkuratesse von Gnolis Bildern ein Zustand wahrnehmbar gemacht. Bodo Kirchhoffs szenische Entwürfe geben nicht von ungefähr solche Assoziationen an bildende Kunst frei, an Bacons selbstversunkene Spiegelkabinette, Grahams Glaskuben oder Boteros ätzend gestrichelte Überdimensionen. Den Artisten zu höhnen, weil er unsere Verfrierungen in haarscharfe Bilder zwingt, und sei es im Kampf mit einem Stück Torte, im Befingern von einem Teilchen Haut, Haar – das zeigt das Kunstverständnis jener deutschen Offiziere, die Picasso im Atelier besuchten und beim Anblick von »Guernica« entgeistert fragten: »Haben Sie das gemacht?« Und er gab ihnen, allen Spießern, allen feinsinnigen Konsumenten des Kultivierten, die Antwort: »Nein, Sie.«
Wenn hier oft Worte wie »Gesellschaft« oder »Welt« benutzt werden, dann beziehen sie sich keineswegs nur auf die der Bundesrepublik. Genaue Vergleiche würden vermutlich erbringen, daß diese Krankenbefunde der zeitgenössischen Literatur sich nicht einmal auf Europa eingrenzen ließen. Da dieses Buch aber Überlegungen zur deutschsprachigen Literatur zusammenfaßt, ist es wohl von Interesse, daß beispielsweise ein

österreichischer Autor der jüngeren Generation – noch dazu einer, der sich mit einem Buch über den Bundeskanzler Kreisky zur Empörung seines Kollegen Thomas Bernhard als keineswegs staatsverdrossen erwiesen hat – in seinen Texten denselben Erfahrungs- und Empfindungshaushalt birgt:

»Ich litt an meinen Wahrnehmungen wie an einer Krankheit«[73] – dieser Satz aus Gerhard Roths Erstlingsroman »die autobiographie des albert einstein« ist gleichsam ein Schlüssel zum Verständnis der Arbeiten des heute vierzigjährigen Österreichers, den Ulrich Greiner in seiner Studie »Der Tod des Nachsommers«[74] neben Thomas Bernhard und Peter Handke zu den bedeutendsten österreichischen Gegenwartsautoren zählt. In einer ausgenüchterten, Aufgeregtheiten gänzlich vermeidenden Sprache, in einer Präzision bis zur kühlen Schonungslosigkeit anstrebenden Stillage variiert Roth in seinen Romanen *ein* Motiv: Flucht. Ob »Der Wille zur Krankheit« (1973) oder »Winterreise« (1978): Die Bewegung fort von Alltag wie Alltäglichkeit prägt diese Bücher – »Pathographien, literarmedizinische Fallbeschreibungen, Kriminalstudien« (Greiner). Sein Roman »Der Stille Ozean« ist da ein Höhepunkt; schon der Titel signalisiert die Ferne wie die Bedrohung – so sehr das Wort »Ozean« eine Jack-London-Verlockung ausruft, so wenig ist ja der Stille Ozean still, vielmehr eine menschenschluckende Un-Idylle. Die vermeintliche »Untiefe« des Titels ist Zeichen für die gefährliche »Un-Tiefe« des Buches.

Es gelingt Roth, auf nur scheinbar gemächliche, in Wahrheit raffiniert behutsame Weise, entlang einer vorgeblich realistisch einfachen Fabel eine Situation surrealer Bedrohung zu entwickeln. Jemand, dessen Vorleben vorerst unbekannt ist (später erfährt man wenige Details: ein Arzt floh offenbar vor den Publizitätsfolgen eines chirurgischen Mißgriffs), zieht aufs Land.

»Als er in den letzten Wochen über seine Zukunft nachgedacht hatte, war ihm plötzlich eingefallen, daß ihn jene Menschen am meisten beeindruckt hatten, die ihr Leben führten, ohne sich selbst dauernd in Frage zu stellen. Auch die Bewohner der Gemeinde kamen ihm arglos vor. Ihre Arglosigkeit entsprang in ihnen selbst.«[75]

Es ist die Arglosigkeit eines Sumpfs, über dem Schmetterlinge gaukeln. Wehe, man jagt ihnen nach.

Aber Roth schafft dieses Gefühl von Bedrohung ganz ohne deklamatorische Effekte – so haarfein legt er die Schlinge aus, daß selbst ein so sorgsamer Leser (und Kritiker) wie Günter Blöcker zu einem grotesken Fehlurteil kommt. Er sieht in den minuziös hergestellten Landschaftsbildern »trostlose Langeweile« und landet in seiner Kritik selber in einem trostlosen Mißverständnis:

»Der Pathograph Roth wird überraschend zu einem zähen Idylliker, der sich an den Requisiten und Versatzstücken einer heruntergekommenen und durch bloße Abbildungsrituale gewiß nicht zu rettenden Gattung, nämlich – man staune – des Heimatromans, förmlich festsaugt.«[76]

Damit ist wohl die eigentliche epische Dimension dieses Buches unerkannt geblieben. Jener Ascher – »er hatte ein Gefühl von Abgeschiedenheit, das ihm wohl tat«[77] – gerät nämlich in eine Welt der Tollwut und der Mörder. Diese Abgeschiedenheit ist umlauert, umstellt, ist so still wie der Stille Ozean – kein ländliches Stilleben, sondern modernde *nature morte*. Die Unheimlichkeit stellt Roth durch winzige Verschübe her, die Wirkung ist benennbar, wie man eben das Gefühl einer Bedrohung oft nicht exakt benennen kann:

»Die Spinne hatte sich gerade in einem gerollten Blatt versteckt. Noch bevor der Mann gegangen war, hatte er das Blatt in die Hand genommen und war, nachdem er einen beiläufigen Blick darauf geworfen hatte, mit dem Fuß auf die herausgefallene Spinne getreten. Dabei hatte Ascher gesehen, daß seine Füße nackt waren.«[78]

Diese kleinen Tötungsmechanismen laufen zu einer Räderwerkmechanik ineinander, bekommen die selbsttätige Drohgebärde der vordergründigharmlosen Technik-Versatzstücke von Meckseper-Radierungen. Schwer zu sagen, warum die ganz gelassene Beschreibung eines erschossenen Fuchses den Leser dennoch verfolgt – statt in ihm lediglich die Lust an der munteren Verfolgungsgeschwindigkeit einer Jagd auf tollwütige Füchse zu wecken: »Die Läufe und Krallen waren erhalten geblieben, nur dort, wo die Augen waren, befanden sich im Pelz zwei Löcher.«[79] Obwohl das Wort für gewöhnlich auf Tiere nicht angewendet wird: Dieser Fuchs ist ermordet worden. Schärfer und schärfer zersetzt Roth die Atmosphäre ländlicher Behäbigkeit, ein Funke Angst springt über. Mit literarischer Meisterschaft balanciert Roth dieses Anwachsen von Angst und Vergeblichkeit aus. Und am Schluß des achten Kapitels, am Ende des ersten Drittels des Buches also, steht es zum erstenmal deutlich: »Manchmal spielte er mit dem Gedanken, sich zu töten.«[80]

Dieses Buch ist perfekt aufgebaut, durchkomponiert. Der Stadtflüchtling gerät in eine Welt des Wahns, der Mordsucht. Die angeblich ausgebrochene Tollwut führt zu einer Schießorgie – ob Bisamratten, Füchse, Hunde oder schließlich ein Mensch; was sich bewegt in dieser »Idylle«, wird erschossen: »›Jeder Hund, der frei herumläuft, wird erschossen‹, sagte der Nachbar. ›Das ist unsere Vorschrift.‹«[81]
Roth zieht seine Bilderwelt langsam zusammen zu einem schmerzhaften Märchenalp, einer qualvollen Unentrinnbarkeit unter einem Eishimmel, der Menschen zu Röntgenbildern skelettiert. Das ist keine Welt der Logik, des Arguments: »›Der Mann hatte keine Tollwut‹, sagte Ascher. ›Aber es hätte sein können.‹«[82]
Damit ist das keine politische Literatur im banal sich anbietenden Sinne des Wortes. Es ist aber Stromstoßmessung des Hirns unserer Gesellschaft, auch wenn einem nach Lektüre des Romans, nicht gerade »zufällig«, die Tagesschau zu berichten weiß, ein Autofahrer, der auf entsprechende Polizistenanweisung nicht sofort seinen Wagen stoppte, sei an Ostern 1980 von dem Polizisten mit einer Maschinenpistole auf der Stelle erschossen worden. Das Ineinanderlaufen brav-normaler Realität mit makaberster Finsternis und die Unmöglichkeit, ihr zu entrinnen, ist Leitmotiv von Gerhard Roths Prosa; der stete Versuch zur Flucht – und deren Sinnlosigkeit, weil der Mensch nicht sich selber entfliehen kann, dem, zu dem man ihn gemacht hat:

»›Am meisten habe ich als Kind unter der Menschenverachtung hier gelitten, weniger, wie ich verachtet worden bin, als mein Vater...‹, begann er. Er machte eine Pause, in der er einen langen Schluck Bier trank. ›Wir konnten es nicht ändern. So haben wir begonnen, auch uns selber und alle, denen es gleich gegangen ist, zu verachten. Diese Verachtung ist geblieben, bei vielen noch.‹«[83]

Nun ist aber Literatur nicht Bernsteinbrocken noch Mikroskop; will sagen: nicht schönes Naturkristall noch funkelndes Technikinstrument. Sie ist vielmehr etwas im Entstehen sich ständig Veränderndes, Veränderungen umgekehrt in ihr Entstehen Einbeziehendes. Das geschieht nicht deklamatorisch, sondern durch das Aufgreifen von Begriffen, Motiven, Wörtern. Da ist es auffällig, daß ein lange Jahrzehnte verrufenes Wort in der Literatur der achtziger Jahre gleichsam neu entsteht, in Texten wie Debatten neu aufgegriffen – wenn nicht: neu begriffen – wird: Heimat.
»Da drüben liegt Deutschland«, sagte in schwermütiger Wehmut Leonhard Frank, emigrierter deutscher Schriftsteller – und stieg Abend für

Abend auf einen Berg an der kalifornischen Küste, die Heimat zu grüßen; niemand wagte ihm zu sagen, daß »da drüben« Japan lag.
Wo liegt Deutschland für uns, heute? Die Politiker tun sich schwer, einen Begriff zu prägen, der irgendeine Identifikation anbietet. Am liebsten vermeiden sie, Deutschland beim Namen zu nennen: »Diese Republik«, heißt es im Bonner »Macher«-Stil; das ist die Polit-Version von »diese Firma«. Ein emotionaler Bezug stellt sich da weder her noch ein, allenfalls der quietschend sentimentale von »den Menschen da draußen im Lande« oder Kohls Gartenlaube »in diesem, unserem Lande«. So feige wie dumm. Republik – das ist eine Verfassungsform; den Begriff Nation birgt sie nicht. Sie ist das Instrument, nicht der Inhalt:

»Wohin marschiert sie, die Republik? Sie weiß es nicht. Weiß nicht einmal, ob sie demokratisch ist. Denn niemand wird so leichtfertig sein, schon dies für Demokratie zu halten: daß der Demos alle vier Jahre Vertreter wählt, die am Tage nach der Wahl nichts mehr von ihm wissen. Rundfrage: Fühlen Sie sich von Ihrem Abgeordneten vertreten? Ich nicht! Der, den ich gewählt habe, vertritt sehr vieles. Was er versprach, ist selten darunter. Das muß nicht so sein, es ist eine Entartung. Aber wenn es sogar anders wäre: Wohin wollen wir denn? Auch Republik und Demokratie sind doch nur Instrumente, an sich weder Begeisterung noch Abscheu weckend, und es kommt darauf an, was mit ihnen getan wird. Streben wir zum Ideal der Nachtwächter – oder des Vormundschaftsstaates? Zur individualistischen oder kollektiven Wirtschaft? Zu patriotischer oder internationaler Politik? Zur Normalmensch-Aufzucht oder zur Begünstigung der Buntheit? Das geht alles überraschend durcheinander. Ein Schritt heute zielt hierhin, einer morgen dorthin.«[84]

Das klingt sonderbar aktuell – und stammt doch aus dem Jahre 1929, wurde geschrieben anläßlich des zehnten Verfassungstages der Weimarer Republik, von einem ihrer brillantesten Verteidiger, dem Publizisten Leopold Schwarzschild (den Golo Mann einmal den Friedrich Gentz der Weimarer Zeit nannte). Es ist aktuell, nicht nur, weil Deutschland heute ein Plural ist, weil zu Bayern heute Heimat zu sagen oder zu Brandenburg mehr heißt, als die Vorliebe für Gebirge oder Flachland zu definieren. Es ist aktuell, weil »Heimat« seit langem ein belasteter Begriff ist; die Nazis haben viele tausend Quadratkilometer Heimat verspielt – und sie haben uns den Begriff geraubt. Geblieben ist die »Neue Heimat«.
Und den der »Nation«? Muß das so sein? Ist kein Ansatz zum neuen Nachdenken möglich? Wo liegt eigentlich der Zwang, unter dem die

Politiker sich winden, Denkanstöße tunlichst zu vermeiden? Da geschieht doch etwas Merkwürdiges, Fahrlässiges: Die Politik zieht sich zurück, wo die Technik des Regierens aufhört. Menschen sind aber nicht nur Rentenempfänger, Benzinverbraucher, Hypothekenzahler – sie wollen nicht nur rechnen (und berechnet werden), sondern auch fühlen. Es ist wie im privaten Bereich: Wer kein Selbstwertgefühl hat, ist nicht partnerfähig. Ein Mensch, der sich nicht selber akzeptiert, ist Person – nicht Persönlichkeit. Ein Volk, das sich nicht mit sich selber identifiziert, mit seiner Geschichte, seiner Schuld, seiner Größe, kurz: mit seiner Tradition – das mag eine Ansammlung reinlicher Reihenhausabzahler sein; Volk ist es nicht.

Die das offenbar spüren, das sind die Schriftsteller – und zwar in beiden Deutschland. »It's a cultural thing«, mit dieser aufschlußreich hilflosen Phrase faßte ein amerikanischer Kommentator seine verblüffte Ratlosigkeit angesichts des Reagan-Sieges zusammen – der kulturelle Vorgang also als das Unfaßbare, Undefinierbare, Unvorhersehbare? Das ist die Bankrotterklärung des politischen Journalismus, einerseits. Und das ist der Verrat der Politik an die Knöpfchenspieler und Schalthebelherren andererseits. Es begreift *im* totalen Nichtbegreifen: Es gibt andere Dimensionen. In diesem Sinne ist es aufschlußreich, wenn Buchtitel der jüngsten Zeit heißen: »Kein schöner Land? – Deutschsprachige Autoren zur Lage der Nation«, »Deutschland Deutschland – 47 Schriftsteller aus der BRD und der DDR schreiben über ihr Land«, »Heimat – Sehnsucht nach Identität« oder »Vaterland – Muttersprache«. Eine große Feuilletonbeilage widmete dem möglichen »neuen Patriotismus« im Juni 1982 einen ganzseitigen Essay unter dem Titel »Die Neue Welle alter Träume«; und im Herbst 1982, während auf der Frankfurter Buchmesse eine Anthologie »Heimatgeschichten«[85] präsentiert wurde, trafen sich zwanzig exilierte DDR-Autoren in Marburg zum Thema »Sind wir noch eine Kulturnation?«. »Wir haben Hunger und Durst nach Bildern und Märchen, in uns brennt die Sehnsucht nach Mythen«[86] – so definiert der einst auf Che und Mao, Cohn-Bendit und Régis Debray eingeschworene Trikont-Verlag die Veränderung seines Programms zum Besinnlichen.

»Spinner« nennt man die, die so was aufschreiben, ja wohl bei den Machtverwaltern, die Spinnen als unnütz abtun. Spinnen sie wirklich? Binden die Schriftsteller nicht vielmehr Traum und Hoffnung im Wort – und geben dem Name und (Be)Deutung, was Menschen sich wünschen: Heimat zu haben, Nation zu sein? Die Poeten sind die einzigen, die empfindlich genug und mutig genug sind, das auszudrücken, statt sich zu drücken. So, wie Deutschland auch in den Jahren der Barbarei von ihnen

bewahrt wurde, von Thomas Mann, der »Lotte in Weimar« schrieb, von Johannes R. Becher, der Heimat-Poeme schrieb, von Bertolt Brecht, der »Deutschland, bleiche Mutter« schrieb: Sie alle setzen der Perversion von »Vollek« ihren Begriff von Volk entgegen, dem Zerrbild von »Blut und Boden« das ihre von Heimat, dem Rausch des Nationalismus ihren Entwurf von Nation.
Ein so extremer Individualist wie Rainer Werner Fassbinder sagte, auf die Verwüstungen der Begriffe (und Formen) der Nazis angesprochen: »Doch in dem Moment, wo man sagt, daß es da auch Begriffe wie Zusammengehörigkeit, wie Volk gab (jetzt ohne: ›Ein Volk, ein Führer‹), muß man sagen, das kann ja alles auch zu positiven Dingen führen. Wenn man zusammen etwas macht, aber gegeneinander oder gegen das, was man macht, kritisch bleibt, ist das Zusammenhalten was sehr Schönes.«[87]
Peter Rühmkorf etwa, nicht unbedingt der Sehnsuchtsmann in der Seppelhose und von Blu-Bo-Tönen einigermaßen frei, publizierte 1980 einen Aufsatz »Heimat – ein Wort mit Tradition«, in dem es heißt:

»Als ich etwas jünger war, hätte ich solche Vokabeln wie ›Tradition‹ oder ›Heimat‹ gewiß vorsichtiger benutzt und sie lieber erst dreimal im Mund herumgedreht, ehe ich sie in die Öffentlichkeit entlassen hätte. Denn ›Heimat‹, das heimelt natürlich schon beträchtlich an, und ›Tradition‹ erscheint uns nicht zu Unrecht als der festgefrorene Gegensatz vom ›Prinzip Hoffnung‹. ... Was ich damit meine und allen Freunden der überlieferten Werte und der ungetrübten Heimatliebe sagen möchte, ist einfach dies, daß der Begriff ›Heimat‹ allmählich in eine kritische Phase geraten ist. Und nicht bloß der Begriff. Was wir gerade eben noch Heimat nennen können, ist nämlich nicht allein in seinem Namen, es ist bereits in der Substanz bedroht – ganz egal, ob uns der Mutterboden unter dem Hintern wegspekuliert wird oder die liebe Atemluft vor der Nase enteignet, und ohne daß man uns außer Landes jagte, sind wir doch alle in gewisser Weise Heimatvertriebene auf Abruf.«[88]

Das ist neue Landnahme, der Versuch zu trotzigem Neubegreifen alter Begriffe; und die Warnung, von den Einwegflaschen der kulturellen Wegwerfgesellschaft nun allzu rasch zu den Einweckgläsern eines quasikulturellen Neo-Konservatismus zu gelangen.
Der ist auch nicht gemeint, gar gefordert. Wenn Günter Grass, zum Beispiel in den »Kopfgeburten«, von der »deutschen Kulturnation« spricht – dann wird da nicht eine krächzende Schellackplatte aufgelegt,

um Zarah Leander in »Heimat« zu hören; dann wird eine neue Denk- und Fühldimension gewagt: Was beiden Deutschland noch gemeinsam ist, das führt heute am ehesten noch die Literatur vor. Besitzverhältnisse sind unterschiedlich, und Sozialstrukturen, Arbeitsbedingungen sind anders in beiden Vaterländern. Die Literatur – formuliert sie nun Ängste oder Hoffnungen, Zwänge oder Aufbrüche – ist eine einzige. Dieser Gedanke wird von den DDR-Offiziellen auf aggressive Weise bekämpft. In einem Aufsatz, den Hans Koch in der vom Zentralkomitee der SED herausgegebenen Monatsschrift »Einheit« publizierte, nennt er diese Vorstellung von Einheit »großmachtchauvinistisch, friedensstörend« und spricht vom geistigen Alleinvertretungsanspruch. Nicht nur der Titel der Zeitschrift sollte schleunigst geändert werden – zu wünschen wäre schon, wenn auch im anderen Teil Deutschlands nicht nur von »Breite und Vielfalt« der DDR-eigenen Kultur gefaselt (und auf diese ungewollte Weise die These von der *einen* deutschen Sprache allerdings wirkungsvoll widerlegt) wird; wenn statt dessen dieser sonderbare Eigentumsbegriff vis-à-vis der Kultur ernsthaft und neu überdacht würde. Dabei müßte es gar nicht um das Geplänkel gehen, wie viele der »eigenen« Autoren und Künstler die DDR, wollte man in jenem Besitzvokabular bleiben, müßte man sagen, »verliehen« hat. Es geht schon um Wichtigeres: Wem »gehört« ein Gedicht, ein Bild, ein Klavierkonzert? Denen Eisler – uns Schönberg? Was für Unsinn; nicht Becher und nicht Christa Wolf sind irgend jemandes, irgendeines Staates Eigentum, so wenig wie Benn oder Martin Walser. Genau darum geht es: Kein Mensch in Frankreich käme auf die Idee, der einen Hälfte der Nation Aragon zu- und der anderen Hälfte Sartre abzusprechen. Damit würden und werden keine Inhalte verwässert, kein sozialistischer Kant uminterpretiert und kein Handke rot angemalt, wird nicht einmal geleugnet, daß bestimmte historische Traditionen im Westen vernachlässigt, gar verleugnet werden (einen TEE »Thomas Münzer« gibt es nicht); andere werden in der DDR zugedeckt, umgebogen. Fast eine Banalität, das zu schreiben.

Doch die Schriftsteller und Künstler haben – ob das nun den jeweiligen Hans Kochs und Franz Josef Strauß' paßt oder nicht – Gemeinsames entdeckt, versuchen, diese Banalität aufzubrechen, haben zum Dialog gefunden. Es ist tatsächlich das einzige innerdeutsche Gespräch – und nennte man es »gesamtdeutsch«, was wäre imperialistisch daran?

Ob Grass' seinerzeit von Helmut Schmidt sogar als Denkanstoß aufgenommene Idee einer Berliner Nationalstiftung mit Aus- und Eingängen in Ost und West nun Phantasie eines Romanciers ist, politische Utopie oder machbarer Vorschlag: Sie birgt die Wahrheit, daß die deutsche Nation sich nur noch kulturell definieren läßt. Daher das Recht der Autoren, von den Politikern als Pflicht nicht begriffen und als Aufgabe nicht angenommen, Gedächtnis und Gewissen zu schärfen. So war es auch ein Schriftsteller, den man so besonders gern zersetzend schimpfte, einen Asphaltliteraten höhnte, der eines seiner kritischsten Bücher mit einem Aufsatz »Heimat« ausklingen ließ, Sätze aufregender Gegenwärtigkeit:

»Wir pfeifen auf die Fahnen – aber wir lieben dieses Land. Und so wie die nationalen Verbände über die Wege trommeln – mit dem gleichen Recht, mit genau demselben Recht nehmen wir, wir, die wir hier geboren sind, wir, die wir besser deutsch schreiben und sprechen als die Mehrzahl der nationalen Esel – mit genau demselben Recht nehmen wir Fluß und Wald in Beschlag, Strand und Haus, Lichtung und Wiese; es ist unser Land. Wir haben das Recht, Deutschland zu hassen – weil wir es lieben. Man hat uns zu berücksichtigen, wenn man von Deutschland spricht, uns: Kommunisten, junge Sozialisten, Pazifisten, Freiheitsliebende aller Grade; man hat uns mitzudenken, wenn ›Deutschland‹ gedacht wird... wie einfach, so zu tun, als bestehe Deutschland nur aus den nationalen Verbänden.
Deutschland ist ein gespaltenes Land. Ein Teil von ihm sind wir. Und in allen Gegensätzen steht – unerschütterlich, ohne Fahne, ohne Leierkasten, ohne Sentimentalität und ohne gezücktes Schwert – die stille Liebe zu unserer Heimat.«[89]

So beschloß, 1929, Kurt Tucholsky seinen Bildband »Deutschland, Deutschland über alles«. Er hatte den Mut, auch ein Patriot zu sein. Was fällt uns heute so schwer daran, diesen altmodischen guten Begriff auf uns selber anzuwenden? Weil er den Begriff Patria – Vaterland – birgt? Kein Franzose und kein Pole, kein Engländer und kein Tscheche ließe sich das abhandeln, abschnöden. Es wäre gut, die Verwalter dieses Landes würden ihn mit eindenken – und wäre es nur ein Fetzchen von jenem Traum, den die Dichter ihnen voranträumen, traurig oft, trotzig meist; aber ihr Land immer noch am genauesten interpretierend. Wie eine Zusammenfassung dieser Überlegungen liest sich das Protokoll einer Veranstaltung der Berliner Akademie der Künste zum Thema »Deutschland, Deutschland – eine Kulturnation?«,[90] bei der unter anderen Günter Grass und Jurek Becker diskutierten:

Jurek Becker: Dann möchte ich davor warnen, zu leicht zu glauben, daß ein Unbehagen in der jungen Generation damit zu lösen oder damit zu erklären wäre, daß es keine nationalen Identifikationsmöglichkeiten gibt. Diese Art von Unzufriedenheit, wie sie heute sehr deutlich zu konstatieren ist, kann man nicht beseitigen, indem man sich darüber Gedanken macht, was für eine nationale Identität haben wir. Ich fürchte, Günter, daß Du das Problem in seiner Wertigkeit weit überschätzt. Verallgemeinere diesen Wunsch nach nationaler Identität bitte nicht. Hier am Tisch sitzen schon zwei, die da sehr unterschiedlich denken. Ich sage Dir noch einmal, ich empfinde es nicht als Manko, diese Frage nicht beantworten zu können, ja, sie mir nicht einmal zu stellen, ernstlich. Eine deutsche Nationalstiftung, in der beide deutsche Staaten paritätisch vertreten sind, die kann ja nicht in einer Wüste stehen, um die herum nichts existiert. Ich frage Dich: wo soll das hin? Ich meine, unter den gegebenen Umständen scheint mir zwischen beiden deutschen Staaten das äußerste Erreichbare ein höfliches, korrektes, aber kein herzliches Verhältnis. Und ich glaube, dies anzustreben, ist sinnlos, zumindest in unserer heutigen Situation und verdächtig für andere.

Günter Grass: Aber die Situation ist nie eine günstige gewesen. Während der zurückliegenden dreißig Jahre, allein im Westen, war der Übergang von der ›sowjetisch besetzten Zone‹ und von anderen nicht schmeichelhaften Definitionen der DDR bis zu dem, was heute Sprachgebrauch geworden ist, ein mühsamer; es hat in den zurückliegenden zehn, zwölf Jahren Veränderungen in beiden deutschen Staaten gegeben. Es ist mir bekannt und es ist vorauszusehen, daß die DDR einen Vorschlag wie die Nationalstiftung, von beiden deutschen Staaten getragen, zuerst einmal ablehnt und lange Zeit ablehnen wird, und als etwas Gesamtdeutsches, die DDR Gefährdendes darstellen und diffamieren wird. Du stellst die DDR in der Beziehung als zu unbeweglich dar. Sie ist schwer beweglich, wir sind es auf andere Weise auch, nur hielte ich es für falsch, einen Vorschlag, und das allerdings landesüblich, von vornherein von seinen Unmöglichkeiten her, aus der Praxis als unmöglich zu erklären.

Die Begriffe Heimat, Vaterland, Nation, Patriotismus formulieren Hoffnung, nicht Anspruch. Es fällt natürlich leicht zuzugeben, daß das ein vager Begriff ist. Aber wir wissen doch, daß dieser Bereich – Geschichtsschreibung in Deutschland – auch zur deutschen Kultur gehört, mit all den Traumata, die mit in den Bereich gehören, wie im Bereich der Literatur so auch in der Geschichtsschreibung und in jeder anderen Sparte des klassischen Begriffs Kultur und in jeder anderen Sparte, wenn man den Kulturbegriff bis in die politische Kultur, was richtig ist, weiterspannt. Darüber ließe sich ja reden. Was könnte alles in diesen Begriff hineinpassen. Aber wir wissen auch, daß sich gerade in Deutsch-

land ein Nachholbedürfnis gestaut hat, auch eine komplexhafte Unsicherheit, die mit dazu beigetragen hat, daß sich dann später der deutsche Nationalismus im Nachholverfahren dergestalt aggressiv ausgelebt hat mit Folgen bis heute, und daß wir auf dem Wege sind, diese Fehler zu wiederholen, unter ganz anderen Voraussetzungen. Ich gebe zu, daß ich Angst davor habe. Und ich auch nicht zu beschwichtigen bin, wie Du sagst, Jurek, ›mich juckt das alles nicht, mich interessiert die Frage nicht‹. Das Land hält es aus, wenn Du an der Beantwortung dieser Frage nicht interessiert bist, aber ob das Land es aushält, oder die beiden deutschen Staaten es aushalten, das weiß ich nicht; die Folgen kann ich mir ausmalen, dazu gehört nicht viel Phantasie.
Jurek Becker: Sag mir mal die Folgen, mal sie mal aus.
Günter Grass: Die Folgen sind, daß das Ganze mit einem unausgesprochenen nationalen Wunschdenken aufgefüllt wird und sich in Krisensituationen – die können wirtschaftlicher, aber auch anderer Art sein – entlädt. Auch das haben wir gehabt. Die Weimarer Republik hat ja versucht, wie unzulänglich auch immer, eine Antwort auf das zu geben, was in Deutschland Republik bedeutet. Aber das reichte nicht, das nationale Bedürfnis war größer und war aggressiver und expansiver, als man vermutet hatte. Und gepaart mit der Wirtschaftskrise der zwanziger, dreißiger Jahre, ist das dann alles zum Ausbruch gekommen.
Jurek Becker: Mir ist unbehaglich, daß in einem Land, das mir Kopf zu stehen scheint, das voll von Problemen ist, die nahezu unlösbar sind, man mir eine Frage, ein Problem weit überzubewerten scheint. Günter Grass sagt, polemisch, das Land hält es aus, wenn es mich nicht juckt. Nur meine ich dagegen, es juckt das Land weit weniger, als Günter es vermutet. Es liegen andere Probleme an, als sich darüber zu streiten, wieviel Engel auf eine Stecknadelspitze gehen.
Ich behaupte, der wesentlichste Grund für die Unzufriedenheit der jungen Generation, die man heute konstatiert, ist das Gefühl der Ohnmacht, das Gefühl zum Beispiel, einen Krieg auf sich zukommen zu sehen und nichts machen zu können. Und es kommt mir geradezu monströs vor zu meinen, diese Angst beseitigen zu können, indem man ihnen die Möglichkeit vermittelt, sich als Deutsche zu fühlen.

Was hier verhandelt wurde, vor überfülltem Plenum und unter leidenschaftlichster Anteilnahme, ist das große, drohende Thema des Jahrzehnts – Teil der kulturellen, moralischen, politischen Debatte; es wird bezeichnet durch das eine Wort, mit dem auch diese Diskussion über Nation, Heimat, Volk ausschwang: Angst.

Bibliographie

Editorische Notiz

Dieses Buch ist über Jahre entstanden. Es schließt zahlreiche Arbeiten ein, die an anderer Stelle – in der »Zeit«, im »Merkur«, in der »Frankfurter Allgemeinen Zeitung« oder in Anthologien – publiziert wurden: alle diese Texte sind für die Buchform überarbeitet, verändert, gekürzt oder erweitert worden.
Ihnen stehen solche Aufsätze – wie die zu Uwe Johnson, Hans Magnus Enzensberger, Wolfgang Hildesheimer, Wolfgang Koeppen oder Botho Strauß – gegenüber, die ausschließlich für dieses Buch erarbeitet wurden; Zeitschriftenpublikationen (Hildesheimer in »Neue Rundschau« Nr. 4/1982 oder Botho Strauß in »Litfass« Nr. 27/1983) waren Vorabdrucke. Unverändert übernommen aus bereits vorliegenden Publikationen wurden lediglich die Essays zu Ernst Jünger (»Die Zeit« vom 27. August 1982), Friedrich Sieburg (»Zur Literatur«, 2 Bände, Stuttgart 1981), Rolf Hochhuth (»Eingriff in die Zeitgeschichte. Essays zum Werk«, Reinbek bei Hamburg 1981), Hubert Fichte (»Eros und Tod«, Hamburg 1980). Die Arbeit an dem Buch wurde im Winter 1982/83 beendet.
Die einzelnen Kapitel sind naturgemäß zu unterschiedlichen Zeiten abgeschlossen worden; deshalb konnten manche neuerschienenen Bücher – etwa Enzensbergers »Politische Brosamen«, Jürgen Beckers »Fenster und Stimmen«, Martin Walsers »Brief an Lord Liszt«, Uwe Johnsons vierter Band der »Jahrestage« oder die zweite Folge der Notizbücher (1960–1971) von Peter Weiss nicht mehr in die Erörterung des jeweiligen Werks mit einbezogen werden. Da mit diesen Titeln nicht gearbeitet wurde, tauchen sie auch nicht mehr in der Bibliographie auf.
Die Bibliographie führt generell nur solche Titel auf, die bei der Arbeit an diesem Buch benutzt wurden; sie ist weder bei den Primär- noch bei den Sekundärquellen vollständig. Bei Sekundärquellen wurden auch solche Autoren und Werke vermerkt, die zwar in den Gang der Überlegungen einbezogen, die aber im strengen Sinn des Wortes nicht Sekundärliteratur sind (als Beispiel Benn über Jünger, ein Brecht-Gedicht oder eine Briefstelle von Joseph Roth).
Die Kapitel 1, 5 und 7 – da sie keine monographischen Studien zu einzelnen Autoren, sondern diskursive Zusammenfassungen literarischer

und kulturpolitischer Entwicklungstendenzen sind – haben keine Autorenbibliographien, lediglich Quellennachweise. Sie erfassen beispielsweise Bücher von Autoren, denen zwar an anderer Stelle ein Kapitel gewidmet ist, in denen aber jene Bücher nicht erörtert werden; beispielsweise endet die Primärbibliographie zu Enzensberger mit dem Titel »Der kurze Sommer der Anarchie«, seine späteren Publikationen werden im Kapitel »Von Brecht zu Benn – Die Literatur der achtziger Jahre ist Angstliteratur« analysiert und finden sich in diesen Anmerkungen.

Zu danken habe ich Frau Regine Stützner für die Mitarbeit am Manuskript, der Bibliographie und dem Erarbeiten der Anmerkungen.

FJR

Ernst Jünger

Primär

Sturm. Stuttgart 1978

Übersetzung und Nachwort. Paul Léautaud in memoriam. Stuttgart 1978

Sämtliche Werke in 18 Bänden. Erste Abteilung. Bd. 1–6, Tagebücher I–VI. Zweite Abteilung. Bd. 7–14, Essays I–VIII. Dritte Abteilung. Bd. 15–18, Erzählende Schriften I–IV. Stuttgart 1978–1982

Siebzig verweht. Band 1. Stuttgart 1980. Siebzig verweht. Band 2. Stuttgart 1981

Die explosive Welt wird sich erschöpfen. Augenblicke auf Sardinien – aus einem neuen Reisetagebuch. In: Hannoversche Allgemeine Zeitung vom 13./14. Juni 1981

Sekundär

Christian Graf von Krockow, Die Entscheidung. Eine Untersuchung über Ernst Jünger, Carl Schmitt, Martin Heidegger. Stuttgart 1958 (Göttinger Abhandlungen zur Soziologie, 3)

Wolfgang Hildesheimer, Zeiten in Cornwall. Frankfurt am Main 1971 (Bibliothek Suhrkamp, 281)

Rainer Stollmann, Ästhetisierung der Politik. Literaturstudien zum subjektiven Faschismus. Stuttgart 1978

Karl Heinz Bohrer, Die Ästhetik des Schreckens. Die pessimistische Romantik und Ernst Jüngers Frühwerk. München, Wien 1978

Heinz-Dieter Kittsteiner/Helmut Lethen, Jetzt zieht Leutnant Jünger seinen Mantel aus. Überlegungen zur Ästhetik des Schreckens. In: Berliner Hefte. Zeitschrift für Kultur und Politik. Heft 11/Mai 1979, S. 20 ff.

Heinrich Böll, Eine deutsche Erinnerung. Interview mit René Wintzen. Köln 1979

Gottfried Benn, Briefe an F. W. Oelze. 1945–1949. Wiesbaden und München 1979

Michael Rutschky, Erfahrungshunger. Ein Essay über die siebziger Jahre. Köln 1980

Luise Rinser, Den Wolf umarmen. Frankfurt am Main 1981

Siegfried Lenz, Gepäckerleichterung. Ernst Jünger zum 70. Geburtstag. In: Siegfried Lenz, Beziehungen. Ansichten und Bekenntnisse zur Literatur. Hamburg 1970

Alfred Andersch, Kann man ein Symbol zerhauen? In: Texte & Zeichen. Heft 1/1955

Streit-Zeit-Schrift. Sonderheft Ernst Jünger. Heft VI, 2. September 1968

Peter Wapnewski, Ernst Jünger oder Der allzu hoch angesetzte Ton. In: Die Zeit vom 8. November 1974

Der alte Mann und das Heer. In: Stern Nr. 13/1975

Walter Rüdel, Der Fortschrittsfeind als Waldläufer. Eine Reise mit Ernst Jünger auf den Spuren seiner afrikanischen Spiele. In: Rheinischer Merkur/Christ und Welt vom 21. März 1980

Dolf Sternberger, Eine Muse konnte nicht schweigen. Über Ernst Jüngers Buch Auf den Marmorklippen. In: Frankfurter Allgemeine Zeitung vom 4. Juni 1980
Les nouveaux lecteurs d'Ernst Jünger. In: Le Monde vom 19. Juli 1981
Joachim Günther, Eine Schatzkammer tut sich auf. Zum zweiten Band von Ernst Jüngers Tagebuch Siebzig verweht. In: Der Tagesspiegel vom 6. September 1981
Joachim Kaiser, Botho Strauß geht aufs Ganze. In: Süddeutsche Zeitung vom 14. Oktober 1981
Albert von Schirnding, Lynkeus, den Schrecken im August. In: Merkur Heft 12/1981
Ein Bruderschaftstrinken mit dem Tod. In: Der Spiegel Nr. 33/1982
Hans-Peter Ott, Der 1. Weltkrieg im Spiegel des Werkes von Ernst Jünger. Seminararbeit. Seminar für deutsche Literatur und Sprache. Universität Hannover. Wintersemester 1981/1982
Christian Gneuss, Phantom oder Wirklichkeit? Bemerkungen zu Ernst Jüngers Arbeiten. Südwestfunk. Sendung vom 18. März 1965 und 25. März 1965
Ernst Jünger im Gespräch mit Walter Bittermann. Sendung Südwestfunk. Manuskript Teil I und Teil II

Friedrich Sieburg

Primär

Die Erlösung der Straße. Gedichte. Potsdam 1920
Germany: My country. London 1933
Die Lust am Untergang. Selbstgespräche auf Bundesebene. Hamburg 1954
Nur für Leser. Jahre und Bücher. Stuttgart 1955
Blick durchs Fenster. Stuttgart 1965
Verloren ist kein Wort. Disputationen mit fortgeschrittenen Lesern. Stuttgart 1966
Nicht ohne Liebe. Profile der Weltliteratur. Stuttgart 1967
Französische Medaillons. Frankfurt am Main 1967
Unsere schönsten Jahre. Ein Leben mit Paris. Stuttgart 1973
Das Geld des Königs. Stuttgart 1974
Französische Geschichte. 3. Auflage, Stuttgart 1977
Gemischte Gefühle. Notizen zum Lauf der Zeit. Neuausgabe Stuttgart 1978
Gott in Frankreich. Ein Versuch. 10. Auflage, Frankfurt am Main 1978
Robespierre. Stuttgart 1978
Im Licht und Schatten der Freiheit. Frankreich 1789–1848. Bilder und Texte. Stuttgart 1979
Napoleon. Die Hundert Tage. Neuausgabe Stuttgart 1981
Fritz J. Raddatz (Hrsg.), Zur Literatur. Band 1 1924–1956. Band 2 1957–1963. Stuttgart 1981

Brief an den Fotografen Wachsmuth. In: Süddeutsche Zeitung vom 12./13. Mai 1973
Die zahlreichen – oft in Buchform nicht publizierten – Zeitungs- und Zeitschriftenveröffentlichungen Friedrich Sieburgs sind in dieser Primärbibliographie nicht erfaßt; die hier nachfolgend aufgenommenen sind vermerkt, weil aus ihnen zitiert wurde.

Die Trilogie der fehlenden Leidenschaft. Zur Naturgeschichte der Nutte. In: Die Weltbühne vom 15. März 1923
Auf der sicheren Seite. In: Die Gegenwart vom 15. Januar 1950
Nöte des Kritikers. In: Die Gegenwart vom 1. Februar 1950
Mit ausgefransten Hosen. In: Die Gegenwart vom 1. April 1950
Quakende Frösche. In: Die Gegenwart vom 15. August 1951
Allein Sein. In: Die Gegenwart vom 15. Dezember 1951
Literarischer Unfug. In: Die Gegenwart vom 13. September 1952
Heimatlos. In: Die Gegenwart vom 9. Mai 1953
Lesen lernen. In: Die Gegenwart vom 28. Februar 1953
Akzente und Maßstäbe. In: Die Gegenwart vom 31. Juli 1954
Nicht jeder Tor ist rein. In: Die Gegenwart vom 28. August 1954
Deutschland zwischen Soraya und Narriman. In: Die Gegenwart vom 18. Dezember 1954
Et alors? So what? Na und? In: Frankfurter Allgemeine Zeitung vom 17. Januar 1964

Sekundär

Horst Bienek, Werkstattgespräche mit Schriftstellern. München 1962
Thomas Mann, Briefe 1937–1947. Hrsg. von Erika Mann. Frankfurt am Main 1963
Berlin-Chronik der Jahre 1951–1954. Berlin (West) 1968
Joseph Roth, Briefe 1911–1939. Hrsg. u. eingel. von Hermann Kesten. Amsterdam, Köln und Berlin 1970
Walter Mehring, Die verlorene Bibliothek. Autobiographie einer Kultur. Düsseldorf 1978
Gottfried Benn, Briefe an F. W. Oelze 1945–1949. Wiesbaden und München 1979
Joachim Fest über Friedrich Sieburg. In: Journalisten über Journalisten. Hrsg. von Hans Jürgen Schultz. München 1980
Franz Schonauer, Der Schöngeist als Kollaborateur oder Wer war Friedrich Sieburg? In: Intellektuelle im Banne des Nationalsozialismus. Hamburg 1980
Manfred Flügge, Friedrich Sieburg. Frankreichbild und Frankreichpolitik 1933–1945. In: Vermittler H. Mann/Benjamin/Groethuysen/Kojève/Szondi/Heidegger, in Frankreich Goldmann/Sieburg. Deutsch-französisches Jahrbuch 1. Hrsg. von Jürgen Sieß. Frankfurt am Main 1981
Peter Suhrkamp, Es werde Deutschland. In: Die neue Rundschau. Sechstes Heft. Juni 1933
Gerhard Nebel, Thomas Mann zu seinem 75. Geburtstag. In: Frankfurter Allgemeine Zeitung vom 6. Juni 1950
Hans Magnus Enzensberger, Gottfried Benn. Autobiographische und vermischte Schriften. In: Der Spiegel Nr. 23/1962
Wolf Jobst Siedler, Plädoyer für einen linksschreibenden Rechten – Friedrich Sieburg zum siebzigsten Geburtstag. In: Die Zeit vom 17. Mai 1963
Michael Freund, Friedrich Sieburg. In: Frankfurter Allgemeine Zeitung vom 18. Mai 1963
Hermann Pröbst, Friedrich Sieburg zum 70. Geburtstag. In: Süddeutsche Zeitung vom 18./19. Mai 1963

Walter Widmer, Dichtung und Geschichte. Die beiden ersten Bände einer neuen Taschenbuchreihe – wie Tag und Nacht. In: Die Zeit vom 24. Mai 1963
Karl August Horst, Innerer Dialog. Friedrich Sieburg wäre achtzig geworden. In: Frankfurter Allgemeine Zeitung vom 19. Mai 1973
Lothar Baier, Revolte gegen die Kultur. Zum Reprint der Zeitschrift Texte und Zeichen. In: Süddeutsche Zeitung vom 18./19. August 1979
Raymond Aron, Dankesrede anläßlich der Entgegennahme des Goethe-Preises der Stadt Frankfurt am Main. In: Frankfurter Allgemeine Zeitung vom 29. August 1979
Radiosendung III. Programm, Studio Tübingen. 21. September 1950
Radiosendung III. Programm, Studio Tübingen. 13. November 1950

Uwe Johnson

Primär

Mutmaßungen über Jakob. Roman. Frankfurt am Main 1959
Das dritte Buch über Achim. Roman. Frankfurt am Main 1961
Karsch, und andere Prosa. Nachwort von Walter Maria Guggenheimer. Frankfurt am Main 1964. (edition suhrkamp, 59)
Zwei Ansichten. Frankfurt am Main 1965
Jahrestage. Aus dem Leben von Gesine Cresspahl.
Band 1, (August 1967 bis Dezember 1967) Frankfurt am Main 1970
Band 2, (Dezember 1967 bis April 1968) Frankfurt am Main 1971
Band 3, (April 1968 bis Juni 1968) Frankfurt am Main 1973
Eine Reise nach Klagenfurt. Frankfurt am Main 1974. (Suhrkamp Taschenbuch, 235)
Berliner Sachen. Aufsätze. Frankfurt am Main 1975. (Suhrkamp Taschenbuch, 249)
Margret Boveri, Verzweigungen. Eine Autobiographie. Hrsg. von Uwe Johnson. München 1977. Nachwort S. 351–409
Begleitumstände. Frankfurter Vorlesungen. Frankfurt am Main 1980. (edition suhrkamp, NF 19)
Skizze eines Verunglückten. Frankfurt am Main 1982. (Bibliothek Suhrkamp, 785)

Sekundär

Horst Bienek, Werkstattgespräche mit Schriftstellern. München 1962
Hans Magnus Enzensberger, Einzelheiten. Frankfurt am Main 1962
Günter Zehm, Ausruhen bei den Dingen. Notiz über Uwe Johnsons Methode. In: Der Monat, April 1962, 14. Jg./Heft 163
Herbert Kolb, Rückfall in die Parataxe. Anläßlich einiger Satzbauformen in Uwe Johnsons erstveröffentlichtem Roman. In: Neue Deutsche Hefte, November/Dezember 1963, H. 96, S. 42–74
Karlheinz Deschner, Talente. Dichter. Dilettanten. Überschätzte und unterschätzte Werke i. d. deutschen Literatur d. Gegenwart. Wiesbaden 1964
Michael Roloff, An Interview with Uwe Johnson. In: Metamorphosis 4. Nashville, Tennessee 1964

Die Begegnung. Autor – Verleger – Buchhändler – Leser. Jahresgruß 1965/66 der Buchhandlung Elwert und Meurer, Berlin. Darin: Uwe Johnson und Dr. Siegfried Unseld

Aus aufgegebenen Werken. Frankfurt am Main 1968

Über Uwe Johnson. Hrsg. von Reinhard Baumgart. Frankfurt am Main 1970. (edition suhrkamp, 405)

Gespräche mit Uwe Johnson. In: Wilhelm-Johannes Schwarz, Der Erzähler Uwe Johnson. Bern 1970

Dieter E. Zimmer, Mit Akribie und ohne Vorwurf, eine Bewußtseinsinventur. In: Die Zeit vom 26. November 1971

Urs Jenny, Gesine Cresspahls Prager Frühling. In: Süddeutsche Zeitung vom 23./24. Oktober 1971

Butzbacher Autorenbefragung. Briefe zur Deutschstunde. Hrsg. von Hans Joachim Müller mit der A.G. Literatur am Weidig-Gymnasium in Butzbach. München 1973

Manfred Durzak, Von Mecklenburg nach Manhattan. In: Frankfurter Allgemeine Zeitung vom 18. Mai 1974

Interview mit Uwe Johnson: Ein Bauer weiß, daß es ein Jahr nach dem andern gibt. In: Süddeutsche Zeitung vom 7./8. Juni 1975

Text + Kritik. Uwe Johnson. (Hrsg. v. Heinz Ludwig Arnold) Heft 65/66, Januar 1980

Norbert Mecklenburg, Zählen und erzählen. Uwe Johnsons Poetikvorlesungen. In: Neue Zürcher Zeitung vom 20. August 1980

Nicolai Riedel, Uwe-Johnson-Bibliographie 1959–1980. Band 1: Das schriftstellerische Werk und seine Rezeption in der Bundesrepublik Deutschland. Mit Annotationen und Exkursen zur multimedialen Wirkungsgeschichte. Bonn 1982, völlig neu bearb. Aufl.

Martin Walser

Primär

Ein Flugzeug über dem Haus und andere Geschichten. Frankfurt am Main 1955

Ehen in Philippsburg. Frankfurt am Main 1957

Halbzeit. Frankfurt am Main 1960

Beschreibung einer Form. München 1961

Lügengeschichten. Frankfurt am Main 1964. (edition suhrkamp, 81)

Überlebensgroß Herr Krott. Requiem für einen Unsterblichen. Frankfurt am Main 1964. (edition suhrkamp, 55)

Erfahrungen und Leseerfahrungen. Frankfurt am Main 1965. (edition suhrkamp, 109)

Das Einhorn. Frankfurt am Main 1966

Der Abstecher. Die Zimmerschlacht. Übungstück für ein Ehepaar. Frankfurt am Main 1967. (edition suhrkamp, 205)

Heimatkunde. Aufsätze und Reden. Frankfurt am Main 1968. (edition suhrkamp, 269)

Fiction. Frankfurt am Main 1970
Die Gallistl'sche Krankheit. Frankfurt am Main 1972
Der Sturz. Frankfurt am Main 1973
Ein fliehendes Pferd. Frankfurt am Main 1978
Wer ist ein Schriftsteller? Aufsätze und Reden. Frankfurt am Main 1978. (edition suhrkamp, 959)
Säntis. Ein Hörspiel. 1979. Ungedruckt
Seelenarbeit. Frankfurt am Main 1979
Das Schwanenhaus. Frankfurt am Main 1980

Der Schriftsteller und die Gesellschaft. In: Dichten und Trachten, Band 10, 1957
Aus dem Stoff der fünfziger Jahre. In: Deutsche Zeitung vom 24./25. September 1960
Einer der auszog, das Fürchten zu verlernen. Vermutungen über Hans Magnus Enzensberger. In: Die Zeit vom 15. September 1961
Wir werden schon noch handeln. Dialoge über das Theater. In: Akzente 1966 bis 1969, Band IV
Abschied von Anselm Kristlein. In: Die Zeit vom 13. März 1981

Sekundär
Die Alternative oder Brauchen wir eine neue Regierung? Hrsg. von Martin Walser. Reinbek bei Hamburg 1961. (rororo, 481)
Hans Magnus Enzensberger, Einzelheiten. Frankfurt am Main 1962
Peter Suhrkamp, Briefe an Autoren. Frankfurt am Main 1963
Brief des Zentralkomitees der Sozialistischen Einheitspartei Deutschlands, Abteilung Kultur, vom 16. Februar 1966 an Martin Walser
Marcel Reich-Ranicki, Keine Wörter für Liebe. Martin Walsers neuer Roman Das Einhorn. In: Die Zeit vom 2. September 1966
Rudolf Walter Leonhardt, Liebe sucht eine neue Sprache. In: Die Zeit vom 9. September 1966
Uwe Nettelbeck, Meinetwegen ist das schlecht, aber... In: Die Zeit vom 16. September 1966
Peter Weiss/Hans Magnus Enzensberger, Eine Kontroverse. In: Kursbuch 6/1966
Martin Walser, Ein Nachwort zur Ergänzung. In: Ursula Trauberg, Vorleben, Frankfurt am Main 1968
Über Martin Walser. Hrsg. von Thomas Beckermann. Frankfurt am Main 1970. (edition suhrkamp, 407)
Rudolf Walter Leonhardt, Aufstieg und Niedergang der Gruppe 47. In: Die Zeit vom 8. Juli 1977
Anthony Waine, Martin Walser. München 1980 (Autorenbuch, 18)
Peter Weiss, Notizbücher 1971–1980, Bd. 1 und 2. Frankfurt am Main 1981. (edition suhrkamp, N.F. 67)
Friedrich Sieburg, Zur Literatur. Hrsg. von Fritz J. Raddatz. Band 1 1924–1956. Band 2 1957–1963. Stuttgart 1981

Heinrich Böll

Primär

Heinrich Böll Werke. Herausgegeben von Bernd Balzer
Romane und Erzählungen 1. 1947–1951. Köln o. J.
Romane und Erzählungen 2. 1951–1954. Köln 1977
Romane und Erzählungen 3. 1954–1959. Köln 1977
Romane und Erzählungen 4. 1961–1970. Köln 1977
Romane und Erzählungen 5. 1971–1977. Köln 1977
Essayistische Schriften und Reden 1. 1952–1963. Köln 1979
Essayistische Schriften und Reden 2. 1964–1972. Köln 1979
Essayistische Schriften und Reden 3. 1973–1978. Köln 1979
Hörspiele. Theaterstücke. Drehbücher. Gedichte 1. 1952–1978. Köln 1979
Interviews 1. 1961–1978. Köln 1980
Fürsorgliche Belagerung. Roman. Köln 1979
Du fährst zu oft nach Heidelberg und andere Erzählungen. Bornheim-Merten 1979
Was soll aus dem Jungen bloß werden? Oder: Irgendwas mit Büchern. Bornheim 1981
Das Vermächtnis. Bornheim 1982
Vermintes Gelände. Essayistische Schriften 1977–1981. Köln 1982. (KiWi, 1)
Heinrich Böll, Lew Kopelew, Heinrich Vormweg. Antikommunismus in Ost und West. Zwei Gespräche. Köln 1982

Sekundär

Der Schriftsteller Heinrich Böll. Ein biographisch-bibliographischer Abriß. Neu herausgegeben von Werner Lengning. 5. überarb. Aufl. 1977. (dtv, 530)
Heinrich Böll: Freies Geleit für Ulrike Meinhof. Ein Artikel und seine Folgen. Zusammengestellt von Frank Grützbach. Mit Beiträgen von Helmut Gollwitzer, Hans G. Helms, Otto Köhler. Köln 1972. (pocket, 36)
Text + Kritik. Heinrich Böll. Heft 33/Januar 1972 [2. erw. Aufl. 1974]
Böll. Untersuchungen zum Werk. Hrsg. v. Manfred Jurgensen. Bern, München 1975. (Queensland Studies in German Language and Literature, 5)
Rainer Nägele, Heinrich Böll. Einführung in das Werk und in die Forschung. Frankfurt am Main 1976. (Fischer Athenäum Taschenbücher, 2084)
Jochen Vogt, Heinrich Böll. München 1978. (Autorenbücher, 12)
Heinrich Herlyn, Heinrich Böll und Herbert Marcuse. Literatur als Utopie. Lampertheim 1979
Materialien zur Interpretation von Heinrich Bölls Fürsorgliche Belagerung. Köln 1981
Alfred Böll, Die Bölls. Bilder einer rheinischen Familie. Bergisch-Gladbach 1981
Heinrich Böll in Selbstzeugnissen und Bilddokumenten dargestellt von Klaus Schröter. Reinbek bei Hamburg 1982. (Rowohlts Monographien, 310)
Text + Kritik. Heinrich Böll. Dritte Auflage: Neufassung. Heft 33/Oktober 1982

Günter Grass

Primär

Die Vorzüge der Windhühner. Gedichte, Prosa, Zeichnungen. Berlin-Frohnau, Neuwied am Rhein 1956

Die Blechtrommel. Darmstadt, Berlin-Spandau, Neuwied am Rhein 1959

Gleisdreieck. Gedichte und Graphiken. Neuwied, Berlin 1961

Katz und Maus. Eine Novelle. Neuwied am Rhein, Berlin-Spandau 1961

Hundejahre. Roman. Neuwied am Rhein, Berlin 1963

Hochwasser. Ein Stück in zwei Akten. Frankfurt am Main 1963 (edition suhrkamp, 40)

Onkel, Onkel. Ein Spiel in vier Akten mit 9 Zeichn. d. Autors. Berlin 1965. (Quarthefte, 4)

Die Plebejer proben den Aufstand. Ein deutsches Trauerspiel. Neuwied, Berlin 1966

Ausgefragt. Gedichte und Zeichnungen. Neuwied, Berlin 1967

Über meinen Lehrer Döblin und andere Vorträge. Berlin 1968. (LCB-Editionen, 1)

Über das Selbstverständliche. Reden, Aufsätze, Offene Briefe, Kommentare. Neuwied, Berlin 1968

Örtlich betäubt. Neuwied, Berlin 1969

Gesammelte Gedichte. M. e. Vorw. v. Heinrich Vormweg. Neuwied, Berlin 1971. (Sammlung Luchterhand, 34)

Aus dem Tagebuch einer Schnecke. Neuwied, Darmstadt 1972

Der Bürger und seine Stimme. Reden, Aufsätze, Kommentare. Darmstadt, Neuwied 1974

Der Butt. Darmstadt, Neuwied 1977

Denkzettel. Politische Reden und Aufsätze 1965–1976. Darmstadt, Neuwied 1978. (Sammlung Luchterhand, 261)

Das Treffen in Telgte. Eine Erzählung. Darmstadt, Neuwied 1979

Aufsätze zur Literatur. 1957–1979. Darmstadt, Neuwied 1980

Kopfgeburten oder Die Deutschen sterben aus. Darmstadt, Neuwied 1980

Zeichnungen und Texte 1954–1977. Zeichnen u. Schreiben. Das bildnerische Werk des Schriftstellers Günter Grass. Hrsg. v. Anselm Dreher. Textauswahl und Nachwort von Sigrid Mayer. Darmstadt, Neuwied 1982

Sekundär

Stockholmer Katalog zur Tagung der Gruppe 47 im Herbst 1964

Günter Grass, Der Fall Axel C. Springer am Beispiel Arnold Zweig. Voltaire Flugschrift 15. Berlin 1967

Von Buch zu Buch – Günter Grass in der Kritik. Eine Dokumentation. Hrsg. v. Gert Loschütz. Neuwied, Berlin 1968

Kunst oder Pornographie? Der Prozeß Grass gegen Ziesel. Eine Dokumentation. München 1969

Wilhelm Johannes Schwarz, Der Erzähler Günter Grass. Bern 1969, ^{2}1971

Günter Grass – Dokumente zur politischen Wirkung. Hrsg. v. Heinz Ludwig Arnold und Franz Josef Görtz. München 1971

Grass. Kritiken – Thesen – Analysen. Hrsg. v. Manfred Jurgensen. Bern 1973. (Queensland Studies in German Language and Literature, 4)

Briefe Msgr. Dr. R. Stachnik an Günter Grass vom 26. Mai 1975 und 25. Juni 1975
Dorothea von Montau. Eine preußische Heilige des 14. Jahrhunderts. Anläßl. ihrer Heiligsprechung i. Auftr. d. Histor. Vereins für Ermland e. V. Hrsg. von Richard Stachnik und Anneliese Triller. Münster 1976
Günter Grass. Ein Materialienbuch. Hrsg. v. Rolf Geißler. Darmstadt, Neuwied 1976
Hans-Rudolf Müller-Schwefe, Sprachgrenzen. Das sogenannte Obszöne, Blasphemische und Revolutionäre bei Günter Grass und Heinrich Böll. München 1978
Franz Josef Görtz, Günter Grass – Zur Pathogenese eines Markenbildes. Die Literaturkritik der Massenmedien 1959–1969. Eine Untersuchung mit Hilfe datenverarbeitender Methoden. Meisenheim am Glan 1978. (Hochschulschriften Literaturwissenschaft, 20)
Volker Neuhaus, Günter Grass. Stuttgart 1979. (Sammlung Metzler, 179)
Hanspeter Brode, Günter Grass. München 1979. (Autorenbücher, 17)
Volker Neuhaus, Günter Grass. Die Blechtrommel. München 1982

Wolfgang Hildesheimer

Primär

Paradies der falschen Vögel. Roman. München 1953
Lieblose Legenden. Frankfurt am Main 1962. (Bibliothek Suhrkamp, 84). Überarbeitete und erweiterte Ausgabe des 1952 erschienenen Bandes
Vergebliche Aufzeichnungen. Nachtstück. M. 7 Ill. d. Verf. Nachwort von Karl Markus Michel. Frankfurt am Main 1962. (edition suhrkamp, 23)
Tynset. Frankfurt am Main 1965
Interpretationen. James Joyce. Georg Büchner. Zwei Frankfurter Vorlesungen. Frankfurt am Main 1969 (edition suhrkamp, 297)
Zeiten in Cornwall. M. 6 Zeichn. d. Autors. Frankfurt am Main 1971. (Bibliothek Suhrkamp, 281)
Masante. Frankfurt am Main 1973
Mozart. Frankfurt am Main 1977
Exerzitien mit Papst Johannes. Vergebliche Aufzeichnungen. Frankfurt am Main 1979. (Bibliothek Suhrkamp, 647)
Marbot. Eine Biographie. Frankfurt am Main 1981

Sekundär

Über Wolfgang Hildesheimer. Hrsg. v. Dierk Rodewald. Frankfurt am Main 1971 (edition suhrkamp, 488)
Johannes Kleinstück, Sündiger englischer Aristokrat. Wolfgang Hildesheimer auf der Spur eines Vergessenen. In: Die Welt vom 14. Oktober 1981
Günter Blöcker, Die Wahrheit einer Kunstfigur. Wolfgang Hildesheimers biographischer Roman Marbot. In: Frankfurter Allgemeine Zeitung vom 31. Oktober 1981.

Jürgen Becker

Primär

Felder. Frankfurt am Main 1964. (edition suhrkamp, 61)

Happenings. Fluxus. Pop Art. Nouveau Réalisme. Eine Dokumentation. Hrsg. v. Jürgen Becker und Wolf Vostell. M. e. Einführung v. Jürgen Becker. Reinbek bei Hamburg 1965

Momente. Ränder. Erzähltes. Zitate. Kursbuch 10/1967

Ränder. Frankfurt am Main 1968

Ideale Landschaft. Text u. Bilderfolge zusammen m. K. P. Brehmer. (Farbmusterbuch No 2) edition 13 der galerie rené block Berlin 1968

Bilder. Häuser. Hausfreunde. Drei Hörspiele. Frankfurt am Main 1969

Umgebungen. Frankfurt am Main 1970

Eine Zeit ohne Wörter. Frankfurt am Main 1971. (Suhrkamp Taschenbuch, 20)

Die Zeit nach Harrimann. 29 Szenen für Nora, Helen, Jenny und den stummen Diener Moltke. Frankfurt am Main 1971

Schnee. Gedichte. Literarisches Colloquium Berlin 1971. (LCB-Editionen, 22)

Das Ende der Landschaftsmalerei. Gedichte. Frankfurt am Main 1974

Erzähl mir nichts vom Krieg. Gedichte. Frankfurt am Main 1977

In der verbleibenden Zeit. Gedichte. Frankfurt am Main 1979

Gedichte. 1965–1980. Frankfurt am Main 1981. (Suhrkamp Taschenbuch, 690)

Erzählen bis Ostende. Frankfurt am Main 1981

Die Wirklichkeit der Landkartenzeichen. Ein Hörspielfilm. (Schreibmaschinenmanuskript) (Westdeutscher Rundfunk, 22. 9. 1971)

Texte für einen Nebel-Film von Dieter Hens. (Schreibmaschinenmanuskript)

Von einer Tür zur anderen. Radio-Stück für zwei Sprecher und eine Zitat-Stimme. (Schreibmaschinenmanuskript)

Programm-Gespräch zum Hörspiel-Programm. Mit Wörtern und Gedanken von Walter Benjamin, Bertolt Brecht, John Cage, Peter Handke, Helmut Heißenbüttel, Erasmus Schöfer, Klaus Schöning. (Schreibmaschinenmanuskript)

Statement für WDR-Broschüre. (Schreibmaschinenmanuskript)

Antwort auf einen Leserbrief in Christ und Welt, 1969. (Schreibmaschinenmanuskript)

Kunst und Gesellschaft. Eine Rede anläßlich der Verleihung des Kölner Kunstpreises. In: Die Zeit vom 1. November 1968

Plakattext zur Eröffnung der Buchhandlung Walther König in Köln am 28. März 1969

Bonn: Im Kaff oder in der Kapitale. In: Frankfurter Allgemeine Zeitung vom 3. März 1973

Sekundär

Vorzeichen. Fünf neue deutsche Autoren. Eingeführt von Hans Magnus Enzensberger. Frankfurt am Main 1962

Arno Holz, Die Blechschmiede II. In: Arno Holz, Werke. Band VII. Herausgegeben von Wilhelm Emrich und Anita Holz. Neuwied, Berlin 1964

Heinrich Böll, Jürgen Becker. Felder. In: Neue Rundschau, 76. Jahrgang 1965. Erstes Heft
Broschüre Villa Massimo 1966
Klaus Schöning, Gespräch mit Jürgen Becker. In: Neues Hörspiel – Essays. Analysen. Gespräche. Hrsg. v. Klaus Schöning. Frankfurt am Main 1970
Grenzverschiebung. Neue Tendenzen in der deutschen Literatur der 60er Jahre. Hrsg. u. m. e. Vorw. v. Renate Matthaei. Köln, Berlin 1970
Wie ich denke – wie ich lebe, wie ich überlebe. Manfred Leier interviewt Jürgen Becker. In: Die Welt der Literatur vom 8. Januar 1970
Klaus Sauer, Erzählungen finden in den Geräuschen statt. Jürgen Beckers Textstück Umgebungen. In: Die Welt der Literatur vom 15. Oktober 1970
Hörspiele im Westdeutschen Rundfunk. 1. Halbjahr 1972
Horst Bienek, Jürgen Becker als Lyriker. In: Neue Rundschau, 3/1974, S. 509 ff.
Rolf Michaelis, Selbstgespräche für Zuhörer. Jürgen Beckers Gedichte Das Ende der Landschaftsmalerei. In: Die Zeit vom 5. April 1974
Hans-Ulrich Müller-Schwefe, Schreib' alles. Zu Jürgen Beckers Rändern, Feldern, Umgebungen anhand einer Theorie simuliert präsentativer Texte. München 1977
Elsbeth Pulver, Das multiple Ich. Jürgen Becker: Erzählen bis Ostende. In: Neue Zürcher Zeitung vom 4./5. Oktober 1981
Peter Buchka, Hindurch und weiter. Jürgen Beckers Reflexionen über die Entfremdung. In: Süddeutsche Zeitung vom 4. November 1981

Wolfgang Koeppen

Primär

Tauben im Gras. Frankfurt am Main 1974. (Bibliothek Suhrkamp, 393)
Jugend. Frankfurt am Main 1976. (Bibliothek Suhrkamp, 500)
New York. Entnommen aus Amerika-Fahrt. M. e. autobiographischen Nachwort, Autobiographische Skizze. Stuttgart 1977
Eine unglückliche Liebe. Frankfurt am Main 1977. (Suhrkamp Taschenbuch, 392)
Reisen nach Frankreich. Frankfurt am Main 1979. (Suhrkamp Taschenbuch, 530)
Nach Rußland und anderswohin. Empfindsame Reisen. Frankfurt am Main 1979. (Suhrkamp Taschenbuch, 115)
Romanisches Café. Erzählende Prosa. Frankfurt am Main 1980. (Suhrkamp Taschenbuch, 71)
Das Treibhaus. Frankfurt am Main 1980. (Bibliothek Suhrkamp, 659)
Der Tod in Rom. Frankfurt am Main 1980. (Suhrkamp Taschenbuch, 241)
Die elenden Skribenten. Aufsätze. Hrsg. v. Marcel Reich-Ranicki. Frankfurt am Main 1981
München oder Die bürgerlichen Saturnalien. In: Beiträge zur deutschen Literatur und Kunst der Gegenwart. Jahresring 59/60. Stuttgart 1960, S. 122–133
Unlauterer Geschäftsbericht. In: Das Tagebuch und der moderne Autor. Hrsg. v. Uwe Schultz. München 1965, S. 5–19

Proportionen der Melancholie. In: Merkur. XXV. Jahrgang 1971, Heft 276, S. 339–348

Sekundär

Text + Kritik. Wolfgang Koeppen. Heft 34/April 1972

Dietrich Erlach, Wolfgang Koeppen als zeitkritischer Erzähler. Uppsala 1973

Über Wolfgang Koeppen. Hrsg. v. Ulrich Greiner. Frankfurt am Main 1976

Warum nicht in den Rhein? Claus Hebell im Gespräch mit Wolfgang Koeppen. In: Süddeutsche Zeitung vom 11./12. Oktober 1980

Peter Weiss

Primär

Der Schatten des Körpers des Kutschers. Mikro-Roman. M. 7 Collagen v. Autor. Frankfurt am Main 1960. (Tausenddruck, 3)

Abschied von den Eltern. Erzählung. Frankfurt am Main 1961

Fluchtpunkt. Roman. Frankfurt am Main 1962

Das Gespräch der drei Gehenden. Fragment. Frankfurt am Main 1963. (edition suhrkamp, 7)

Die Verfolgung und Ermordung Jean Paul Marats dargestellt durch die Schauspielgruppe des Hospizes zu Charenton unter Anleitung des Herrn de Sade. Drama in zwei Akten. Frankfurt am Main 1964. (edition suhrkamp, 68)

Die Ermittlung. Oratorium in 11 Gesängen. Frankfurt am Main 1965

Diskurs über die Vorgeschichte und den Verlauf des langandauernden Befreiungskrieges in Viet Nam als Beispiel für die Notwendigkeit des bewaffneten Kampfes der Unterdrückten gegen ihre Unterdrücker sowie über die Versuche der Vereinigten Staaten von Amerika, die Grundlagen der Revolution zu vernichten. Frankfurt am Main 1968

Notizen zum kulturellen Leben der Demokratischen Republik Viet Nam. Frankfurt am Main 1968

Rapporte. Frankfurt am Main 1968. (edition suhrkamp, 276)

Peter Weiss, Gunilla Palmstierna-Weiss, Bericht über die Angriffe der US-Luftwaffe und -Marine gegen die Demokratische Republik Viet Nam nach der Erklärung Präsident Johnsons über die »begrenzte Bombardierung« am 31. März 1968. Frankfurt 1968. Voltaire Flugschrift 23

Nacht mit Gästen. Wie dem Herrn Mockinpott das Leiden ausgetrieben wird. Zwei Stücke. Frankfurt am Main 1969. (edition suhrkamp, 345)

Rapporte 2. Frankfurt am Main 1971. (edition suhrkamp, 444)

Die Ästhetik des Widerstands. Bd. 1–3. Frankfurt am Main 1975–81

Notizbücher. 1971–1980. 2 Bde. Frankfurt am Main 1981

Der neue Prozeß. Stück in drei Akten. Frankfurt am Main 1981 (als Ms. gedr.). Auch in: Spectaculum, 35. 1982

Sekundär
Peter Suhrkamp, Briefe an die Autoren. Frankfurt am Main 1961
Jürgen Becker, Peter Weiss: Der Schatten des Körpers des Kutschers. In: Neue Deutsche Hefte Nr. 83/1961, S. 151 f.
Hans Magnus Enzensberger, Peter Weiss, Fluchtpunkt. In: Der Spiegel vom 5. Dezember 1962
Reinhard Baumgart, Musical für Staatstheater. In: Der Spiegel Nr. 25/1964
A. Alvarez, Dramatiker ohne Alternativen. Ein Gespräch mit Peter Weiss. In: Theater 1965, Sonderheft der Zeitschrift Theater heute, S. 89
Peter Weiss' Entscheidung. In: Theater heute 10/1965
Der »Fall« Peter Weiss. In: Kürbiskern Nr. 1/1965, S. 95–101
Matthias Walden, Was zwingt Sie hinter die Hecke? In: Quick vom 13. Juni 1965
Joachim Kaiser, Plädoyer gegen das Theater-Auschwitz. In: Süddeutsche Zeitung vom 4./5. September 1965
Peter Weiss. Vietnam. Voltaire 1. Berlin 1966
Hans Magnus Enzensberger, Peter Weiss und andere. In: Kursbuch Nr. 6/1966, S. 171–176
Joachim Kaiser, Eine kleine Zukunft. In: Akzente Heft 3/1966
Manfred Haiduck, P. Weiss' Drama Die Verfolgung und Ermordung Jean Paul Marats... In: Weimarer Beiträge 1966, H. 1, S. 81–104, H. 2, S. 186–209
Materialien zu Peter Weiss' Marat/Sade. Zusammengestellt v. Karl-Heinz Braun. Frankfurt am Main 1967. (edition suhrkamp, 232)
Über Peter Weiss. Hrsg. v. Volker Canaris. Frankfurt am Main 1970. (edition suhrkamp, 408)
Heinrich Vormweg, Peter Weiss. München 1981. (Autorenbücher, 21)
Diskussion. Peter Weiss' Die Ästhetik des Widerstands: Wolfgang Fritz Haug – Dieter Nix. In: Kürbiskern. Literatur, Kritik, Klassenkampf. München 2/1982 März
Peter Roos, Das große Welttheater. Bilder aus einer zersplitterten Welt. Der Maler Peter Weiss. In: die horen. Band 1, Frühjahr 1982, Ausgabe 125
Peter Roos, Gespräche mit Peter Weiss. Vom Malen zum Schreiben. In: die horen. Band 1, Frühjahr 1982, Ausgabe 125
Christoph Meckel, Laudatio für Peter Weiss. In: die horen, Band 1, Frühjahr 1982, Ausgabe 125
Michael Töteberg, Peter Weiss und die Stadt seiner Kindheit. In: die horen. Band 1, Frühjahr 1982, Ausgabe 125

Rolf Hochhuth

Primär
Der Stellvertreter. Schauspiel m. e. Vorw. v. Erwin Piscator. Reinbek bei Hamburg 1963
Die Rettung des Menschen. In: Festschrift zum achtzigsten Geburtstag von Georg Lukács. Hrsg. v. Frank Benseler. Neuwied, Berlin 1965, S. 484–490
Guerillas. Tragödie in fünf Akten. Reinbek bei Hamburg 1970

Krieg und Klassenkrieg. Studien. Mit einem Vorwort von Fritz J. Raddatz. Reinbek bei Hamburg 1971. (rororo, 1455)
Die Hebamme. Komödie. Erzählungen. Gedichte. Essays. Reinbek bei Hamburg 1971
Dramen. M. Aufsätzen v. Clive Barnes. Der Stellvertreter. Soldaten. Guerillas. Reinbek bei Hamburg 1972
Lysistrate und die Nato. Komödie. M. e. Studie: Frauen u. Mütter, Bachofen und Germaine Greer. Reinbek bei Hamburg 1973. (das neue buch, 46)
Machtlose und Machthaber. In: Literaturmagazin 1. Reinbek bei Hamburg 1973
Zwischenspiel in Baden-Baden. Reinbek bei Hamburg 1974
Die Berliner Antigone. Prosa und Verse. Reinbek bei Hamburg 1975. (rororo, 1842)
Tod eines Jägers. Reinbek bei Hamburg 1976. (das neue buch, 68)
Tell 38. Dankrede für den Basler Kunstpreis 1976 am 2. Dezember in der Aula des Alten Museums. Reinbek bei Hamburg 1977
Joseph Goebbels, Tagebücher 1945. Die letzten Aufzeichnungen. Einführung Rolf Hochhuth. Hamburg 1977
Eine Liebe in Deutschland. Reinbek in Hamburg 1978
Juristen. Drei Akte für sieben Spieler. Reinbek bei Hamburg 1979
Ärztinnen. Fünf Akte. Reinbek bei Hamburg 1980
Die Republik der Selbstversorger. Ein Gedichtzyklus. In: Vom deutschen Herbst zum bleichen deutschen Winter. Ein Lesebuch zum Modell Deutschland. Hrsg. v. Heinar Kipphardt. München, Königstein 1981
Die Gegenwart. Deutschsprachige Erzähler der Jahrgänge 1900–1960. Hrsg. u. m. e. Nachw. v. Rolf Hochhuth. Bd. 1, 2. Köln 1981

Sekundär

Georg Lukács, Einführung in die Ästhetik Tschernyschewskijs. In: Nikolaj G. Tschernyschewskij. Die ästhetischen Beziehungen der Kunst zur Wirklichkeit. Berlin Ost 1954
Jürgen Rühle, Das gefesselte Theater. Vom Revolutionstheater zum sozialistischen Realismus. Köln und Berlin 1957
Herbert Ihering, Von Reinhardt bis Brecht. Berlin Ost 1959
Summa iniuria oder Durfte der Papst schweigen? Hochhuths Stellvertreter in der öffentlichen Kritik. Hrsg. von Fritz J. Raddatz. Reinbek bei Hamburg 1963
Walter Adolph, Verfälschte Geschichte. Antwort an Rolf Hochhuth. Berlin 1963
Polemos. Blätter für die Neue Bühne. Hochhuth-Sondernummer. Dezember 1963
Eric Bentley (Hrsg.), The Storm over The Deputy. New York 1964
Der Stellvertreter. Mit Essays von Karl Jaspers, Walter Muschg, Erwin Piscator. Reinbek bei Hamburg 1967
Bertolt Brecht, Gesammelte Werke. Band 16. Frankfurt am Main 1967
Friedrich Wolf, Aufsätze 1919–1944. Berlin und Weimar 1967
Theodor W. Adorno, Offener Brief an Rolf Hochhuth. In: Frankfurter Allgemeine Zeitung vom 10. Juni 1967
Erwin Piscator, Aufsätze. Reden. Gespräche. Berlin Ost 1968
Werner Jehser, Friedrich Wolf – Sein Leben und Werk. Berlin Ost 1968
Werner Mittenzwei, Die vereinsamte Position eines Erfolgreichen. In: Sinn und Form. 26. Jahr. 1974. 6. Heft

Rainer Taeni, Rolf Hochhuth. München 1977
Fritz J. Raddatz, Zeit-Gespräche. Frankfurt am Main 1978
Rosemarie von dem Knesebeck (Hrsg.), In Sachen Filbinger gegen Hochhuth. Die Geschichte einer Vergangenheitsbewältigung. Reinbek bei Hamburg 1980
Rolf Hochhuth. Dokumente zur politischen Wirkung. Hrsg. u. eingel. von Reinhart Hoffmeister. München 1980

Hans Magnus Enzensberger

Primär

Verteidigung der Wölfe. Frankfurt am Main 1957
Museum der modernen Poesie. Eingerichtet von Hans Magnus Enzensberger. Frankfurt am Main 1960
Brentanos Poetik. München 1961
Einzelheiten. Frankfurt am Main 1962
Landessprache. Frankfurt am Main 1963
Blindenschrift. Frankfurt am Main 1964
Politik und Verbrechen. Neun Beiträge. Frankfurt am Main 1964
Deutschland, Deutschland unter anderm. Äußerungen zur Politik. Frankfurt am Main 1967
Staatsgefährdende Umtriebe. Voltaire Flugschrift 11. Berlin 1968
Freisprüche. Revolutionäre vor Gericht. Herausgegeben von Hans Magnus Enzensberger. Frankfurt am Main 1970
Gedichte 1955–1970. Frankfurt am Main 1971
Der kurze Sommer der Anarchie. Buenaventura Durrutis Leben und Tod. Roman. Frankfurt am Main 1972

Sekundär

Hans Mathias Kepplinger, Der Schriftsteller in der Öffentlichkeit (am Beispiel Hans Magnus Enzensbergers). Ein Vorschlag zur Anlage repräsentativer Untersuchungen der Presseberichterstattung. Sonderdruck aus: Literaturwissenschaft und empirische Methoden. Eine Einführung in aktuelle Projekte. Hrsg. von Helmut Kreuzer und Reinhold Viehoff. Göttingen 1981
Enzensberger'sche Einzelheiten. Korrigiert von der Frankfurter Allgemeinen Zeitung. Frankfurt am Main 1963
Lew Ginsburg, Hans Magnus Enzensberger. In: Die Diagonale. Halbjahreszeitschrift für Dichtung und Kritik. 3/4/1967
Kursbuch 11/1968
Kursbuch 13/1968
Kursbuch 15/1968
Extra-Dokumentation: Hans Magnus Enzensberger, Warum ich die USA verlasse. Berliner Extra-Dienst, 2. März – 18. November 1968
Über Hans Magnus Enzensberger. Hrsg. von Joachim Schickel. Frankfurt am Main 1970

Hans Mathias Kepplinger, Rechte Leute von links. Gewaltkult und Innerlichkeit. Olten 1970
Hans-Joachim Piechotta, Zu Enzensberger: Baukasten zu einer Theorie der Medien, in Kursbuch 20. In: Ästhetik und Kommunikation. Heft 2/1970, S. 34
Kursbuch 23/1971
Joachim Kaiser, Enzensbergers große kleine Freiheit. Bekannte und 30 neue Gedichte. In: Süddeutsche Zeitung vom 17. November 1971
Joachim Kaiser, Die wiedergefundenen Musen. Wie leicht die Künste ihren Tod überlebten. Eine silvesterliche Bilanz. In: Süddeutsche Zeitung Silvester 1972/ Neujahr 1973
Knut Krusewitz, Gerhard Kade, Anti-Enzensberger. Von der Umweltkatastrophe und den Grenzen literarischer Krisenbewältigung. Pahl-Rugenstein Hefte 18. Köln 1974
Wolf Lepenies, Über eine mögliche Wiederannäherung der Literatur an die Wissenschaften. Gedanken zum Literaturmagazin 6. In: Frankfurter Allgemeine Zeitung vom 7. Dezember 1976
Hermann Glaser, Der erfolgreiche Sisyphos. Moral und Masche des Hans Magnus Enzensberger. In: Neues Forum. August/September 1977

Hubert Fichte

Primär

Der Aufbruch nach Turku. Reinbek bei Hamburg 1965
Das Waisenhaus. Reinbek bei Hamburg 1965 (Frankfurt am Main 1977)
Im Tiefstall mit sieben Grafiken von Gralf-Edzard Habben. Berlin, o.J. [1966]
Die Palette. Reinbek bei Hamburg 1968 (Frankfurt am Main 1978)
Detlevs Imitationen ›Grünspan‹. Reinbek bei Hamburg 1971
Interviews aus dem Palais d'Amour. Reinbek bei Hamburg 1972
Versuch über die Pubertät. Hamburg 1974 (Frankfurt am Main 1979)
Xango. Die afroamerikanischen Religionen. Bahia Haiti Trinidad. Frankfurt am Main 1976
Mein Lesebuch. Frankfurt am Main 1976
Ketzerische Bemerkungen für eine neue Wissenschaft vom Menschen. In: Ethnomedizin IV, 1/2 (1976/1977), S. 171–181
Wolli Indienfahrer. (Erweiterte Fassung der Interviews aus dem Palais d'Amour.) Frankfurt am Main 1978
Lohensteins Agrippina. Bearbeitet von Hubert Fichte. Köln 1978
Ethnomedizin, Ethnobotanik und Ethnopharmakologie in Togo. Ein Gespräch mit Amakoue M. R. Ahyi. In: Ethnomedizin V, 1/2 (1978/1979), S. 161–170
Also... Monolog eines sechzigjährigen Angestellten. Hörspiel. Wien o. J.
Hans Eppendorfer. Der Ledermann spricht mit Hubert Fichte. Frankfurt am Main 1980
Petersilie. Die afroamerikanischen Religionen. Santo Domingo Venezuela Miami Grenada. Frankfurt am Main 1980

Die Mauerbilder des Papisto Boy in Dakar. Frankfurt am Main und Paris 1980
Psyche. Anmerkungen zur Psychiatrie in Senegal. Frankfurt am Main 1980
Hubert Fichte. Jean Genet. Portrait 5. Frankfurt am Main 1981
Zwei Autos für den Heiligen Pedro Claver. Frankfurt am Main und Paris 1982
Revolution als Restauration. Jean-Nicolas-Arthur Rimbaud als Ethnologe. Unveröffentlichtes Manuskript 1979
Die Mücken des Heiligen Pedro Claver. Revolution und Tourismus in Cartagena de Indias. Unveröffentlichtes Manuskript 1980
Ungeheuer voller Grazie. Zur Paul-Wunderlich-Ausstellung in Hamburg. In: Frankfurter Allgemeine Zeitung vom 16. November 1962
La lame de rasoir et l'hermaphrodite. Notes pour une recherche. In: Psychopathologie *africaine*. Volume XI. No 3 – 1975, S. 395–406
So frei wie hier kann man nirgendwo untergehen. Interview mit Lil Picard. In: Konkret vom 25. März 1976, Nr. 4

Sekundär

Paul Wunderlich. Werkverzeichnis der Lithografien von 1949–1973. Herausgegeben und bearbeitet von Dieter Brusberg. Berlin o. J.
Fritz Morgenthaler, Die Stellung der Perversionen in Metapsychologie und Technik. In: Psyche 12/1974
Leben, um einen Stil zu finden – schreiben, um sich einzuholen. Dieter E. Zimmer im Gespräch mit Hubert Fichte. In: Die Zeit vom 11. Oktober 1974
Georges Bataille, Das obszöne Werk. Reinbek bei Hamburg 1977
Hans-Jürgen Heinrichs, Exotismus und Ethnopoetik bei Michel Leiris. In: Akzente 3, Juni 1977
Brigitte Kronauer, Die diffizilere Lektion. (Versuch einer Annäherung an Hubert Fichte). In: Annale 3. Jg./Nr. 6
Albert von Schirnding, Der Autor als Stellvertreter. In: Merkur Nr. 378/November 1979
Wolfgang von Wangenheim, Hubert Fichte. München 1980
Hans-Jürgen Heinrichs, Hubert Fichte. In: Lesezeichen. Zeitschrift für Neue Literatur. Herbst 1980
Ottmar Giesler, Zusehen und Zuhören, Versuch eines Porträts von Hubert Fichte. In: Frankfurter Rundschau vom 15. März 1980
Text + Kritik. Sonderheft Hubert Fichte. Oktober 1981

Thomas Brasch

Primär

Vor den Vätern sterben die Söhne. Berlin 1977. (Rotbuch, 162)
Kargo. 32. Versuch auf einem untergehenden Schiff aus der eigenen Haut zu kommen. Frankfurt am Main 1977
Rotter Und weiter. Ein Tagebuch. Ein Stück. Eine Aufführung. Frankfurt am Main 1978. (edition suhrkamp, 939)

Der schöne 27. September. Gedichte. Frankfurt am Main 1980
Engel aus Eisen. Beschreibung eines Films. Frankfurt am Main 1981. (edition suhrkamp, 1049)
Der König vor dem Fotoapparat. Nach historischen Posen in Bilder gesetzt von Hermann Schelbert. Olten 1981. (Der kleine Walter, 12)
Domino. Ein Film. Frankfurt am Main 1982
Bühnenstücke:
Lucie, geh oder Das Unglück aus dem Theater. Entwurf. Frankfurt am Main o. J.
Der Papiertiger. Frankfurt am Main 1977
Herr Geiler (Farce nach Goethe). Frankfurt am Main 1977
Eulenspiegel. Frankfurt am Main 1977
Lovely Rita. Frankfurt am Main 1977
Lieber Georg. Ein Eis-Kunst-Läufer-Drama aus dem Vorkrieg. Frankfurt am Main 1979
Bericht vom Sterben des Musikers Jack Tiergarten (nach Boris Vian). Frankfurt am Main 1979
Interviews:
Der Spiegel vom 3. Januar 1977
Kölner Stadtanzeiger vom 29. Januar 1977
Theater heute. Februar 1977
Deutsche Zeitung/Christ und Welt vom 11. Februar 1977
Die Zeit vom 22. Juli 1977
Frankfurter Rundschau vom 24. August 1977
Tip 5/1980
Hamburger Abendblatt vom 23. April 1981
Die Zeit vom 1. Mai 1981
Kölner Stadtanzeiger vom 8. Mai 1981
Die Tageszeitung vom 17. Dezember 1981
Die Tageszeitung vom 8. April 1982
Exit 1. Halbjahr 1982
Theater heute. September 1982

Sekundär

Michael Schneider, Transit durchs Reich der linken Melancholie. Über Thomas Brasch. In: Michael Schneider, Den Kopf verkehrt aufgesetzt oder Die melancholische Linke. Aspekte des Kulturzerfalls in den siebziger Jahren. Darmstadt und Neuwied 1981. (Sammlung Luchterhand, 324)
Heiner Müller, Wie es bleibt, ist es nicht. Über Thomas Brasch: Kargo. In: Der Spiegel vom 12. September 1977
Peter Schneider, Mythen des deutschen Alltags. Über Thomas Brasch: Der schöne 27. September. In: Der Spiegel vom 28. April 1980
Sibylle Wirsing, Ulysses in Charlottenburg. Über den Schriftsteller Thomas Brasch. In: Frankfurter Allgemeine Zeitung vom 22. Oktober 1980

Botho Strauß

Primär

Trilogie des Wiedersehens. Theaterstück. München, Wien 1976

Marlenes Schwester. Zwei Erzählungen. München 1977. (dtv, 5444)

Die Widmung. München, Wien 1977

Groß und Klein. München, Wien 1978

Die Hypochonder/Bekannte Gesichter, gemischte Gefühle. Zwei Theaterstücke. München, Wien 1979

Rumor. München, Wien 1980

Paare Passanten. München, Wien 1981

Kalldewey, Farce. München, Wien 1981

Sekundär

Theodor W. Adorno, Minima Moralia. Reflexionen aus dem beschädigten Leben. Frankfurt am Main 1951

Ernst Bloch, Das Prinzip Hoffnung. Frankfurt am Main 1959

Michel Foucault, Die Ordnung der Dinge. Frankfurt am Main 1971

Michael Schneider, Botho Strauß, das bürgerliche Feuilleton und der Kultus des Verfalls. Zur Diagnose eines neuen Lebensgefühls. In: Den Kopf verkehrt aufgesetzt oder Die melancholische Linke. Darmstadt und Neuwied 1981, S. 234 ff.

Reinhard Baumgart, King Lear, 42, Beruf: Seher. In: Der Spiegel vom 25. Februar 1980

Sibylle Wirsing. Die Gefälligkeit des Mißvergnügens. In: Frankfurter Allgemeine Zeitung vom 1. März 1980

Joachim Kaiser, Gefährliche Chaos-Beschwörung mit privatem Ausgang. In: Süddeutsche Zeitung vom 8./9. März 1980

W. Martin Lüdke, Schöne Bilder des Schreckens, zerfallen. In: Frankfurter Rundschau vom 22. März 1980

Peter Laemmle, Von der Notwendigkeit, böse zu sein. In: Die Zeit vom 28. März 1980

Günter Blöcker, Zwei Fußbreit über der Leere. In: Frankfurter Allgemeine Zeitung vom 26. September 1981

Frauke Samsa, Girlanden, Nippes, Tiefsinn und schlechtes Deutsch. In: Konkret, Dezember 12/1981

Peter von Becker. Die Minima Moralia der achtziger Jahre. Notizen zu Botho Strauß' Paare Passanten und Kalldewey, Farce. In: Merkur Nr. 404/Februar 1982

Anmerkungen
und Quellennachweise

Die deutsche Nachkriegsliteratur begann im Kriege

1 Zit. nach Urs Widmer, 1945 oder die »Neue Sprache«. Düsseldorf 1966, S. 12

2 Zit. nach Peter Rühmkorf, Wolfgang Borchert in Selbstzeugnissen und Bilddokumenten. Reinbek bei Hamburg 1961, S. 39

3 Wolfdietrich Schnurre, Auszug aus dem Elfenbeinturm. S. 19. Zit. nach Urs Widmer, 1945 oder die »Neue Sprache«. a.a.O.

4 Wolfdietrich Schnurre, Erzählungen 1945–1965. München 1977, S. 245

5 Alfred Andersch, Deutsche Literatur in der Entscheidung. Ein Beitrag zur Analyse der literarischen Situation. Karlsruhe 1948, S. 25

6 Der Ruf – Eine deutsche Nachkriegszeitschrift. Hrsg. v. Hans Schwab-Felisch. M. e. Geleitwort von Hans Werner Richter. München 1962

7 Zit. nach Urs Widmer, 1945 oder die »Neue Sprache«. a.a.O., S. 31

8 ebda.

9 Alfred Andersch, Deutsche Literatur in der Entscheidung. a.a.O., S. 7

10 Einige Zeitungen, so Marcel Reich-Ranicki in der Frankfurter Allgemeinen Zeitung vom 18. Oktober 1979, reagierten empört auf Überlegungen dieser Art, die ich in kürzerer Form in der Zeit vom 10. Oktober 1979 veröffentlicht hatte. (Eine veränderte Fassung gab Walter Scheel in seinem Sammelband »Die andere deutsche Frage. Kultur und Gesellschaft der Bundesrepublik nach dreißig Jahren«, Stuttgart 1981, heraus.)

Von Verleumdung ehrbarer Autoren ging die Rede, die alle höchst »unpolitisch« tätig gewesen waren im Dritten Reich, wenn nicht gar verfolgt. Deshalb hier, pars pro toto, noch einige Dokumente oder Texte. Ob etwa, im Jahre 1936 entworfen als Funk-Kantate, diese von Eich besungene »Suche nach dem ewigen Brot«, bei der die fremden Namen der Städte und Flüsse wie Dnjepr oder Bjelaga »auf der Zunge zu schmecken waren wie Weizenerde« – ob das wirklich so ganz »unpolitisch« war? Um das zu klären, sei der ganze Text hier wiedergegeben:

»*Ansager* Lieber Hörer, erlaube, daß wir vor dem Beginn unseres Spieles dir einige kurze Sprüche aufsagen, auf die du achten mögest, ohne vorläufig allzuviel darüber nachzudenken. Sie sollen zunächst nur dazu dienen, dein Herz bereit zu machen und deine Aufmerksamkeit auf jene Dinge hinzulenken, von denen in unserm Spiel die Rede ist.

Der erste Spruch heißt: Was hülfe es dem Menschen, so er die ganze Welt gewönne und nähme doch Schaden an seiner Seele! Der zweite Spruch heißt: Dem Menschen zu helfen, das nenne ich Sünde, so man allein dem Leibe hilft.

Der dritte Spruch heißt: Wer sich unterfängt, unser Dasein zu verbessern und die Schmerzen des menschlichen Leibes zu lindern oder gar aufzuheben, muß sich notwendig dabei im Gegensatz zu den Mächten der Natur befinden, denn diesen ist ebenso selbstverständlich das Blühen und die Kraft des gesunden Lebens wie das Verwelken, das gleichgültige Vergessen und der mitleidlose Untergang, ja, das eine bedingt das andere, und wem es gelingt, das Leben triumphieren zu lassen, muß gewärtig sein, diesen Gewinn einmal mit einer um so größeren Summe Todes zu bezahlen. Der vierte Spruch heißt: Unserm Fortschritt fehlt es an Religion. Er löst die Materie aus ihrer innigen Verbindung mit dem Ganzen des Lebens und ahnt nicht, daß diese Abtrennung alle seine Segnungen zum Fluche machen kann.

Elisabeth Ich sehe Carleton unter der Lampe des Abends sitzen, Grammatiken und Wörterbücher um sich, gebeugt über die Landkarte von Rußland. Sein Finger fährt über die Steppen und Uferränder des Schwarzen und des Kaspischen Meeres, seine Lippen murmeln halblaut die fremden Namen der Städte und Flüsse: Jekaterinoslaw, Dnjepr, Bjelaga. Es ist, als schmecke er auf der Zunge die Weizenerde, als röche er den Duft einer jungen Saat, er kneift die Augen zusammen und schaut über die Ebene bis an den Horizont.

Carleton grübelnd Mugodscha, Irgis, Turgai. Regenhöhe 0,01 mm. Wenn meine Hand hinstreicht über das Grün und Gelb der Karte, spür' ich es in meiner Haut, wie in jedem Land dieselben Stürme wehen. Unter der Fläche meiner Hand packt ein Frost die Erde an wie in Kansas – aber der Weizen gedeiht, ein Weizen, der in höllischem Feuer und höllischem Froste sein Korn trägt – ist es der, den ich suche?

Elisabeth An was denkst du?

Carleton An nichts, nein wahrhaftig, an nichts.

Elisabeth Ich weiß, woran du denkst. Aber niemand wird dir Geld geben, um nach Rußland zu fahren. Sie sagen –

Carleton Was sagen sie?

Elisabeth Du seist ein Phantast.

Carleton Und was sagst du?

Elisabeth Ja – vielleicht sage ich es auch. Denke doch an uns, an unsere Kinder und mich! Sind wir denn reich? Willst du Schulden machen, damit jene paar Unzufriedenen da in Kansas ein besseres Leben haben, während wir selber darüber ins Elend kommen?

Carleton Es ist nicht um ihretwegen, sondern weil ich im Geheimen einen großen Krieg führe. Verstehst du es? Mein Herz hängt an den Schollen der Erde in wunderlicher Lust, an dem schwarzen Grunde voll Fruchtbarkeit. Es ist Haß, was mich erfüllt gegen Wind und Frost und Dürre, gegen alles, was dem Acker und dem Menschen das Leben schwer macht. Mein Kampf geht um das Glück, und mein Sieg über alle Unbill der Erde ist jene Ähre, die die Felder von Kansas fruchtbar macht.

Elisabeth Und unser Glück? Deines und meines?

Carleton Einen Preis muß man immer zahlen.

Elisabeth Wir kommen also zuletzt?

Carleton Ja, wir kommen zuletzt.

Elisabeth Es graut mir vor deiner Güte. Es friert mich.

Carleton Ich habe für heute Urlaub genommen.

Elisabeth Urlaub, wofür?

Carleton Urlaub, um nach Rußland zu fahren.

Musik, überführend in das folgende Lied.

Chor Es erzählen der Menschheit alte Sagen
von Helden, die ausgezogen sind,
Taten zu wagen und Schlachten zu schlagen –
ihre Spuren verwehten im Wind.
Uns aber laßt sagen von anderer Beschwerde
und von einem, der ruhmlos blieb,
dessen Gedächtnis aber die Erde
in Feldern von Weizen schrieb.
 Er zog aus gegen Hunger und Not,
 er suchte nach dem ewigen Brot,
 nach Brot für uns alle.

Er ist in die russische Steppe gefahren,
auf der Brust das dünne Täschchen voll Geld,
er schläft in den Zelten der Tataren
und ist Gast bei Nomaden am Rande der Welt.
Abends hockt er ans Feuer sich still,
die Männer rücken beiseit,
sie fragen ihn, wohin er will,
und er sagt, er ginge noch weit,
 er ziehe gegen Hunger und Not,
 er suche nach dem ewigen Brot,
 nach Brot für uns alle...«

Günter Eich, Gesammelte Werke. Band II. Die Hörspiele I. Hrsg. von Heinz Schwitzke. Frankfurt am Main 1973, S. 61 ff.

In die Reichsschrifttumskammer aufgenommen zu werden, mußte man sich bewerben; noch das Jahrgangsverzeichnis 1942 führt Koeppen wie Eich wie Huchel auf, mit vollen Adressen. Mir liegen die Aufnahmeanträge mit handschriftlichen Lebensläufen von Eich wie von Wilhelm Lehmann vor, dessen letzter Satz lautet, »... das ist, wie gesagt, immer wieder das Thema meiner Arbeit, die auch dem neuen Geschlechte dienen möchte«.
Erich Kästner sei, so hieß es, in Nazideutschland nicht verlegt, gar seines Lebens nicht sicher gewesen. Seine Bücher, das stimmt, wurden beim Atrium-Verlag Basel, Wien und Mährisch-Ostrau gedruckt; verkauft wurden sie in großen Auflagen in Deutschland. In einem Gutachten des »Präsidenten der Reichschrifttumskammer« vom Juni 1937 heißt es:

»Berlin W 8, den 21. Juni 1937

Betrifft: »Das fliegende Klassenzimmer.« Ein Roman für Kinder von Erich Kästner
Atrium-Verlag A.G., Basel–Wien–Mähr.-Ostrau.
Dreizehntes bis siebzehntes Tausend.
Illustriert von Walter Trier. Copright 1933 by Friedrich Andreas Perthes in Stuttgart. Druck von Heinr. Mercy Sohn, Prag.

Es ist hier also festzustellen, daß das Copyright 1933 durch einen deutschen Verleger (Deutsche Verlagsanstalt?) bezahlt wurde. Der Roman ist *nicht* zu beanstanden. Vielmehr wird in sehr sympathischer und oft witziger Weise der Wert junger Kameradschaft betont.

Betrifft: Erich Kästner
»Drei Männer im Schnee« Eine Erzählung
Rascher & Cie. A.G. Verlag Zürich.
Schutzumschlag von Walter Trier.
Copyright 1934 by Rascher & Cie. A.G.

Diese Erzählung ist *nicht* zu beanstanden.
Vielmehr ist zu sagen:
In einer, für Deutschland sehr selten graziösen Art, wird hier ein Schwank im winterlichen Gebirgsort inszeniert, ein Schwank, der es bis zu einem gütigen Humor des Herzens bringt. Hier offenbart sich die andere, bessere Seite des Verfassers. Wenn er diese andere, bessere Seite einzig und allein pflegen wollte, so sollte uns Kästner als deutscher Schriftsteller sehr willkommen sein.

Betrifft: Erich Kästner »Die verschwundene Miniatur« oder auch »Die Abenteuer eines empfindsamen Fleischermeisters«
Atrium-Verlag A.G., Basel–Wien–Mähr.-Ostrau.
Schutzumschlag von Walter Trier.
Copyright 1936 by Julius Kittl Nachfolger,
Keller & Co., Mährisch-Ostrau
Druck von Heinr. Mercy Sohn, Prag

Dieser Roman ist nicht zu beanstanden, es sei denn, daß auf Seite 8 der überaus sympathische Berliner Fleischermeister, als er nach Dänemark fährt, ausgerechnet einen grünen imprägnierten Lodenanzug und einen braunen Velourhut tragen muß, dazu einen buschigen, graumelierten Schnurrbart, in der rechten Hand einen knorrigen Spazierstock und in der linken Griebens Reiseführer. Hier kann der unangenehme Eindruck erweckt werden, als ob Kästner es ähnlich machen wollte wie der ekelhafte elsässische Hetzzeichner Hansi.
Dagegen muß gesagt werden, daß sich der gute Fleischermeister sonst sehr ordentlich, wenn auch bisweilen herzlich rauh benimmt.
Dieser humoristische Kriminalroman ist im übrigen einigermaßen in der Art Hasse Zetterströms.

Betrifft: »Emil und die drei Zwillinge«
Die zweite Geschichte von Emil und den Detektiven von Erich Kästner.
Illustriert von Walter Trier.
Atrium-Verlag, Basel–Wien–Mähr.-Ostrau.
Copyright 1935 by Atrium-Verlag–Basel–Wien–Mähr.-Ostrau.
Druck von Julius Kittl Nachfolger, Mährisch-Ostrau

Es liegt die Fortsetzung von »Emil und die Detektive« vor. Fast ebenso witzig wie das erste Buch, und größtenteils auch wundervoll in der Kameradschaft liebenswerter Flegelknaben. Das vorliegende Buch erreicht fast den Wert des ersten, wenngleich natürlich manche Wiederholung nicht ganz zu vermeiden ist. Kästner könnte, wenn er diesen Stil weiter pflegte, etwas Ähnliches wie ein Mark Twain in deutscher Sprache werden.«

Noch im Juli 1943 wurde die (erst später widerrufene) »Sondergenehmigung zur Berufsausübung« erteilt.
Von Hans Fallada erschien ein knappes Dutzend Romane. Das Vorwort zur Rowohlt-Erstauflage von »Wer einmal aus dem Blechnapf frißt«, 1934, kann man nicht anders lesen denn als Denunzierung der »Systemzeit« und Begrüßung der neuen:
»Mit diesem Roman rennt sein Verfasser offene Türen ein: der sogenannte humane Strafvollzug, dessen lächerliche, wie groteske, wie beklagenswerte Folgen auf seinen Seiten dargestellt werden, ist nicht mehr. Während der Autor noch schrieb, verwandelte sich auch dies Stück der deutschen Wirklichkeit.
Wenn nun Willi Kufalt, dieser beschattete Bruder des kleinen Mannes Pinneberg, doch vor die Lesewelt tritt, so darum, weil sein Schöpfer alle Hoffnungen für ihn hat: kein Geschwätz von Humanität für Strafgefangene, sondern Arbeit für Strafentlassene. Keine öde berufsmäßige Betreuung, sondern Verständnis. Keine Gnade, sondern Strich drunter, und nun zeige, wer du bist. Wie bei ›Bauern, Bonzen und Bomben‹, wie beim ›Kleinen Mann‹ konnte der Verfasser nur darstellen, was er sah, nicht, was da sein wird. Dies schien ihm seine Aufgabe, sonst nichts.
Am 30. Januar 1934 Hans Fallada«

11 Zit. nach: Vaterland, Muttersprache. Deutsche Schriftsteller und ihr Staat von 1945 bis heute. Berlin 1979, S. 51 f. Da bietet sich leider auch die Frage nach Hesses eigenem Verleger an. Ob nämlich so ausschließlich nobel, widerständig und lediglich einer literarischen Kultur gewidmet die Aktivitäten auch eines Peter Suhrkamp waren – die Zeit wäre gekommen, die Fragen einmal nicht als unerlaubt abzutun. Suhrkamp hat, lange bevor er ins KZ kam, diese Hitler-Ode in Auftrag gegeben und gedruckt:
»Dies nenn ich ein Geschenk der Götter:
Wenn sich ein ganzes Volk verbündet,
Ein Halbjahrhundert festlich zu begehen.
Was sich aus Glück und Neid zur Größe ründet,
Das sah'n wir staunend vor uns selbst entstehen
Und grüßen's heut erschüttert als den Retter.
Hans Rehberg, Dem Führer. Am 20. April 1939. In: Neue Rundschau 1959, H. 5/6, 414.

12 So spielt niemand mehr. Karl-Heinz Wocker zum Tode des Schriftstellers Arthur Koestler. In: Die Zeit vom 11. März 1983

13 Hans Dieter Schäfer, Das gespaltene Bewußtsein. Über deutsche Kultur und Lebenswirklichkeit 1933–1945. München 1981, S. 118

14 ebda., Bildteil, Bild 50

15 ebda., S. 151 f.

16 ebda., S. 116

17 ebda., S. 147

18 Ernst Rowohlt in einem Brief an Sinclair Lewis vom 19. Oktober 1933. Vgl. auch Manfred Kappeler, Die ›antifaschistische‹ Vergangenheit des Rowohlt Verlages. Ein Geschenk zum 75. Geburtstag. In: taz vom 22. März 1983

19 Vgl. dazu auch Curt Bois, Zu wahr, um schön zu sein. Berlin Ost 1980, S. 75

20 Hans Heinz Stuckenschmidt, Die Musen und die Macht. Musik im Dritten Reich. In: Frankfurter Allgemeine Zeitung vom 6. Dezember 1980
Stuckenschmidt fährt fort: »Am 1. März 1933 fand eine Sitzung der Preußischen Akademie der Künste statt, in der diskriminierende Äußerungen gegen sogenannte Nichtarier fielen. Arnold Schönberg schrieb am 20. März an die Akademie:
›Einer, der wie ich in politischer und moralischer Hinsicht unangreifbar dasteht, der durch den Verzicht auf seinen Wirkungskreis in seiner künstlerischen und menschlichen Ehre aufs tiefste gekränkt wird, sollte nun dazu auch in seiner wirtschaftlichen Lebensmöglichkeit gefährdet, ja mit dem Untergang bedroht werden.‹
Am 23. Mai bekam er einen vom Präsidenten Max von Schillings unterzeichneten Brief:
›Der Herr Minister für Wissenschaft, Kunst und Volksbildung hat mich ermächtigt, Sie als Verwalter einer Meisterschule für musikalische Kompositionen mit sofortiger Wirkung von Ihrer dienstlichen Tätigkeit zu beurlauben. Weitere Bestimmungen behält sich der Herr Minister vor.‹«

21 Jürgen Petersen, Journalist im Dritten Reich. I Lehrjahre in Darmstadt und Berlin. In: Frankfurter Hefte Nr. 3/März 1981. II An der Deutschen Allgemeinen Zeitung. In: Frankfurter Hefte Nr. 4/April 1981

22 Wolfgang Bretholz, Nein, nicht alle lügen! In: National-Zeitung Basel vom 12. Juni 1966

23 Hans Dieter Schäfer, Die nichtfaschistische Literatur der ›jungen Generation‹ im nationalsozialistischen Deutschland. In: Die deutsche Literatur im Dritten Reich. Themen. Traditionen. Wirkungen. Hrsg. von Horst Denkler und Karl Prümm. Stuttgart 1976, S. 487

24 Ursula v. Kardorff, Berliner Aufzeichnungen aus den Jahren 1942 bis 1945. München 1962, S. 314

25 Felix Hartlaub in seinen Briefen. Hrsg. von Erna Krauss und Gustav Friedrich Hartlaub. Tübingen 1958. Brief vom 26. Januar 1935, S. 138

26 Vgl. Brief vom 14. November 1938, in: Das Gesamtwerk. Hrsg. von Geno Hartlaub. Frankfurt am Main 1955, S. 454. Hans Erich Nossack, Pseudoautobiographische Glossen. Frankfurt am Main 1971, edition suhrkamp 445, S. 73

27 Thomas Mann, Die Entstehung des Dr. Faustus. Roman eines Romans. In: Gesammelte Werke. Zwölfter Band. Berlin (Ost) 1955, S. 271

28 Günter Grass, Aus dem Tagebuch einer Schnecke. Neuwied, Darmstadt 1972, S. 16

29 Walter Benjamin, Versuche über Brecht. Hrsg. u. m. e. Nachw. vers. v. Rolf Tiedemann. Frankfurt am Main 1966, edition suhrkamp 172, S. 132 f.

30 Joseph Roth, Briefe 1911–1939. Hrsg. u. eingel. v. Hermann Kesten. Köln 1970, S. 287

31 Gottfried Benn, Briefe an F. W. Oelze. 1932–1945. Wiesbaden, München 1977, S. 171

32 Kurt Tucholsky, Ausgewählte Briefe. 1913–1935. Hrsg. von Mary Gerold-Tucholsky und Fritz J. Raddatz. Reinbek bei Hamburg 1962, S. 275 f.

Inzwischen haben sich zahlreiche Publizisten in größeren und kleineren Arbeiten immer wieder mit dem Thema Schuld und Verdrängen, mit der Frage, wie früh und genau wußte ein wie großer Bevölkerungsteil von Verfolgung, Not und Tod, beschäftigt – ob Egon Monk in seiner TV-Verfilmung von Feuchtwangers »Geschwister Oppermann«, in deren Zentrum er die Frage nach der Würde des Widerstehens rückte oder die Filmemacher Michael Verhoeven und Mario Krebs, die in einem Nachsatz zu ihrem Film »Die Weiße Rose« darauf hinwiesen, daß die Verurteilung von Widerstandskämpfern in der Bundesrepublik Deutschland als »geltendes Recht« behandelt würde:
»Um unseren Forderungen Nachdruck zu verleihen, haben wir den Schlußtext unseres Films ›Die weiße Rose‹ erweitert. Der neue Nachspann unseres Films lautet:

1. Nach Auffassung des Bundesgerichtshofs waren die Paragraphen, nach denen Widerstandskämpfer wie die ›Weiße Rose‹ verurteilt wurden, kein Bestandteil des NS-Terrorsystems, sondern geltendes Recht.
2. Nach Auffassung des Bundesgerichtshofs haben Widerstandskämpfer wie die ›Weiße Rose‹ objektiv gegen diese damals geltenden Gesetze verstoßen.
3. Nach Auffassung des Bundesgerichtshofs war ein Richter am Volksgerichtshof, der Widerstandskämpfer wie die ›Weiße Rose‹ verurteilte, diesen damals geltenden Gesetzen unterworfen.
4. Nach Auffassung des Bundesgerichtshofs konnte Widerstandskämpfern wie der ›Weißen Rose‹ dennoch strafrechtlich kein Vorwurf gemacht werden, wenn sie in der Absicht, ihrem Land zu helfen, gegen diese damals geltenden Gesetze verstoßen haben.
5. Nach Auffassung des Bundesgerichtshofs kann aber ›einem Richter, der damals einen Widerstandskämpfer in einem einwandfreien Verfahren für überführt erachtete, heute in strafrechtlicher Hinsicht kein Vorwurf gemacht werden, wenn er angesichts der damaligen Gesetze glaubte, ihn zum Tode verurteilen zu müssen‹.
6. Bislang haben noch keine Bundesregierung und kein Bundestag sich dazu entschließen können, sämtliche Urteile des Volksgerichtshofs per Gesetz zu annullieren.

Michael Verhoeven Mario Krebs 25. 11. 1982«

Erwin Leisers Buchdokumentation »Leben nach dem Überleben. Begegnungen und Schicksale«, Königstein/Taunus 1982, gab ebenso viele Beispiele für jenes »Wegsehen« angesichts der Verbrechen wie ein großer Aufsatz von Heiner Lichtenstein in der Frankfurter Rundschau (13. November 1982), der endlich einmal darauf aufmerksam machte, wieviele »Unbeteiligte« beteiligt waren – zum Beispiel die deutschen Eisenbahner, über deren Schienennetz drei Millionen Menschen deportiert wurden, in »Sonderzügen der Reichsbahn«. Besondere Aufregung verursachte ein Zeit-Dossier »SS-Spitzel mit Soutane«, das Mitwisserschaft und Mitschuld der katholischen Bischöfe im Dritten Reich belegte (Die Zeit vom 3. September 1982).

33 Bertolt Brecht, In finsteren Zeiten. In: Gedichte. Band V. 1934–1941. Berlin und Weimar 1964, S. 106. Das erwähnte Huchel-Gedicht lautet:

Peter Huchel
Im nassen Sand

Still das Laub am Baum verklagt.
Einsam frieren Moos und Grund.

Über allen Jägern jagt
Hoch im Wind ein fremder Hund.

Überall im nassen Sand
Liegt des Waldes Pulverbrand,
Eicheln wie Patronen.

Herbst schoß seine Schüsse ab,
Leise Schüsse übers Grab.

Horch, es rascheln Totenkronen,
Nebel ziehen und Dämonen.

Die Dame. Heft 22/1941

34 Vgl. Bernhard Gajek, Eberhard Haufe. Johannes Bobrowski. Chronik-Einführung-Bibliographie. Frankfurt am Main, Bern, Las Vegas 1977, Regensburger Beiträge zur deutschen Sprach- und Literaturwissenschaft, Reihe B. 13, S. 79. Gerhard Wolf, Johannes Bobrowski. Leben und Werk. Berlin Ost 1967, Schriftsteller der Gegenwart 19, S. 117

35 Zit. nach Hans Dieter Schäfer, Die nichtnationalsozialistische Literatur der jungen Generation im Dritten Reich. In: Das gespaltene Bewußtsein. a.a.O. S. 212, Anm. 275

36 Günter Eich, Bemerkungen über Lyrik. Eine Antwort an Bernhard Diebold. In: Die Kolonne, Nr. 1/1932

37 Horst Krüger, Licht aus dem Rachen der Schlange. In: Frankfurter Allgemeine Zeitung vom 19. März 1981

38 Horst Krüger, Ein Denkmal deutscher Innerlichkeit. In: Frankfurter Allgemeine Zeitung vom 21. Februar 1980

39 Vgl. dazu Hans Dieter Schäfer, Die nichtnationalsozialistische Literatur der jungen Generation im Dritten Reich. In: Das gespaltene Bewußtsein. a.a.O.

40 Karsten Witte, Politik als Nebenhandlung. Zu einer Theorie des faschistischen Films. In: Politik und Kultur. Heft 2/1982. Besonders energisch wird die Legende vom unpolitischen Unterhaltungs- und Revuefilm untersucht in: Cinzia Romani, Die Filmdivas des Dritten Reiches. Gräfelfing b. München 1982. Vgl. außerdem Karsten Witte, Die Wirkgewalt der Bilder. Zum Beispiel Wolfgang Liebeneiner. In: Filme, Nr. 8 C/April 1981. Karsten Witte, Ästhetische Opposition. Käutners Filme im Faschismus. In: Sammlung Jahrbuch für antifaschistische Literatur u. Kunst, Nr. 2/1979, S. 113 ff.

41 Wolfgang Koeppen, Die Mauer schwankt. Berlin 1935, S. 22

42 ebda., S. 240

43 ebda., S. 241

44 ebda., S. 271. Vgl. dazu auch Karl Prümm, Zwiespältiges auf schwankendem Grund. Bemerkungen zur Neuauflage von Wolfgang Koeppens frühem Roman Die Mauer schwankt (1935). (Neuausgabe Frankfurt am Main 1983) In: Schreibheft. Zeitschrift für Literatur 20, S. 47 ff.
Die Situation war schizophren. Schreibheft-Gespräch mit Wolfgang Koeppen über seinen Roman Die Mauer schwankt. In: Schreibheft. Zeitschrift für Literatur 21, S. 7 ff.
Zeit des Steppenwolfs. Junge Schriftsteller im Dritten Reich. Ein Gespräch mit Wolfgang Koeppen. In: Süddeutsche Zeitung vom 10. Mai 1983
Astrid Lipp, Ph. D. Die Verschwommenheit und Unverbindlichkeit der Aussage des nichtfaschistischen deutschen Romans der dreißiger Jahre – unter besonderer Berücksichtigung von Wolfgang Koeppens Die Mauer schwankt, Hans Carossas Geheimnisse des reifen Lebens und Ernst Wiecherts Das einfache Leben. The University of Connecticut 1979

45 Karl Korn, in: Berliner Tageblatt vom 19. Dezember 1937. Karl Korn, Erstlinge. Eine Bücherschau. In: Neue Rundschau Jg. 50, 1938, H. 4, S. 411 ff.
Hans Dieter Schäfer summiert in seinem Nachwort zu Horst Langes Tagebüchern: »Die Tatsache, daß mit der ›Schwarzen Weide‹ ein Buch vom Rang der Werke Döblins oder Jahnns 1934 bis 1937 unter Hitler geschrieben und bis 1945 in mehr als 22 000 Exemplaren verlegt werden konnte, ist offensichtlich nicht untypisch. Die Durchsicht der vierundzwanzig bisher bekannt gewordenen Rezensionen zeigt, wie wenig man sich damals an das Verbot der Kunstkritiker hielt und – selbst im ›Völkischen Beobachter‹ – zumindest in ästhetischen Fragen um eine Differenzierung bemüht war. Es gab zwar vereinzelt Versuche, die ›Schwarze Weide‹ als schlesischen Heimat- und Grenzlandroman für die nationalsozialistische Literatur zu reklamieren (Kurt Martens, Dresdner Neueste Nachrichten vom 12. November 1937; Kurt Speth, Schlesische Monatshefte 29, 1939, S. 36), doch die meisten Kritiker arbeiteten wie Haffner in der ›Dame‹ das Europäische dieses Romans heraus und würdigten die meisterliche Komposition (J. Antz, Kölnische Volkszeitung vom 13. Juni 1938), die typologische Erzählweise (W. Bergengruen, Deutsche Rundschau 64, 1938, S. 70), den umständlichen Beschreibungsempirismus (I. Molzahn, Deutsche Zukunft vom 7. November 1937, S. 11) oder das an Wolfe, Faulkner und Hemingway erinnernde tragische Weltgefühl (M. Beheim-Schwarzbach, Eckart 14, 1938, S. 92).«
Horst Lange, Tagebücher aus dem Zweiten Weltkrieg. Hrsg. von Hans Dieter Schäfer. Mainz 1979, Die Mainzer Reihe 46, S. 301 f.

46 Horst Lange, Schwarze Weide, Düsseldorf 1979, S. 121

47 ebda., S. 123

48 ebda., S. 209, 201

49 ebda., S. 172

50 ebda., S. 152

51 ebda., S. 55

52 ebda., S. 156

53 ebda., S. 110 f.

54 Christoph Meckel, Suchbild. Über meinen Vater. Düsseldorf 1980

55 ebda., S. 29
56 ebda., S. 31
57 ebda., S. 40 und 41
58 ebda., S. 74
59 Bertolt Brecht, Gedanken über die Dauer des Exils

I
Schlage keinen Nagel in die Wand
Wirf den Rock auf den Stuhl!
Warum vorsorgen für vier Tage?
Du kehrst morgen zurück.

Laß den kleinen Baum ohne Wasser.
Wozu noch einen Baum pflanzen?
Bevor er so hoch wie eine Stufe ist
Gehst du froh weg von hier.

Zieh die Mütze ins Gesicht, wenn Leute vorbeigehn!
Wozu in einer fremden Grammatik blättern?
Die Nachricht, die dich heimruft
Ist in bekannter Sprache geschrieben.

So wie der Kalk vom Gebälk blättert
(Tue nichts dagegen!)
Wird der Zaun der Gewalt zermorschen
Der an der Grenze aufgerichtet ist
Gegen die Gerechtigkeit.

II
Sieh den Nagel in der Wand, den du eingeschlagen hast:
Wann, glaubst du, wirst du zurückkehren?
Willst du wissen, was du im Innersten glaubst?

Tag um Tag
Arbeitest du an der Befreiung
Sitzend in der Kammer schreibst du.
Willst du wissen, was du von deiner Arbeit hältst?
Sieh den kleinen Kastanienbaum im Eck des Hofes
Zu dem du die Kanne voll Wasser schlepptest.

In: Gedichte. Band IV. 1934–1941. Berlin Ost 1961, S. 142

60 Zit. nach: Thomas Mann im Urteil seiner Zeit. Dokumente 1891–1955. Hrsg. u. m. e. Nachwort u. Erläuterungen von Klaus Schröter. Hamburg 1969, S. 213
61 Thomas Mann, Leiden an Deutschland. In: Reden und Aufsätze II. Frankfurt am Main 1965, S. 439 f.
62 Thomas Mann, Tagebücher 1933–1934. Hrsg. v. Peter de Mendelssohn. Frankfurt am Main 1977, S. 104
63 Bertolt Brecht, Schriften zur Literatur und Kunst 2. 1934–1941. Frankfurt am Main 1967, S. 36

64 Bertolt Brecht, Schriften zur Politik und Gesellschaft. 1919–1956. Frankfurt am Main 1968, S. 237
65 Bertolt Brecht, Gedichte. Band IV. 1934–1941. a.a.O. S. 141
66 Thomas Mann, Tagebücher 1940–1943. Hrsg. v. Peter de Mendelssohn. Frankfurt am Main 1982, S. 520
67 ebda., S. 523
68 ebda., S. 579
69 Bertolt Brecht, Arbeitsjournal. Zweiter Band. 1942–1955. Hrsg. v. Werner Hecht. Frankfurt am Main 1973, S. 746
70 Bertolt Brecht. Zu ›Leben des Galilei‹. In: Schriften zum Theater 4. 1933–1947. Frankfurt am Main 1963, S. 205 f.
71 Bertolt Brecht, Schriften zum Theater. Über eine nicht-aristotelische Dramatik. Frankfurt am Main 1957, S. 164
72 Vgl. in diesem Zusammenhang auch Thomas Manns emphatische Äußerung, die auch in unserer Auseinandersetzung mit Friedrich Sieburg eine Rolle spielt, über die Literatur, die in den zwölf Nazijahren in Deutschland erschien:
»Es mag Aberglaube sein, aber in meinen Augen sind Bücher, die von 1933–1945 in Deutschland überhaupt gedruckt werden konnten, weniger als wertlos und nicht gut in die Hand zu nehmen. Ein Geruch von Blut und Schande haftet ihnen an; sie sollten alle eingestampft werden«. Thomas Mann, Briefe, Bd. 2, 1937–1947. Hrsg. von Erika Mann. Frankfurt am Main 1963, S. 443
73 Bertolt Brecht, Arbeitsjournal. Zweiter Band 1942–1955. a.a.O., S. 621, S. 599
74 ebda., S. 612
75 ebda., S. 594
76 ebda., S. 602. Das steht in einem merkwürdigen Gegensatz zu Thomas Manns eigener Abwehr einer Äußerung des Prinz Bernhard zur Lippe-Biesterfeld über Deutschland, die der Schriftsteller seinerseits registriert: »So spricht ein deutscher Fürst heute in Deutschland, – so fremd und kalt.« Thomas Mann, Deutschland 1941. In: Stockholmer Ausgabe, Bd. XII, S. 902–910
77 Bertolt Brecht, Leben des Galilei. In: Stücke VIII. Berlin (Ost) 1957, S. 183
78 Bertolt Brecht, Arbeitsjournal. Zweiter Band, 1942–1955. a.a.O., S. 1017
79 Bertolt Brecht, Briefe. Hrsg. und kommentiert von Günter Glaeser. Frankfurt am Main 1981, S. 579
80 Horst Lange, Tagebücher aus dem Zweiten Weltkrieg. Hrsg. von Hans Dieter Schäfer. a.a.O., S. 95
81 ebda., S. 60
82 ebda., S. 88
83 ebda., S. 201
84 ebda., S. 123
85 ebda., S. 48
86 Oda Schaefer, Die leuchtenden Feste über der Trauer. Erinnerungen aus der Nachkriegszeit. München 1977, S. 42
87 Stephan Hermlin, Wo bleibt die junge Dichtung? In: Welt und Wort. 2. Jg./H. 11, 1947, S. 310 ff.
88 Stephan Hermlin, Wo bleibt die junge deutsche Dichtung? In: Ost und West. Nr. 4/Oktober 1947, S. 90

89 Ost und West. Nr. 2/Februar 1948, S. 85 und S. 86
90 Ost und West. Nr. 4/Oktober 1947, S. 93
91 Gustav René Hocke, Deutsche Kalligraphie oder: Glanz und Elend der modernen Literatur. In: Der Ruf. Eine deutsche Nachkriegszeitschrift. a.a.O., S. 207
92 Wolfgang Borchert, Das ist unser Manifest. In: Das Gesamtwerk. Halle/Saale 1957, S. 386
93 Wolfdietrich Schnurre, An die Harfner. In: Literatur Magazin 7. Reinbek b. Hamburg 1977, S 319
94 Urs Widmer, So kahl war der Kahlschlag nicht. In: Die Zeit vom 26. November 1965
95 Wolfgang Borchert, Die Elbe. In: Das Gesamtwerk. a.a.O., S. 123
96 Zit. nach: Transit. Lyrikbuch der Jahrhundertmitte. Hrsg. mit Randnotizen von Walter Höllerer. Frankfurt am Main 1956, S. 10
97 Vgl. dazu S. Müller-Haupt, Lyrik und Rezeption. Untersuchung ihres ästhetischen Verhältnisses am Beispiel Günter Eichs. München 1972, S. 36
98 Heinrich Böll, Deutsche Meisterschaft. In: Text + Kritik, Zeitschrift für Literatur, Nr. 33, Januar 1972, S. 1 ff.
99 Heinrich Böll, Eine deutsche Erinnerung. Interview mit René Wintzen. Köln 1979, S. 22 f.
100 ebda., S. 26
101 Martin Walser, Die Parolen und die Wirklichkeit. In: Heimatkunde. Aufsätze und Reden. Frankfurt am Main 1968, edition suhrkamp 269, S. 59
102 Heinrich Böll, Eine deutsche Einnerung. a.a.O., S. 15 f.
103 Brief von Hans Werner Richter an den Verfasser vom 2. April 1983
104 Alfred Andersch, Der Seesack. Aus einer Autobiographie. In: Das Alfred Andersch Lesebuch. Hrsg. von Gerd Haffmans. Zürich 1979, S. 95
105 Brief an den Verfasser von Gustav René Hocke vom 12. November 1967
106 Klaus Harpprecht, Die Treibhausblüte. In: Christ und Welt vom 17. Dezember 1953
107 Gustav Zürcher, Welche Hoffnung – wenn es *so* beginnt/Politische Lyrik aus den Nachkriegsjahren. In: Literatur Magazin 7. a.a.O., S. 318
108 Peter Rühmkorf, Vorwort zu: Vaterland, Muttersprache. a.a.O., S. 11
109 ebda., S. 74
110 ebda., S. 70
111 ebda., S. 72
112 ebda., S. 75 f.
113 Ernst Jandl, Der gelbe Hund. Gedichte, Neuwied 1980
114 Zit. nach: Der Spiegel, Nr. 41/1947, S. 17
115 Neudruck in Wolfgang Weyrauch, Mit dem Kopf durch die Wand. Geschichten, Gedichte, Essays und ein Hörspiel. Darmstadt, Neuwied. Neuausgabe 1977, S. 45 ff.
116 Vaterland, Muttersprache. A.a.O., S. 11
117 Wolfgang Bächler, Stadtbesetzung. Prosa. Frankfurt am Main 1979, S. 9 f.
118 Wolfgang Bächler, Als ich Soldat war. In: Ausbrechen. Gedichte aus 30 Jahren. Frankfurt am Main 1976, S. 7
119 Der Kirschbaum. In: ebda., S. 105

120 Dezembermorgen. In: ebda., S. 103
121 Wolfgang Bächler, Budapest im Spätherbst 1955. In: Stadtbesetzung. a.a.O., S. 116. Wolfgang Bächler, Erinnerungen an Budapest. In: Ausbrechen. a.a.O., S. 48
122 Vaterland, Muttersprache. a.a.O., S. 140
123 ebda.
124 ebda., S. 136
125 Ludwig Erhard: »Da hört bei mir der Dichter auf, und es fängt der ganz kleine Pinscher an, der in dümmster Weise kläfft.« Zit. nach Der Spiegel vom 11. Juli 1965.
Franz Josef Strauß: »Man kann Filbinger aus dem, was er bei Kriegsende unter den damaligen Verhältnissen getan hat, keinen Vorwurf machen. Aber man führt mit Ratten und Schmeißfliegen keine Prozesse.« Zit. nach Der Spiegel Jg. 34, Nr. 10, 3. März 1980, S. 7.
Karl Carstens zit. nach: Der Spiegel Jg. 33, Nr. 12, 19. März 1979, S. 7
126 Wolfgang Bächler, Spinnennetze. In: Ausbrechen. a.a.O., S. 120
127 Alfred Andersch, Lesebuch. Zürich 1979, S. 148
128 Thomas Mann, Offener Brief für Deutschland. Zit. nach: Vaterland, Muttersprache. a.a.O., S. 48
129 Bertolt Brecht, Arbeitsjournal. Zweiter Band 1942–1955. a.a.O., S. 1017
130 Vgl. dazu Max Bense, Portrait Alfred Anderschs. In: Über Alfred Andersch. Hrsg. von Gerd Haffmans. Zürich 1974, Diogenes Taschenbuch 53, S. 18 ff. »Flucht in allen Formen ihrer Erscheinung, von der Abreise bis zur Desertierung, bedeutet also in den Texten Alfred Anderschs nicht nur ein Konzentrat der (Whiteheadschen) Seinsthematik, sondern auch der Gesellschaftskritik. In ›Die Kirschen der Freiheit‹ handelt es sich um Beschreibung und Rechtfertigung der eigenen ›Fahnenflucht‹. In ›Die Nacht der Giraffe‹ spitzt sich das Thema auf die Feststellung zu ›Ich flüchte nicht. Ich steige einfach aus‹. In ›Cadenze‹ lauten die beiden letzten Worte ›Leb wohl‹. ›Morgen ist sie nicht mehr da‹, steht am Schluß von ›Blaue Rosen‹. In ›Sansibar oder Der letzte Grund‹ bezeichnet die Zeile ›Man mußte weg sein, aber man mußte irgendwohin kommen‹ das Leitmotiv. In ›Phasen‹ trägt der Ausdruck ›Auf der Flucht erschossen‹ das Geschehnis. Das Hörspiel ›Fahrerflucht‹ setzt eine trivialere Variante auseinander.« (S. 27)
131 Arno Schmidt, Das Land aus dem man flüchtet. In: a.a.O., S. 59
132 Wolfdietrich Schnurre, Erzählungen. a.a.O., S. 397
133 Wolfgang Weyrauch, War ich einer davon? In: War ich ein Nazi? Politik – Anfechtung des Gewissens. M. Beiträgen v. Joachim Günter [u.a.] u. m. e. Anleitung für den Leser von Ludwig Marcuse. München 1968, S. 161
134 Wolfgang Weyrauch, Kahlschlag. Nachwort zu Tausend Gramm. In: Wolfgang Weyrauch, Mit dem Kopf durch die Wand. a.a.O., S. 51
135 Wolfdietrich Schnurre, Man sollte dagegen sein. Geschichten. Olten, Freiburg 1960, S. 43 und 53
136 Wolfgang Weyrauch, Mit dem Kopf durch die Wand. a.a.O., S. 109
137 ebda., S. 123
138 ebda., S. 111
139 Martin Walser, Wolfgang jetzt wirst du. In: a.a.O., S. 233

140 Heinrich Böll, Eine deutsche Erinnerung. a.a.O., S. 99
141 ebda., S. 100
142 Das gesamte Manifest und alle Unterschriften sind abgedruckt in: Vaterland, Muttersprache. a.a.O., S. 199
143 Günter Kunert, Unterschiede. In: Das kreuzbrave Liederbuch. München 1977, S. 57

Ernst Jünger

1 Gottfried Benn, Briefe an F. W. Oelze. 1945–1949. Wiesbaden, München 1979, S. 107 f.
2 Thomas Mann, Briefe, Bd. 2, 1937–1947. Hrsg. von Erika Mann. Frankfurt am Main 1963, S. 289 f.
3 »›Widerlicher Kerl, träumt meine Träume‹, rang sich Adorno ab, nachdem seine Schüler ihm Jüngers ›Strahlungen‹ aufgedrängt hatten.« Zit. nach Joachim Kaiser, Botho Strauß geht aufs Ganze. In: Süddeutsche Zeitung vom 14. Oktober 1981
4 Walter Benjamin, Rez. Krieg und Krieger, S. 131. Zit. nach: Heinz-Dieter Kittsteiner/Helmut Lethen, Jetzt zieht Leutnant Jünger seinen Mantel aus. In: Berliner Hefte, Heft 11/Mai 1979, S. 25
5 Hannah Arendt, Elemente und Ursprünge totaler Herrschaft. Frankfurt am Main 1955, S. 527. Zit. nach a.a.O., S. 25
6 Siegfried Kracauer. Zit nach: ebda., S. 25
7 »Ernst Jüngers guter Stil ist es, der ihn schon auf den ersten Blick von den schlechten symbolistischen Dunkelschreibern sondert. Die Spannung zwischen Realität und Symbol ist bei ihm echte Qual, die auch dort, oder vielleicht gerade dort, gespürt werden kann, wo sich seine Prosa mit jenem Erz wappnet, das manche so abstößt. ›Wo das Schwert der Themis rostet, werden die Schlachtmesser blank‹ – das ist, erstens, ein guter Satz, zweitens ein Satz, in dem Symbol und Realität zur Deckung gebracht sind, drittens aber ist es ein Satz, an dem die ganze Qual des Weges vom einem zum anderen abgemessen werden kann. Mit seinem beinahe manischen Zug zum Symbol macht Jünger es sich ungeheuer schwer, denn man kann sich zur Realität auch anders verhalten, nämlich einfacher und naiver, im Sinne etwa jener großer Epiker des 19. Jahrhunderts, die niemals auf den Gedanken gekommen wären, die ewigen Gleichnisse des Lebens formulieren zu wollen. Sie haben sie erzählt.«
Alfred Andersch, Kann man ein Symbol zerhauen? In: Texte und Zeichen, Heft 1/1955
8 Heinrich Böll, Eine deutsche Erinnerung. Interview mit René Wintzen. Köln 1979, S. 103
9 »Früh ist Jünger als Stilkünstler bezeichnet worden. Als solcher wurde er uns bereits in den dreißiger Jahren im Deutschunterricht präsentiert. Daß die Manier, auf die hin er seine Literatur ausrichtet, als stilistische Leistung bewertet wurde und noch bewertet wird, scheint mir charakteristisch für die merkwürdige Befangenheit der deutschen Kritik, von der ich mich selber gar nicht ausnehmen kann.

Ich meine nur inzwischen erkannt zu haben, daß man die Konstruktion und das Vokabelrepertoire dieser Sprache auflösen sollte als ein System von Verblendstükken. Hierin ist Jünger in gewisser Weise mit Rainer Maria Rilke vergleichbar, vor allem mit dem Briefschreiber, wenn auch die Kaschierungen Rilkes weit sublimerer Natur sind als die Jüngers. Beiden ist gemeinsam, daß sie, wo eine Wahl besteht, die preziösere und verdeckendere Ausdrucksweise wählen. Bei Rilke zielt das ins Ahnungsvolle, bei Jünger in eine Poetisierung militärischen Jargons. Die scheinbare Sachlichkeit der Jüngerschen Prosa ist orientiert an Lageberichten und Spähtruppmeldungen, ergänzt durch die Vorstellung von Korrektheit, wie sie für Seminare für den Deutschunterricht an höheren Schulen typisch ist. Die Syntax wird mit stereotypen Manierismen durchsetzt, so etwa mit dem vorgestellten ›auch‹, die Wortwahl fetischiert. Bezeichnend ist mir immer die in Rostow unter dem Datum des 22. November 1942 gemachte Bemerkung gewesen, in der von den öden Häusern die Rede ist, ›in deren Zimmern Reihen von Strohsäcken ausgebreitet sind und deren Flure Gestank durchweht‹. Widersinnigerweise werden durch diese Ausdrucksweise die dreckigen Räume des Rostower Offiziersheims mit dem Odeur eines Jugendstilboudoirs versehen.«
Helmut Heißenbüttel. In: Streit-Zeit-Schrift. Sonderheft Ernst Jünger. 1968.

10 »Als mein Buch erschienen war und ein Erfolg wurde, schrieb ich an Ernst Jünger. Ich sagte ihm, daß er, ohne es zu wissen, in mir eine Quelle freigelegt habe, er sei der Pate meines ersten Buches. Er schrieb mir wieder, es entstand ein sonderbarer Briefwechsel. Ich habe noch das Päckchen seiner Briefe, geschrieben meist mit der Hand in einer Schrift, die mich an Insektenbeine erinnerte.
In der Tat beschäftigte er sich mit Insektenkunde. Seine Briefe, meist auf bläulichem oder auch gelblichem Papier, kamen aus dem besetzten Paris und aus russischen Unterständen. Sie sind inhaltslos. Einmal schickte er mir aus Paris ein Fläschchen Parfum, ›Quelque Fleur‹, es war das seine, von dem er, wie er schrieb, ›in russischen Gräben jeweils einige Tropfen opferte‹. Das war eben sein Stil. Sehr stilgerecht für ihn war auch unser erstes und vorletztes Treffen in Hannover am 13. November 1940. Er wohnte damals in Kirchhorst in der Nähe von Hannover, und ich in Braunschweig. Ich hatte ihn mir groß und offiziersmäßig vorgestellt: er war klein und eher zart, wie mit einem scharfen Silbergriffel gezeichnet. Wir gingen in eine Bar. Er fragte, was ich nehme, er trinke ›Half-and-Half‹. Das klang imponierend mondän. Was es war, ahnte ich nicht, ich ließ es dann auch ungetrunken.«
Luise Rinser, Den Wolf umarmen. Frankfurt am Main 1981, S. 26

11 Wolfgang Hildesheimer, Zeiten in Cornwall. M. 6 Zeichn. d. Autors. Frankfurt am Main 1971, Bibliothek Suhrkamp 281, S. 97

12 Die Verleihung des Goethe-Preises 1982 der Stadt Frankfurt am Main an Ernst Jünger löste eine heftige Debatte in der deutschen Presse aus; die wesentlichen Pro- und Contra-Artikel finden sich:
Ernst Jünger: Aus Stahlgewittern zum Goethe-Preis des Jahres 1982. In: Welt am Sonntag vom 30. Mai 1982
Walter Boehlich, Auf der alten Deutschen Welle. In: Konkret Nr. 7/1982
Horst Köpke, Die unbekannten Preisträger. In: Frankfurter Rundschau vom 7. August 1982

Man kann Jünger nicht das Kainszeichen aufdrücken. In: Frankfurter Rundschau vom 9. August 1982
Gefechte im Spiegekabinett. In: Die Tageszeitung vom 9. August 1982
Nicht Jünger störte Thomas Manns Rede. In: Frankfurter Allgemeine vom 11. August 1982
Ein Bruderschaftstrinken mit dem Tod. In: Der Spiegel vom 16. August 1982
Nichts gelesen. In: Der Spiegel vom 16. August 1982
Magistrat bestätigt Vergabe des Goethe-Preises an Jünger. In: Frankfurter Rundschau vom 16. August 1982
Von außen betrachtet: Ernst Jünger und seine Gegner. In: Frankfurter Allgemeine vom 16. August 1982
Protest gegen Jünger. In: Frankfurter Allgemeine vom 18. August 1982
Hier wird ein Riese aufgeblasen. In: Münchner Abendzeitung vom 19. August 1982
Wolfram Schütte, Sehnsucht nach dem Barock. In: Frankfurter Rundschau vom 20. August 1982
Gerhard Zwerenz, Kommentar. In: Aspekte, ZDF, 20. August 1982
Heftige Debatte um Jüngers Goethe-Preis. In: Süddeutsche Zeitung vom 21. August 1982
Debatte über den ›liberalen Geist‹ der Stadt. In: Frankfurter Rundschau vom 21. August 1982
Golo Mann, Grobe Jagd auf subtilen Jäger. In: Frankfurter Allgemeine vom 24. August 1982
Schwierigkeiten mit dem Frankfurter Goethe-Preis. In: Neue Zürcher Zeitung vom 25. August 1982
Politische Prominenz fehlt bei Goethe-Preisverleihung. In: Frankfurter Rundschau vom 25. August 1982
Peter Hartmeier, Frankfurt und Goethe im Auge. In: Weltwoche vom 25. August 1982
Peter von Matt, Der greise Steppenwolf. In: Weltwoche vom 25. August 1982
Jörg Fauser, Das Risiko der Erkenntnis. In: Tip vom 27. August 1982
Helmut Heißenbüttel, Der Goethe der CDU? In: Frankfurter Rundschau vom 28./29. August 1982
Michael Rutschky, Ehrung eines Radikalen. In: Süddeutsche Zeitung vom 28./29. August 1982
Wolf Jobst Siedler, Laudatio: Die Entzifferung der Zeichen. In: Frankfurter Allgemeine vom 30. August 1982
Ein wechselfreies Lebenswerk. In: Frankfurter Rundschau vom 30. August 1982
Sie warfen mit Zitaten. In: Frankfurter Rundschau vom 30. August 1982
Geisterstunde. In: Süddeutsche Zeitung vom 30. August 1982
Rede des Goethepreisträgers Ernst Jünger, Der Parteilose ist allen supekt. In: Weltwoche vom 1. September 1982
Stellungnahme der Sozialdemokratischen Stadtverordnetenfraktion Frankfurt am Main: Goethe-Preis an Jünger unverantwortlich. Rundschreiben vom 6. August 1982
Die Grünen im Römer, Frankfurt am Main. Antrag an das Frankfurter Stadtparla-

ment, den diesjährigen Goethe-Preis nicht an Ernst Jünger zu verleihen. Rundschreiben vom 6. August 1982
Die Grünen im Römer, Frankfurt am Main. Stellungnahme zur Ablehnung der Goethe-Preisverleihung an Ernst Jünger. Geschrieben zur und vor der Diskussion im Frankfurter Stadtparlament am 19. August 1982

13 Ernst Jünger im Gespräch mit Walter Bittermann. Sendung Südwestfunk. Manuskript Teil II, S. 21

14 Das zweite Pariser Tagebuch. In: Ernst Jünger, Sämtliche Werke. Erste Abteilung. Tagebücher. Band 3. Tagebücher III, Strahlungen II. Stuttgart 1979, S. 69

15 Ernst Jünger im Gespräch mit Walter Bittermann. Sendung Südwestfunk. Manuskript Teil I, S. 9

16 Sgraffiti. In: Ernst Jünger, Sämtliche Werke. Zweite Abteilung. Band 9. Essays III, Das abenteuerliche Herz, S. 417

17 In: ebda., S. 414

18 In: Ernst Jünger, Sämtliche Werke. Zweite Abteilung. Band 8. Essays II, Der Arbeiter

19 Das Wäldchen 125. In: Ernst Jünger, Sämtliche Werke. Erste Abteilung. Band 1. Tagebücher I, Der erste Weltkrieg, S. 327

20 Kriegsausbruch 1914. In: Ernst Jünger, Sämtliche Werke. Erste Abteilung. Band 1. Tagebücher I, Der erste Weltkrieg, S. 542

21 Gärten und Straßen. In: Ernst Jünger, Sämtliche Werke. Erste Abteilung. Band 2. Tagebücher II, Strahlungen I, S. 68

22 In Stahlgewittern. In: Ernst Jünger, Sämtliche Werke. Erste Abteilung. Band 1. Tagebücher I, Der erste Weltkrieg, S. 100

23 Das abenteuerliche Herz. Erste Fassung. In: Ernst Jünger, Sämtliche Werke. Zweite Abteilung. Band 9. Essays III, Das abenteuerliche Herz, S. 99

24 ebda., S. 113

25 ebda., S. 175

26 ebda., S. 33

27 ebda., S. 51

28 Kriegsausbruch 1914. In: Ernst Jünger, Sämtliche Werke. Erste Abteilung. Band 1. Tagebücher I, Der erste Weltkrieg, S. 544

29 In Stahlgewittern. In: Ernst Jünger, Sämtliche Werke. Erste Abteilung. Band 1. Tagebücher I, Der erste Weltkrieg, S. 134

30 ebda., S. 87, 66, 58, 28, 35

31 ebda., S. 39

32 In: Ernst Jünger, Sämtliche Werke. Erste Abteilung. Band 3. Tagebücher III, Strahlungen II, S. 270

33 Nikolaus Sombart, Jünger in uns. In: Streit-Zeit-Schrift.

34 Ein Bruderschaftstrinken mit dem Tod. In: Der Spiegel Nr. 33/1982

35 Ernst Jünger im Gespräch mit Walter Bittermann. Sendung Südwestfunk. Manuskript Teil II, S. 26 f.

36 The Trial of Ezra Pound. A Documented Account of the Treason Case by the Defendant's Lawyer Julien Cornell. New York 1966, S. 20

37 Das zweite Pariser Tagebuch. In: Ernst Jünger, Sämtliche Werke. Erste Abteilung. Band 3. Tagebücher III, Strahlungen II, S. 12

38 Ernst Jünger im Gespräch mit Walter Bittermann. Sendung Südwestfunk. Manuskript Teil II, S. 18
39 In: Ernst Jünger, Sämtliche Werke. Zweite Abteilung. Band 8. Essays II, Der Arbeiter, S. 116 f.
40 ebda., S. 19
41 ebda., S. 25
42 ebda., S. 254
43 ebda., S. 261
44 In: Ernst Jünger, Sämtliche Werke. Zweite Abteilung. Band 7. Essays I, Betrachtungen zur Zeit, S. 200
45 ebda., S. 202
46 ebda., S. 222
47 In: Ernst Jünger, Sämtliche Werke. Zweite Abteilung, Band 8. Essays II, Der Arbeiter, S. 83
48 Sgraffiti. In: Ernst Jünger, Sämtliche Werke. Zweite Abteilung. Band 9. Essays III, Das abenteuerliche Herz, S. 353 f.

Friedrich Sieburg

1 Radiosendung. 3. Programm. Studio Tübingen. 21. September 1950
2 Manuskript »Lust und Last der Vergangenheit«
3 Manuskript
4 Et alors? So what? Na, und? In: Frankfurter Allgemeine Zeitung vom 17. Januar 1964
5 Manuskript »Lust und Last der Vergangenheit«
6 Radiosendung. Studio Tübingen. 21. September 1950
7 Wolf Jobst Siedler, Plädoyer für einen linksschreibenden Rechten – Friedrich Sieburg zum siebzigsten Geburtstag. In: Die Zeit vom 17. Mai 1963. Walter Widmer, Dichtung und Geschichte. Die beiden ersten Bände einer neuen Taschenbuchreihe – wie Tag und Nacht. In: Die Zeit vom 24. Mai 1963
8 Hermann Pröbst, Friedrich Sieburg zum 70. Geburtstag. In: Süddeutsche Zeitung vom 18./19. Mai 1963
9 Radiosendung. Studio Baden-Baden. 4. November 1950
10 Manuskript »Lust und Last der Vergangenheit«
11 Heimatlos. In: Die Gegenwart vom 9. Mai 1953
12 Quakende Frösche. In: Die Gegenwart vom 15. August 1951
13 Walzwerke für Literatur. In: Die Gegenwart vom 15. Oktober 1950
14 Thomas Mann, Briefe, Bd. 2, 1937–1947. Hrsg. v. Erika Mann. Frankfurt am Main 1963, S. 443
15 Frieden mit Thomas Mann. In: Friedrich Sieburg. Zur Literatur. Bd. 1, 1924–1956. Hrsg. v. Fritz J. Raddatz. Stuttgart 1981, S. 217
16 ebda, S. 216
17 Gerhard Nebel, Thomas Mann zu seinem 75. Geburtstag. In: Frankfurter Allgemeine Zeitung vom 6. Juni 1950

18 Gottfried Benn, Briefe an F.W. Oelze 1945–1949. Wiesbaden, München 1979, S. 184
19 Wer allein ist –. In: Zur Literatur. 1924–1956. a.a.O., S. 212
20 Gottfried Benn, Briefe an F.W. Oelze 1945–1949. a.a.O., S. 184
21 Enzensbergers Juni-Lektüre. Gottfried Benn, Autobiographische und vermischte Schriften. In: Der Spiegel Nr. 23/1962
22 Nur für Leser. Stuttgart 1955, S. 98
23 Allein Sein. In: Die Gegenwart vom 15. Dezember 1951
24 Heimatlos. In: Die Gegenwart vom 9. Mai 1953
25 Michael Freund, Friedrich Sieburg. In: Frankfurter Allgemeine Zeitung vom 18. Mai 1963
26 Mit ausgefransten Hosen. In: Die Gegenwart vom 1. April 1950. Auf der sicheren Seite. In: Die Gegenwart vom 15. Januar 1950
27 Die Anrufung des Dichters. In: Die Erlösung der Straße. Potsdam 1920, S. 11
28 Joachim Fest über Friedrich Sieburg. In: Journalisten über Journalisten. Hrsg. v. Hans Jürgen Schultz. München 1980, S. 259 ff.
29 Aufruf an Berlin. In: Die Erlösung der Straße. a.a.O., S. 24 f.
30 Karl August Horst, Innerer Dialog. Friedrich Sieburg wäre achtzig geworden. In: Frankfurter Allgemeine Zeitung vom 19. Mai 1973
31 Franz Schonauer, Der Schöngeist als Kollaborateur oder Wer war Friedrich Sieburg? In: Intellektuelle im Banne des Nationalsozialismus. Hrsg. v. Karl Corino. Hamburg 1980, S. 111 ff.
32 Bibliothèque Nationale, Paris. Signatur 8°L^{58}b349
33 Die neue Rundschau. Sechstes Heft. Juni 1933, S. 855
34 Germany: My country. By Friedrich Sieburg. London 1933
35 Aus dem Englischen vom Autor rückübersetzt. Der Originaltext lautet: »Why? Because this movement incorporates an inner truth which consorts with our character. Germany was living in a sort of Babylonian captivity, in spiritual distress and moral despair: she was languishing beneath a sort of evil spell, but none of her leaders could find the magic formula with which to unbind the spell. Adolf Hitler found it, and, however the world may judge his qualities as a statesman, it cannot refuse him credit for this prophetic quality. Or, as Göring once said, the saving idea hung like a star in the firmament; anyone could pluck it and bring it down on to the German earth; but only *one* man saw it, namely, the insignificant soldier from Braunau, who had just emerged from the hell of the World War.« a.a.O., S. 14
36 ebda., S. 11
37 Karl August Horst, Innerer Dialog. Friedrich Sieburg wäre achtzig geworden. In: Frankfurter Allgemeine Zeitung vom 19. Mai 1973
38 Der Brief ist abgedruckt in der Süddeutschen Zeitung vom 12./13. Mai 1973; er war adressiert an den Fotografen Wachsmuth
39 Joachim Fest über Friedrich Sieburg. In: a.a.O., S. 265 f., S. 270
40 Ein Abendländer ohne Angst. In: Zur Literatur. 1924–1956. a.a.O., S. 231 ff.
41 Gottfried Benn, Briefe an F.W. Oelze 1945–1949. a.a.O., S. 107 f.
42 Friedrich Sieburg, Verloren ist kein Wort. Disputationen mit fortgeschrittenen Lesern. Stuttgart 1966, S. 106 f.

43 Die Diktatur der Tatsachen. In: Zur Literatur. 1924–1956. a.a.O., S. 286 ff.
44 Literarischer Unfug. In: Die Gegenwart vom 13. September 1952
45 Die hier erwähnten Zusammenhänge sind komplizierter und die Genesis dieser letzten, schließlich gescheiterten Bemühungen um die deutsche Einheit langfristiger, als das in dieser knappen Erwähnung zu charakterisieren wäre. Der damalige DDR-Ministerpräsident Otto Grotewohl hatte schon am 30. 1. 1951 in einer Sondersitzung der Volkskammer die Abgeordneten aufgefordert, dem Bundestag nochmals die Bildung eines gesamtdeutschen »Konstituierenden Rates« vorzuschlagen. Vgl. dazu Jens Daniel – alias Rudolf Augstein in Der Spiegel v. 7. 2. 1951 »Gebt Grotewohl eine Antwort«. In der 165. Sitzung des Deutschen Bundestages am 27. 9. 1951 werden 14 Punkte als Vorschläge einer gesamtdeutschen Wahlordnung aufgestellt, auf die am 10. 10. Grotewohl auf einer außerordentlichen Sitzung der Volkskammer eingeht. Dem Angebot freier, geheimer und direkter Wahlen in ganz Deutschland setzt die westliche Seite die Forderung nach einer internationalen, von der UNO organisierten Kontrolle der Möglichkeit solcher Wahlen entgegen. An dieser Forderung scheiterte die Initiative. Unter der Überschrift »Ein Lebewohl den Brüdern im Osten« schrieb Rudolf Augstein am 2. 1. 1952 im Spiegel: »Der Bundestag hätte sich etwas besseres einfallen lassen können, als den Antrag, die UNO solle untersuchen, ob in Ost- und Westdeutschland die Voraussetzungen für freie Wahlen gegeben seien ... Es kam also darauf an, den Sowjets die Zurückweisung der UNO zu erschweren. Statt dessen hat man sie ihnen in den Mund gelegt.«
Alle Zusammenhänge dieser politischen Phase sind ausführlich dokumentiert in: Berlin-Chronik der Jahre 1951–1954, Berlin (West) 1968
46 Verloren ist kein Wort. a.a.O., S. 14
47 Akzente und Maßstäbe. In: Die Gegenwart vom 31. Juli 1954
48 Verloren ist kein Wort. a.a.O., S. 14
49 Ein lustiger Gesell. In: Zur Literatur. 1957–1963. a.a.O., S. 172
50 Toter Elefant auf einem Handkarren. In: ebda., S. 200
51 Allein Sein. In: Die Gegenwart vom 15. Dezember 1951
52 Gottfried Benn. Briefe an F. W. Oelze 1945–1949. a.a.O., S. 120
53 Die Trilogie der fehlenden Leidenschaft. Zur Naturgeschichte der Nutte. In: Die Weltbühne vom 15. März 1923
54 Deutschland zwischen Soraya und Narriman. In: Die Gegenwart vom 18. 12. 1954
55 Verloren ist kein Wort. a.a.O., S. 32
56 Demokratie als Schimpfwort. In: Zur Literatur. 1924–1956. a.a.O., S. 255 ff.
57 Radiosendung. Studio Tübingen. 13. November 1950
58 Interview mit Horst Bienek. In: Horst Bienek, Werkstattgespräche mit Schriftstellern. München 1962, S. 187
59 ebda.
60 ebda., S. 180
61 Raymond Aron, Dankesrede anläßlich der Entgegennahme des Goethe-Preises der Stadt Frankfurt am Main. In: Frankfurter Allgemeine Zeitung vom 29. August 1979
62 Nichts da, Leute! In: Zur Literatur. 1957–1963. a.a.O., S. 153 f.
63 Ein Herr und Meister. In: ebda., S. 253 ff.

64 Manuskript
65 Interview mit Horst Bienek. In: a.a.O., S. 182, S. 185
66 Walter Mehring, Die verlorene Bibliothek. Autobiographie einer Kultur. Düsseldorf 1978, S. 224 f.
67 Joseph Roth, Briefe 1911–1939. Hrsg. u. eingel. v. Hermann Kesten. Köln, Berlin 1970, S. 84
68 ebda., S. 303 f.
69 Das Lächeln der Mona Lisa. In: Zur Literatur 1924–1956. a.a.O., S. 85 ff.
70 Ein lustiger Gesell. In: Zur Literatur. 1957–1963. a.a.O., S. 172
71 Nicht jeder Tor ist rein. In: Die Gegenwart vom 28. August 1954
72 Nur für Leser. a.a.O., S. 359
73 Die kleine Freiheit. In: Zur Literatur. 1957–1963. a.a.O., S. 129 f.
74 Verloren ist kein Wort. a.a.O., S. 19
75 Nöte des Kritikers. In: Die Gegenwart vom 1. Februar 1950
76 Zit. nach Lothar Baier, Revolte gegen die Kultur. Zum Reprint der Zeitschrift Texte und Zeichen. In: Süddeutsche Zeitung vom 18./19. August 1979
77 Verloren ist kein Wort. a.a.O., S. 163
78 Lesen lernen. In: Die Gegenwart vom 28. Februar 1953

Uwe Johnson

1 Die große Ausnahme. Über Uwe Johnson. In: Hans Magnus Enzensberger, Einzelheiten. Frankfurt am Main 1962, S. 234
2 Über Uwe Johnson. Hrsg. von Reinhard Baumgart. Frankfurt am Main 1970, edition suhrkamp 405, S. 175
3 Berliner Stadtbahn. In: Uwe Johnson, Berliner Sachen, Aufsätze. Frankfurt am Main 1975, Suhrkamp Taschenbuch 249, S. 20 f.
4 Eine Abiturklasse. In: Aus aufgegebenen Werken. Hrsg. v. Siegfried Unseld. Frankfurt am Main 1968, Bibliothek Suhrkamp. Sonderband. S. 193
5 Der Auszug »Eine Abiturklasse. Aus einem aufgegebenen Roman« ist abgedruckt in a.a.O., S. 107, und Teile des Romans werden referiert in Uwe Johnson, Begleitumstände. Frankfurter Vorlesungen. Frankfurt am Main 1980, edition suhrkamp NF 19
6 Nachwort. In: Karsch, und andere Prosa. Nachwort v. Walter Maria Guggenheimer. Frankfurt am Main 1964, edition suhrkamp 59, S. 87
7 Eine Abiturklasse. In: Aus aufgegebenen Werken. a.a.O., S. 121
8 Zit. nach: Über Uwe Johnson. a.a.O., S. 28
9 Günter Blöcker, Roman der beiden Deutschland. In: a.a.O., S. 10 ff.
10 Wolf Jost Siedler. In: Der Tagesspiegel vom 22. November 1959
11 Uwe Johnson, Das dritte Buch über Achim. Roman. Frankfurt am Main 1961, S. 9
12 »Was sich in Klagenfurt seit Samstag an Begeisterung abspielte, läßt sich nur mit dem Freudentaumel nach der Volksabstimmung vergleichen. Am Nachmittag des Samstags schon standen die Leute dichtgedrängt auf dem Neuen Platz, der übrigens in der Zwischenzeit zum Adolf-Hitler-Platz umgetauft wurde, um auf den

Einmarsch der deutschen Truppen zu warten. Stunden um Stunden standen sie da, um endlich zu erfahren, daß Samstag noch keine Gruppen kommen würden. Doch immer wieder wußten Ankommende zu sagen, daß die Truppen doch, gegen Mitternacht, zu erwarten seien, und so harrte die Masse geduldig bis in die späteren Nachststunden, sich mit dem Absingen deutscher Lieder und Sprechchören die Zeit vertreibend.

Der Sonntagvormittag sah die gleiche Masse wieder geduldig der Ankunft der deutschen Truppen harrend. Auf dem Hitler-Platz erfolgte gegen Mittag ein Aufzug aller militanten Formationen der NSDAP., der auch gefilmt wurde.

Um 11 Uhr endlich verlautbarte man im Rundfunk die Ankunft von deutschen Fliegern. Gleich darauf wälzte sich eine ungeheure Menge zum Flugfeld, um den Ankommenden herzliche Willkommensgrüße zu entbieten. Es trafen dann nach und nach dreißig Flugzeuge ein, deren Insassen von dem Gauleiter der NSDAP. vom Landeshauptmann und vom Bürgermeister begeistert begrüßt wurden.

Der Fackelzug

Um 8 Uhr abends veranstalteten die gesamte Garnison von Klagenfurt sowie Gendarmerie und Polizei einen imposanten Fackelzug durch die reichbeflaggte Stadt. Die Teilnehmer sammelten sich in der Gasometergasse und zogen durch die Bahnhofstraße vor das Gebäude der Landeshauptmannschaft. Hier brachte die Kapelle des Infanterie-Regiments Nr. 7 dem Gauleiter der NSDAP. ein Ständchen, wobei sie das Deutschlandlied und das Horst-Wessel-Lied spielte, die von Teilnehmern und Zuschauern mitgesungen wurden. Unter Sprechchören und dem brausenden Jubel der Zehntausende zählenden Zuschauermenge nahm der Fackelzug, dessen Ende durch die ehemaligen illegalen SS-Leute der Klagenfurter Bundespolizei gebildet wurde, den Weg weiter durch die Bahnhofstraße und Burggasse auf den Adolf-Hitler-Platz, wo die einzelnen Formationen Aufstellung nahmen.«

Uwe Johnson, Eine Reise nach Klagenfurt. Frankfurt am Main 1974, Suhrkamp Taschenbuch 235. S. 30 f.

13 Margret Boveri. Verzweigungen. Eine Autobiographie. Hrsg. u. m. e. Nachw. von Uwe Johnson. München 1977

14 Jahrestage. Zwei Kapitel »aus der letzten Lieferung«. In: Text + Kritik. Heft 65/66, Januar 1980, S. 5

15 Über Uwe Johnson. a.a.O., S. 121

16 ebda.

17 Horst Bienek, Werkstattgespräche mit Schriftstellern. München 1962, S. 86 f.

18 Etwa seine Bemerkung: »... ein Modell der Welt anzubieten, wie ich sie sehe, in der Hoffnung, sie würden ihr eigenes Modell (ihre Sicht von der Welt) damit vergleichen«. In: Butzbacher Autorenbefragung. Briefe zur Deutschstunde. Hrsg. von Hans Joachim Müller. München 1973, S. 83

19 Vgl. dazu S. 262 f. des vorliegenden Buches, wo der Dialog Brecht–Wolf im Zusammenhang der Überlegungen zu Rolf Hochhuths Arbeit ausführlich erörtert wird.

20 Gespräche mit Uwe Johnson. In: Wilhelm-Johannes Schwarz, Der Erzähler Uwe Johnson. Bern 1970, S. 86–98

21 Avantgarde. In: Marieluise Fleißer, Gesammelte Werke. Hrsg. v. Günther Rühle. Dritter Band. Gesammelte Erzählungen. Frankfurt am Main 1972, S. 125
22 ebda., S. 132
23 Marieluise Fleißer, Gesammelte Werke. Zweiter Band. Roman. Erzählende Prosa. Aufsätze. a.a.O., S. 308
24 Avantgarde. In: Marieluise Fleißer, Gesammelte Werke. a.a.O., S. 136
25 Vgl. dazu: Theaterarbeit. Sechs Aufführungen des Berliner Ensemble. Hrsg. v. Berliner Ensemble. Helene Weigel, Dresden 1952, S. 121 ff.
26 Bertolt Brecht, Erinnerung an die Marie A. In: Gedichte Band 1. 1918–1929. Berlin (Ost) 1961, S. 97
27 Uwe Johnson, Zwei Ansichten. Frankfurt am Main 1965, S. 37
28 Uwe Johnson, Das dritte Buch über Achim. a.a.O., S. 36
29 Uwe Johnson, Mutmaßungen über Jakob. Roman. Frankfurt am Main 1959, S. 149, 150
30 Versuch eine Mentalität zu erklären. In: Uwe Johnson, Berliner Sachen. Aufsätze. a.a.O., S. 52, 55
31 ebda., S. 63
32 Vgl. Text + Kritik. a.a.O., S. 1–9
33 In: Uwe Johnson, Karsch, und andere Prosa. a.a.O., S. 29–81
34 In: Uwe Johnson, Berliner Sachen. a.a.O., S. 64–94; die im Roman aufgenommene Szene ebda., S. 81
35 Michael Roloff, An Interview with Uwe Johnson. In: Metamorphosis 4. Nashville, Tennessee 1964, S. 42
36 Klappentext, Uwe Johnson, Mutmaßungen über Jakob. a.a.O.
37 ebda.
38 Uwe Johnson, Mutmaßungen über Jakob. a.a.O., S. 27
39 ebda., S. 74 f.
40 ebda., S. 129
41 Eine Reise wegwohin, 1960. In: Uwe Johnson, Karsch, und andere Prosa. a.a.O., S. 5
42 Geschenksendung, keine Handelsware. In: ebda., S. 25
43 ebda., S. 24
44 Günter Zehm, Ausruhen bei den Dingen. Notiz über Uwe Johnsons Methode. In: Der Monat, April 1962, 14. Jg./Heft 163
45 Statt eines Nachworts: Johnsons Voraussetzungen. In: Über Uwe Johnson. a.a.O., S. 170
46 ebda., S. 172
47 In: Über Uwe Johnson, a.a.O., S. 108
48 Berliner Stadtbahn. In: Uwe Johnson, Berliner Sachen. a.a.O., S. 14. Vgl. dazu im übrigen Theo Bucks Studie »Umstände mit der Wahrheit«, in Text + Kritik. a.a.O., S. 10 ff.
49 Dieter E. Zimmer, Eine Bewußtseinsinventur. In: Die Zeit vom 26. November 1971
50 Uwe Johnson, Das dritte Buch über Achim. a.a.O, S. 143
51 Walter Maria Guggenheimer, Nachwort. In: Uwe Johnson, Karsch, und andere Prosa. a.a.O., S. 96

52 Richard Alewyn, Eine Materialprüfung. Bei Durchsicht eines sechs Jahre alten Romans. In: Süddeutsche Zeitung vom 28. August 1971
53 Karlheinz Deschner, Talente. Dichter. Dilettanten. Überschätzte und unterschätzte Werke in der deutschen Literatur der Gegenwart. Wiesbaden 1964, S. 187 ff.
54 Peter Hacks, Literatur im Zeitalter der Wissenschaften (Diskussionsrede). In: Das Poetische. Ansätze zu einer postrevolutionären Dramaturgie. Frankfurt am Main 1972, edition suhrkamp 544. S. 13–22, Zitat S. 22
55 Zit nach: Helmut Heißenbüttel, Politik oder Literatur? In: Über Uwe Johnson. a.a.O., S. 107
56 Herbert Kolb. Rückfall in die Parataxe. Anläßlich einiger Satzbauformen in Uwe Johnsons erstveröffentlichtem Roman. In: Neue Deutsche Hefte. November/Dezember 1963, H. 96, S. 42–74. Die Darlegungen dieses Abschnitts beziehen sich im wesentlichen auf Kolbs Arbeit.
57 Zit. nach ebda., S. 42 f. Uwe Johnson, Mutmaßungen über Jakob, a.a.O., S. 255
58 Beide Beispiele wie die folgenden vgl. Kolb, a.a.O., S. 49
59 ebda.
60 Aus der Fremde. Sprechoper. Schaubühne am Halleschen Ufer Berlin. Spielzeit 1979/80
61 Uwe Johnson, Jahrestage 1. Aus dem Leben von Gesine Cresspahl, August 1967 bis Dezember 1967. Frankfurt am Main 1970, S. 240
62 Unveröffentlichter Brief an Siegfried Unseld vom 21. September 1973. – Zum Zeitpunkt, an dem diese Betrachtung geschrieben wird, Juni 1981, sind zwei Kapitel von Jahrestage 4 im Sonderheft Uwe Johnson von Text + Kritik (a.a.O.) abgedruckt.
63 Manfred Durzak, Von Mecklenburg nach Manhattan. In: Frankfurter Allgemeine Zeitung vom 18. Mai 1974
64 ebda.
65 Uwe Johnson, Jahrestage 2. Aus dem Leben von Gesine Cresspahl, Dezember 1967 bis April 1968. Frankfurt am Main 1971, S. 520
66 Jahrestage 1. a.a.O., S. 253
67 Jahrestage 2. a.a.O., S. 788
68 Jahrestage 1. a.a.O., S. 397 f.
69 Vgl. dazu Manfred Durzak. a.a.O.
70 Uwe Johnson, Jahrestage 3. Aus dem Leben von Gesine Cresspahl, April 1968 bis Juni 1968. Frankfurt am Main 1973, S. 1226
71 Urs Jenny, Gesine Cresspahls Prager Frühling. In: Süddeutsche Zeitung vom 23./24. Oktober 1971
72 Uwe Johnson, Begleitumstände. Frankfurter Vorlesungen. a.a.O., S. 360 f.
73 ebda., S. 311 f.
74 ebda., S. 24
75 ebda., S. 20
76 ebda., S. 27
77 ebda., S. 330
78 Témoignages berlinois. In: L'Herne. 14/1971. Gombrowicz. S. 328
79 Begleitumstände. a.a.O., S. 199
80 Zit. nach ebda., S. 432

81 ebda., S. 418
82 ebda., S. 451
83 Werner Bruck, Ein Bauer weiß, daß es ein Jahr nach dem andern gibt. Interview mit Uwe Johnson. In: Süddeutsche Zeitung vom 7./8. Juni 1975
84 Uwe Johnson, Skizze eines Verunglückten. Frankfurt am Main 1982. S. 50 f.
85 ebda., S. 25 f.
86 ebda., S. 44
87 ebda., S. 54
88 Schwächen. In: Bertolt Brecht, Gedichte über die Liebe. Ausgewählt von Werner Hecht. Frankfurt am Main 1982, S. 165

Martin Walser

1 Die Zeit vom 8. Juli 1977
2 Preise der Gruppe 47
1950 Günter Eich
Gedichte – 1000 Mark – amerikanische Werbefirma McCann Company
1951 Heinrich Böll
»Die schwarzen Schafe« – 1000 Mark – amerikanische Werbefirma McCann Company
1952 Ilse Aichinger
»Spiegelgeschichte« – 2000 Mark – Deutsche Verlagsanstalt
1953 Ingeborg Bachmann
Gedichte – 2000 Mark – Rowohlt / Südwestfunk
1954 Adriaan Morrien
»Ein unordentlicher Mensch«
1955 Martin Walser
»Templones Ende« – 1000 Mark – Berliner Verlage (Luchterhand, Gebrüder Weiß)
1958 Günter Grass
»Die Blechtrommel« – 5000 Mark – elf deutsche Verlage
1962 Johannes Bobrowski
Gedichte – 7000 Mark – vierzehn deutsche Verlage
1965 Peter Bichsel
»Eigentlich möchte Frau Blum den Milchmann kennenlernen« – 6000 Mark – zwölf deutsche Verlage
1967 Jürgen Becker
»Felder« – 6000 Mark – zwölf deutsche Verlage
3 Martin Walser, Beschreibung einer Form. München 1961, S. 11
4 Arbeit am Beispiel. Über Franz Kafka. In: Martin Walser, Erfahrungen und Leseerfahrungen. Frankfurt am Main 1965, edition suhrkamp 109, S. 146
5 Der Umzug. In: Ein Flugzeug über dem Haus und andere Geschichten. Frankfurt am Main 1955, S. 38 f.
6 Friedrich Sieburg, Toter Elefant auf einem Handkarren. In: Zur Literatur. Hrsg. von Fritz J. Raddatz. Band II 1957–1963. Stuttgart 1981, S. 196–200

7 Martin Walser, Halbzeit. Zweiter Band. Frankfurt am Main 1960, S. 415
8 ebda., S. 421
9 Martin Walser, Halbzeit. Erster Band. Frankfurt am Main 1960, S. 25
10 Friedrich Sieburg, Toter Elefant auf einem Handkarren. a.a.O., S. 198
11 Erfahrungen mit Marcel Proust. In: Martin Walser, Erfahrungen und Leseerfahrungen. a.a.O., S. 142
12 Urs Jenny, Martin Walser: Das Einhorn. In: Über Martin Walser. Hrsg. von Thomas Beckermann. Frankfurt am Main 1970, edition suhrkamp 407, S. 74
13 Martin Walser, Erfahrungen mit Marcel Proust. a.a.O., S. 124
14 ebda., S. 130
15 ebda.
16 Halbzeit. Zweiter Band. a.a.O., S. 639
17 Martin Walser, Ehen in Philippsburg. Reinbek bei Hamburg 1963, rororo 557, S. 29
18 ebda., S. 31
19 Marcel Reich-Ranicki, Keine Wörter für Liebe. Martin Walsers neuer Roman Das Einhorn. In: Die Zeit vom 2. September 1966
Diese Kritik löste eine Debatte aus, in deren Verlauf sich Reich-Ranicki nicht nur von Uwe Nettelbeck (Die Zeit vom 16. September 1966) eine andere mögliche Beurteilung entgegenhalten lassen mußte, sondern in der der damalige Chef des Feuilletons der Zeit, Rudolf Walter Leonhardt, seinem Mitarbeiter nachweisen mußte, falsch zitiert und Figuren verwechselt zu haben (Die Zeit vom 9. September 1966). Im Gegensatz zu Leonhardts Kritik fehlt die von Reich-Ranicki in dem Band »Über Martin Walser«; der Herausgeber Thomas Beckermann notiert lakonisch: »... nicht alle Abdruckrechte wurden erteilt.«
20 Halbzeit. Zweiter Band. a.a.O., S. 889
21 Alleinstehender Dichter. Über Robert Walser. In: Martin Walser, Erfahrungen und Leseerfahrungen. a.a.O., S. 154
22 Zit. nach Urs Jenny, Martin Walser: Das Einhorn. In: Über Martin Walser. a.a.O., S. 74
23 Wer ist ein Schriftsteller? In: Martin Walser, Wer ist ein Schriftsteller? Aufsätze und Reden. Frankfurt am Main 1979, edition suhrkamp 959, S. 40
24 ebda.
25 ebda., S. 36
26 Hans Magnus Enzensberger, Ein sanfter Wüterich. In: Hans Magnus Enzensberger, Einzelheiten. Frankfurt am Main 1962, S. 241
27 Martin Walser, Ehen in Philippsburg. a.a.O., S. 94 f.
28 ebda., S. 129
29 Der Schrifsteller und die Gesellschaft. In: Dichten und Trachten. Band 10, 1957, S. 37
30 Ein weiterer Tagtraum vom Theater. In: Martin Walser, Heimatkunde. Aufsätze und Reden. Frankfurt am Main 1968, edition suhrkamp 269, S. 84
31 Wir werden schon noch handeln. Dialoge über das Theater. In: Akzente, 1966–1969, München 1975. Nachdruck, Band IV, S. 515
32 Martin Walser, Überlebensgroß Herr Krott. Requiem für einen Unsterblichen. Frankfurt am Main 1964, edition suhrkamp 55, S. 28

33 ebda., S. 91 f.
34 Martin Walser, Abschied von Anselm Kristlein. In: Die Zeit vom 13. März 1981
35 Martin Walser, Das Fremdwort der Saison (S. 129); Günter Grass, Wer wird dieses Bändchen kaufen? (S. 76); Hans Magnus Enzensberger, Ich wünsche nicht gefährlich zu leben (S. 66). In: Die Alternative oder Brauchen wir eine neue Regierung? Hrsg. von Martin Walser. Reinbek bei Hamburg 1981, rororo 481
36 Wer ist ein Schriftsteller? In: Martin Walser, Wer ist ein Schriftsteller? a.a.O., S. 44 f.
37 Martin Walser, Einer der auszog, das Fürchten zu verlernen. Vermutungen über Hans Magnus Enzensberger. In: Die Zeit vom 15. September 1961
38 Wer ist ein Schriftsteller? In: Martin Walser, Wer ist ein Schriftsteller? a.a.O., S. 44
39 ebda., S. 42
40 ebda., S. 43
41 Engagement als Pflichtfach für Schriftsteller. Ein Radiovortrag mit vier Nachschriften. In: Martin Walser, Heimatkunde. a.a.O., S. 116 f., S. 116 oben
42 Amerikanischer als die Amerikaner. Rede zum Internationalen Vietnam-Tag. In: Martin Walser, Heimatkunde. a.a.O., S. 101 f.
43 Peter Weiss, Notizbücher 1971–1980. Zweiter Band. Frankfurt am Main 1981, edition suhrkamp 1067, NF 67, S. 633
44 Peter Weiss, Notizbücher 1971–1980. Erster Band. a.a.O., S. 56 f.
45 Engagement als Pflichtfach für Schriftsteller. In: Martin Walser, Heimatkunde. a.a.O., S. 109
46 Brief vom 16. Februar 1966 an Martin Walser
47 Aus dem Stoff der fünfziger Jahre. In: Deutsche Zeitung vom 24./25. September 1960
48 Peter Suhrkamp, Briefe an Autoren. Hrsg. u. m. e. Nachw. v. Siegfried Unseld. Frankfurt am Main 1963, Bibliothek Suhrkamp 100, S. 123 ff.
49 Über den Unerbittlichkeitsstil. Zum 100. Geburtstag von Robert Walser. In: Martin Walser, Wer ist ein Schriftststeller? a.a.O., S. 69
50 »Und wenn man auch Prousts Personen nicht einfach als ein paar Sprachphotographien oder Signalementsfetzen ins Gedächtnis aufnehmen kann, wenn man sie auch niemals auf eine deftige Formel bringen kann, denn sie haben ja, da es eigentlich keine Handlung gibt, auch keine repräsentative Funktion, wenn man jede dieser Personen nur als eine schier endlose Folge von Erscheinungen in der Erinnerung bewahren kann, so macht doch gerade die ungeheuer genaue Verfahrensweise Prousts sie so lebendig und intensiv: Man hat nicht mehr das Gefühl, Romanfiguren mit sich zu tragen, denn der Autor gesteht ja immer wieder, daß er sich ihrer gar nicht bemächtigen kann, daß sie, der zeitlichen Wirklichkeit wie er unterworfen, niemals ganz zu erfassen sind.«
Lesererfahrungen mit Marcel Proust. In: Martin Walser, Erfahrungen und Leseerfahrungen. a.a.O., S. 133
51 Ein Nachwort zur Ergänzung. In: Ursula Trauberg, Vorleben. Frankfurt am Main 1968, S. 269
52 Die Gallistl'sche Krankheit. Frankfurt am Main 1972. Dies ist zwar zitiert aus einer unsignierten Leseanweisung, die dem Roman »Die Gallistl'sche Krankheit« beiliegt. Es ist aber keine Spekulation, wenn man diesen »Schlüssel« dem Autor

Martin Walser zuschreibt; das entspricht nicht nur den Gepflogenheiten des Hauses Suhrkamp, sondern der Text verrät auch deutlich Walsers Sprache.

53 Über den Unerbittlichkeitsstil. Zum 100. Geburtstag von Robert Walser. In: Martin Walser, Wer ist ein Schriftsteller? a.a.O., S. 67–91

54 »Stendhal ging es gut, weil es ihm schlechtging.« ebda., S. 81

Heinrich Böll

1 Der Alltag ist auch ein Mythos. Literatur und Religion. Rundfunkgespräch mit Johannes Poethen am 27. 8. 1969. In: Heinrich Böll, Werke. Interviews 1. 1961–1978. Hrsg. v. Bernd Balzer. Köln 1980, S. 99. Drei Tage im März. Gespräch mit Christian Linder vom 11. bis 13. 3. 1975. In: Heinrich Böll, Werke, Interviews 1. a.a.O., S. 421

2 ebda., S. 418

3 ebda.

4 ebda., S. 408

5 Kunst ist Anarchie. Gespräch mit Günther Nenning (ORF) am 3. 12. 1975. In: Heinrich Böll, Werke, Interviews 1. a.a.O., S. 443, S. 447

6 Drei Tage im März. In: Heinrich Böll, Werke, Interviews 1. a.a.O., S. 425

7 Die kursivierten Stellen auf den Seiten 149 bis 152 stammen aus Karl Marx, Thesen über Feuerbach.

8 Zur Verteidigung der Waschküchen. In: Heinrich Böll, Werke. Essayistische Schriften und Reden I. 1952–1963. Köln 1979, S. 298 ff.

9 Briefe aus dem Rheinland. In: ebda., S. 489 f.

10 Heinrich Böll, Keine so schlechte Quelle. (Rezension der Adenauer-Memoiren) In: Der Spiegel Nr. 49/1965

11 Der Zeitgenosse und die Wirklichkeit. In: Heinrich Böll, Werke. Essayistische Schriften und Reden 1. 1952–1963. a.a.O., S. 72

12 Jetzt unter dem Titel, Was heute links sein könnte. In: Heinrich Böll, Werke. Essayistische Schriften und Reden 1. 1952–1963. a.a.O., S. 531

13 Kein Schreihals vom Dienst sein. Interview mit Marcel Reich-Ranicki am 11. 8. 1967. In: Heinrich Böll, Werke, Interviews 1. a.a.O., S. 62

14 Offene Antwort an die 329 tschechoslowakischen Schrifststeller, Intellektuellen und Künstler. In: Heinrich Böll, Werke. Hrsg. v. Bernd Balzer. Essayistische Schriften und Reden 2. 1964–1972. Köln 1980, S. 274 f.

15 Warum so zartfühlend? Über Carl Amerys Fragen an Welt und Kirche. In: Der Spiegel Nr. 21/1967

16 Karl Marx. In: Heinrich Böll, Werke. Essayistische Schriften und Reden 1. a.a.O., S. 413

17 Heinrich Böll, Drei Tage im März. In: a.a.O., S. 421

18 ebda., S. 398

19 ebda., S. 387. Schreiben und Lesen. Gespräch mit Karin Struck am 23. 10. 1973. In: a.a.O., S. 252

20 Heinrich Böll, Drei Tage im März. In: a.a.O., S. 376

21 »Und als der Krieg im ersten Lenz keinen Ausblick auf Frieden bot, da zog der Soldat seine Konsequenz und starb den Heldentod.« Gruppenbild mit Dame. In: Heinrich Böll, Werke. Hrsg. v. Bernd Balzer. Romane und Erzählungen 5. 1971–1977. Köln 1978, S. 49
22 Brief an den Verfasser vom 30. Januar 1983
23 Heinrich Böll, Drei Tage im März. In: a.a.O., S. 402
24 Im Gespräch mit Heinz Ludwig Arnold. 20.7. 1971. In: Heinrich Böll, Werke. Interviews 1. a.a.O., S. 142
25 Werkstattgespräch mit Horst Bienek. Anfang 1961. In: a.a.O., S. 21
26 Heinrich Böll, Drei Tage im März. In: a.a.O., S. 410
27 Schreiben und Lesen. In: a.a.O., S. 251
28 Heinrich Böll, Drei Tage im März. In: a.a.O., S. 384
29 Ansichten eines Clowns. In: Heinrich Böll, Werke. Hrsg. v. Bernd Balzer. Romane und Erzählungen 4. 1961–1970. Köln 1978, S. 107
30 Heinrich Böll, Werke. Hrsg. v. Bernd Balzer. Romane und Erzählungen 1. 1947–1951, Köln 1978, S. 372 f.
31 ebda., S. 374
32 Ansichten eines Clowns. In: Heinrich Böll, Werke. Romane und Erzählungen 4, a.a.O., S. 89
33 a.a.O., S. 312
34 Werkstattgespräch mit Horst Bienek. In: a.a.O., S. 13
35 ebda., S. 16
36 Heinrich Böll, Das Vermächtnis. Bornheim-Merten 1982, S. 65
37 Heinrich Böll, Fürsorgliche Belagerung. Roman. Köln 1979, S. 54 f.
38 Eine deutsche Erinnerung. Interview mit René Wintzen, Oktober 1976. In: Heinrich Böll, Werke. Interviews 1. a.a.O., S. 566
39 Warum so zartfühlend? Über Carl Amerys Fragen an Welt und Kirche. In: a.a.O.
40 Nordrhein-Westfalen. In: Heinrich Böll, Werke. Essayistische Schriften und Reden 1. a.a.O., S. 329
41 Raderberg, Raderthal. In: Heinrich Böll, Werke. Essayistische Schriften und Reden 2. a.a.O., S. 120
42 Der Rhein. In: ebda., S. 213
43 Im Ruhrgebiet. In: Heinrich Böll, Werke. Essayistische Schriften und Reden 1. a.a.O., S. 226
44 Die Moskauer Schuhputzer. In: Heinrich Böll, Werke. Essayistische Schriften und Reden 2. a.a.O., S. 476
45 Bertolt Brecht, O Falladah, die du hangest! In: Gedichte. 1930–1933. Frankfurt am Main 1961, S. 172
46 Heinrich Böll, Fürsorgliche Belagerung. a.a.O., S. 187
47 ebda., S. 80
48 ebda., S. 162
49 Heinrich Böll, Du fährst zu oft nach Heidelberg und andere Erzählungen. Bornheim-Merten 1979, S. 69, S. 72
50 Deutsche Utopien I für Helmut Gollwitzer, den Unermüdlichen. In: ebda., S. 91
51 Heinrich Böll, Fürsorgliche Belagerung. a.a.O., S. 409 f.
52 Werkstattgespräch mit Horst Bienek. In: a.a.O., S. 15

53 Heinrich Böll, Das Vermächtnis. a.a.O., S. 158
54 Ich tendiere nur zu dem scheinbar Unpolitischen. Gespräch mit Manfred Durzak, Anfang 1975. In: Heinrich Böll, Werke. Interviews 1. a.a.O., S. 334
55 Man kann nicht sehr weit gehen... Interview mit Markus M. Ronner (Die Weltwoche, Zürich) am 9. 2. 1972. In: ebda., S. 217
56 Heinrich Böll, Drei Tage im März. In: a.a.O., S. 392
57 Der Zug war pünktlich. In: Heinrich Böll, Werke. Romane und Erzählungen 1. a.a.O., S. 75
58 Haus ohne Hüter. In: Heinrich Böll, Werke. Romane und Erzählungen 2. a.a.O., S. 248
59 Das Brot der frühen Jahre. In: Heinrich Böll, Werke. Hrsg. v. Bernd Balzer. Romane und Erzählungen 3. 1954–1959. Köln 1978, S. 131
60 Billard um halbzehn. In: ebda., S. 423
61 ebda., S. 444
62 Eine deutsche Erinnerung. In: Heinrich Böll, Werke. Interviews 1. a.a.O. S. 519, S. 523
63 Haus ohne Hüter. In: a.a.O., S. 385
64 Im Gespräch mit Heinz Ludwig Arnold. In: Heinrich Böll, Werke. Interviews 1. a.a.O., S. 172

Günter Grass

1 Der Tagesspiegel vom 17. Mai 1955
2 Die Schule der Tenöre. In: Günter Grass, Die Vorzüge der Windhühner. Berlin-Frohnau und Neuwied am Rhein 1956, S. 14
3 Zit. nach: Übersicht über die Grass-Kritik. In: Wilhelm Johannes Schwarz, Der Erzähler Günter Grass. Bern 1969, S. 82
4 Joachim Kaiser. In: Süddeutsche Zeitung vom 5. November 1958
5 Günter Grass, Die Blechtrommel. Darmstadt, Berlin-Spandau, Neuwied am Rhein 1959, S. 105 f.
6 ebda., S. 126
7 ebda., S. 443, 444
8 ebda, S. 381
9 Die Klingel. In: Günter Grass, Gesammelte Gedichte. M. e. Vorw. v. Heinrich Vormweg. Neuwied und Berlin 1971, Sammlung Luchterhand 34. S. 44
10 ebda., S. 9
11 ebda.
12 Gesang der Brote im Backofen. ebda., S. 80
13 Der Dichter. In: ebda., S. 105
14 In: Stockholmer Katalog zur Tagung der Gruppe 47 im Herbst 1964
15 Lilien aus Schlaf. In: Günter Grass, Gesammelte Gedichte. a.a.O., S. 47
16 Peter Weiss, Notizbücher 1971–1980. Erster Band. Frankfurt am Main 1981, S. 56 f. a.a.O., Zweiter Band, S. 730 ff.
17 Ja. In: Günter Grass, Gesammelte Gedichte. a.a.O., S. 170

18 Tour de France. In: ebda., S. 208
19 ebda., S. 189
20 ebda., S. 201
21 Volker Neuhaus, Günter Grass. Stuttgart 1979. Sammlung Metzler 179. Volker Neuhaus, Günter Grass. Die Blechtrommel. Interpretationen für Schule und Studium. München 1982
22 Günter Grass. Zeichnungen und Texte 1954–1977. Hrsg. v. Anselm Dreher. Textauswahl und Nachwort von Sigrid Mayer. Darmstadt und Neuwied 1982, Zeichnen und Schreiben, Bd. 1, S. 69
23 ebda., S. 122 f.
24 Rückblick auf Die Blechtrommel oder Der Autor als fragwürdiger Zeuge. In: Günter Grass: Ein Materialienbuch. Hrsg. v. Rolf Geißler. Darmstadt und Neuwied 1976, Sammlung Luchterhand 214, S. 85, 80
25 Hans Magnus Enzensberger, Wilhelm Meister auf der Blechtrommel. In: Süddeutscher Rundfunk Stuttgart am 18. November 1959
26 Franz Josef Görtz, Günter Grass – Zur Pathogenese eines Markenbildes: Die Literaturkritik der Massenmedien 1959–1969. Eine Untersuchung mit Hilfe datenverarbeitender Methoden. Meisenheim am Glan 1978. Hochschulschriften: Literaturwissenschaft Bd. 20
27 Günter Grass, Aus dem Tagebuch einer Schnecke. Neuwied und Darmstadt 1972, S. 85 f.
28 ebda., S. 174
29 ebda., S. 155
30 Sämtlich in: Günter Grass, Über das Selbstverständliche. Reden. Aufsätze. Offene Briefe. Kommentare. Neuwied und Berlin 1968
31 Günter Grass, Aus dem Tagebuch einer Schnecke. a.a.O., S. 9, S. 20, S. 63
32 ebda., S. 107
33 ebda., S. 93
34 ebda., S. 180, S. 229
35 Günter Grass, Der Butt. Roman. Darmstadt, Neuwied 1977, S. 677
36 Die Kinder- und Hausmärchen. Gesammelt durch die Brüder Grimm. Reutlingen o. J., S. 81
37 Ernst Bloch, Motto zu Spuren. In: Ernst Bloch, Spuren. Neue, erw. Ausg. Frankfurt am Main 1967. Bibliothek Suhrkamp 54
38 Günter Grass, Der Butt. a.a.O., S. 184 f.
39 ebda., S. 117
40 ebda., S. 119 f.
41 Brief von Msgr. Dr. R. Stachnik an Günter Grass vom 25. Juni 1975. Dieser Brief und ein weiterer vom 26. Mai 1975 wurden dem Autor von Günter Grass zur Verfügung gestellt. 1976 erschien im Selbstverlag des Historischen Vereins für Ermland herausgegeben von Richard Stachnik und Anneliese Triller, Dorothea von Montau. Eine preußische Heilige des 14. Jahrhunderts. Anläßlich ihrer Heiligsprechung im Auftrage des Historischen Vereins für Ermland e. V.
42 Brief von Msgr. Dr. R. Stachnik an Günter Grass vom 26. Mai 1975
43 Günter Grass, Der Butt. a.a.O., S. 208 f., S. 210 f.

44 Über meinen Lehrer Döblin. In: Günter Grass, Über meinen Lehrer Döblin und andere Vorträge. Berlin 1968, S. 12
45 Günter Grass, Der Butt. a.a.O. S. 513
46 ebda., S. 512
47 ebda., S. 142
48 ebda., S. 140 f.
49 Günter Grass, Kopfgeburten oder Die Deutschen sterben aus. Darmstadt und Neuwied 1980, S. 106
50 Günter Grass, Der Butt. a.a.O., S. 151, S. 153, S. 155, S. 160f.
51 Vom mangelnden Selbstvertrauen der schreibenden Hofnarren unter Berücksichtigung nicht vorhandener Höfe. In: Günter Grass, Aufsätze zur Literatur. 1957–1979. Darmstadt und Neuwied 1980, S. 66
52 Günter Grass, Der Butt. a.a.O., S. 10
53 Vgl. dazu Gershom Scholem, Walter Benjamin und sein Engel – im Zusammenhang mit Benjamins autobiographischer Aufzeichnung Agesilaus Santander. In: Walter Benjamin zu Ehren. Sonderausgabe aus Anlaß des 80. Geburtstages von Walter Benjamin am 15. Juli 1972. Hrsg. v. Siegfried Unseld. Frankfurt am Main 1972, S. 77 ff.
54 Günter Grass, Der Butt. a.a.O., S. 15
55 ebda., S. 87
56 ebda., S. 584
57 ebda., S. 689
58 ebda., S. 694. Die Kinder- und Hausmärchen. a.a.O., S. 82
59 Günter Grass, Das Treffen in Telgte. Eine Erzählung. Darmstadt und Neuwied 1979, S. 9
60 ebda., S. 24
61 ebda., S. 85
62 ebda., S. 48
63 ebda., S. 181 f.
64 Günter Grass, Kopfgeburten oder Die Deutschen sterben aus. a.a.O., S. 8
65 ebda., S. 7
66 ebda., S. 105
67 ebda., S. 130
68 Die Vernichtung der Menschheit hat begonnen. In: Die Zeit vom 3. Dezember 1982

Wolfgang Hildesheimer

1 Johannes Kleinstück, Sündiger englischer Aristokrat. Wolfgang Hildesheimer auf der Spur eines Vergessenen. In: Die Welt vom 14. 10. 1981. »Wenn wir jedoch, bevor wir uns an die Lektüre begeben, eines der gängigen Nachschlagewerke konsultieren, um vorgängig Information über das rein Faktische zu erlangen, werden wir enttäuscht; die Encyclopedia Britannica etwa, die einen gewaltigen Stoff an Wissenswertem vermittelt, bringt keinen Artikel über ihn. Marbot ist von

der Nachwelt vergessen worden; Wolfgang Hildesheimer hat ihn entdeckt oder wiederentdeckt. ... Hildesheimer jedoch stellt nicht nur psychologische Spekulationen über den Menschen Marbot an, ihm geht es auch um das Werk, das, wie er ankündigt, demnächst in einer neuen, als definitiv gedachten Ausgabe vorliegen wird. ... Die Biographie soll der Ausgabe den Weg bereiten.«

2 Wolfgang Hildesheimer, Marbot. Eine Biographie. Frankfurt am Main 1981, S. 15

3 ebda., S. 14

4 ebda., S. 20

5 ebda., S. 307

6 ebda., S. 184

7 ebda., S. 185

8 ebda., S. 78 f.

9 Wolfgang Hildesheimer, Exerzitien mit Papst Johannes. Vergebliche Aufzeichnungen. Frankfurt am Main 1979, Bibliothek Suhrkamp 647, S. 81

10 Wolfgang Hildesheimer, Vergebliche Aufzeichnungen. Nachtstück. Nachwort von Karl Markus Michel, Frankfurt am Main 1962, edition suhrkamp 23, S. 113

11 Wolfgang Hildesheimer, Tynset. Frankfurt am Main 1965, S. 58

12 Wolfgang Hildesheimer, Lieblose Legenden. Frankfurt am Main 1962, Bibliothek Suhrkamp 84, S. 55 f.

13 Wolfgang Hildesheimer, Masante. Roman. Frankfurt am Main 1973, S. 87

14 Wolfgang Hildesheimer, Tynset. a.a.O., S. 34 f.

15 Vergleiche Ulrich Greiner, Außenseiter sind eher Legende, in: Die Zeit vom 27. November 1981. Das Referat wurde auf dem Literatur-Symposion des »Steirischen Herbst« 1981 als Gegenthese zu Hans Mayers Vortrag »Wir sind alle Außenseiter« (ebda.) gehalten und von den anwesenden Autoren diskutiert, darunter Max Frisch, Günter Grass, Luise Rinser, Urs Widmer, Margarete Mitscherlich, Peter Rühmkorf

16 Wolfgang Hildesheimer, Mozart. Frankfurt am Main 1977, S. 10

17 ebda., S. 26

18 Wolfgang Hildesheimer, Marbot. a.a.O., S. 14

19 Wolfgang Hildesheimer, Zeiten in Cornwall. M. 6 Zeichn. d. Autors. Frankfurt am Main 1971, Bibliothek Suhrkamp 281, S. 48

20 Über Georg Büchner. Eine Rede. In: Wolfgang Hildesheimer, Interpretationen. James Joyce – Georg Büchner. Zwei Frankfurter Vorlesungen. Frankfurt am Main 1969, edition suhrkamp 297, S. 37

21 ebda., S. 41

22 ebda., S. 107

23 ebda., S. 73

24 Wolfgang Hildesheimer, Lieblose Legenden. a.a.O., S. 81

Jürgen Becker

1 Hans Magnus Enzensberger, Einführung zu: Vorzeichen. Fünf neue deutsche Autoren. Eingef. v. H. M. Enzensberger. Frankfurt am Main 1962, S. 13
2 Zit. nach ebda., S. 16
3 Jürgen Becker, Felder. Frankfurt am Main 1964, edition suhrkamp 61, S. 146
4 ebda., S. 38, S. 34
5 Gedicht über Schnee im April. In: Jürgen Becker, Gedichte 1965–1980. Frankfurt am Main 1981, Suhrkamp Taschenbuch 690, S. 28
6 Jürgen Becker, Felder. a.a.O., S. 72
7 Statement für WDR-Broschüre (Schreibmaschinenmanuskript)
8 Zit. nach Wilhelm Emrich, Arno Holz und die moderne Kunst. In: Arno Holz, Werke. Band VII. Die Blechschmiede. Hrsg. v. Wilhelm Emrich und Anita Holz. Neuwied am Rhein, Berlin 1964, S. 454
9 Rezension der ersten drei Bände der neuen Arno-Holz-Ausgabe. In: Deutsche Zeitung vom 14. Juli 1962
10 Zit. nach Wilhelm Emrich, Arno Holz und die moderne Kunst. In: a.a.O., S. 463
11 Jürgen Becker, Ränder. Frankfurt am Main 1968, S. 55
12 Zit. nach Wilhelm Emrich, Arno Holz und die moderne Kunst. In: a.a.O., S. 457
13 ebda., S. 456f.
14 Wie ich denke – wie ich lebe, wie ich überlebe. Manfred Leier interviewt Jürgen Becker. In: Die Welt der Literatur vom 8. Januar 1970
15 Klappentext zu: Jürgen Becker, Bilder. Häuser. Hausfreunde. Drei Hörspiele. Frankfurt am Main 1969
16 Jürgen Becker, Bilder. a.a.O., S. 9, S. 10, S. 18f.
17 Dichten und Trachten 30. (Suhrkamp Information) Frankfurt am Main 1968, S. 27
18 Jürgen Becker, Ränder. a.a.O., S. 45
19 ebda., S. 84f.
20 ebda., S. 67
21 ebda., S. 112
22 Jürgen Becker, Umgebungen. Frankfurt am Main 1970, S. 7
23 ebda., S. 26f.
24 ebda., S. 36
25 ebda., S. 54
26 ebda., S. 39f.
27 In: Neues Hörspiel. Essays. Analysen. Gespräche. Herausgegeben von Klaus Schöning. Frankfurt am Main 1970, S. 117
28 Jürgen Becker, Ideale Landschaft. Text u. Bilderfolge (zusammen mit K.P. Brehmer) (Farbmusterbuch No 2). edition 13 der galerie rené block berlin 1968
29 Antwort auf einen Leserbrief in Christ und Welt. 1969 (Schreibmaschinenmanuskript)
30 Aus einem Brief an den Verfasser vom 17. Oktober 1973
31 Berliner Programm-Gedicht 1971. In: Jürgen Becker, Das Ende der Landschaftsmalerei. Gedichte. Frankfurt am Main 1974, S. 11
32 ebda., S. 26
33 Jürgen Becker, Erzählen bis Ostende. Frankfurt am Main 1981, S. 20

34 ebda., S. 89
35 Reise-Erzählungen 5. In: Jürgen Becker, In der verbleibenden Zeit. Gedichte. Frankfurt am Main 1979, S. 55
36 Die Zeit vom 30. April 1982

Wolfgang Koeppen

1 Wolfgang Koeppen, Vom Tisch. In: Text + Kritik Nr. 34/1972
2 Vgl. dazu die Erörterungen zu Koeppens Romanen Die Mauer schwankt und Eine unglückliche Liebe, S. 26 ff. dieses Buches.
3 Zit. nach Wolfgang Koeppen, Eine unglückliche Liebe. Frankfurt am Main 1977, Suhrkamp Taschenbuch 392, S. 2
4 ebda., S. 165
5 ebda., S. 164
6 ebda., S. 172
7 Autobiographische Skizze. In: New York. Entnommen aus Wolfgang Koeppen, Amerika-Fahrt. Stuttgart 1977, S. 67 f.
8 Unlauterer Geschäftsbericht. In: Das Tagebuch und der moderne Autor. Hrsg. v. Uwe Schultz. München 1965, Prosa viva 20, S. 7
9 Hans Schwab-Felisch, Kritik und Widerruf. In: Über Wolfgang Koeppen. Hrsg. v. Ulrich Greiner. Frankfurt am Main 1976, edition suhrkamp 864, S. 38
10 Karl Korn, Ein Roman, der Epoche macht. In: a.a.O., S. 28
11 Vgl. Ulrich Greiner, Wolfgang Koeppen oder die Geschichte eines Mißerfolgs. In: a.a.O., S. 20 ff.
12 Die elenden Skribenten. In: Wolfgang Koeppen, Die elenden Skribenten. Aufsätze. Herausgegeben von Marcel Reich-Ranicki. Frankfurt am Main 1981, S. 290
13 Vgl. Wolfgang Koeppen, Tauben im Gras, Frankfurt am Main 1974, S. 7
14 Hans Magnus Enzensberger, Ahnung und Gegenwart 1958. In: Über Wolfgang Koeppen. a.a.O., S. 89
15 Wolfgang Koeppen, Das Treibhaus. Frankfurt am Main 1980, Bibliothek Suhrkamp 659, Klappentext
16 Lothar Baier, Ein nichtgeschriebener Roman. Zu Der Tod in Rom. In: Über Wolfgang Koeppen. a.a.O., S. 223
17 Wolfgang Koeppen, Das Treibhaus. a.a.O., S. 148
18 Wolfgang Koeppen, Tauben im Gras. a.a.O., S. 15
19 Wolfgang Koeppen, Der Tod in Rom. Frankfurt am Main 1980, S. 67
20 »Denken war nicht seine Art. Das war Treibsand, gefährliches verbotenes Territorium. Literaten dachten. Kulturbolschewisten dachten. Juden dachten. Schärfer dachte die Pistole. Judejahn hatte keine Waffe bei sich. Er fühlte sich wehrlos. Was war mit ihm? Warum ging er nicht gut gekleidet, mit einem guten Paß ausgestattet, mit Geld reichlich versehen in ein gutes Restaurant, füllte sich den Bauch bis zum Speien, füllte ihn sich, wie ihn sich die Juden wieder füllten, füllte ihn sich mit Gänseleber, mit Mayonnaisen, mit zarten gemästeten Kapaunen, ging dann in ein Dancing, gut gekleidet, mit Geld versehen, trank sich voll und gabelte für die

Nacht was auf, wohl gekleidet, wohl versehen, geil wie die Juden, er konnte konkurrieren, er durfte Ansprüche stellen, warum tat er das nicht? Fressen, saufen, huren, das war Landsknechtsweise, so ging das Landsknechtslied, im Freikorps hatten sie es gesungen, bei Roßbach hatten sie es am Lagerfeuer gesungen, im Schwarzenreichswehrlager hatte man es gebrüllt, im Femewald, Judejahn war ein Landsknecht, er war der letzte übriggebliebene Landsknechter, pfiff das Lied in der Wüste, er wollte fressen, saufen, huren, er hatte Lust dazu, Unruhe zwickte seine Hoden, warum nahm er sich nicht, was er haben wollte, warum die Garküchen, die Stehkneipen, warum dieser Keller? Es zog ihn hinunter. Es war ein verhängnisvoller Tag. Lähmung lag in der alten Luft dieser Stadt, Lähmung und Verhängnis. Ihm war, als könne in dieser Stadt keiner mehr ficken. Ihm war, als hätten die Priester der Stadt die Hoden abgeschnitten. Er ging hinunter, Pilsener Bier, stieg in die Unterwelt, tschechische Ratten, Pilsener Fässer, es empfing ihn ein Steinkeller, groß, gewölbig, ein paar Tische, ein paar Stühle, hinten eine Theke, oxydierende, rostige Bierhähne, Bierschaum wie erbrochen auf dem Zink. An einem Tisch saßen zwei Männer. Sie spielten Karten. Sie musterten Judejahn. Sie grinsten. Es war kein gutes Grinsen. Sie begrüßten ihn: ›Sie sind auch nicht von hier!‹ Sie sprachen deutsch. Er setzte sich. ›Hummel, Hummel‹, sagte der eine.«
ebda., S. 66

21 Helmut Heißenbüttel, Wolfgang Koeppen-Kommentar. In: Über Wolfgang Koeppen. a.a.O., S. 154
22 Wolfgang Koeppen, Eine unglückliche Liebe. a.a.O., Vortext
23 Reinhard Döhl, Wolfgang Koeppen. In: Über Wolfgang Koeppen. a.a.O., S. 170
24 Wolfgang Koeppen, Der Tod in Rom. a.a.O., S. 157
25 Wolfgang Koeppen, Das Treibhaus. a.a.O., S. 112
26 Horst Bienek, Werkstattgespräch. In: Über Wolfgang Koeppen. a.a.O., S. 251
27 ebda., S. 249
28 Christian Linder, Schreiben als Zustand. Ein Gespräch mit Wolfgang Koeppen. ebda., S. 258
29 ebda., S. 260
30 ebda., S. 266
31 ebda., S. 263
32 ebda., S. 264 f.
33 Wolfgang Koeppen, Jugend. Frankfurt am Main 1976, S. 15
34 Reinhard Döhl, Wolfgang Koeppen. In: Über Wolfgang Koeppen. a.a.O., S. 179
35 Horst Bienek, Werkstattgespräch. In: a.a.O., S. 254
36 Wolfgang Koeppen, Döblin oder Die lange Flucht. In: Die elenden Skribenten. Aufsätze. a.a.O., S. 143
37 ebda., S. 99
38 ebda., S. 110
39 ebda., S. 117
40 Christian Linder, Schreiben als Zustand. In: Über Wolfgang Koeppen. a.a.O., S. 270

Peter Weiss

1 Peter Suhrkamp, Briefe an die Autoren. Hrsg. v. Siegfried Unseld. Privatdruck f. d. Freunde des Verl. Frankfurt am Main 1961, S. 57, 58
2 Vgl. zum Beispiel Reinhard Baumgart, Ein Skizzenbuch, spätgotisch. In: Über Peter Weiss. Hrsg. v. Volker Canaris. Frankfurt am Main 1970, S. 54 ff.; Karlheinz Braun, Schaubude – Irrenhaus – Auschwitz. Überlegungen zum Theater des Peter Weiss. In: Materialien zu Peter Weiss' ›Marat/Sade‹. Zusammengest. v. Karlheinz Braun. Frankfurt am Main 1967, edition suhrkamp 232, S. 136 ff.
3 Peter Weiss, Rapporte. Frankfurt am Main 1968, Bd. 1, edition suhrkamp 276, S. 114 f.
4 Rede in englischer Sprache gehalten an der Princeton University USA am 25. April 1966, unter dem Titel: I Come out of my hiding place. In: Über Peter Weiss. a.a.O., S. 10
5 a.a.O., S. 13
6 Jürgen Becker: Peter Weiss: Der Schatten des Körpers des Kutschers. In: Neue Deutsche Hefte, 1961. Nr. 83, S. 151
7 Peter Weiss, Der Schatten des Körpers des Kutschers. M. 7 Collagen v. d. Hd. d. Autors. Frankfurt am Main 1960, Tausenddruck 3, S. 15
8 Peter Weiss, Notizbücher 1971–1980. Erster Band. Frankfurt am Main 1981, edition suhrkamp 1067, NF 67, S. 29
9 Peter Weiss, Rapporte, Bd. 2. Frankfurt am Main 1971, edition suhrkamp 444, S. 26
10 Peter Weiss, Rapporte. a.a.O., S. 36
11 Peter Weiss, Abschied von den Eltern. Erzählung. Frankfurt am Main 1961, S. 64
12 Peter Weiss, Fluchtpunkt. Roman. Frankfurt am Main 1962, S. 36
13 ebda. S. 15
14 ebda. S. 306
15 Hans Magnus Enzensberger: Peter Weiss, Fluchtpunkt. In: Der Spiegel vom 5. Dezember 1962
16 Peter Weiss, Notizbücher 1971–1980. Zweiter Band. Frankfurt am Main 1981, edition suhrkamp 1067, NF 67, S. 724
17 Anmerkungen zum geschichtlichen Hintergrund unseres Stückes. In: Materialien zu Peter Weiss' ›Marat/Sade‹. a.a.O., S. 8
18 A. Alvarez, Dramatiker ohne Alternativen. Ein Gespräch mit Peter Weiss. In: Theater 1965, Jahressonderheft der Zeitschrift Theater heute, S. 89
19 Theater heute, Nr. 10/1965, S. 14
20 Anmerkungen zum geschichtlichen Hintergrund unseres Stückes. In: a.a.O., S. 10
21 Reinhard Baumgart, Musical fürs Staatstheater. In: Der Spiegel Nr. 25/1964
22 Der Text der Weiss-Rede und die gesamte Polemik ist dokumentiert in: Der »Fall« Peter Weiss, in: Kürbiskern. 1965, H. 1, S. 95–101; die Kolumne von Matthias Walden, Was zwingt Sie hinter die Hecke?, wurde gedruckt in: Quick vom 13. Juni 1965
23 Peter Weiss, Rapporte, Bd. 2. a.a.O., S. 17
24 Werner Mittenzwei, Zwischen Resignation und Aufklärung. Vom Menschenbild der neuesten westdeutschen Dramatik. In: Sinn und Form. 1964. H. 6, S. 894–

908; Manfred Haiduk, Peter Weiss' Drama Die Verfolgung und Ermordung Jean Paul Marats... In: Weimarer Beiträge, 1966. H. 1, S. 81–104, H. 2, S. 186–209
25 Peter Weiss, Notizbücher 1971–1980. Zweiter Band. a.a.O., S. 661
26 Peter Weiss, Rapporte, Bd. 2. a.a.O., S. 45
27 Peter Weiss, Die Ermittlung. Oratorium in 11 Gesängen. Frankfurt am Main 1965, S. 9, 10, 11
28 ebda., S. 13
29 Joachim Kaiser, Plädoyer gegen das Theater-Auschwitz. In: Süddeutsche Zeitung vom 4./5. September 1965
30 Joachim Kaiser, Eine kleine Zukunft. In: Akzente Heft 3/1966
31 Peter Weiss, Rapporte, Bd. 2. a.a.O., S. 92
32 Die Bundesrepublik ist ein Morast. Spiegel-Interview mit dem Dramatiker Peter Weiss. In: Der Spiegel vom 18. März 1968
33 Peter Weiss, Rapporte, Bd. 2. a.a.O., S. 105 ff.
34 Peter Weiss, Notizbücher 1971–1980. Erster Band. a.a.O., S. 171
35 Peter Weiss, Die Ästhetik des Widerstands. Roman. Erster Band. Frankfurt am Main 1975, S. 55
36 ebda., S. 36
37 ebda.
38 ebda., S. 37
39 Peter Weiss, Rapporte, Bd. 2. a.a.O., S. 78
40 Peter Weiss, Die Ästhetik des Widerstands. Erster Band. a.a.O., S. 300
41 Peter Weiss, Die Ästhetik des Widerstands. Roman. Zweiter Band. Frankfurt am Main 1978, S. 80
42 ebda., S. 38. Vgl. dazu auch Peter Weiss, Notizbücher 1971–1980. Zweiter Band. a.a.O., S. 926 f., wo er sich mit diesen Vorwürfen auseinandersetzt.
43 ebda., S. 48 f.
44 ebda., S. 149 f.
45 ebda., S. 145, 205, 312
46 Ernst Bloch, Motto zu Spuren. In: Ernst Bloch, Spuren. Neue, erw. Ausg. Frankfurt am Main 1967, Bibliothek Suhrkamp 54
47 Ernst Bloch, Die Kunst, Schiller zu sprechen. In: Ernst Bloch, Literarische Aufsätze. Frankfurt am Main 1965, Gesamtausgabe, Bd. 9, S. 146
48 Peter Weiss und Hans Magnus Enzensberger, Eine Kontroverse. In: Hans Magnus Enzensberger: Peter Weiss und andere. In: Kursbuch, 1966, H. 6, S. 171–176
49 ebda., S. 175
50 Peter Weiss, Die Ästhetik des Widerstands. Roman. Dritter Band. Frankfurt am Main 1981, S. 9, 20
51 ebda., S. 46 f.
52 ebda., S. 55
53 ebda., S. 41
54 ebda., S. 93
55 ebda., S. 218

Rolf Hochhuth

1 Hans Mayer, Hochhuth und Filbinger. In: Rosemarie von dem Knesebeck (Hg.), In Sachen Filbinger gegen Hochhuth. Die Geschichte einer Vergangenheitsbewältigung. Reinbek bei Hamburg 1980, rororo 4545, S. 9
2 Der alte Mythos vom »neuen« Menschen. In: Rolf Hochhuth, Die Hebamme. Komödie. Erzählungen. Gedichte. Essays. Reinbek bei Hamburg 1971, S. 371
3 Rolf Hochhuth, Tell 38. Dankrede für den Basler Kunstpreis 1976 am 2. Dezember in der Aula des Alten Museums. Reinbek bei Hamburg 1977, S. 13
4 Kreislaufstudie. In: Rolf Hochhuth, Die Hebamme. a.a.O., S. 92
5 Rolf Hochhuth, Tell 38. a.a.O., S. 14
6 Rolf Hochhuth, Die Hebamme. a.a.O., S. 429
7 Fritz J. Raddatz, Zeit-Gespräche. Bd. 1. Frankfurt am Main 1978, Suhrkamp Taschenbuch 520, S. 24
8 Der alte Mythos vom »neuen« Menschen. In: Rolf Hochhuth, Die Hebamme. a.a.O., S. 422
9 Theodor W. Adorno, Offener Brief an Rolf Hochhuth. In: Frankfurter Allgemeine Zeitung vom 10. Juni 1967
10 Der alte Mythos vom »neuen« Menschen. In: Rolf Hochhuth, Die Hebamme. a.a.O., S. 371
11 Rolf Hochhuth, Dramen. Der Stellvertreter. Soldaten. Guerillas. M. Aufsätzen v. Clive Barnes u.a. Reinbek bei Hamburg 1972, S. 7
12 Der alte Mythos vom »neuen« Menschen. In: Rolf Hochhuth, Die Hebamme. a.a.O., S. 359
13 Rolf Hochhuth, Dramen. a.a.O., S. 449
14 Die Rettung des Menschen. In: Frank Benseler (Hg.), Festschrift zum achtzigsten Geburtstag von Georg Lukács. Neuwied und Berlin 1966, S. 484 ff.
15 Hannah Arendt, The Deputy: Guilt by Silence? In: Eric Bentley (Hg.), The Storm over The Deputy. New York 1964. Golo Mann, Die eigentliche Leistung. In: Rolf Hochhuth, Dramen. a.a.O. Susan Sontag, Reflections on The Deputy. In: Eric Bentley (Hg.). a.a.O. Karl Jaspers, Nicht schweigen! In: Rolf Hochhuth, Der Stellvertreter. Ein christliches Trauerspiel. Mit e. Vorw. v. Erwin Piscator u. e. Essay von Walter Muschg. Reinbek bei Hamburg 1967, rororo 997/998
16 Walter Muschg, Hochhuth und Lessing. In: Rolf Hochhuth, Dramen. a.a.O., S. 285 f.
17 Golo Mann, Die eigentliche Leistung. In: ebda., S. 284
18 Vorwort zu Guerillas. In: ebda., S. 497
19 Bertolt Brecht, Kann die heutige Welt durch Theater wiedergegeben werden? In: Gesammelte Werke. Band 16. Frankfurt am Main 1967, S. 929
20 Rolf Hochhuth, Dramen. a.a.O., S. 322
21 Karl Jaspers, Nicht schweigen! In: a.a.O., S. 300
22 Hat die Revolution in der Bundesrepublik eine Chance? In: Rolf Hochhuth, Die Hebamme. a.a.O., S. 351
23 Soll das Theater die heutige Welt darstellen? In: ebda., S. 320
24 ebda., S. 318 f.
25 Georg Lukács, Einführung in die Ästhetik Tschernyschewskijs. In: Nikolaj G.

Tschernyschewskij, Die ästhetischen Beziehungen der Kunst zur Wirklichkeit. Berlin Ost 1954

26 Zit. nach Werner Jehser, Friedrich Wolf – Sein Leben und Werk. Berlin Ost 1968, 2. Aufl., Schriftsteller der Gegenwart, Deutsche Reihe 17, S. 14

27 Zit. nach Erwin Piscator. Schriften, Bd. 2: Aufsätze. Reden. Gespräche. Berlin Ost 1968, S. 257

28 Vgl. Friedrich Wolf, Meine Arbeit an Floridsdorf. In: Friedrich Wolf, Gesammelte Werke, Bd. 15: Aufsätze 1919–1944. Berlin und Weimar 1967, S. 453

29 Erich Kästner, § 218 / Cyankali. Aufsatz im Programmheft der Städtischen Bühnen Frankfurt am Main. Nr. 37/38. Zit. nach: Werner Jehser, Friedrich Wolf. a.a.O., S. 64

30 Bernhard Diebold in Frankfurter Zeitung vom 10. November 1930. Zit. nach: Jürgen Rühle, Das gefesselte Theater. Vom Revolutionstheater zum sozialistischen Realismus. Köln und Berlin 1957, S. 1043

31 Herbert Ihering, Von Reinhardt bis Brecht. Hrsg. v. d. Deutschen Akademie d. Künste. Berlin Ost 1959, Band 2, 1924–1929, S. 428

32 ebda. Band 3: 1930–1932, Berlin Ost 1961, S. 110

33 Alfred Kerr in Berliner Tageblatt vom 16. Januar 1931. Zit. nach Jürgen Rühle, Das gefesselte Theater. a.a.O., S. 1063

34 Bertolt Brecht, Friedrich Wolf, Formprobleme des Theaters aus neuem Inhalt. In: Friedrich Wolf, Gesammelte Werke. Bd. 16: Aufsätze 1945–1953. Berlin, Weimar 1967, S. 221 ff.

35 Theodor W. Adorno, Offener Brief an Rolf Hochhuth. a.a.O.

36 Soll das Theater die heutige Welt darstellen? Rolf Hochhuth, Die Hebamme. a.a.O., S. 322 f.

37 Werner Mittenzwei, Die vereinsamte Position eines Erfolgreichen. Der Weg des Dramatikers Rolf Hochhuth. In: Sinn und Form. Jg. 26, 1974, H. 6, S. 1248 ff.

38 ebda., S. 1264 f.

39 Rolf Hochhuth, Tod eines Jägers. Reinbek bei Hamburg 1976, das neue buch 68, S. 82

40 Rolf Hochhuth, Guerillas. Reinbek bei Hamburg 1973, S. 150

41 Theodor W. Adorno, Offener Brief an Rolf Hochhuth. a.a.O.

42 Martin Walser, Brief an Fritz J. Raddatz. In: Fritz J. Raddatz (Hg.), Summa iniuria, oder Durfte der Papst schweigen? Hochhuths Stellvertreter in der öffentlichen Kritik. Reinbek bei Hamburg 1963, rororo 591, S. 47

43 Rolf Hochhuth, Der alte Mythos vom »neuen« Menschen. In: Die Hebamme. a.a.O., S. 424

44 Unsere »abgeschriebenen« Schriftsteller in der Bundesrepublik. In: ebda., S. 336

45 Otto Flake: In: ebda., S. 453 f.

46 L'Impromptu de Madame Tussaud. In: ebda., S. 66 und 75

47 Machtlose und Machthaber. In: Literaturmagazin 1. Reinbek bei Hamburg 1973, S. 49

48 Rolf Hochhuth, Tell 38. a.a.O., S. 17

49 Fritz J. Raddatz, Zeit-Gespräche. a.a.O., S. 26

50 Susan Sontag, Reflections on The Deputy. In: a.a.O., S. 123

51 Interview in Playboy. Nr. 5/1979

Hans Magnus Enzensberger

1 Hans Mathias Kepplinger, Der Schriftsteller in der Öffentlichkeit (am Beispiel Hans Magnus Enzensbergers). Ein Vorschlag zur Anlage repräsentativer Untersuchungen der Presseberichterstattung. Sonderdruck aus: Literaturwissenschaft und empirische Methoden. Eine Einführung in aktuelle Projekte. Hrsg. v. Helmut Kreuzer u. Reinhold Viehoff. Göttingen 1981. Zeitschrift für Literaturwissenschaft u. Linguistik, Beitr. 12, S. 88

2 Vgl. Kapitel III in: Hans Magnus Enzensberger, Einzelheiten. Frankfurt am Main 1962, S. 215–252

3 Versuch, von der deutschen Frage Urlaub zu nehmen. In: Hans Magnus Enzensberger, Deutschland, Deutschland unter anderm. Äußerungen zur Politik. Frankfurt am Main 1967, edition suhrkamp 203, S. 45

4 Peter Weiss, Notizbücher 1971–1980. Zweiter Band. Frankfurt am Main 1981, edition suhrkamp 1067, NF 67, S. 740f.

5 Martin Walser, Engagement als Pflichtfach für Schriftsteller. In: Heimatkunde. Aufsätze u. Reden. Frankfurt am Main 1968, edition suhrkamp 269, S. 106f.

6 Johannes Bobrowski, HME. In: Stockholmer Katalog zur Tagung der Gruppe 47 im Herbst 1964. Zusammengest. u. gestaltet v. Hubert Fichte i. Zusammenarbeit m. F. J. Raddatz. Stockholm 1964

7 »Bei Enzensberger kommt offenbar noch etwas hinzu, worüber er schmunzeln oder sich ärgern dürfte und was möglicherweise seine Freunde lebhafter empfinden als die, die ihn ›nur‹ aus seinen Arbeiten kennen: nämlich ein Moment von Koboldhaftigkeit. Im 19. Jahrhundert hätte man gesagt: von dämonischer Koboldhaftigkeit. Ich habe ihn, diese ungewöhnliche Mischung aus poeta ductus und elegantem Rübezahl, einmal in vorgerückter Stunde auf einem Gruppe-47-Tisch jubelnd herumtanzen sehen, weil es ihm gelungen war, irgendeine Aktivität oder Resolution durchzubringen, die irgendeine wohlbehütete spätkapitalistische Stabilität ins Wanken bringen sollte.« Joachim Kaiser, Enzensbergers große kleine Freiheit. Bekannte und 30 neue Gedichte. In: Süddeutsche Zeitung vom 17. November 1971.

8 Hannah Arendt/Hans Magnus Enzensberger, Ein Briefwechsel. In: Über Hans Magnus Enzensberger. Hrsg. v. Joachim Schickel. Frankfurt am Main 1970, edition suhrkamp 403, S. 179

9 Hans Egon Holthusen, Die Zornigen, die Gesellschaft und das Glück. In: ebda., S. 58

10 Martin Walser, Einer der auszog, das Fürchten zu verlernen. In: ebda., S. 82

11 Jürgen Habermas, Vom Ende der Politik. In: ebda., S. 82

12 Geburtstagsbrief

alt bist du: alt: wie laub verdorrt das lid:
die schläfen schimmeln: geiles moos erpreßt
die rippen wie ein verdacht: der zunder
flicht sich durch die gefäße: der schwamm
wie unheil: wie ein pilz aus essig: wie scham
bläht sich ein weißer zuwachs in organen:

wie geheime beeren: schweigend: wie eine rose
auf der stirn: wie eine flechte im verstockten blut:
vergilbter samen: langsam: wie asche langsam
zieht der pilz die fäden im gehirn: wie spinnen
verhängen weisheit und verdruß den mund
geiz und verachtung fressen sich ins feuchte netz
der adern: mergel dringt in die ohren: kalk
in die träume: rieselt kreide: aus der tiefen druse
klopft das herz verschüttet: alt: um Hilfe:
alt: du bist alt bist du: alt.

In: Hans Magnus Enzensberger, Verteidigung der Wölfe, Gedichte, Frankfurt am Main 1957, S. 51

13 Klappentext zu ebda.

14 Hans Magnus Enzensberger, Brentanos Poetik. München 1961, S. 9

15 ebda.

16 ebda., S. 124

17 ebda., S. 26

18 ebda., S. 56

19 Schaum. In: Hans Magnus Enzensberger, Landessprache. a.a.O., S. 37
Main 1960, S. 37 ff.

20 Hans Magnus Enzensberger, Brentanos Poetik. a.a.O., S. 56

21 Schaum. In: Hans Magnus Enzensberger, Landessprache. a.a.O., S. 37

22 Hans Magnus Enzensberger, Brentanos Poetik. a.a.O., S. 134

23 Alfred Andersch, Hans Magnus Enzensberger, »Landessprache«. In: Über Hans Magnus Enzensberger. a.a.O., S. 68

24 Schaum. In: Hans Magnus Enzensberger, Landessprache. a.a.O., S. 38

25 Botschaft des Tauchers. In: ebda., S. 65

26 An einen Mann in der Trambahn. In: Hans Magnus Enzensberger, Verteidigung der Wölfe. a.a.O., S. 77

27 Notizbuch. In: Hans Magnus Enzensberger, Blindenschrift. Gedichte. Frankfurt am Main 1964, S. 17

28 Verteidigung der Wölfe gegen die Lämmer. In: Hans Magnus Enzensberger, Verteidigung der Wölfe. a.a.O., S. 91

29 Kursbuch 15/1968, S. 188

30 Sommergedicht: In: Hans Magnus Enzensberger, Gedichte 1955–1970. Frankfurt am Main 1971, Suhrkamp Taschenbuch 4, S. 105; Himmelsmaschine. In: ebda., S. 122; Hommage à Gödel. In: ebda., S. 168

31 Johannes Gross, Politik und Verbrechen. In: Über Hans Magnus Enzensberger. a.a.O., S. 161 f.

32 »Wo Redensarten, Formeln, Sprichwörter auftauchen, sind sie meist schon umgeformt, aus ihren gewohnten Zusammenhängen gerissen und auf überraschende Weise neu verknüpft: ›die tränen fassen sich kurz; ›das süßholz vorkaun‹; ›heimat hat goldenen boden, beriecht ihn‹; ›eigener Handschellen schmied‹. Aus dem Sprichwort ›eine Krähe hackt der andern kein Auge aus‹ entsteht ›schwestern sind, / mit euch verglichen, die krähen: / ihr blendet einer den andern‹; aus der umgangssprachlichen Redensart ›sich etwas unter die Nägel reißen‹ (= stehlen) wird das

makabre Bild ›neue felder der ehre, / auf denen ihr euch preiswert sterbend unsterblichkeit / reißen könnt unter die blauen / blutigen nägel‹. Hier liegt auch noch ein zweiter Fall vor, nämlich die Verfremdung des Schlagwortes vom Feld der Ehre durch die unerwartete Pluralisierung, die ihm plötzlich seine eigentliche Realität verleiht.« Reinhold Grimm, Montierte Lyrik. In: ebda., S. 24f.

33 ebda., S. 34 f.

34 Hans Egon Holthusen, Die Zornigen, die Gesellschaft und das Glück. In: ebda., S. 58

35 Hans Magnus Enzensberger, Brentanos Poetik. a.a.O., S. 46

36 Der Fall Pablo Neruda. In: Hans Magnus Enzensberger, Einzelheiten. a.a.O., S. 317

37 Staatsgefährdende Umtriebe. Hrsg. v. Hans Magnus Enzensberger. Berlin: Voltaire-Verlag 1968. Voltaire Flugschriften 11, S. 27

38 Bahman Nirumand, Persien, Modell eines Entwicklungslandes oder Die Diktatur der Freien Welt. Reinbek bei Hamburg 1967. Sieben Nächte Jubel. In: Der Spiegel Nr. 44/1967, S. 129 ff.

39 Johannes Gross, Politik und Verbrechen. In: Über Hans Magnus Enzensberger. a.a.O., S. 160 ff.

40 Brief an den Bundesminister für Verteidigung, Herrn Kai-Uwe von Hassel. In: Hans Magnus Enzensberger, Deutschland, Deutschland unter anderm. a.a.O., S. 27 ff.
Brief an den Bundesminister der Justiz. In: Staatsgefährdende Umtriebe. a.a.O., S. 21

41 Hans Magnus Enzensberger, Deutschland, Deutschland unter anderm. a.a.O., S. 40, 175

42 Bertolt Brecht, Ballade von den Abenteurern. In: Bertolt Brecht, Gedichte, Band 1. 1918–1929. Berlin (Ost), Weimar 1961

43 Gottfried Benn, Gesänge. In: Gottfried Benn. Gesammelte Werke in vier Bänden. Hrsg. v. Dieter Wellershoff. Dritter Band. Gedichte. Wiesbaden 1960, S. 25

44 Gespräch der Substanzen. In: Hans Magnus Enzensberger, Landessprache. a.a.O., S. 66

45 Hans Magnus Enzensberger, Politik und Verbrechen. 9 Beiträge. Frankfurt am Main 1964, S. 398

46 Johannes Gross, Politik und Verbrechen. In: Über Hans Magnus Enzensberger. a.a.O., S. 160

47 Martin Walser, Einer, der auszog, das Fürchten zu verlernen. In: ebda., S. 78 ff.

48 Freisprüche. Revolutionäre vor Gericht. Hrsg. v. Hans Magnus Enzensberger. Frankfurt am Main 1970, S. 460

49 Darmstadt, am 19. Oktober 1963. In: Hans Magnus Enzensberger, Deutschland, Deutschland unter anderm. a.a.O., S. 14 ff.

50 Hans Mathias Kepplinger, Rechte Leute von links. Gewaltkult und Innerlichkeit. Olten 1970, S. 111, 102

51 ebda., S. 103

52 ebda., S. 77

53 Hannah Arendt / Hans Magnus Enzensberger, Briefwechsel. In: Über Hans Magnus Enzensberger. a.a.O., S. 175

54 ebda., S. 175
55 Vgl. Hannah Arendts Antwort; ebda., S. 177 ff.
56 Kursbuch 23, 1971
57 Schattenwerk. In: Hans Magnus Enzensberger, Blindenschrift. a.a.O., S. 93
58 Yaak Karsunke, Kurs wohin? In: Über Hans Magnus Enzensberger. a.a.O., S. 186
59 Hans Magnus Enzensberger, Gemeinplätze, a.a.O., S. 197
60 Zit. nach Wolf Lepenies, Über eine mögliche Wiederannäherung der Literatur an die Wissenschaften. Gedanken zum Literaturmagazin 6. In: Frankfurter Allgemeine Zeitung vom 7. Dezember 1976
61 Die Neue Zeit, Jg. 1/Nr. 10, S. 532–535
62 Vgl. Fritz J. Raddatz, Revolte und Melancholie. Essays zur Literaturtheorie. Hamburg 1979, S. 107 f.
63 Hans Magnus Enzensberger, Gemeinplätze. In: Kursbuch 15, S. 175
64 »Ein für unsere siebziger Jahre charakteristisches Vorkommnis ereignete sich in der gewiß weitaus unverbindlicheren, vergeßlicheren Pseudo-Öffentlichkeit des Fernsehens. In Berlin wurde, vor Scheinwerfern und Kameras, zum 999. Male gewiß, über die irre Frage, ob Literatur agitatorisch sein müsse (nicht etwa könne, sondern tatsächlich: müsse), diskutiert. Dabei kam auch die hübsch harmlose Feststellung zur Sprache, ob nicht beispielsweise ein Drama wie Kleists ›Prinz Friedrich von Homburg‹, selbst wenn es keine unmittelbaren agitatorischen oder gar revolutionären Rezepte vermittle, gewichtig, wichtig, erhellend und bereichernd sei. Dazu sagte, anscheinend sogar im Gefühl sicherer Resonanz, der Literaturbetreuer einer Westberliner Hochschule, Helmut Lethen: ›Was kümmert uns der Tod dieses Krautjunkers?‹ Den Diskutanten blieben Sprache und Spucke weg, den Fernsehzuschauern, wie sich später herausstellte, auch. Was junge Studenten bei diesem unbekümmerten Literaturbedenker wohl lernen können, etwa über Heinrich von Kleist... Als Lethen, wahrscheinlich hielt er es für mutig und ironisch, einen symbolischen preußischen Träumer mit einem Krautjunker verwechselte, da ahnte unser Freund nicht, daß diese maliziöse Dummheit ihm selbst zu Symbolrang verhelfen würde: plötzlich spürt man, wie fern und fast liebenswert, wie bärtig und museal mittlerweile die Anti-Kunst-Bewegung der späten sechziger Jahre geworden war.«
Joachim Kaiser, Die wiedergefundenen Musen. In: Süddeutsche Zeitung von Silvester 1972/Neujahr 1973
65 Hans Magnus Enzensberger, Gemeinplätze. a.a.O., S. 195
66 Hans Magnus Enzensberger, Berliner Gemeinplätze. In: Kursbuch 11/1968, S. 151 und Hans Magnus Enzensberger, Berliner Gemeinplätze II. In: Kursbuch 13/1968, S. 190
67 Karl Heinz Bohrer, Revolution als Metapher. In: Über Hans Magnus Enzensberger. a.a.O., S. 272 f.
68 Hans Magnus Enzensberger, Gemeinplätze. a.a.O., S. 189
69 Ein letzter Beitrag zu der Frage ob Literatur? In: Hans Magnus Enzensberger, Gedichte 1955–1970. a.a.O., S. 161 f.

Vom Neo-Marxismus zum Neo-Narzißmus: die Literatur der siebziger Jahre

1 Wolf Wondratschek, Chuck's Zimmer. Alle Gedichte und Lieder. München 1981, Heyne Buch 6030, S. 137
2 Volker Hage. In: Frankfurter Allgemeine Zeitung vom 12. Dezember 1978
3 Bruchstücke. In: Wolf Wondratschek, Chuck's Zimmer. a.a.O., S. 111
4 Druse. In: Peter Rühmkorf, Gesammelte Gedichte, Reinbek bei Hamburg 1976, S. 109
5 Kiez. In: a.a.O., S. 115
6 Tagebuch. In: Peter Rühmkorf, Haltbar bis Ende 1999. Gedichte. Reinbek bei Hamburg 1979, S. 15. Einen zweiten Weg ums Gehirn rum. In: ebda., S. 49
7 ... und das Ich. In: Peter Rühmkorf, Walther von der Vogelweide, Klopstock und ich. Reinbek bei Hamburg 1975, das neue buch 65, S. 123, S. 124
8 Mailied für junge Genossin. In: Peter Rühmkorf, Gesammelte Gedichte. a.a.O., S. 130. Abtrunk. In: ebda., S. 113
9 Günther Rühle, Mysterium und Huldigung. In: Theater heute. Heft 5/1982, S. 9
10 ... und das Ich. In: Peter Rühmkorf, Walther von der Vogelweide, Klopstock und ich. a.a.O., S. 147
11 Kiez. In: Peter Rühmkorf, Gesammelte Gedichte. a.a.O., S. 115. Anschluß an Masse finden. In: a.a.O., S. 127
12 G. de' D. (1318–1389). In: Hans Magnus Enzensberger, Mausoleum. Siebenunddreißig Balladen aus der Geschichte des Fortschritts. Frankfurt am Main 1975, S. 8
13 Gesänge. In: Gottfried Benn, Gedichte. Gesammelte Werke in vier Bänden. Bd. 3. Hrsg. v. Dieter Wellershoff. Wiesbaden 1960, S. 25
14 V.M.M. (1890–19) In: Hans Magnus Enzensberger, Mausoleum. a.a.O., S. 108
15 Unveröffentlichte Widmung Kurt Tucholskys für Walter Mehring
16 M.A.B. (1814–1876). In: Hans Magnus Enzensberger, Mausoleum. a.a.O., S. 87 f.
17 N.M. (1469–1527). In: ebda., S. 13
18 C.R.D. (1809–1882). In: ebda., S. 79
19 E.G. de la S. (1928–1967). In: ebda., S. 116, S. 117
20 Interview. In: Die Welt vom 12. Januar 1976
21 Erinnerung ist politische Arbeit. In: Die Zeit vom 2. Januar 1976
22 Peter Handke, Die Stunde der wahren Empfindung. Frankfurt am Main 1975, S. 8, S. 129. Peter Handke, Der kurze Brief zum langen Abschied. Frankfurt am Main 1972, S. 82
23 Peter Handke. Die Tyrannei der Systeme. In: Die Zeit vom 2. Januar 1976. Peter Handke. Der kurze Brief zum langen Abschied. a.a.O., S. 159
24 Arnim Roscher, Verstehen und Verständlichkeit. Gespräch mit Erich Arendt. In: Neue Deutsche Literatur 1973, H. 4, S. 118–129
25 Heinz Czechowski als Antwort zu einer Umfrage von Manfred Jendryschik, Was verstehen Sie in der Lyrik unter dem Begriff zeitgenössisch? Welche Möglichkeiten sehen Sie, Ihre Zeitgenossen zu erreichen? Zuerst veröffentlicht im Sonntag 32/1971, dann in: Manfred Jendryschik, Lokaltermine. Notate zur zeitgenössischen Lyrik. Halle/Saale 1974, S. 149
26 Peter Rühmkorf, Kein Apolloprogramm für Lyrik. In: Frankfurter Allgemeine

Zeitung vom 3. Mai 1975. Das lyrische Ich. Werner Neubert in Gesprächen mit Eva Strittmatter. In: Neue Deutsche Literatur 6/1973

27 Heiner Müller, Philoktet. Herakles 5. Frankfurt am Main 1966, edition suhrkamp 163, S. 21

28 O Falladah, die du hangest! In: Bertolt Brecht, Gedichte 1930–1933. Frankfurt am Main 1961, S. 172

29 Volker Braun, Unvollendete Geschichte. Frankfurt am Main 1977, S. 71

30 Die Bibel-Ballade. In: Wolf Biermann, Preußischer Ikarus. Lieder. Balladen. Gedichte. Prosa. Köln 1978, S. 29

31 ebda., S. 27 ff.

32 Gisela Elsner. Die Riesenzwerge. Ein Beitrag. Reinbek bei Hamburg 1964, S. 265

33 Günter Grass, Hundejahre. Roman. Neuwied am Rhein, Berlin 1963, S. 682

34 Günter Grass, Aus dem Tagebuch einer Schnecke. Neuwied, Darmstadt 1972, S. 63. Vgl. S. 177 des vorliegenden Buches.

35 ebda., S. 221 f.

36 ebda., S. 174 Vgl. S. 176 des vorliegenden Buches.

37 ebda., S. 270.

38 ebda., S. 350

39 Jean Améry, Hand an sich legen. Diskurs über den Freitod. Stuttgart 1976

40 Günter Blöcker, Der alte Mann und das Mädchen. In: Merkur 29/1975, S. 1179 ff.

41 Max Frisch, Montauk. Eine Erzählung. Frankfurt am Main 1975, S. 12

42 Berliner Programm-Gedicht, 1971. In: Jürgen Becker, Das Ende der Landschaftsmalerei. Gedichte. Frankfurt am Main 1974, S. 25

43 ebda., S. 67

44 Max Frisch, Montauk. a.a.O., S. 68

45 Christine Koschel, Inge von Weidenbaum, Ingeborg Bachmanns Tod: Ein Unfall. Protokoll der Umstände ihres Sterbens. In: Süddeutsche Zeitung vom 30. Dezember 1980. Suche nach Serestra. Wie starb Ingeborg Bachmann? In: Der Spiegel Nr. 1/2 1981

46 Montauk. a.a.O., S. 121

47 ebda., S. 128

48 ebda., S. 149

49 Fritz J. Raddatz, Zeit-Gespräche, Bd. 2. Frankfurt am Main 1982, S. 46

50 Peter Handke, Das Gewicht der Welt. Ein Journal. (November 1975–März 1977). Salzburg 1977, S. 40

51 Das Gewicht der Welt und sein Eichmeister. Zu Peter Handkes Journal. In: Peter Wapnewski, Zumutungen. Essays zur Literatur des 20. Jahrhunderts. Düsseldorf 1979, S. 271 f.

52 Nicolas Born, Die erdabgewandte Seite der Geschichte. Roman. Reinbek bei Hamburg 1976, S. 114

53 Alfred Kolleritsch, Einübung in das Vermeidbare. Gedichte. Salzburg und Wien 1978, S. 70

54 ebda., S. 60

55 Uve Schmidt, Ende einer Ehe. Frankfurt am Main 1978, S. 115

56 Christoph Meckel, Licht. Erzählung. München 1978, S. 15

57 In: Die Zeit vom 13. Juli 1979
58 Manfred Karge/Thomas Langhoff, Prinz von Homburg-Inszenierung. Schauspielhaus Hamburg. 5. März 1978. Klaus Michael Grüber, Winterreise. Schaubühne Berlin. 1. Dezember 1977
59 Gerhard Roth, Winterreise. Frankfurt am Main 1978, S. 152
60 ebda., S. 94
61 Peter Schneider, Lenz. Eine Erzählung. Berlin 1973, Rotbuch 104, S. 6
62 ebda., S. 20
63 ebda., S. 39
64 ebda., S. 29, S. 79
65 ebda., S. 9 f.
66 ebda., S. 49 f.
67 Helga Tilton, Narziß, Gott der 70er Jahre. In: Frankfurter Rundschau vom 3. August 1979
68 Michael Skasa, Hörreflexe, Glotzkultur. In: Theater heute, Juni 1978
69 Botho Strauß, Die Widmung. Eine Erzählung. München, Wien 1977, S. 25
70 Jürgen Habermas, Arzt und Intellektueller. Alexander Mitscherlich zum 70. Geburtstag. In: Die Zeit vom 22. September 1978
71 Franz Xaver Kroetz, Mensch Meier. In: Franz Xaver Kroetz, Mensch Meier / Der stramme Max / Wer durchs Laub geht... Drei neue Stücke. Frankfurt am Main 1979, S. 15
72 Peter Greiner, Kiez. Ein unbürgerliches Trauerspiel um Ganovenehre und Ganovenkälte. In: Spectaculum 25. III. Frankfurt am Main 1976, S. 54
73 Programmbuch anläßlich der Premiere von Rotter im Württembergischen Staatstheater Stuttgart 1977
74 Thomas Brasch, Rotter Und weiter Ein Tagebuch, ein Stück, eine Aufführung. Frankfurt am Main 1978, edition suhrkamp 939, S. 94
75 *Lyrik der Zeit / Es lesen eigene Gedichte:*
Ingeborg Bachmann, Helmut Heißenbüttel, Karl Krolow, Günter Eich, Hans Arp, Paul Celan, Walter Höllerer, Günter Grass – Neske Verlag, Pfullingen
Thomas Mann liest:
»Schwere Stunde« (und *O. E. Hasse* liest »Felix Krull«) – Telefunken
Thomas Mann liest über die Entstehung der »Buddenbrooks« u. a. – S. Fischer Verlag (unverkäuflich)
Johannes Bobrowski: »Nachbarschaft«. Neun Gedichte, Drei Erzählungen, Zwei Schallplatten – Wagenbach Verlag, Berlin
Paul Celan: Gedichte und Prosa (Doppelalbum) – Suhrkamp Verlag
Helmut Heißenbüttel: »Max unmittelbar vorm Einschlafen« und
Ernst Jandl: »Das Röcheln der Mona Lisa« – Luchterhand Verlag (Deutsche Grammophon)
Peter Handke: »Hörspiel« – Luchterhand Verlag (Deutsche Grammophon)
Elias Canetti liest Der Ohrenzeuge, Charaktere – Deutsche Grammophon (Literatur)
Gottfried Benn: Der Ptolemäer; Soll die Dichtung das Leben bessern? Urgesicht; Gedichte – herausgegeben von Thilo Koch (Deutsche Grammophon)
Jürgen Becker: Häuser – Luchterhand Verlag (Deutsche Grammophon)

Walter Kempowski aus »Tadellöser & Wolff« und »Uns gehts ja noch Gold«, gelesen vom Autor – Deutsche Grammophon (Literatur)
Es spricht Ernst Bloch: 4 Reden – Suhrkamp Verlag
Peter Handke liest aus »Die Innenwelt der Außenwelt der Innenwelt« – Deutsche Grammophon (Literarisches Archiv)
Hermann Broch spricht das Vorwort des Erzählers zum »Versucher«. Aus dem »Tod des Vergil« und aus der Romantrilogie »Die Schlafwandler« liest Wolfgang Stendar – Suhrkamp Verlag

76 Ingomar v. Kieseritzky. Trägheit oder Szenen aus der vita activa. Roman. Stuttgart 1978, S. 19
77 ebda., S. 70
78 ebda., S. 58
79 ebda., S. 59, S. 99
80 Adolf Muschg, Bericht von einer falschen Front oder: Der Schein trügt nicht. In: Literaturmagazin 5, Reinbek bei Hamburg 1976, das neue buch 72, S. 27
81 ebda., S. 30
82 Ulrich Greiner, Innerlichkeit. In: Frankfurter Allgemeine Zeitung vom 29. Mai 1976
83 Adolf Muschg. Bericht von einer falschen Front. In: a.a.O., S. 31
84 Rolf Michaelis, Mit offenen Augen träumen. Lyrische Biographien von Karin Kiwus, Klaus Konjetzky, Johannes Schenk, Jürgen Theobaldy. In: Die Zeit vom 9. April 1976
85 Zit. nach Umfrage: Hat sich die Kunst aus der Politik ins Private zurückgezogen? Oder ist die Frage falsch gestellt? In: Die Zeit vom 2. Januar 1976
86 ebda.
87 Peter Handke, Falsche Bewegung. Filmerzählung. Frankfurt am Main 1975, suhrkamp taschenbuch 258, S. 51, S. 52
88 Peter Handke. Die Tyrannei der Systeme. In: Die Zeit vom 2. Januar 1976
89 ebda.
90 Zit. nach: Ulrich Greiner, Eine Reise ins Innere der Trauer. In: Frankfurter Allgemeine Zeitung vom 3. November 1976
91 Jörg Drews, Selbsterfahrung und Neue Subjektivität in der Lyrik. In: Akzente, Heft 1/Februar 1977, S. 92
»Aber nehmen wir das Schlagwort von der ›Neuen Innerlichkeit‹, der ›Neuen Privatheit‹ einmal beim Wort, schauen wir auf die Gemeinsamkeiten, die die Schlagworte bei einigen Autoren von Lyrik vielleicht doch decken. Bei den einzelnen Autoren verschieden deutlich, insgesamt aber unverkennbar ist der Hintergrund politischer Erfahrungen, die alle – wir alle – seit der Mitte der sechziger Jahre gemacht haben und die wahrscheinlich zumindest zum Teil den Grund dafür abgeben, daß auch beim Publikum das Interesse an Lyrik wieder gestiegen zu sein scheint. Es ist vor allem die Erfahrung, daß die Ansätze zu einer oder die Hoffnungen auf eine Solidarität im großen, die gegen Ende der sechziger Jahre zu verzeichnen waren, zerbröckelt sind, daß der ebenso machtvolle wie diffuse Ausbruch zu keinen neuen Formen, geschweige denn zu Organisationen solidarischen Handelns führte. Die alten Institutionen sind nicht nur mächtig geblieben, sie haben sich, auch auf kulturellem Gebiet, zunächst eher noch

verhärtet. Der Glaube an eine politische Perspektive, die sich eröffne, ist abhanden gekommen, und die Subjekte, die sich für kurze Zeit in einer Tendenz und in einer Art ›Groß-Gruppe‹ aufgehoben fühlten, wurden wieder in die Vereinzelung versprengt: ›Jeder für sich:/ auf glückliche Weise/ verschollen in seinem Stuhl‹ (Rainer Malkowski, ›Was für ein Morgen‹, Frankfurt 1975, S. 44). Und zu dieser traurigen Erfahrung, daß die kollektive wie die individuelle Entfaltung der Subjekte, die einen Moment einswerden zu können schien, wieder reduziert war, gehörte auch – und zeitlich vielleicht noch vorher – die Entdeckung, daß viele der gesellschaftskritischen Einsichten und Parolen etwas schlecht Objektives, etwas Abstraktes hatten, daß sie nicht nur nicht eingelöst wurden, sondern daß sie eine über den Kopf und das Leben des einzelnen hinweggehende Allgemeinheit hatten, unter die das konkrete Subjekt nur in einem schlechten Sinn subsumiert wurde. Die Wendung zum eigenen Subjekt, zu seiner vereinzelten Konkretheit und seinem Alltag erfolgte nicht aus freien Stücken, sondern mangels eines Besseren, und diese unfreiwillige Rückkehr in die Vereinzelung erklärt auch einen Großteil der Melancholie, die aus der Lyrik der ›Neuen Innerlichkeit‹ oder ›Neuen Subjektivität‹ abzulesen ist.« ebda., S. 90

92 In: Die Welt vom 13. August 1976

93 Peter Demetz, Abgeblühte Gärten der Poesie. In: Frankfurter Allgemeine Zeitung vom 5. März 1977

94 Peter Rühmkorf, Leidensmut und Überlebenslust. Gedichte vor und nach 1968. Jürgen Theobaldys Anthologie. In: Frankfurter Allgemeine Zeitung vom 20. August 1977

95 Helmut Zenker, Vera. In: Keine Zeit für Tränen. 13 Liebesgeschichten. Hrsg. v. Klaus Konjetzky u. Dagmar Ploetz. München 1976, S. 129

Hubert Fichte

1 Hubert Fichte. Jean Genet. Frankfurt am Main und Paris 1981, Portrait 5, S. 105

2 Im Gespräch mit dem Verfasser

3 Hubert Fichte. Jean Genet. a.a.O., S. 27

4 Hubert Fichte, Das Waisenhaus. Roman. Reinbek bei Hamburg 1965, S. 7

5 Leben, um einen Stil zu finden – schreiben, um sich einzuholen. Dieter E. Zimmer im Gespräch mit Hubert Fichte. In: Die Zeit vom 11. Oktober 1974

6 Hubert Fichte, Versuch über die Pubertät. Roman. Hamburg 1974, S. 5

7 ebda., S. 17

8 Herbert Fichte, Das Waisenhaus. a.a.O., S. 95

9 Max Bense, Über das Werk Paul Wunderlichs, in: Paul Wunderlich. Werkverzeichnis der Lithografien von 1949–1971. Hrsg. u. bearb. v. Dieter Brusberg. Berlin 1973, S. 6

10 Hans Jürgen Heinrichs, Dichtung und Ethnologie. Zu Hubert Fichte. In: Text + Kritik. Heft 72 Hubert Fichte, Oktober 1981, S. 50

11 ebda., S. 49 f.

12 Hubert Fichte, Die Palette. Roman. Neuausgabe. Frankfurt am Main 1978, S. 13
13 ebda., S. 22
14 ebda., S. 198
15 ebda., S. 305
16 ebda., S. 271
17 ebda., S. 336
18 Brigitte Kronauer, Die diffizilere Lektion. (Versuch einer Annäherung an Hubert Fichte) In: Annale. 3. Jg. 1979 Nr. 6, S. 45 f.
19 Hubert Fichte, Versuch über die Pubertät. a.a.O., S. 35
20 ebda., S. 14
21 ebda., S. 55
22 ebda., S. 63
23 ebda., S. 36
24 ebda., S. 154
25 ebda., S. 256
26 Hubert Fichte, Voudou. In: Stern vom 31. Januar 1974
27 Hubert Fichte, Versuch über die Pubertät. a.a.O., S. 63
28 ebda., S. 12 ff.
29 Soiree. Porträt Hubert Fichte. Von P. M. Ladiges. Unveröffentlichte Sendung. Südwestfunk, 20. 3. 1971
30 Hubert Fichte, Versuch über die Pubertät a.a.O. S. 264
31 ebda., S. 182
32 ebda., S. 262
33 ebda., S. 91
34 ebda., S. 73
35 ebda., S. 113
36 ebda., S. 98
37 Anmerkungen zu Daniel Caspers von Lohensteins Agrippina. In: Lohensteins Agrippina. Bearbeitet von Hubert Fichte. Köln 1978, S. 125
38 ebda., S. 124
39 ebda., S. 170
40 Xango. Die afroamerikanischen Religionen II. Bahia–Haiti–Trinidad. Frankfurt am Main 1976, S. 262
41 Die Mücken des Heiligen Pedro Claver. Revolution und Tourismus in Cartagena de Indias. Unveröffentlichtes Manuskript 1980
42 Hubert Fichte, Mein Lesebuch. Frankfurt am Main 1976, Fischer Taschenbuch 1769, S. 13
43 Hubert Fichte, Im Tiefstall mit Graphiken v. Gralf Ezard Habben, Berlin, o.J. [1966]
44 Hubert Fichte, Mein Lesebuch. a.a.O., S. 21
45 Hans Eppendorfer. Der Ledermann spricht mit Hubert Fichte. Frankfurt am Main 1977, S. 101 f.
46 Wolli I. Sommer 1969. In: Hubert Fichte, Wolli Indienfahrer. Erweiterte Neuausgabe. Frankfurt am Main 1978, S. 64
47 ebda., S. 466
48 Hubert Fichte, Versuch über die Pubertät. a.a.O., S. 126

49 Also ... Monolog eines sechzigjährigen Angestellten. Hörspiel. Universal Edition Schauspiel. Wien o. J.
50 Lil Picard, So frei wie hier kann man nirgendwo untergehen. Interview von Hubert Fichte. In: Konkret Nr. 4 vom 25. März 1976
51 Madame Edwarda, in: Georges Bataille, Das obszöne Werk. Reinbek bei Hamburg 1977, das neue buch 93, S. 65
52 ebda., S. 59
53 ebda. S. 59 f.
54 Die Geschichte des Auges. In: Georges Bataille, Das obszöne Werk. a.a.O., S. 50
55 Hubert Fichte, Detlevs Imitationen ›Grünspan‹. Neuausgabe, Frankfurt am Main 1979, S. 242
56 Madame Edwarda. In: Georges Bataille, Das obszöne Werk. a.a.O., S. 76
57 Hubert Fichte, Ketzerische Bemerkungen für eine neue Wissenschaft vom Menschen. In: Petersilie. Die afroamerikanischen Religionen. Frankfurt am Main 1980, S. 363
58 Arthur Rimbaud, Briefe. Dokumente. Übers., erl. u. m. e. Essay »Zum Verständnis der Sammlung« hrsg. v. Curd Ochwadt. Reinbek bei Hamburg 1964, Rowohlts Klassiker 155/156, S. 21
59 Revolution als Restauration. Jean-Nicolas-Arthur Rimbaud als Ethnologe. Unveröffentlichtes Manuskript 1979
60 ebda.
61 ebda.
62 ebda.

Thomas Brasch

1 Für Thomas Brasch ist das Interview offensichtlich eine eigene, ihm gemäße literarische Form. Deshalb sind Teile meiner Gespräche mit ihm hier in die Analyse seiner Arbeiten aufgenommen worden – und deshalb werden einige dieser Interviews in der Bibliographie erfaßt. Hier: Fritz J. Raddatz, Für jeden Autor ist die Welt anders. Ein Zeit-Gespräch mit dem aus der DDR ausgewanderten Schriftsteller Thomas Brasch über sein neues Buch Kargo und seine Erfahrungen im Westen, in: Die Zeit vom 22. Juli 1977
2 Kargo. 32. Versuch auf einem untergehenden Schiff aus der eigenen Haut zu kommen. Frankfurt am Main 1977, S. 60 f.
3 ebda., S. 104
4 ebda., S. 160
5 ebda., S. 47 f.
6 ebda., S. 192
7 Heiner Müller, Wie es bleibt, ist es nicht. In: Der Spiegel vom 12. September 1977
8 Friede den Wächtern. In: Thomas Brasch, Kargo. a.a.O., S. 9
9 Werner Mathes und Stephen Locke unterhielten sich mit Thomas Brasch. In: Tip magazin 5/1980

10 Hamlet gegen Shakespeare. In: Thomas Brasch, Der schöne 27. September. Gedichte. Frankfurt am Main 1980, S. 43
11 Werner Mathes und Stephen Locke unterhielten sich mit Thomas Brasch. In: a.a.O.
12 Thomas Brasch, Der schöne 27. September. a.a.O., S. 31
13 Im Garten Eden, Hollywood genannt. In: ebda., S. 17
14 ebda., S. 66
15 Peter Schneider, Mythen des deutschen Alltags. In: Der Spiegel vom 28. April 1980
16 Hamlet gegen Shakespeare. In: Thomas Brasch, Der schöne 27. September. a.a.O.
17 »An die Bundesregierung der Bundesrepublik Deutschland zu Händen Herrn Bundeskanzler Helmut Schmidt.

Vier deutsche Schriftsteller, die in Berlin leben, rufen zum Frieden auf.

In einer Situation, die einen Krieg nicht mehr ausschließt, wenden wir uns an die Regierung der Bundesrepublik Deutschland. Jeder von uns hat auf andere Weise Erfahrungen mit deutscher Geschichte gemacht: Von der verratenen Jugend im Faschismus, vom Verlust von Heimat, von der Vernichtung der jüdischen Familie in den Konzentrationslagern; von der Studentenbewegung unterschiedlich geprägt haben wir mit Büchern und politischen Aktionen versucht, über die Zukunft der beiden deutschen Staaten mit zu entscheiden. In dem Bewußtsein, daß Deutschland schon zwei Mal mit Kriegen das Gesicht dieses Kontinents verwüstet hat, fordern wir Sie auf, der besonderen Verantwortung der Deutschen für den Frieden gerecht zu werden. Lassen Sie sich von der amerikanischen Regierung, die spätestens seit Vietnam jedes Recht auf moralische Appelle verloren hat, nicht in eine Politik hineinziehen, die die Zerstörung allen Lebens auf diesem Planeten zur Folge haben könnte.

Wir Deutschen können nicht so tun, als wüßten wir nicht, welche Blutbäder im Namen der ›Würde einer Nation‹ angerichtet wurden. Jedes Mittel, jede utopische Phantasie, jeder Kompromiß muß uns Deutschen recht sein, den Frieden zu erhalten und sicher zu machen: Keiner greift uns an, keiner bedroht uns. In unserem durch den Krieg geteilten Land hat jede Bündnistreue ihre Grenze, sobald der Frieden fahrlässig oder gar mutwillig bedroht wird. Verzicht auf alle Sanktionen und wirtschaftlichen Erpressungen gegen Staaten, die mit unserem Land in Frieden leben wollen, Teilnahme an der Olympiade und allen anderen Begegnungen, die der Verständigung dienen. Aufmerksamkeit für jeden Friedensvorschlag, woher er auch kommt, müssen an die Stelle der unmündigen Erklärungen von Standfestigkeit und Treue treten.

Nutzen Sie die Chancen, die die Situation den Deutschen jetzt bietet, aus ihrer Geschichte wirklich zu lernen und zum erstenmal den Frieden zu retten, statt ihn zum dritten und wahrscheinlich letzten Mal zerbomben zu lassen. Keine Nation dieser Erde und keine Regierung ist dazu stärker verpflichtet als die deutsche.

Thomas Brasch
Günter Grass
Sarah Kirsch
Peter Schneider
West-Berlin, 17. April 1980

Zit. nach Frankfurter Rundschau vom 18. April 1980

18 Die Zeit vom 1. Mai 1981
19 Zit. nach Die Zeit vom 22. Januar 1982
20 Thomas Brasch, Domino. Ein Film. Frankfurt am Main 1982, S. 81 f.
21 Zit. nach ebda., Motto. Thomas Brasch, Die Verwirrungen des Zöglings Törless. In: Zeit-Bibliothek der 100 Bücher. Hrsg. von Fritz J. Raddatz. Frankfurt am Main 1980, S. 327
22 Thomas Brasch, Domino. a.a.O., S. 32
23 ebda., S. 106
24 ebda., S. 203

Botho Strauß

1 Botho Strauß, Kalldewey Farce. München, Wien 1981, S. 112
2 »Ich glaube, was die Prosa von ›Paare Passanten‹ so berauschend macht, das ist, über weite Strecken, ihre schlechte Unmenschlichkeit; sie trifft ins Herz des Bourgeois in jedem von uns. Ich selbst fühlte mich beim Lesen phasenweise wie nach den zwölf Austern, die mir ein Verleger einmal spendierte. Und nicht von ungefähr, scheint mir, sieht sich der Kritiker Joachim Kaiser, diese menschgewordene Mozartkugel, hier zuhause.«
Frauke Samsa, Girlanden, Nippes, Tiefsinn und schlechtes Deutsch. In: Konkret Dezember 12/81, S. 52 f.
»Botho Strauß darf als der ästhetisch avancierteste Vertreter jener neuen Negativ-Romantik gelten, der sich die Literatur der späten siebziger Jahre zunehmend verschrieben hat; einer Romantik, die ihre Leser in immer neuen Versionen das Fürchten und Frösteln lehrt, indem sie, Verfechterin eines neuzeitlichen Entropie-Gesetzes, den ›Kältetod‹ und die angebrochene ›Eiszeit der Gefühle‹ in geradezu apokalyptischen Bildern zu beschwören sucht.«
Michael Schneider, Botho Strauß, das bürgerliche Feuilleton und der Kultus des Verfalls. Zur Diagnose eines neuen Lebensgefühls. In: Michael Schneider, Den Kopf verkehrt aufgesetzt oder Die melancholische Linke. Aspekte des Kulturzerfalls in den siebziger Jahren. Darmstadt, Neuwied 1981, Sammlung Luchterhand 324, S. 257
3 Theorie der Drohung. In: Botho Strauß, Marlenes Schwester. Zwei Erzählungen. Taschenbuchausgabe. München 1977, dtv 5444, S. 96
4 ebda., S. 59
5 ebda., S. 58
6 Maurice Blanchot, Warten Vergessen. Frankfurt am Main 1964, Bibliothek Suhrkamp, 139
7 Botho Strauß, Marlenes Schwester. In: a.a.O., S. 42
8 »Dieses schmale Buch ist in Wahrheit ein Schwergewicht. Botho Strauß ist mit ihm auch als Erzähler zu einem allerersten Autor geworden. Er verfügt über einen Ton der Reinheit und dringlichen Aufrichtigkeit, der in der gegenwärtigen deutschen Literatur ohne Vergleich ist. Man denkt an Albert Camus, der ja auch sein Bestes mit dem gegeben hat, was man törichterweise ›Kleine Prosa‹ nennt. Wir haben uns

lange nach einem deutschen Camus gesehnt, einem deutschen Camus der achtziger Jahre. Hier haben wir ihn.«
Günter Blöcker, Zwei Fußbreit über der Leere. In: Frankfurter Allgemeine Zeitung vom 26. September 1982

9 Michel Foucault, Die Ordnung der Dinge. Eine Archäologie der Humanwissenschaften. Frankfurt am Main 1971, S. 462

10 Botho Strauß, Rumor. München, Wien 1980, S. 145.
Peter Laemmle, Von der Notwendigkeit, böse zu sein. In: Die Zeit vom 28. März 1980

11 Botho Strauß, Rumor. a.a.O., S. 161

12 ebda., S. 39

13 ebda., S. 45

14 ebda., S. 44 f.

15 Reinhard Baumgart, King Lear, 42, Beruf: Seher. In: Der Spiegel, 25. Februar 1980

16 Sibylle Wirsing, Die Gefälligkeit des Mißvergnügens. In: Frankfurter Allgemeine Zeitung vom 1. März 1980

17 Joachim Kaiser, Gefährliche Chaos-Beschwörung mit privatem Ausgang. In: Süddeutsche Zeitung vom 8./9. März 1980

18 Botho Strauß, Rumor. a.a.O., S. 196

19 ebda., S. 110

20 W. Martin Lüdke, Schöne Bilder des Schreckens, zerfallen. In: Frankfurter Rundschau vom 22. März 1980

21 Botho Strauß, Die Widmung, Eine Erzählung. München, Wien 1977, S. 25

22 ebda., S. 21

23 ebda., S. 27

24 ebda., S. 108

25 ebda., S. 24

26 ebda., S. 44

27 ebda., S. 120

28 Georges Bataille, Die Geschichte des Auges. In: Georges Bataille, Das obszöne Werk. Reinbek bei Hamburg 1972

29 Peter von Becker, Die Minima moralia der achtziger Jahre. Notizen zu Botho Strauß' »Paare Passanten« und »Kalldewey, Farce«. In: Merkur Nr. 404/Februar 1982, S. 155

30 Theodor W. Adorno, Minima moralia. Reflexionen aus dem beschädigten Leben. Frankfurt am Main 1951, S. 163

31 Botho Strauß, Groß und klein. Szenen. München, Wien 1978, S. 9

32 ebda., S. 40

33 Botho Strauß, Trilogie des Wiedersehens. Theaterstück. München, Wien 1976, S. 15

34 Theater heute, Mai 1969. Zit. nach: Peter von Becker, Die Minima moralia der achtziger Jahre. a.a.O., S. 153

35 Botho Strauß, Groß und klein. a.a.O., S. 24

36 Botho Strauß, Die Hypochonder. Bekannte Gesichter, gemischte Gefühle. Zwei Theaterstücke. Buchausgabe. München, Wien 1979, S. 21

37 Botho Strauß, Paare Passanten. München, Wien 1981, S. 22

38 ebda., S. 16
39 ebda., S. 28
40 ebda., S. 139
41 ebda., S. 57
42 ebda., S. 115
43 ebda., S. 10
44 Ernst Bloch, Das Prinzip Hoffnung. Frankfurt am Main 1959, Bd. 2, S. 1628

Von Brecht zu Benn – Die Literatur der achtziger Jahre ist Angstliteratur

1 Versuchen. (Zu einem Blatt der Sammlung Prinzhorn). In: Peter Hamm, Der Balken. Gedichte. München 1981, S. 51
2 Elfter Gesang. In: Hans Magnus Enzensberger, Der Untergang der Titanic. Eine Komödie. Frankfurt am Main 1978, S. 46
3 Angenehm diese Wohnung. In: Wolf Wondratschek, Letzte Gedichte. Frankfurt am Main 1980, S. 22
4 Max Frisch, Montauk. Eine Erzählung. Frankfurt am Main 1975, S. 12
5 Franz Kafka. Tagebücher 1910–1923. Hrsg. v. Max Brod. Frankfurt am Main 1976, S. 228
6 Georg Paul Hefty, Ein Bündel von Lebensängsten. In: Frankfurter Allgemeine Zeitung vom 2. Juli 1981
Günther Gillessen, Die Angst und die Selbstsucht. In: Frankfurter Allgemeine Zeitung vom 31. Dezember 1981
Theo Sommer, Ein Quantum Angst, frei flottierend. Volk und Politik vor der Zukunft. In: Die Zeit vom 4. September 1981
Die Angst der Deutschen. Bericht über die Stimmungslage der Nation. In: Der Spiegel vom 18. Januar 1982.
Fred Kickhefel, Der Beginn des Zeitalters der Angst. In: Frankfurter Rundschau vom 17. April 1982
Angst blockiert Gespräche. In: Frankfurter Rundschau vom 16. Oktober 1982: »Bei der Telefonseelsorge steigt die Zahl der Anrufe. Zugleich sei aber zu registrieren, daß oft aus ›Angst vor der eigenen Angst‹ bei den Anrufern keine wirklichen Gespräche zustande kämen, berichtete die Mainz-Wiesbadener Stelle.«
Sprechstunde. In: Hans Magnus Enzensberger, Die Furie des Verschwindens. Gedichte. Frankfurt am Main 1980, edition suhrkamp, N.F. 66, S. 69
7 Geschichte. In: Jürgen Becker, Gedichte 1965–1980. Frankfurt am Main 1981, Suhrkamp Taschenbuch 690 S. 332
8 Mein Vater heißt Hitler. Gespräch mit Rolf Hochhuth. In: Fritz J. Raddatz, Zeit-Gespräche. Bd. 1. Frankfurt am Main 1978, Suhrkamp Taschenbuch 520, S. 24
9 Kreislaufstudie. In: Rolf Hochhuth, Die Hebamme. Komödie. Erzählungen. Gedichte. Essays. Reinbek bei Hamburg 1971, S. 92
10 Die Motorradfahrer. In: Thomas Brasch, Der schöne 27. September. Gedichte. Frankfurt am Main 1980, S. 31

11 Fehlentwicklung. In: Günter Kunert, Verspätete Monologe. München, Wien 1981, S. 33
12 Heiner Müller, Quartett. Frankfurt am Main 1981 (Theaterbibliothek; 51), S. 10
13 Les deux Allemagnes: écrire en un temps de disette. In: Le Monde vom 10. Juli 1981
14 »Middle America« kämpft für den Frieden. In: Der Spiegel vom 19. April 1982, S. 168
15 Orientierungspapier für Hamburger Literatrubel unter dem Leitthema »Woher wir kommen – wohin wir gehen« vom 16. März 1982
16 Thomas Anz, Die Literatur gewinnt an Leben. In: Frankfurter Allgemeine Zeitung vom 30. Juni 1982. Das Prinzip Zuversicht. In: Frankfurter Allgemeine Zeitung vom 10. April 1982
17 Frankfurter Rundschau vom 18. März 1982. Am 14. Januar 1983 meldet dieselbe Zeitung auf Seite 1: »Fast alle Tannen krank. Dramatische Ausmaße nimmt in Baden-Württemberg das Sterben von Nadelbäumen an. Nach Angaben der Forstbehörden sind auf den Beobachtungsflächen nur noch ein Prozent der Tannen gesund.«
18 Stern vom 7. April 1982
19 Frankfurter Allgemeine Zeitung vom 31. Dezember 1981
20 Malcolm Lowry, Als einzigen Gefährten Angst. In: Akzente. Heft 3/Juni 1981, S. 227
21 Joachim Neander, Ein Deserteur im Hunsrück. In: Die Welt vom 1. April 1982
22 Frankfurter Rundschau vom 17. April 1982
23 Neunundzwanzigster Gesang. In: Hans Magnus Enzensberger, Der Untergang der Titanic. a.a.O., S. 99
24 Geschichte eines Manuskripts. In: Fritz Zorn, Mars. M. e. Vorw. v. Adolf Muschg. Frankfurt am Main 1979, Fischer Taschenbücher 2202, S. 9, S. 22
25 Adolf Muschg, Literatur als Therapie? Ein Exkurs über das Heilsame und das Unheilbare. Frankfurt am Main 1981, edition suhrkamp N.F. 65, S. 68
26 In die gelangweilte Zeit. In: Tip 8/1982
27 Die amerikanische Tochter. Sylvia Plath. In: Gisela von Wysocki, Die Fröste der Freiheit. Aufbruchsphantasien. Frankfurt am Main 1980, S. 68
28 Christa Wolf, Kein Ort. Nirgends. Darmstadt und Neuwied 1979, S. 18
29 ebda., S. 137. Kultur ist, was gelebt wird. In: alternative, 143/44, April/Juni 1982
30 Programm. In: Günter Kunert, Abtötungsverfahren. Gedichte. München, Wien 1980, S. 17
31 Evolution. In: a.a.O., S. 12
32 ebda.
33 Vor der Sintflut. In: a.a.O., S. 67
34 Dr. Benn, spätes Foto. In: a.a.O., S. 55
35 Hand an sich legen. Überlegungen zu einem Buch von Jean Améry. In: Günter Kunert, Diesseits des Erinnerns. Aufsätze. München, Wien, 1982, S. 117
36 ebda., S. 114
37 Abschied und Angst. Zu Lenaus 175. Geburtstag. In: ebda., S. 68, 70
38 Heinrich von Kleist – Ein Modell. In: ebda., S. 50
39 Montaigne oder Wie kurz sind vierhundert Jahre. In: ebda., S. 13

40 Die Frösche von Bikini. In: Hans Magnus Enzensberger, Die Furie des Verschwindens. a.a.O., S. 46. Klappentext zu ebda.
41 Ulrich Greiner, Der Risiko-Spieler. Beobachtungen bei einem Besuch in München: Hans Magnus Enzensberger. In: Die Zeit vom 25. Februar 1983
42 Die Frösche von Bikini. In: a.a.O., S. 44
43 Gottfried Benn. Briefe an F.W. Oelze. 1950–1956. Wiesbaden, München 1980, S. 250
44 Hans Magnus Enzensberger, Politische Brosamen. Frankfurt am Main 1982, S. 52
45 Die Furie. In: Hans Magnus Enzensberger, Die Furie des Verschwindens. a.a.O., S. 86
46 Guntram Vesper, Nördlich der Liebe und südlich des Hasses. München, Wien 1979, S. 173
47 Hanns-Josef Ortheil, Fermer. Roman. Frankfurt am Main 1979, Collection S. Fischer 7, S. 137
48 Deserteure in bleierner Zeit. In: Frankfurter Allgemeine Zeitung vom 30. März 1979
49 Hanns-Josef Ortheil, Fermer. a.a.O., S. 108, S. 109
50 ebda., S. 56
51 Christa Wolf, Kassandra. Darmstadt, Neuwied 1983, S. 80
52 ebda., S. 86 f.
53 ebda., S. 76 f.
54 ebda., S. 101
55 ebda., S. 156
56 Bertolt Brecht, Leben des Galilei. In: Stücke, Bd. VIII, Berlin 1957, S. 163
57 Christa Wolf, Voraussetzungen einer Erzählung: Kassandra. Frankfurter Poetik-Vorlesungen. Darmstadt und Neuwied 1983, S. 7
58 ebda., S. 71
59 ebda., S. 61
60 ebda., S. 150
61 ebda., S. 110, S. 92
62 ebda., S. 36
63 ebda., S. 85
64 ebda., S. 110
65 Weitere Anspielung auf Brecht, dessen »Offener Brief an die deutschen Künstler und Schriftsteller« vom 26. September 1951 mit den drei Sätzen endete: »Das große Karthago führte drei Kriege. Es war noch mächtig nach dem ersten, noch bewohnbar nach dem zweiten. Es war nicht mehr auffindbar nach dem dritten.« In Bertolt Brecht. Hrsg. von Werner Hecht. Frankfurt am Main 1978, S. 269
66 Christa Wolf, Voraussetzungen einer Erzählung: Kassandra. a.a.O., S. 106
67 ebda., S. 97
68 ebda., S. 107
69 Hanns-Josef Ortheil, Fermer. a.a.O., S. 25
70 ebda., S. 25, S. 45 f.
71 Vgl. Fritz J. Raddatz, Revolte und Melancholie. Essays zur Literaturtheorie. Hamburg 1979, S. 80 f. Bodo Kirchhoff, Die Einsamkeit der Haut. Prosa. Frankfurt am Main 1981, S. 73

72 ebda., S. 83
73 Gerhard Roth, die autobiographie des albert einstein. Künstel. Der Wille zur Krankheit. 3 Romane. Frankfurt am Main 1975, Suhrkamp Taschenbuch 230, S. 22
74 Ulrich Greiner. Der Tod des Nachsommers. Aufsätze, Porträts, Kritiken zur österreichischen Gegenwartsliteratur. München, Wien 1979
75 Gerhard Roth, Der Stille Ozean. Roman. Frankfurt am Main 1980, S. 11
76 Günter Blöcker, Ein kundiger Protokollant seelischer Irritationen. In: Frankfurter Allgemeine Zeitung vom 22. März 1980
77 Gerhard Roth, Der Stille Ozean. a.a.O., S. 47
78 ebda., S. 46
79 ebda., S. 84
80 ebda., S. 69
81 ebda., S. 132
82 ebda., S. 183
83 ebda., S. 236
84 Leopold Schwarzschild, 10 Jahre Verfassung. In: Das Tagebuch vom 10. August 1929, S. 1309
85 Robert Leicht, Die Neue Welle alter Träume. Das Wiedererwachen nationaler Erwartungen aus dem deutschen Drang nach dem Unmöglichen. In: Süddeutsche Zeitung vom 5./6. Juni 1982. Heimatgeschichten. Anthologie. Hrsg. von Werner Heilmann. München 1982, Heyne Allg. Reihe 6069–01
86 Zit. nach: Der Spiegel vom 4. Oktober 1982
87 Rainer Werner Fassbinder, Gespräch mit Klaus Eder. In: Bayerischer Rundfunk am 29. Dezember 1980 und Frankfurter Allgemeine Zeitung vom selben Datum.
88 Peter Rühmkorf. Heimat – ein Wort mit Tradition. In: Frankfurter Allgemeine Zeitung vom 29. November 1980. Vgl. im selben Zusammenhang auch Peter Hamms Aufsatz über Bauern-Literatur und die schwäbische Schriftstellerin Maria Beig, Requiem für eine ferne Gegenwart. In: Der Spiegel vom 18. April 1983. Die taz vom 7. Juli 1983 ging auf dieses Problem ebenfalls ein, und zwar in einer großen Polemik gegen das Sonderheft der Zeitschrift Ästhetik und Kommunikation (Heft 51/1983) unter dem Thema Deutsche, Linke, Juden.
89 Heimat. In: Kurt Tucholsky, Gesammelte Werke. Hrsg. v. Mary Gerold-Tucholsky und Fritz J. Raddatz. Reinbek bei Hamburg 1960. Band III, 1929–1932, S. 314
90 Deutschland, Deutschland – eine Kulturnation? Über ein Problem nicht nur für Schriftsteller diskutieren Jurek Becker, Lothar Gall, Peter Glotz, Günter Grass und Fritz J. Raddatz. 29. April 1981, Studio der Akademie der Künste Berlin

Von Fritz J. Raddatz sind erschienen:

Tucholsky. Bildbiographie. 1961

Traditionen und Tendenzen. Materialien zur Literatur der DDR. 1972

Verwerfungen. Sechs literarische Essays. 1972

Erfolg oder Wirkung. Schicksale politischer Publizisten in Deutschland. 1972

Georg Lukács. 1972

Paul Wunderlich, Lithographien 1959–1973. 1974

Karl Marx. Eine politische Biographie. 1975

Paul Wunderlich – Karin Székessy, Correspondenzen. 1977

Heine. Ein deutsches Märchen. Essay. 1977

Homo Sum. 34 Zeichnungen von Paul Wunderlich. 1978

Zeit-Gespräche I. 1978

Revolte und Melancholie. Essays zur Literaturtheorie. 1979

Von Geist und Geld. Mit sechs Radierungen von Günter Grass. 1980

Eros und Tod. Literarische Porträts. 1980

Das Tagebuch. Porträt einer Zeitschrift. Einleitungsessay zum Reprint des Tagebuch. 1981

Zeit-Gespräche II. 1982

Warum Fragegeschichten. Mit Zeichnungen von Hans-Georg Rauch. 1982

Editionen

Kurt Tucholsky, Gesammelte Werke, Band 1 bis 3. 1960/61

Kurt Tucholsky, Ausgewählte Briefe 1913–1935. 1962

Marxismus und Literatur. Eine Dokumentation in drei Bänden. 1969

Franz Mehring, Werkauswahl in vier Bänden. 1974

Warum ich Marxist bin. 1978

Mohr an General. Karl Marx und Friedrich Engels in ihren Briefen. 1980

Friedrich Sieburg, Zur Literatur, Band I 1924–1956, Band II 1957–1963. 1981

Kurt Tucholsky, Unser ungelebtes Leben. Briefe an Mary. 1982

Register

Kursiv gesetzte Seitenzahlen beziehen sich auf Bibliographie und Anmerkungen.

Profes
Tai Y
Tam
Tho
Wolf
Wol
T
W
W
W